#내신 대비서
#고특점 예약하기

국어전략

Chunjae
Makes
Chunjae

▼

[국어전략] 중학 1

개발총괄 김덕유
편집개발 고명선, 명세진, 노신희
제작 황성진, 조규영
조판 동국문화(양영주)
디자인총괄 김희정
표지디자인 윤순미, 한은비
내지디자인 박희춘, 이혜미

발행일 2022년 1월 1일 초판 2022년 1월 1일 1쇄
발행인 (주)천재교육
주소 서울시 금천구 가산로9길 54
신고번호 제2001-000018호
고객센터 1577-0902
내용 문의 (02)3282-8527

※ 정답 분실 시에는 천재교육 교재 홈페이지에서 내려받으세요.

국어전략
중학 1
BOOK 1

이 책의 구성과 활용

이 책은 3권으로 이루어져 있는데
본책인 BOOK1, 2의 구성은 아래와 같아.

주 도입

재미있는 만화를 보며 한 주에 공부할 내용을 미리 떠올릴 수 있습니다.

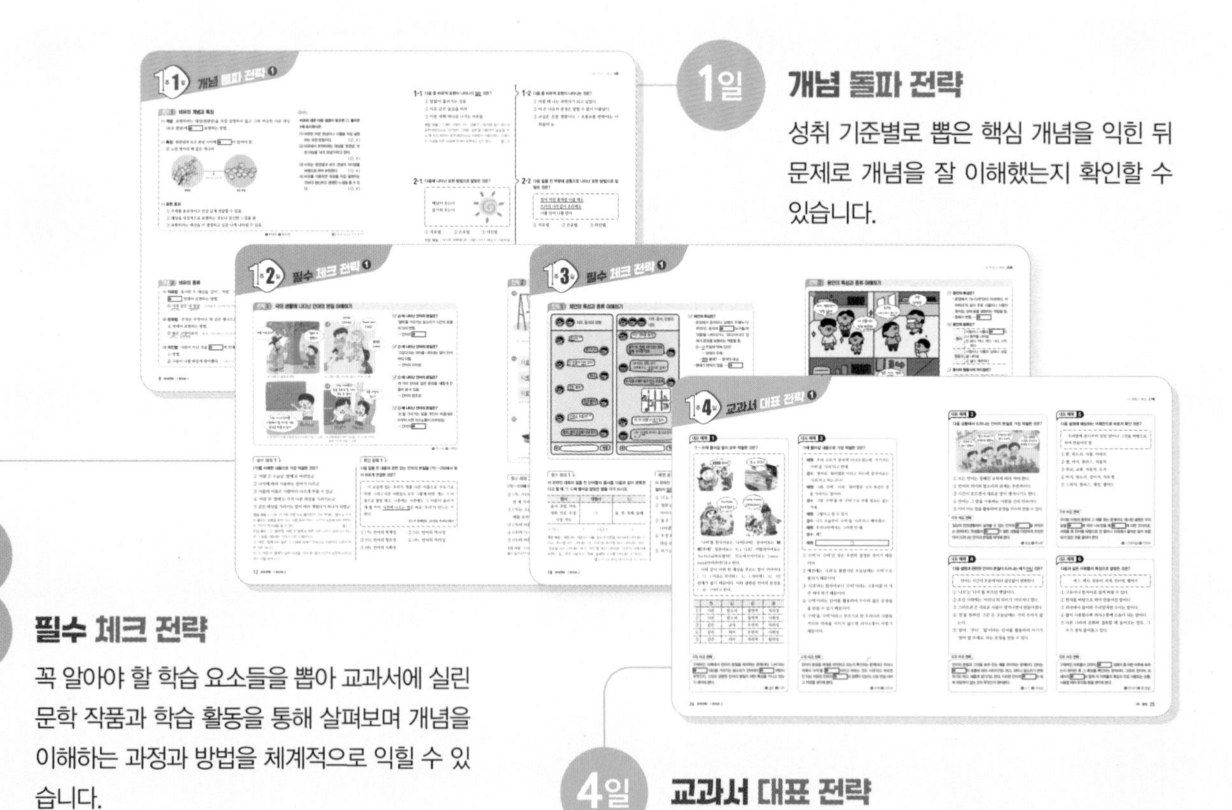

1일 개념 돌파 전략

성취 기준별로 뽑은 핵심 개념을 익힌 뒤 문제로 개념을 잘 이해했는지 확인할 수 있습니다.

2일 3일 필수 체크 전략

꼭 알아야 할 학습 요소들을 뽑아 교과서에 실린 문학 작품과 학습 활동을 통해 살펴보며 개념을 이해하는 과정과 방법을 체계적으로 익힐 수 있습니다.

4일 교과서 대표 전략

학교 시험에 자주 나오는 대표 유형 문제를 모았습니다. 문제를 해결하기 어려울 때에는 '유형 해결 전략'과 '도움말'을 참고할 수 있습니다.

부록 시험에 잘 나오는 개념BOOK

점선대로 자르면 미니북으로 활용할 수 있습니다.
시험 전에 개념을 확실하게 짚어 보세요.

주 마무리와 권 마무리의 특별 코너들로
국어 실력이 더 탄탄해질 거야!

주 마무리 코너

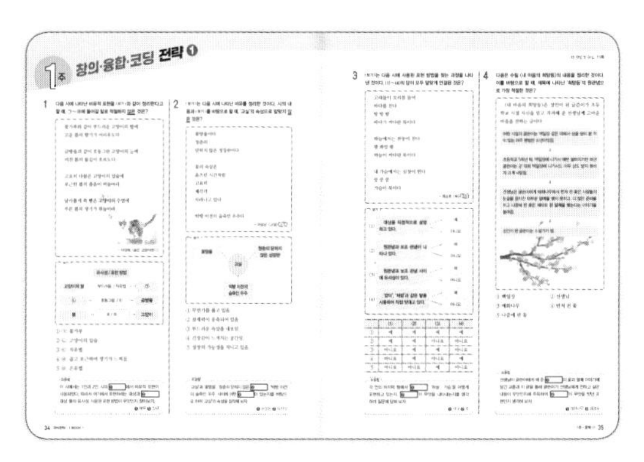

누구나 합격 전략

누구나 쉽게 풀 수 있는 쉬운 문제로 학습 자신감을 높일 수 있습니다.

창의·융합·코딩 전략

융·복합적 사고력을 길러 주는 문제로 문제 해결력을 기를 수 있습니다.

권 마무리 코너

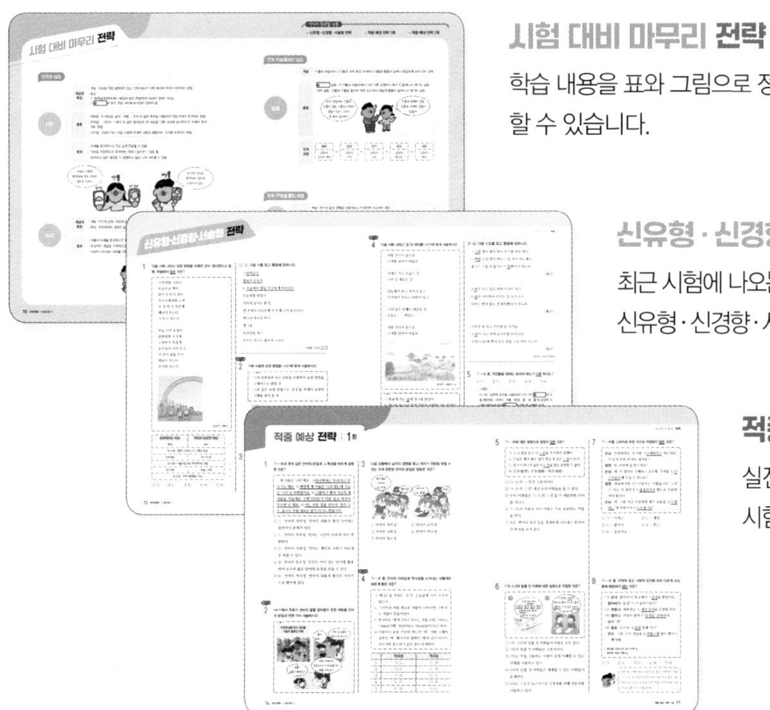

시험 대비 마무리 전략

학습 내용을 표와 그림으로 정리하여 배운 내용을 한눈에 파악할 수 있습니다.

신유형·신경향·서술형 전략

최근 시험에 나오는 새로운 유형의 문제로 구성하여 신유형·신경향·서술형 문제를 대비할 수 있습니다.

적중 예상 전략

실전 문제를 2회로 구성하여 실제 시험에 대비할 수 있습니다.

이 책의 차례

BOOK 1

이 개념들만 알면
문학 작품 감상은
문제없지!

BOOK 2

1주 문법

- 언어의 본질
- 우리말 어휘의 체계와 양상
- 우리말의 품사

2주 읽기/쓰기/듣기·말하기

- 예측하며 읽기의 방법과 효과
- 요약하며 읽기의 개념과 방법
- 통일성 있게 글을 쓰는 과정
- 면담의 과정과 고려할 점
- 토의의 개념과 참여자의 역할
- 타당성 판단의 뜻과 기준

1주 문학 (1)

비유를 왜 사용할까?

비유를 사용하여 다른 대상에 빗대어 표현하면
표현하고자 하는 대상을 더 참신하고 생생하게 나타낼 수 있어요.

공부할 내용

❶ 비유의 개념과 특징 ❷ 상징의 개념과 특징 ❸ 비유와 상징의 표현 효과

상징을 왜 사용할까?

상징을 사용하면 추상적인 감정이나 관념을
구체적인 대상이나 사물로 표현할 수 있어요.

1주 1일 개념 돌파 전략 ❶

개념 1 비유의 개념과 특징

개념: 표현하려는 대상(원관념)을 직접 설명하지 않고 그와 비슷한 다른 대상(보조 관념)에 ❶ ______ 표현하는 방법.

특징: 원관념과 보조 관념 사이에 ❷ ______ 이 있어야 함.

㉠ 노란 병아리 떼 같은 개나리

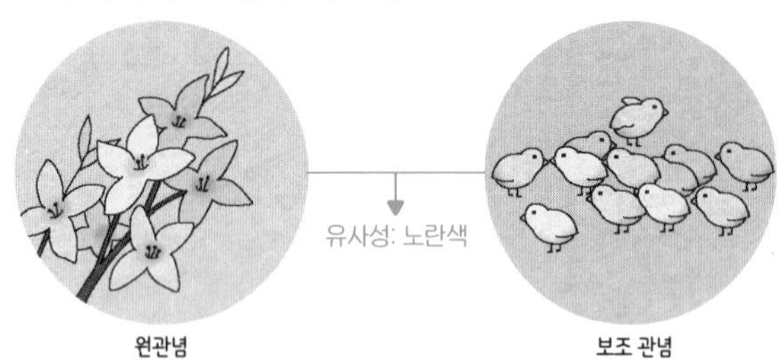

표현 효과

① 주제를 효과적이고 인상 깊게 전달할 수 있음.
② 대상을 직접적으로 표현하는 것보다 참신한 느낌을 줌.
③ 표현하려는 대상을 더 생생하고 실감 나게 나타낼 수 있음.

❶ 빗대어 ❷ 유사성

Quiz

비유에 대한 다음 설명이 맞으면 ○, 틀리면 X에 표시하시오.

(1) 비유란 어떤 현상이나 사물을 직접 설명하는 표현 방법이다. (○, X)
(2) 비유에서 표현하려는 대상을 '원관념', 빗댄 대상을 '보조 관념'이라고 한다. (○, X)
(3) 비유는 원관념과 보조 관념의 차이점을 바탕으로 하여 표현한다. (○, X)
(4) 비유를 사용하면 대상을 직접 설명하는 것보다 참신하고 생생한 느낌을 줄 수 있다. (○, X)

답 | (1) X (2) ○ (3) X (4) ○

개념 2 비유의 종류

(1) **직유법**: 유사한 두 대상을 '같이', '처럼', '-듯(이)'과 같은 표현으로 연결하여 ❶ ______ 빗대어 표현하는 방법.

㉠ 사과 같은 내 얼굴 → '내 얼굴'을 '사과'에 직접 빗댐.
(보조 관념: 사과 / 원관념: 내 얼굴)

(2) **은유법**: '무엇은 무엇이다.'와 같은 형식으로 한 대상을 다른 대상에 암시적으로 빗대어 표현하는 방법.

㉠ 봄은 고양이로다 → '봄'을 '고양이'에 암시적으로 빗댐.
(원관념: 봄 / 보조 관념: 고양이)

(3) **의인법**: 사람이 아닌 것을 ❷ ______ 에 빗대어 사람이 행동하는 것처럼 표현하는 방법.

㉠ 구름이 나를 반갑게 맞이했다. → 사람이 아닌 '구름'이 사람처럼 반갑게 맞이했다고 표현함.

❶ 직접 ❷ 사람

Quiz

다음 설명에 해당하는 비유의 종류를 | 보기 | 에서 골라 그 기호를 쓰시오.

(1) '같이'를 사용하여 대상을 다른 대상에 직접 빗대어 표현하는 방법. (　　)
(2) 사람이 아닌 것을 사람에 빗대어 사람이 행동하는 것처럼 표현하는 방법. (　　)
(3) 표현하려는 대상을 다른 대상에 암시적으로 빗대어 '무엇은 무엇이다.'의 형태로 표현하는 방법. (　　)

보기: ㉠ 직유법 ㉡ 은유법 ㉢ 의인법

답 | (1) ㉠ (2) ㉢ (3) ㉡

1-1 다음 중 비유적 표현이 나타나지 않는 것은?

① 말없이 흘러가는 강물

② 미로 같은 숲길을 따라

③ 이른 새벽 바다로 나가는 어부들

정답 해설 | ①에는 사람이 아닌 '강물'이 사람처럼 말이 없다고 표현하였으므로 의인법이, ②에는 '같은'을 사용하여 '숲길'을 '미로'에 직접 빗대어 표현하였으므로 직유법이 사용되었다. ③에서는 대상을 다른 대상에 빗대어 표현하고 있지 않다. **답** | ③

1-2 다음 중 비유적 표현이 나타나는 것은?

① 어릴 때 나는 과학자가 되고 싶었다.

② 비 온 다음의 풍경은 말할 수 없이 아름답다.

③ 교실은 온통 별밭이다. / 초롱초롱 반짝이는 너희들의 눈

2-1 다음에 나타난 표현 방법으로 알맞은 것은?

해님이 웃는다
즐거워 웃는다.

① 직유법 ② 은유법 ③ 의인법

정답 해설 | 제시된 부분에서는 사람이 아닌 '해님'이 사람처럼 '즐거워 웃는다.'라고 표현하고 있으므로 의인법이 사용되었다. **답** | ③

2-2 다음 밑줄 친 부분에 공통으로 나타난 표현 방법으로 알맞은 것은?

꺾여 버린 꽃처럼 아플 때도
쓰러진 나무같이 초라해도
너를 믿어 나를 믿어

① 직유법 ② 은유법 ③ 의인법

3-1 다음에 나타난 표현 방법이 아닌 것은?

돌담에 속삭이는 햇발같이
풀 아래 웃음 짓는 샘물같이
내 마음 고요히 고운 봄 길 위에
오늘 하루 하늘을 우러르고 싶다

① 직유법 ② 은유법 ③ 의인법

정답 해설 | 제시된 부분에서는 사람이 아닌 '햇발'과 '샘물'이 사람처럼 속삭이고, 웃음 짓는다고 표현하고 있으므로 의인법이 나타난다. 또 '같이'를 활용하여 '내 마음'을 '햇발'과 '샘물'에 직접 빗대어 표현하고 있으므로 직유법이 나타난다. 은유법은 나타나지 않는다. **답** | ②

3-2 다음에 나타난 표현 방법이 쓰이지 않은 것은?

비 오는 날
차 창문은

물방울
놀이터

① 인연은 갈밭을 건너는 바람

② 배춧잎 같은 발소리 타박타박

③ 눈은 세상을 하얗게 지우는 지우개

개념 3 상징의 개념과 특징

- **개념**: 인간의 감정, 사상과 같은 ❶ [ ] 인 내용을 구체적인 대상으로 나타내는 표현 방법.

- **특징**: 표현하려는 대상(원관념)이 겉으로 드러나지 않아, 그 의미가 ❷ [ ] 하게 해석될 수 있음.

예

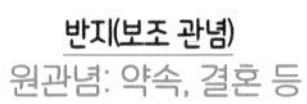

반지(보조 관념)
원관념: 약속, 결혼 등

네 잎 클로버(보조 관념)
원관념: 행운 등

- **표현 효과**
  ① 주제를 효과적으로 드러냄.
  ② 추상적인 개념을 구체적으로 드러낼 수 있음.
  ③ 대상이 나타내는 의미를 다양하게 해석할 수 있어 작품의 의미를 풍부하게 함.

❶ 추상적 ❷ 다양

Quiz

다음은 상징에 대한 설명이다. 괄호 안에서 알맞은 말을 고르시오.

(1) 상징은 (원관념 , 보조 관념)이 겉으로 드러나지 않는다.
(2) 상징은 어떤 감정이나 사상 등을 (추상적 , 구체적)으로 표현하는 방법이다.
(3) 상징을 사용하면 표현하고자 하는 의미를 (한 가지 , 다양한) 의미로 전달할 수 있다.

답 | (1) 원관념 (2) 구체적 (3) 다양한

개념 4 비유와 상징의 차이

비유	상징
• 일반적으로 원관념과 ❶ [ ] 이 직접적으로 제시됨. • 대상의 의미가 한 가지로 해석됨.	• ❷ [ ] 이 겉으로 드러나지 않고 보조 관념만 제시됨. • 대상의 의미가 다양하게 해석됨.

❶ 보조 관념 ❷ 원관념

Quiz

'비유'와 '상징' 중 다음 설명에 해당하는 표현 방법을 쓰시오.

(1) 표현하고자 하는 대상이 겉으로 드러나지 않아 그 의미가 다양하게 해석되는 표현 방법. ( )
(2) 표현하고자 하는 대상과 빗댄 대상이 직접 제시되어 그 의미가 명확하게 전달되는 표현 방법. ( )

답 | (1) 상징 (2) 비유

4-1 다음 중 상징적 표현이 나타나는 것은?

① 바다처럼 마음이 넓은 내 친구

② 시험을 앞둔 나에게 네 잎 클로버가 필요해.

③ 꿈을 이루려는 나의 노력을 무시당해서 화가 났다.

정답 해설 | ②의 '네 잎 클로버'는 '행운'이라는 의미를 나타낸 구체적 대상이므로, 상징적 표현에 해당한다. ①의 '바다'는 친구의 '마음'을 빗댄 대상이므로 비유적 표현이며, ③은 추상적인 개념을 구체적 대상으로 나타내고 있지 않다. 답 | ②

4-2 다음 중 상징적 표현이 나타나지 않는 것은?

① 괴로운 내 마음을 누가 알아줄까?

② 무너진 도시에 비둘기 한 마리가 날아들었다.

③ 스승의 날을 맞아 선생님께 카네이션을 드렸다.

5-1 다음에 나타난 표현 방법을 살펴본 내용으로 적절하지 않은 것은?

> 잎새에 이는 바람에도
> 나는 괴로워했다.
> 별을 노래하는 마음으로
> 모든 죽어 가는 것을 사랑해야지.

① '별'의 의미가 다양하게 해석될 수 있다.

② '모든 죽어 가는 것'을 '별'에 빗대어 표현하고 있다.

③ '소망'이라는 추상적인 개념을 '별'로 나타내고 있다.

정답 해설 | 제시된 시에서는 추상적 개념인 '소망', '이상', '희망' 등을 구체적 대상인 '별'로 나타내는 상징적 표현이 사용되었다. ②는 비유에 대한 설명이며, 제시된 시에서 '모든 죽어 가는 것'을 '별'에 빗대어 표현하지는 않았다. 답 | ②

5-2 다음에 나타난 표현 방법을 살펴본 내용으로 가장 적절한 것은?

> 묏버들 가려 꺾어 보내노라 임의 손에
> 자시는 창밖에 심어 두고 보소서
> 밤비에 새잎 나거든 나인가도 여기소서

① '임'을 '묏버들'에 빗대어 표현하였다.

② '묏버들'의 의미가 한 가지로 해석된다.

③ '묏버들'의 의미가 작품의 주제와 긴밀하게 연결된다.

개념 돌파 전략 ②

바탕 문제

비유의 특징을 생각하며 ㉠, ㉡에 들어갈 알맞은 말을 각각 써 보세요.

비유는 표현하고자 하는 대상을 (㉠) 설명하지 않고 다른 비슷한 대상에 (㉡) 표현한다.

• ㉠: (　　　)　• ㉡: (　　　)

답 | ㉠: 직접 ㉡: 빗대어

1 비유에 대한 설명으로 알맞지 않은 것은?

① 대상을 생생하게 표현할 수 있다.
② 원관념과 보조 관념 사이에 유사성이 있다.
③ 빗대는 방식에 따라 직유법, 은유법 등으로 구분된다.
④ 어떤 현상을 직접적이고 객관적으로 설명하기에 적합하다.
⑤ 대상을 직접적으로 표현하는 것보다 참신한 느낌을 줄 수 있다.

바탕 문제

상징의 특징을 생각하며 다음 설명이 맞으면 ○, 틀리면 X에 표시해 보세요.

(1) 상징은 추상적인 관념이나 생각, 느낌 등을 구체적인 사물로 나타내는 방법이다. (○, X)
(2) 상징은 표현하려는 대상은 겉으로 드러내지 않고 그것을 대신하여 표현한 대상만 드러낸다. (○, X)

답 | (1) ○ (2) ○

2 상징에 대한 설명으로 알맞은 것은?

① 전달하려는 의미가 직접적으로 드러난다.
② 원관념과 보조 관념 사이에 유사성이 드러난다.
③ 구체적인 대상을 추상적으로 표현하는 방법이다.
④ 표현하고자 하는 대상과 빗댄 대상이 함께 드러난다.
⑤ 표현하려는 대상의 의미가 다양하게 해석될 수 있다.

바탕 문제

다음 설명에 맞는 비유의 종류를 괄호 안에 써 보세요.

(1) 사람이 아닌 대상을 사람인 것처럼 표현하는 방법. (　　)
(2) '㉮는 ㉯이다.'의 형식으로 한 대상을 다른 대상에 암시적으로 빗대는 방법. (　　)
(3) '같이', '처럼' 등의 표현을 활용하여 한 대상을 다른 대상에 직접 빗대는 방법. (　　)

답 | (1) 의인법 (2) 은유법 (3) 직유법

3 다음에 사용된 표현 방법을 | 보기 |에서 모두 고르시오.

밤하늘은
별들의 운동장
오늘따라 별들 부산하게 •바자닌다.

• **바자니다** '바장이다'의 옛말. 「1」 부질없이 짧은 거리를 오락가락 거닐다. 「2」 마음에 걸리는 것이 있어 머뭇머뭇하다.

| 보기 |

직유법　　은유법　　의인법

바탕 문제

다음 문장에 쓰인 다양한 '길'의 의미를 바르게 연결해 보세요.

(1) 반려동물을 잃은 이 슬픔을 표현할 길이 없다. • • ㉠ 인생, 삶

(2) 우리는 선생님께서 살아오신 길을 떠올렸다. • • ㉡ 방법, 수단

(3) 이 다툼을 멈추고 평화의 길로 나아가자. • • ㉢ 방향, 목적

답 | (1) ㉡ (2) ㉠ (3) ㉢

4 다음 밑줄 친 시어가 상징하는 의미로 가장 적절한 것은?

> 어제도 가고 오늘도 갈
> 나의 <u>길</u> 새로운 길
>
> 민들레가 피고 까치가 날고
> 아가씨가 지나고 바람이 일고

① 친구 ② 인생 ③ 희망
④ 시련 ⑤ 기적

바탕 문제

괄호 안에서 알맞은 말을 골라 상징에 대한 설명을 완성해 보세요.

(1) 추상적인 개념을 직접 드러내지 않고 구체적인 대상으로 나타내는 표현 방법을 (상징 , 비유)이라고 한다.
(2) 상징은 표현하고자 하는 원관념을 (드러낸다 , 숨긴다).
(3) 상징은 의미가 (다양하게 , 단순하게) 해석된다.

답 | (1) 상징 (2) 숨긴다 (3) 다양하게

5 비유와 상징의 표현 효과로 적절하지 <u>않은</u> 것은?

① 비유를 사용하면 대상을 더 실감 나게 나타낼 수 있다.
② 비유와 상징을 사용하면 전달하려는 내용을 인상적으로 표현할 수 있다.
③ 문학 작품에 나타난 비유와 상징은 주제를 효과적으로 드러내는 역할을 한다.
④ 상징은 대상에 새로운 의미를 더하여 보다 다양하고 풍부한 의미를 나타낼 수 있다.
⑤ 상징적 표현을 사용하면 전달하려는 의미가 명확하게 드러나기 때문에 작품의 내용을 이해하기 쉽다.

필수 체크 전략 ❶

전략 1 시에 나타난 비유적 표현 이해하기

[아씨처럼 나린다 [ ]: 햇비가 내리는 모습을 '아씨'에 빗댐. → 직유법
보슬보슬 햇비]
여우비(볕이 나 있는 날 잠깐 오다가 그치는 비).
맞아 주자 다 같이

옥수숫대처럼 크게
아이들을 '옥수숫대'에 빗댐. → 직유법
닷 자 엿 자 자라게
길이의 단위, 약 30.3cm에 해당함.
해님이 웃는다
사람이 아닌 '해'에 '-님'을 붙여 '해'가 웃는다고 표현함. → 의인법
나 보고 웃는다.

[하늘 다리 놓였다 [ ]: '무지개'를 '하늘 다리'에 빗대어 높은 곳에 있음을 강조함. → 은유법
알롱알롱 무지개]
노래하자 즐겁게
동무들아 이리 오나
다 같이 춤을 추자
㉠해님이 웃는다
즐거워 웃는다.

– 윤동주, 〈햇비〉 미래엔

☑ 시에서 표현하려는 대상과 빗댄 대상의 유사성은?

햇비	아씨
→ 잠시 나타났다가 금방 사라짐.	
아이들	옥수숫대
→ 비를 맞으며 무럭무럭 자람.	
무지개	하늘 다리
→ 높이 떠서 이쪽과 저쪽을 연결함.	

☑ 시에서 사람이 아닌 것을 사람에 빗대어 표현한 부분은?
- ❶ (   ) 이 웃는다 / 나 보고 웃는다.
- 해님이 웃는다 / 즐거워 웃는다.

→ 밝게 떠 있는 해의 모습
→ 햇비를 맞는 '나'와 아이들을 보는 화자의 즐거운 마음을 나타냄.

☑ 비유를 사용한 효과는?
- 밝고 산뜻하고 명랑한 분위기를 만듦.
- 시적 상황을 ❷ (   ) 있고 감각적으로 나타냄.

❶ 해님 ❷ 생동감

필수 예제 1

이 시에 사용된 표현 방법으로 적절하지 않은 것은?

① '햇비'가 내리는 모습을 '아씨'에 빗대어 표현하고 있다.
② 자라나는 아이들을 '옥수숫대'에 빗대어 표현하고 있다.
③ '해'를 사람인 것처럼 표현하여 명랑한 분위기를 만들고 있다.
④ '무지개'를 '하늘 다리'에 빗대어 높은 곳에 있음을 드러내고 있다.
⑤ 춤을 추는 아이들의 모습을 '무지개'에 빗대어 생동감을 주고 있다.

정답 해설 | 이 시에서는 햇비가 내리는 모습, 비를 맞는 아이들의 모습, 하늘에 뜬 무지개의 모습, 해가 밝게 떠 있는 모습을 비유적 표현을 활용하여 생동감 있게 표현하고 있다. 하지만 춤을 추는 아이들의 모습을 '무지개'에 빗대어 표현하고 있지는 않다. 답 | ⑤

확인 문제 1

㉠과 같은 표현이 사용된 것을 보기에서 모두 골라 묶은 것은?

보기
ⓐ 불꽃처럼 빛나는 별
ⓑ 나는 한 마리의 작은 짐승
ⓒ 수줍게 웃는 흰 꽃 한 송이
ⓓ 신비롭고 은밀한 봄의 그 눈짓

① ⓐ, ⓑ ② ⓐ, ⓒ ③ ⓑ, ⓒ
④ ⓑ, ⓓ ⑤ ⓒ, ⓓ

전략 2 소설에 나타난 비유적 표현 이해하기

전쟁이나 징용으로 외국으로 나갔다가 고국으로 돌아온 사람을 부르는 말.

[바다와 시가지 일부가 한꺼번에 내다보이는, 지대가 높고 ㉠귀환 동포가 누더기처럼 살고 있는 산기슭 마을이었다. 그렇기에 마을 사람들은 철수 내외와 같이 가난뱅이 월급쟁이가 아니면 ㉡대개가 그날그날의 날품팔이이다.]

[ ]: 산기슭 마을의 가난한 삶의 모습이 드러남.

일정한 직장이 없이 일거리가 있는 날에만 하루치의 돈을 받고 일하는 사람.

밤이면 모여들고 날이 새면 일터로 나가기가 바빴다. 다만 어린아이들만이 마을 앞 양지바른 담 밑에 모여 윤선이 오고 가는 바다를 바라보고, 윤선도 보이지 않는 날은 무료에 지쳐 버린다. / 그러나 이 단조한 마을, 무료한 아이들에게도 단 하나의 즐거움은 있었다. 그것은 날마다 단골로 찾아오는 젊은 엿장수였다.

'기선'의 옛말로, 증기 기관의 동력으로 움직이는 배를 통틀어 이르는 말.

흥미 있는 일이 없어 심심하고 지루함. 사물이 단순하고 변화가 없어 새로운 느낌이 없는.

㉢내려다보이는 아랫마을을 거쳐, 보리밭 사잇길로 이 마을을 향해 올라오는 엿장수는 가위를 째깍거리면서, / "자아 엿이야, 엿 — ㉣맛 좋고 빛 좋은 울릉 호박엿 — 처녀가 먹으면 시집을 가고 총각이 먹으면 장가를 들고……."

언제나 귀 익은 타령이건만 이 마을 아이들에게는 언제나 새롭고 즐겁고 또 신이 나는 넋두리였다. / ⓐ엿장수가 마을 앞까지 채 오기도 전에 아이들은 벌써 길목에 쭉 모여 서서 개선장군이나 맞이하듯 기다리고 섰다.

불만을 길게 늘어놓으며 하소연하는 말. 여기서는 '주절주절 늘어놓는 말'이라는 뜻으로 쓰임.

적과의 싸움에서 이기고 돌아온 장군.

그러면 엿장수는 더한층 가위 소리를 째깍거리고 길목 돌 위에다 엿판을 턱 내려놓고는 '자! 어떠냐?' 하는 듯이 맛보기를 주면 아이들은 서로 다퉈 담을 치고 들여다본다. 그러나 막상 엿을 사 먹는 아이는 좀체 보이지 않고, 혹 ㉤떨어진 고무신짝이나 가지고 와서 바꿔 먹는 아이가 없지는 않으나 그것도 매일같이 있을 리는 없다. 아이들은 사 먹지는 못할망정 보기만 해도 좋았다.

– 오영수, 〈고무신〉 천재(박)

☑ 글에 나타난 비유적 표현은?

- '귀환 동포가 누더기처럼 살고 있는 산기슭 마을이었다.'
  → 귀환 동포가 가난하게 사는 모습을 ❶ [ ] 에 빗대어 표현함.
- '엿장수가 마을 앞까지 채 오기도 전에 아이들은 벌써 길목에 쭉 모여 서서 개선장군이나 맞이하듯 기다리고 섰다.'
  → ❷ [ ] 를 열렬하게 환영하는 아이들의 모습을 개선장군을 맞이하는 모습에 빗대어 표현함.

☑ 비유를 사용한 효과는?

- 상황을 참신하고 재미있게 표현함.
- 표현하고자 하는 대상을 인상적으로 나타냄.
- 표현하려는 대상의 모습을 구체적이고 생생하게 드러냄.

❶ 누더기 ❷ 엿장수

필수 예제 2

㉠~㉤ 중, 다음 내용을 비유를 사용하여 나타낸 것은?

마을 사람들이 가난하게 사는 모습

① ㉠ ② ㉡ ③ ㉢ ④ ㉣ ⑤ ㉤

정답 해설 | ㉠에서는 산기슭 마을의 사람들이 가난하게 사는 모습을 '누더기'에 직접 빗대어 표현하고 있다. 답 | ①

오답 풀이 | ㉡~㉤은 모두 상황이나 대상을 직접적으로 묘사하거나 설명하고 있으므로, 비유가 사용되지 않았다. 또한 ㉢, ㉣은 마을 사람들의 가난한 삶의 모습과 관련이 없다.

확인 문제 2

ⓐ와 같이 표현하여 얻는 효과로 적절하지 않은 것은?

① 아이들의 즐거운 마음을 구체적으로 드러낸다.
② 아이들의 가난한 형편을 효과적으로 표현한다.
③ 기대하는 아이들의 모습을 인상적으로 전달한다.
④ 아이들이 엿장수를 기다리는 장면을 생생하게 표현한다.
⑤ 엿장수가 마을에 오는 상황을 참신하고 재미있게 전달한다.

전략 3 수필에 나타난 비유적 표현 이해하기

사람들은 지금 내가 소설을 쓰고 있으니까 어린 시절부터 문학적 소양(평소 닦아 놓은 학문이나 지식.) 같은 것이 반짝반짝했을 거로 생각하는 것 같다.

그러나 겸손의 말이 아니라, 나는 대학에 입학하기 전까지 단 한 번도 백일장 같은 곳에 나가 상을 받아 본 적이 없었다. (중략)

5학년 2학기 때의 일이다. 나는 교내 백일장에서는 물론 군 대회같이 큰 백일장에 나가서도 매번 떨어지기만 했다. 그때도 역시나 군 대회에 나가 아무 상도 받지 못하고 빈손으로 돌아온 다음이어서 어린 마음에도 나는 참으로 크게 낙담했다(바라던 일이 뜻대로 되지 않아 마음이 몹시 상했다.). 선생님은 그런 나와 학교 운동장 가에 있는 커다란 나무 아래에 나란히 앉아서 이런 말씀을 하셨다. (중략)

"매화나무 예를 한번 들어 보자. 같은 매화나무에도 먼저 피는 꽃이 있고, 나중에 피는 꽃이 있지?" / "예."

"그러면 ㉠먼저 핀 꽃과 ㉡나중에 핀 꽃 중에 열매를 맺는 건 어느 꽃일까?"

나는 얼른 대답하지 못했다. 그러자 선생님께서 말씀하셨다.

"매화나무는 나무들 가운데에서도 이른 봄에 빨리 꽃을 피우는 나무란다. 그런 매화나무 중에서도 다른 가지보다 더 일찍 피는 꽃이 있지. 다른 가지에서는 아직 꽃이 피지 않았는데 한 가지에서만 [일찍 꽃이 피면 그 꽃은 사람들의 눈길을 끌게 마련이지. 그렇지만 선생님이 보기에 그 나무 중에서 제일 먼저 핀 꽃들은 대부분 열매를 맺지 못하더라.] 제대로 된 열매를 맺는 꽃들은 늘 더 많은 준비를 하고 뒤에 피는 거란다."

[ ]: 먼저 핀 꽃의 특징-눈길을 끌지만 열매를 맺지 못함.

나중에 핀 꽃의 특징-제대로 된 열매를 맺음.

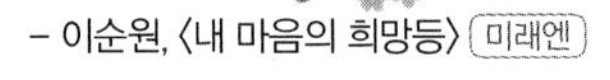

– 이순원, 〈내 마음의 희망등〉 미래엔

✓ '먼저 핀 꽃'과 '나중에 핀 꽃'의 특징은?

먼저 핀 꽃	나중에 핀 꽃
• 사람들의 눈길을 끎. • 대부분 열매를 맺지 못함.	• 늘 더 많은 준비를 하고 핌. • 제대로 된 열매를 맺음.

✓ '먼저 핀 꽃'과 '나중에 핀 꽃'이 비유하는 사람은?

- '❶ [　　　] 핀 꽃': 어린 나이에 상을 받아 사람들의 관심을 받는 사람
- '나중에 핀 꽃': 오랫동안 노력해서 나중에 인정을 받는 사람

✓ 선생님의 말씀에 담긴 비유는?

꿈과 목표를 이루는 인생을 ❷ [　　　]를 맺는 꽃에 빗대어 표현함.
→ 어린 시절의 글쓴이가 쉽게 이해하고 공감할 수 있도록 위로와 교훈을 전함.

❶ 먼저 ❷ 열매

필수 예제 3

㉠, ㉡의 원관념으로 가장 적절한 것은?

① ㉠: 경쟁을 중요시하는 사람
② ㉠: 다양한 분야에 재능이 있는 사람
③ ㉡: 과정보다 결과를 중시하는 사람
④ ㉡: 남들보다 늦게 인정을 받는 사람
⑤ ㉡: 노력에 비해 좋은 결과를 얻는 사람

정답 해설 | 선생님의 말에 따르면 ㉠ '먼저 핀 꽃'은 일찍 펴서 사람들의 눈길을 끌지만 열매를 맺지 못한다. 반면, ㉡ '나중에 핀 꽃'은 더 많은 준비를 하고 뒤에 피지만 제대로 된 열매를 맺는다. 즉, ㉡은 많은 노력을 한 후에 뒤늦게 목표를 이뤄 인정을 받는 사람을 빗댄 대상이다. 답 | ④

확인 문제 3

이 글을 읽은 후의 감상으로 적절하지 않은 것은?

① 선생님은 자연 현상에 빗대어 교훈을 주고 있어.
② '열매를 맺는 것'과 '인정을 받는 것'에는 유사성이 있어.
③ 매화나무의 예를 생각하니 글쓴이의 상황을 쉽게 이해할 수 있었어.
④ 선생님은 5학년이었던 글쓴이가 이해할 수 있도록 비유를 사용하여 의도를 드러냈어.
⑤ 글의 제목에 있는 '희망등'은 나중에 핀 매화나무의 꽃을 빗댄 대상이라는 것을 알 수 있어.

전략 4 노랫말에 나타난 비유적 표현 이해하기

1절

어리석은 세상은 너를 몰라

㉠누에 속에 감춰진 너를 못 봐

너: 무한한 가능성을 지닌 존재(은유법)

나는 알아 내겐 보여 / 그토록 찬란한 너의 날개

겁내지 마 할 수 있어

뜨겁게 꿈틀거리는

날개를 펴 날아올라 세상 위로

2절

㉡꺾여 버린 꽃처럼 아플 때도 □: '너'를 빗댄 대상(직유법)

㉢쓰러진 나무처럼 초라해도

너를 믿어 나를 믿어 / ㉣우리는 서로를 믿고 있어

심장에 손을 움켜 봐

힘겹게 접어 놓았던

날개를 펴 날아올라 세상 위로

후렴

㉤태양처럼 빛을 내는 그대여

이 세상이 거칠게 막아서도

빛나는 사람아 난 너를 사랑해

널 세상이 볼 수 있게 날아 저 멀리

– 강현민 · 이재학 작사, 이재학 작곡, 〈버터플라이〉 천재(노)

☑ 노랫말에 나타난 비유적 표현은?

- '누에 속에 감춰진 너'
  → 무한한 가능성을 지닌 '너'를 누에 속에 감춰져 있다고 암시적으로 빗댐.
- '꺾여 버린 ❶ ____ 처럼 아플 때도 쓰러진 나무처럼 초라해도'
  → 시련을 겪는 '너'의 상황을 '꺾여 버린 꽃'과 '쓰러진 나무'에 직접 빗대어 생생하게 드러냄.
- '태양처럼 빛을 내는 그대여'
  → '너'를 '❷ ____ '에 직접 빗대어 빛나는 '너'의 모습을 강조함.

☑ 비유를 사용한 효과는?

'너'의 모습과 '너'가 처한 상황을 생생하게 나타냄.

❶ 꽃 ❷ 태양

필수 예제 4

이 노랫말의 '나'와 '너'에 대한 설명으로 적절하지 않은 것은?

① '나'와 '너'는 서로를 믿고 있다.
② '너'는 시련을 겪고 있다.
③ '너'는 무한한 가능성을 지니고 있다.
④ '나'는 '너'가 날개를 펴고 날아오르길 바라고 있다.
⑤ '나'는 어리석어서 '너'의 숨은 가능성을 보지 못하고 있다.

정답 해설 | 이 노랫말의 화자인 '나'는 시련을 겪는 '너'를 위로하고 무한한 잠재력을 가진 '너'가 날개를 펴고 날아오르길 바라고 있다. '어리석은 세상은 너를 몰라'에서 '너'의 가능성을 보지 못하는 것은 '나'가 아니라 '어리석은 세상'임을 알 수 있다.

답 | ⑤

확인 문제 4

㉠~㉤ 중, 비유가 사용되지 않은 것은?

① ㉠ 누에 속에 감춰진 너를 못 봐
② ㉡ 꺾여 버린 꽃처럼 아플 때도
③ ㉢ 쓰러진 나무처럼 초라해도
④ ㉣ 우리는 서로를 믿고 있어
⑤ ㉤ 태양처럼 빛을 내는 그대여

1주 2일 필수 체크 전략 ❷

[1~2] 다음 시를 읽고 물음에 답하시오.

그래 살아 봐야지
너도나도 공이 되어
떨어져도 튀는 공이 되어

살아 봐야지
쓰러지는 법이 없는 둥근
공처럼, 탄력의 나라의 / 왕자처럼

가볍게 떠올라야지
곧 움직일 준비되어 있는 꼴
둥근 공이 되어

옳지 최선의 꼴
지금의 네 모습처럼
떨어져도 튀어 오르는 공 / 쓰러지는 법이 없는 공이 되어.

– 정현종, 〈떨어져도 튀는 공처럼〉 금성

○ **시의 화자**
공의 속성을 생각하며 공을 닮고자 하는 사람

○ **시의 대상**
'공'

○ **화자의 상황**
'공'처럼 살아 보려는 의지를 다짐.

○ **표현상 특징**
- '-지'를 반복하여 운율을 형성함.
- 사물의 속성을 바탕으로 하여 삶의 태도를 노래함.

개념+ 시의 화자와 대상
- 화자: 시에서 말하는 이를 '화자' 혹은 '시적 화자'라고 함.
- 대상: 화자 자신, 특정 인물, 사물 등 시에서 주로 다루는 대상을 말함.

1 이 시에 대한 설명으로 적절하지 않은 것은?

① 비유를 사용하여 주제를 드러내고 있다.
② 다양하고 역동적인 공의 속성을 드러내고 있다.
③ 동일한 구절을 반복하여 운율을 형성하고 있다.
④ 사물의 시각에서 상황을 바라보며 내용을 전달하고 있다.
⑤ 현실에 좌절하거나 절망하지 않는 삶의 태도를 드러내고 있다.

문제 해결 전략
이 시에서 대상을 바라보며 내용을 전달하고 있는 ❶ ____가 누구인지, 시의 대상인 '❷ ____'을 어떻게 표현하고 있는지 살펴본다.

❶ 화자 ❷ 공

2 ㉠~㉣ 중, 이 시에 사용된 표현 방법을 모두 고르시오.

㉠ 정상적인 말의 순서를 바꾸어 표현하는 방법
㉡ 두 대상의 공통점과 차이점을 비교하는 방법
㉢ 누구나 다 아는 사실을 질문의 형식으로 제시하는 방법
㉣ 연결하는 말을 활용하여 한 대상을 다른 대상에 직접 빗대는 방법

문제 해결 전략
이 시에서는 대상의 속성을 바탕으로 하여 ❶ ____의 자세를 노래하고 있는데, 이러한 내용을 전달하는 데 사용된 ❷ ____ 방법이 무엇인지 살펴본다.

❶ 삶 ❷ 표현

[3~4] 다음 시를 읽고 물음에 답하시오.

팔랑팔랑
㉠나비가 날아다니는 것 같다

사각사각
미용실 누나 손에 들린 은빛 가위

㉡붙었다 떨어졌다
내 머리 주위를 날아다닌다

㉢폴폴 날리는 꽃가루
㉣살랑살랑 나는 은빛 나비

나는
지금

㉤꽃이다

– 이장근, 〈나는 지금 꽃이다〉 창비

시의 화자
'나'

시의 대상
미용실에서 머리를 자르는 상황

화자의 상황
'나'가 미용실에서 머리를 자르고 있음.

표현상 특징
- 비유를 사용하여 상황을 참신하게 나타냄.
- 모양을 흉내 낸 의태어, 소리를 흉내 낸 의성어를 사용하여 경쾌하고 밝은 분위기를 만듦.

개념+ 활유법
생물이 아닌 것을 생물인 것처럼, 감정이 없는 것을 감정이 있는 것처럼 표현하는 비유의 종류. 예 낮게 엎드린 파도

3 ㉠~㉤에 대한 설명으로 적절하지 않은 것은?

① ㉠: 가위로 머리카락을 자르는 모습을 나비가 날아다니는 모습에 빗대고 있다.
② ㉡: 의인법을 사용하여 가위의 움직임을 나타내고 있다.
③ ㉢: 잘린 '머리카락'을 '꽃가루'에 빗대고 있다.
④ ㉣: '가위'와 '나비'의 유사성은 은빛이라는 점이다.
⑤ ㉤: 머리를 다듬은 '나'를 '꽃'에 빗대고 있다.

문제 해결 전략
이 시에서 '나'는 미용실에서 머리를 자르고 있다. 미용실 누나의 손에 들린 ❶ [ ]의 움직임과 날리는 머리카락, 머리를 다듬은 '❷ [ ]'의 모습과 감정 등을 비유를 사용하여 나타내고 있음에 주목하여 ㉠~㉤을 살펴본다.

❶ 가위 ❷ 나

4 이 시를 읽은 후의 감상으로 적절하지 않은 것은?

① 밝고 경쾌하고 명랑한 분위기를 느낄 수 있었어.
② 머리를 다듬을 때의 기분을 생생하게 느낄 수 있었어.
③ 머리를 자르는 상황을 머릿속에서 구체적으로 떠올릴 수 있었어.
④ 미용실 누나를 비유를 사용하여 표현한 것이 참신하게 느껴졌어.
⑤ 일상적인 경험을 새로운 표현으로 나타내어 재미를 느낄 수 있었어.

문제 해결 전략
비유를 사용하여 표현했을 때, 시에 나타난 상황이나 표현하고자 하는 대상, 시의 ❶ [ ], 화자의 정서 등의 측면에서 어떤 ❷ [ ]가 있는지에 주목하여 살펴본다.

❶ 분위기 ❷ 효과

1주 3일 필수 체크 전략 1

전략 1 시에 나타난 상징적 표현 이해하기

[푸른 바다에 고래가 없으면
청춘, 인생, 젊음 꿈과 목표(를 추구하는 존재)
푸른 바다가 아니지
[ ]: 청년이라면 꿈과 목표를 추구해야 함.
마음속에 푸른 바다의

고래 한 마리 키우지 않으면

청년이 아니지]

[푸른 바다가 고래를 위하여 [ ]: ① 청년의 삶은 꿈과 이상을 추구할 때 의미가 있음. ② 꿈과 이상을 추구하는 청년이라면 사랑의 의미도 알 것임.

푸르다는 걸 아직 모르는 사람은

아직 사랑을 모르지]

고래도 가끔 수평선 위로 치솟아 올라
수평선: 물과 하늘이 맞닿아 경계를 이루는 선.
별을 바라본다
꿈, 희망, 이상
나도 가끔 내 마음속의 고래를 위하여

밤하늘 ㉠별들을 바라본다
꿈과 목표를 지향함.

– 정호승, 〈고래를 위하여〉 미래엔

✓ **'푸른 바다'의 의미는?**
- 고래가 있는 곳임.
- 마음속에도 있음.
- ❶ [ ] 를 위해 푸른빛을 띰.

→ 청년의 삶, 희망을 가지고 살아가는 세상

✓ **'고래'의 의미는?**
- 푸른 바다에 살고 있음.
- 마음속에도 있음.
- 가끔 별을 바라봄.

→ 꿈과 희망, 목표, 또는 그것을 추구하는 존재

✓ **'별'의 의미는?**
- ❷ [ ] 에 있음.
- '고래'가 가끔 바라보는 대상임.
- '나'가 마음속의 고래를 위해 바라보는 대상임.

→ 꿈, 목표, 희망, 이상

❶ 고래 ❷ 밤하늘

필수 예제 1

㉠이 상징하는 내용으로 가장 적절한 것은?

① 그리움의 대상
② 겉모습만 화려한 존재
③ 추구해야 할 꿈과 이상
④ 극복해야 할 시련과 고통
⑤ 자신의 삶을 반성하게 하는 존재

정답 해설 | 1, 2연의 내용으로 보아 '고래'는 청년이라면 마음속 푸른 바다에 꼭 품어야 할 존재이다. 3연에서는 그런 고래가 가끔 '별'을 바라보듯이 '나'도 내 마음속 고래를 위해 별들을 바라본다고 말하고 있으므로 '별'은 청년들이 추구해야 할 '꿈, 이상, 희망' 등을 상징한다. 답 | ③

확인 문제 1

이 시를 통해 시인이 전달하고자 하는 내용으로 가장 적절한 것은?

① 항상 자신을 성찰하며 살아가야 한다.
② 꿈과 희망을 추구하며 살아가야 한다.
③ 다른 사람을 위해 희생할 줄 알아야 한다.
④ 모든 생명의 가치를 소중하게 생각해야 한다.
⑤ 조급한 마음을 버리고 여유로운 태도를 지녀야 한다.

전략 2 소설에 나타난 상징적 표현 이해하기

나는 밀림 속에서 겪은 온갖 모험들을 곰곰이 생각해 보았다. 그러고 나서 색연필을 가지고 내 나름대로 생애 첫 번째 그림을 하나 그리게 되었다. 내 그림 제1호였다. 그 그림은 이런 것이었다.

나는 그 걸작품을 어른들에게 보여 주고 내 그림이 무서우냐고 물어보았다. 어른들은 대답했다. "㉠모자가 뭐가 무서워?" / 내 그림은 모자를 그린 게 아니었다. 그것은 코끼리를 삼키고서 소화하는 ㉡보아 구렁이였다. 그래서 나는 어른들이 알아볼 수 있도록 보아 구렁이의 배 속을 그려 넣었다. 어른들에게는 언제나 설명을 해 주어야 한다. 내 그림 제2호는 이런 것이었다.

(㉠ 모자: 어른들이 이해한 '나'의 그림 / 그림 제2호: 어른들에게 그림 제1호를 설명해 줄 또 하나의 그림)

어른들은 나더러 속이 보이건 안 보이건 간에 보아 구렁이 그림 따위는 집어치우고 차라리 지리, 역사, 산수, 문법이나 열심히 공부해 보는 것이 좋겠다고 충고해 주었다. 이리하여 나는 여섯 살 때 화가가 되려는 멋진 꿈을 접을 수밖에 없었다. (중략)

(지리, 역사, 산수, 문법: 현실적 가치를 지닌 것)

어른들 중에 좀 똑똑해 보이는 이를 만날 때면 나는 늘 간직하고 있던 내 그림 제1호를 가지고 그 사람을 시험해 보곤 했다. 정말이지 이 사람이 무언가 이해할 줄 아는 사람인지 궁금했다. 그러나 그 사람은 으레 "모자로구나." 하고 대답하는 것이었다. 그러면 나는 보아 구렁이니, 원시림이니, 별이니 하는 이야기는 아예 꺼내지도 않았다. 나는 그가 알아들을 수 있는 얘기만 하게 되었다. 브리지 게임이니, 골프니, 정치니, 넥타이니 하는 것들에 관해 이야기하는 것이었다.

(그림 제1호: 코끼리를 삼키고서 소화하는 보아 구렁이 그림 / 보아 구렁이, 원시림, 별: '나'의 관심사 → 눈에 보이지 않는 세계, 동심의 세계, 이상적·정신적 가치 / 브리지 게임: 52장의 카드로 하는 게임. 모든 카드를 연결하여 손에서 카드가 다 없어질 때 끝이 남. / 브리지 게임, 골프, 정치, 넥타이: 어른들의 관심사 → 눈에 보이는 세계, 어른의 세계, 현실적·물질적 가치)

– 생텍쥐페리, 〈어린 왕자〉 미래엔

그림 제1호에 대한 어른들과 '나'의 시각은?

어른들	'나'
• '모자'로 봄. • 설명을 해 주어야 이해함.	'❶ ______를 삼키고 소화하는 보아 구렁이'로 봄.

→ 어른들은 눈에 보이는 대로만 봄.

어른들과 '나'가 이야기하고 싶어 하는 주제는?

- 어른들: 브리지 게임, 골프, 정치, 넥타이 → 현실적·❷ ______ 가치
- '나': 보아 구렁이, 원시림, 별 → 이상적·정신적 가치

'모자'와 '보아 구렁이'가 상징하는 의미는?

모자	보아 구렁이
• 어른의 세계 • 눈에 보이는 세계 • 현실적 가치 • 물질적 가치	• 동심의 세계 • 눈에 보이지 않는 세계 • 이상적 가치 • 정신적 가치

❶ 코끼리 ❷ 물질적

필수 예제 2

이 글을 이해한 내용으로 적절하지 않은 것은?

① 어른들은 '나'의 그림을 이해하지 못한다.
② 어른들과 '나'는 서로 다른 가치관을 지니고 있다.
③ '나'는 '지리', '역사'에 관한 이야기를 하고 싶어 한다.
④ '보아 구렁이', '별' 등은 어른들에게 의미가 없는 대상이다.
⑤ '산수', '문법', '넥타이' 등은 어른들이 관심을 가지는 대상이다.

정답 해설 | '나'의 그림을 본 어른들이 '지리, 역사, 산수, 문법'이나 열심히 공부하라고 한 부분을 통해 '지리', '역사'는 어른들이 관심을 가지는 대상임을 알 수 있다.

답 | ③

확인 문제 2

㉠, ㉡의 상징적 의미가 바르게 연결된 것은?

	㉠	㉡
①	동심의 세계	어른의 세계
②	물질적 가치	정신적 가치
③	정신적 가치	물질적 가치
④	이상적 가치	현실적 가치
⑤	눈에 보이지 않는 세계	눈에 보이는 세계

전략 3 고전 시가에 나타난 상징적 표현 이해하기

(가) 까마귀 싸우는 골에 백로야 가지 마라.
(골: 산과 산 사이에 움푹 패어 들어간 곳. 골짜기. / 까마귀: 싸움을 일삼는 존재 / 백로: 지조 있는 인물)
성난 까마귀 흰빛을 시샘할세라.
(흰빛: 백로의 속성(결백) / 시샘할세라: 시샘할까 염려된다는 뜻.)
청강(淸江)에 기껏 씻은 몸을 더럽힐까 하노라.
(청강: 맑은 물이 흐르는 강.)

– 영천 이씨, 〈까마귀 싸우는 골에〉 금성

(나) ㉠까마귀 검다 하고 ㉡백로야 ㉢웃지 마라.
(㉠: 겉모습과 달리 깨끗한 양심을 지닌 존재 / ㉡: 겉모습과 달리 속은 비양심적인 존재)
겉이 검은들 ㉣속조차 검을쏘냐.
겉 희고 속 검은 것은 ㉤너뿐인가 하노라.
(겉 희고 속 검은 것: 겉과 속이 다른 존재 / ㉤: 백로)

– 이직, 〈까마귀 검다 하고〉 교학사, 금성

✔ '까마귀'와 '백로'에 대한 (가)의 화자의 평가는?
- '까마귀': 싸움을 일삼는 존재 → 부정적
- '백로': 희고 깨끗한 존재 → ❶ [ ]

✔ '까마귀'와 '백로'에 대한 (나)의 화자의 평가는?
- '까마귀': 겉은 검어도 속은 흰 존재 → 긍정적
- '백로': 겉은 희지만 속은 ❷ [ ] 존재 → 부정적

✔ '까마귀'와 '백로'가 의미하는 사람은?

	'까마귀'	'백로'
(가)	• 남을 헐뜯는 이기적인 사람 • 이익을 위해서 다툼을 일삼는 무리	• 순수하고 깨끗한 사람 • 세상의 더러움에 물들지 않은 결백한 사람
(나)	• 겉으로 보기에는 보잘것없지만 속은 그렇지 않은 사람 • 겉모습과 달리 양심적인 사람	• 겉과 다르게 속으로 꿍꿍이가 있는 사람 • 올바른 척하지만 비양심적인 사람

❶ 긍정적 ❷ 검은

필수 예제 3

다음은 (가)의 창작 배경이다. 이를 바탕으로 할 때, 소재의 상징적 의미가 바르게 연결된 것은?

> 고려 말, 이성계는 고려 왕조를 무너뜨리고 새로운 왕조를 일으키려 하고 있었다. 이성계 일파는 정몽주를 자신들의 편으로 끌어들이려고 하였는데, 이때 정몽주의 어머니가 아들에게 이성계 일파와 어울리지 말라며 (가)를 지었다고 전한다.

① 까마귀 – 정몽주
② 골 – 부정적 공간
③ 백로 – 이성계 일파
④ 흰빛 – 거짓과 다툼
⑤ 청강 – 새로운 왕조

정답 해설 | '골'은 고려 왕조를 무너뜨리려는 이성계 일파를 상징하는 '까마귀'가 싸우는 공간이므로 부정적 공간을 의미한다. '백로'는 고려의 충신인 정몽주를, '흰빛'은 백로의 긍정적 속성을, '청강'은 백로가 몸을 씻는 긍정적 공간을 의미한다.

답 | ②

확인 문제 3

다음을 바탕으로 하여 (나)의 ㉠~㉤을 바르게 이해한 것은?

> (나)의 작가 이직은 고려 말에서 조선 초에 걸쳐 활동한 문신으로 이성계를 도와 조선을 세우는 데 큰 공을 세워 개국 공신이 되었다. 이직은 고려의 신하였지만 새 왕조인 조선의 높은 벼슬까지 지냈기에 고려의 충신들은 그를 변절자라 말하기도 하였다. 이에 이직은 (나)를 지어서 답했다고 한다.

① ㉠은 고려의 충신을 상징하겠구나.
② ㉡은 조선의 개국 공신을 가리키겠구나.
③ ㉢에는 변절자들에 대한 비판이 담겨 있구나.
④ ㉣은 겉모습과 같이 내면도 검다는 의미이구나.
⑤ ㉤은 겉과 속이 다른 고려의 충신들을 의미하는구나.

전략 4 수필에 나타난 상징적 표현 이해하기

가 학창 시절에는 유별나게도 학년이 바뀌고 반이 바뀌어 친구들과 뿔뿔이 흩어져야 하는 신학기가 싫었다. (중략) 특히 운동장 조회나 체육 시간 같은 때 친한 친구도 없이 외따로 떨어져 그 지겨운 시간을 견딜 생각을 하면 어디론가 도망가고 싶을 지경이었다.

나 이제는 반이 나뉘고 새로운 급우들한테서 실컷 낯섦을 맛봐야 하는 신학기 따위는 영영 내 곁에서 사라졌다. 그 대신 시기하고 미워하며, 또는 빼앗고 속이는 황폐한 세상살이에 낯가림하며 사는 나날 속으로 내던져지고 말았다.

(삶에 대한 글쓴이의 생각)

망망대해(茫茫大海)를 해매는 듯한 인생의 항해는 신학기 잠시의 외로움을 극복하는 일 따위와는 비교도 할 수 없을 만큼 두려움 가득하고 힘들다. 삶은 고난 투성이고 끝없는 인내를 요구하기만 하는데, 그러나 홀로 헤치는 ㉠파도는 높고 거칠기만 한 것이다. / 바로 이때에 영혼을 함께 나눌 친구가 절실히 필요해진다. 인생이란 험난한 항해를 같이 겪고 있다는 동지애의 확인, 혹은 내 삶의 따뜻한 동반자라는 느낌이 전해져 오는 친구와 같이 있는 시간에는 이 세상도 한번 살아 볼 만하다는 용기가 솟는다.

(망망대해: 한없이 크고 넓은 바다. / 고난과 어려움이 가득한 삶 / 삶에 대한 글쓴이의 생각 / 절실히: 느낌이나 생각이 뼈저리게 강렬한 상태로. / 영혼을 나눌 친구가 필요한 이유)

다 누군가는 말했다. 친구 없이 사는 일만큼 무서운 ㉡사막은 없다고. 또 누군가는 말했다. 친구 없이 사는 것은 증인 없이 죽는 일이라고.

그 말들을 새기고 있으면 불현듯 마음이 찡해 온다. 나는 지금 무서운 사막을 홀로 걷고 있는 것은 아닌지, 지금 내 삶의 의미를 설명해 줄 단 한 사람의 증인도 없이 마음을 닫고 살아가는 것은 아닌지.

(불현듯: 불을 켜서 불이 일어나는 것과 같다는 뜻으로, 갑자기 어떤 생각이 걷잡을 수 없이 일어나는 모양.)

– 양귀자, 〈사막을 같이 가는 벗〉 천재(노)

☑ 학창 시절 글쓴이가 겪은 어려움은?
신학기에 반이 바뀌며 친한 친구와 헤어지면 소외감을 견뎌야 했음.

☑ 삶에 대한 글쓴이의 생각은?
- 황폐하고, 두려움이 가득하고 힘듦.
- 고난과 시련이 가득함, 고독함.

→ ❶ ______, 사막

☑ '망망대해'를 바탕으로 할 때, '파도'의 의미는?
- 홀로 헤쳐 나가야 함.
- 높고 거칠기만 함.

→ 인생에서 마주치는 고난과 시련

☑ 글쓴이가 영혼을 나눌 친구가 필요하다고 말한 이유는?
삶이 고통스러울 때 영혼을 함께 나눌 친구가 있다면 살아갈 ❷ ______를 얻을 수 있다고 생각하기 때문임.

❶ 망망대해 ❷ 용기

필수 예제 4

㉠, ㉡의 의미가 바르게 연결된 것은?

	㉠	㉡
①	인생의 즐거움과 재미	고통스러운 상황
②	혼자 살아가는 세상	함께 살아가는 세상
③	인생의 시련과 어려움	조화로운 이상 세계
④	인생에서 마주치는 고난	고독하고 외로운 인생
⑤	자유를 추구하는 공간	자유를 억압하는 공간

정답 해설 | ㉠은 망망대해를 헤매듯이 어려운 인생에서 마주치는 고난과 어려움, ㉡은 친구가 없는 고독한 삶, 고난과 어려움이 가득한 인생을 의미한다.

답 | ④

확인 문제 4

이 글의 제목인 '사막을 같이 가는 벗'에 담긴 상징적 의미로 가장 적절한 것은?

① 인생의 고통과 슬픔을 경험한 사람
② 오랜 세월을 함께 보낸 가족 공동체
③ 새로운 세상에 용기 있게 발을 내딛는 친구
④ 인생의 어려움을 함께 나눌 수 있는 진정한 친구
⑤ 세속적인 삶에 물들지 않은 순수한 영혼을 지닌 친구

1주 3일 필수 체크 전략 ❷

[1~3] 다음 글을 읽고 물음에 답하시오.

가 들에서나 산에서나 마을 근처에선 언제 어디서나 새처럼 하늘을 떠도는 연을 볼 수 있었다. / 연이 하늘에 떠올라 있는 동안은 어머니도 마음이 차라리 편했다.

들에서나 산에서나 어머니는 이따금 자신도 모르게 그 연을 찾아 일손을 멈추곤 했다. 그리고 그 적막스런 봄 하늘을 바라보며 허기진 한숨을 삼키곤 했다.
(적막스런: 고요하고 쓸쓸한.)

아비 없이 자란 놈이라 하는 수가 없는가 보았다. / "우리 집 처지에 상급 학교가 당하기나 한 소리냐. 이름자나마 쓰고 읽게 된 걸 다행으로 알거라."
(상급 학교: 보다 높은 등급의 학교.(여기서는 중학교를 가리킴.))
(당하기나: 사리에 마땅하거나 가능하기나.)

어미 곁에서 함께 땅이나 파고 살자던 소리가 아들놈의 어린 가슴에 못을 박은 모양이었다. / "상급 학교 못 가면 연이나 실컷 띄우고 놀 거야. 상급 학교 안 보내준 대신 연실이나 많이 만들어 줘." (중략)

어머니는 아들놈의 연날리기를 탓해 본 일이 한 번도 없었다. / 철 늦은 연날리기에 넋이 나간 아들놈을 원망해 본 일이 한 번도 없었다. / 녀석의 마음이 고이 머물고 있는 연의 위로를 감사할 뿐이었다. / 연에 실린 아들의 마음이 하늘을 내려오는 저녁 연처럼 조용히 다시 마을로 가라앉기를 기다릴 뿐이었다.

나 그러던 어느 날이었다. (중략) 마을에서 띄워 올린 녀석의 연이 고개 이쪽 어머니의 머리 위까지 까맣게 떠올라 와 있었다. 얼레의 실이 모조리 풀려 나와 하늘 끝까지 닿고 있는 것 같았다. / 무릇 싹을 찾아 헤매던 어머니의 발길이 자꾸만 헛디딤질을 되풀이했다. 연이 너무 높은 데다가 전에 없이 드센 바람기 때문에 마음이 놓이지 않는 탓이었다. 팽팽하게 하늘을 가로질러 올라간 연실 끝에서 드센 바람을 받고 심하게 오르내리는 연을 따라 어머니의 마음도 불안하게 흔들리고 있었다. / 아니나 다를까. / 불안감에 쫓기던 어머니가 어느 순간엔가 다시 그 하늘의 연을 찾았을 때였다. / 연이 있어야 할 곳에 연의 모습이 보이질 않았다.
(얼레: 연줄, 낚싯줄 따위를 감는 데 쓰는 기구.)
(무릇: 백합과의 여러해살이풀.)

연은 어느새 실이 끊어져 날아간 것이었다.

다 어머니는 방금 전에 무슨 아쉬운 배웅이라도 끝내고 돌아선 사람처럼 거동이 무척 차분했다. 연을 지킬 때처럼 초조한 눈빛도 없었고, 발길을 조급히 서둘러 가려는 기색도 아니었다. / 어머니는 이미 모든 것을 알고 있고, 모든 것을 미리 체념해 버린 것 같은 거동이었다. (중략) 어머니는 다만 그 무심한 하늘을 향해 다시 한번 가는 한숨을 삼키며 허망스럽게 중얼거리고 있었다.
(무심한: 아무런 생각이나 감정 따위가 없는.)
(허망스럽게: 어이없고 허무한 데가 있게.)

"아가, 어딜 가거나 몸이나 성하거라……."
(성하거라: 몸에 병이나 탈이 없거라.)

– 이청준, 〈연〉 동아

- **인물**
  어머니, 아들
- **배경**
  봄, 어느 시골 마을
- **사건**
  매일 연을 날리던 아들이 집을 나감.
- **특징**
  - 상징적 소재를 바탕으로 하여 내용을 전개함.
  - 연의 상태에 따른 어머니의 심리 변화가 잘 드러남.

1 이 글에 나타난 어머니의 심리를 다음과 같이 정리한다고 할 때, ㉠, ㉡에 각각 들어갈 내용으로 가장 적절한 것은?

> 이 글에는 '연'의 상태에 따른 어머니의 심리 변화가 드러나 있다. '연'이 하늘에 떠 있을 때 어머니는 아들의 존재를 확인하고 (㉠)을/를 느끼고, 연이 하늘 끝까지 닿을 듯이 높이 떠 있는 모습을 볼 때에는 (㉡)을/를 느낀다.

① ㉠: 기특함 ㉡: 설렘
② ㉠: 안도감 ㉡: 불안감
③ ㉠: 뿌듯함 ㉡: 두려움
④ ㉠: 서글픔 ㉡: 괴로움
⑤ ㉠: 애틋함 ㉡: 만족감

문제 해결 전략

이 글에서 어머니가 '연'의 상태를 보고 아들의 상황을 짐작하는 것으로 보아 '연'의 위치는 곧 ❶ [ ] 의 위치를 나타낸다고 할 수 있다. 이에 따라 '연'의 위치 변화에 따라 ❷ [ ] 의 심리가 어떻게 변하는지 살펴본다.

❶ 아들 ❷ 어머니

2 이 글을 이해한 내용으로 적절하지 않은 것은?

①  어머니는 아들이 자신의 곁에 머물러 주기를 바라고 있었어.

②  아들은 상급 학교에 가지 못해 섭섭한 마음을 연날리기로 달래려고 했던 것 같아.

③  빈 하늘을 보며 떠난 아들의 안녕을 바라는 어머니의 모습에서 어머니의 사랑을 느낄 수 있었어.

④ 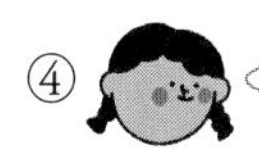 아들이 떠난 후 넋이 나간 모습을 보니 어머니는 아들이 고향을 떠날 거라고 전혀 짐작하지 못한 것 같아.

⑤  아들의 연날리기를 원망하지 않는 것을 보니 어머니는 아들이 연날리기를 통해 마음의 위로를 받는다고 여기는 것 같아.

문제 해결 전략

(나)에서 실이 끊어져 연이 날아간 것을 본 어머니가 (다)에서 어떤 ❶ [ ] 를 보이는지, 그러한 태도를 보이는 ❷ [ ] 이 무엇인지 생각해 본다.

❶ 태도 ❷ 까닭

3 이 글에서 '연'이 상징하는 내용으로 가장 적절한 것은?

① 자유로운 삶에 대한 어머니의 바람
② 어머니에 대한 아들의 죄송한 마음
③ 어머니가 어린 시절 아들에게 준 상처
④ 아들을 상급 학교에 보내 주겠다는 어머니의 약속
⑤ 떠나고 싶지만 떠나지 못하다가 결국 새로운 세계로 가 버린 아들

문제 해결 전략

하늘에 높이 떠 있는 동시에 묶여 있기도 한 '❶ [ ] '의 특성과 상급 학교에 가지 못해 연만 날리던 ❷ [ ] 의 처지를 연관 지어 생각해 본다.

❶ 연 ❷ 아들

1주 4일 교과서 대표 전략 ❶

대표 작품 & 예제 1~3

㉠꽃가루와 같이 부드러운 고양이의 털에
고운 봄의 향기가 어리우도다.

㉡금방울과 같이 호동그란 고양이의 눈에
미친 봄의 불길이 흐르도다.

고요히 다물은 고양이의 입술에
포근한 봄의 졸음이 떠돌아라.

날카롭게 쭉 뻗은 고양이의 수염에
푸른 봄의 생기가 뛰놀아라.

– 이장희, 〈봄은 고양이로다〉 동아, 비상

1 이 시의 화자가 고양이의 모습에서 떠올린 봄의 느낌이 바르게 연결된 것은?

① 고양이의 털 – 미친 봄의 불길
② 고양이의 눈 – 고운 봄의 향기
③ 고양이의 입술 – 역동적인 봄의 정열
④ 고양이의 졸음 – 봄의 생명력
⑤ 고양이의 수염 – 푸른 봄의 생기

유형 해결 전략

시의 각 연에 나타난 ❶ [   ] 의 모습과 연관된 봄의 이미지를 찾는 문제이다. 고양이의 털, 눈, 입술, ❷ [   ] 다음에 나오는 표현들에 유의하여 답을 찾아본다.

❶ 고양이 ❷ 수염

2 이 시의 제목에 나타난 표현 방법이 사용된 것은?

봄은 고양이로다

① 내 누님같이 생긴 꽃이여
② 산맥들이 / 바다를 연모해 휘달릴 때도
③ 수필은 청초하고 몸맵시 날렵한 여인이다.
④ 어둠은 새를 낳고, 돌을 / 낳고, 꽃을 낳는다.
⑤ 손길을 흔들며 / 하롱하롱 꽃잎이 지는 어느 날.

유형 해결 전략

시의 제목에 활용된 표현 방법의 다른 예를 찾는 문제이다. '봄은 고양이로다'에서는 '❶ [   ]'을 '고양이'에 ❷ [   ]으로 빗대고 있으므로, 이 표현 방법이 무엇인지 파악한 후 각 표현에 사용된 표현 방법과 비교해 본다.

❶ 봄 ❷ 암시적

3 ㉠, ㉡에 사용된 표현 방법과 그 효과를 조건 에 맞게 서술하시오.

조건

- ㉠, ㉡에 공통으로 사용된 표현 방법을 구체적으로 밝힐 것.
- 표현 방법의 효과를 포함하여 한 문장으로 서술할 것.

유형 해결 전략

'고양이의 털'과 '고양이의 ❶ [   ]'을 나타내는 부분에 사용된 표현 방법과 그 효과를 묻는 문제이다. 시에서는 '고양이의 털'과 '고양이의 눈'을 직접 설명하지 않고 다른 대상에 ❷ [   ] 표현하고 있는데, 구체적으로 어떤 방법이 사용되었는지 파악하고, 그 효과를 생각해 본다.

❶ 눈 ❷ 빗대어

대표 작품 & 예제 4~6

내를 건너서 숲으로
고개를 넘어서 마을로

어제도 가고 오늘도 갈
㉠나의 길 새로운 길

민들레가 피고 까치가 날고
아가씨가 지나고 바람이 일고

나의 길은 언제나 새로운 길
오늘도…… 내일도……

내를 건너서 숲으로
고개를 넘어서 마을로

– 윤동주, 〈새로운 길〉 천재(노), 창비

4 이 시의 화자에 대한 설명으로 알맞은 것은?

① 과거를 후회하며 괴로워하고 있다.
② 매일 쉬지 않고 길을 걸어가고 있다.
③ 함께 길을 걸어갈 사람을 찾고 있다.
④ 어디로 가야 할지 몰라 길을 헤매고 있다.
⑤ 뜻밖의 시련과 고통을 만나 좌절하고 있다.

유형 해결 **전략**

시에서 화자가 처한 ❶ ____ 을 파악하는 문제이다. 이 시의 화자인 '나'는 길을 걷고 있는데, 자신이 걷는 ❷ ____ 을 어떻게 생각하고 있는지, 어떤 마음으로 걷고자 하는지 살펴본다.

❶ 상황 ❷ 길

5 이 시의 표현상 특징으로 적절하지 않은 것은?

① 말줄임표를 사용하여 여운을 주고 있다.
② 같은 내용을 반복하여 운율을 형성하고 있다.
③ 시의 처음과 끝에 유사한 시구를 두어 의미를 강조하고 있다.
④ 현실에 대한 화자의 생각을 직접적인 표현을 통해 드러내고 있다.
⑤ 3연을 중심으로 1연과 5연, 2연과 4연이 대칭을 이루어 안정감을 주고 있다.

유형 해결 **전략**

시의 구성 및 표현상의 ❶ ____ 을 묻는 문제이다. 화자가 자신의 ❷ ____ 과 느낌을 어떻게 표현하고 있는지에 유의하여 살펴본다.

❶ 특징 ❷ 생각

6 이 시에서 ㉠과 같은 표현 방법을 사용한 효과로 적절하지 않은 것은?

① 주제를 인상적으로 전달한다.
② 시의 의미를 풍부하게 만든다.
③ 화자의 태도와 의지를 강조한다.
④ 전달하고자 하는 내용을 머릿속에서 쉽게 떠올릴 수 있게 한다.
⑤ 구체적인 대상을 추상적으로 나타내어 다양한 의미를 전달한다.

유형 해결 **전략**

화자가 매일 걸어가는 '❶ ____ '이라는 표현에 사용된 표현 방법의 효과를 묻는 문제이다. 화자가 '길'을 통해 전달하고자 하는 내용이 무엇인지, 그것을 '길'로 나타내어 어떤 ❷ ____ 가 있는지 살펴본다.

❶ 길 ❷ 효과

대표 작품 & 예제 7~8

가 내 벗이 몇이나 하니 수석(水石)과 송죽(松竹)이라.
(수석: 물과 돌을 아울러 이르는 말. / 송죽: 소나무와 대나무를 아울러 이르는 말.)
동산(東山)에 달 오르니 그 더욱 반갑고야.
두어라 이 다섯밖에 또 더하여 무엇하리.

〈제1수〉

나 구름 빛이 좋다 하나 검기를 자로 한다.
(좋다: 깨끗하다. / 자로: 자주.)
바람 소리 맑다 하나 그칠 적이 하노매라.
(하노매라: 많더라.)
좋고도 그칠 뉘 없기는 물뿐인가 하노라.

〈제2수〉

다 꽃은 무슨 일로 피면서 쉬이 지고
풀은 어이하여 푸르는 듯 누르나니
아마도 변치 않는 건 바위뿐인가 하노라.

〈제3수〉

라 더우면 꽃 피고 추우면 잎 지거늘
㉠솔아 너는 어찌 눈서리를 모르는다.
구천(九泉)에 뿌리 곧은 줄을 그로 하여 아노라.
(구천: 땅속 깊은 밑바닥.)

〈제4수〉

마 나무도 아닌 것이 풀도 아닌 것이
곧기는 뉘 시키며 속은 어이 비었는가.
(뉘 시키며: 누가, 시켰으며.)
저렇고 사시에 푸르니 그를 좋아하노라.
(사시: 사계절.)

〈제5수〉

바 작은 것이 높이 떠서 만물을 다 비치니
밤중의 광명이 너만 한 이 또 있느냐.
보고도 말 아니하니 내 벗인가 하노라.

〈제6수〉

– 윤선도, 〈오우가〉 천재(박), 동아, 비상

7 (가)~(바)의 소재에 대한 설명으로 가장 적절한 것은?

① (가)의 '수, 석, 송, 죽, 달'은 화자가 지닌 다섯 가지 덕성을 의미한다.
② (나)의 '구름'과 '바람'은 쉽게 변하는 존재, '물'은 깨끗하고도 멈추지 않는 존재를 의미한다.
③ (다)의 '꽃'은 쉽게 흔들리는 존재를, '풀'은 굳건하고 당당한 존재를 의미한다.
④ (마)의 '그'는 때에 따라 태도를 바꾸는 유연한 존재를 의미한다.
⑤ (바)의 '만물'은 모든 것을 감싸 안는 관대함과 과묵한 태도를 지닌 존재를 의미한다.

유형 해결 전략

화자가 제시한 다양한 ❶ [　　] 이 상징하는 의미를 파악하는 문제이다. 자연물들이 서로 어떤 관계를 맺고 있는지, 어떤 ❷ [　　] 을 지니고 있는지 살펴본다.

❶ 자연물 ❷ 속성

8 ㉠과 가장 가까운 인물 유형으로 알맞은 것은?

① 불의를 보고 참지 못하는 사람
② 힘든 상황을 꿋꿋이 이겨 내는 사람
③ 다른 사람의 잘못을 잘 이해해 주는 사람
④ 이상을 추구하며 여유롭게 살아가는 사람
⑤ 다른 사람을 위해 희생하는 삶을 사는 사람

유형 해결 전략

화자가 자연물들을 통해 전달하고자 하는 의미를 묻는 문제이다. 이 시에 등장한 자연물들은 단순한 자연물이 아니라 대상의 속성을 ❶ [　　] 의 품성에 빗대어 표현한 것이므로 (라)에 드러난 '솔'의 특성과 '❷ [　　]'에 대한 화자의 태도를 파악해 본다.

❶ 인간 ❷ 솔

대표 작품 & 예제 9~10

앞부분 줄거리 철수의 아이들이 식모인 남이의 옥색 고무신을 엿과 바꾸어 먹고, 고무신을 돌려 달라는 남이를 은근한 말투로 대하던 엿장수는 남이의 옷에 붙은 벌을 쫓으려다가 손바닥을 쏘인다.

가 엿장수는, / "앗!" / 하고, 쥐었던 손을 펴 불며 앙감질을 하는 꼴이 ㉠남이는 어떻게나 우스웠던지 그만 손등으로 입을 가리고 킥킥 하고 웃어 버렸다. 엿장수는 반은 울상 반은 웃는 상 남이를 바라보는데, 남이의 송곳니가 무척 예뻐 보였다.

앙감질: 한 발은 들고 한 발로만 뛰는 짓.

나 ㉡먼 산은 선잠 깬 여인의 눈시울처럼 자꾸만 선이 희미해 오고 수양버들은 아지랑이가 간지러운 듯 한들거렸다. 보리 싹은 제법 파릇하고 ㉢남향 담 밑에는 민들레가 놀란 듯 활짝 피었다. / 오늘따라 엿장수는 일찍 왔다. (중략) 또 하나 의외의 일은 ㉣한 담배 참씩이면 다음 마을로 가 버리는 엿장수가 오늘은 제법 아이들과 시시덕거리고 놀기를 시작한 것이다.

담배 참: 일을 시작하여서 일정하게 쉬는 때까지의 사이.

다 철수 내외는 암만해도 이 영감이 딸을 보러만 온 것이 아니라고 짐작은 하면서도, / "무슨 일인데요? 새삼스리?"

그러나 남이 아버지는, / "안 그런기요? 내가 나이 칠십에 내일 죽을지 모레 죽을지……."

그러고는 담배를 쭉쭉 소리를 내어 빨고 나서,

㉤"내가 오늘 온 것은 다름이 아니올시더. 저 남이 말임더, 저것을 내 산 동안에 짝을 맞차 놔야 안 되겠는교?"

라 이래서 남이는 떠나간다. 다만 한 가지 철수 내외에게 수수께끼는 마을 중턱에서 남이를 보내고 서서 그의 뒷모양을 바라보는데, 남이가 어이한 옥색 고무신을 신고 가는 것이다. 더구나 한 번도 신지 않은 새것을…….

어이한: '어찌한'을 예스럽게 이르는 말. 여기서는 '어디서 생겼는지 알 수 없는'의 뜻으로 쓰임.

철수 내외는 서로 얼굴만 쳐다볼 뿐 도로 물어본달 수도 없고 해서 그만두었다. / 보리밭 사이 조그만 언덕길로 옥색 고무신을 신은 남이는 갔다. 자천 골짜기로 꽃놀이를 가는 줄만 알았던 남이가 난데없는 영감 하나를 따라가고 있는 광경을 엿장수는 울음 고개 위에서 멀거니 바라보고 있는 것을 남이 자신이야 알 리도 없었다.

– 오영수, 〈고무신〉

9 ㉠~㉤에 대한 설명으로 적절하지 않은 것은?

① ㉠: 남이와 엿장수 사이에 미묘한 감정이 싹트는 순간을 보여 준다.
② ㉡: 비유를 사용하여 아지랑이가 피어오르는 봄의 풍경을 전달한다.
③ ㉢: 비유를 사용하여 활짝 웃는 엿장수의 모습을 나타낸다.
④ ㉣: 남이에 대한 엿장수의 마음을 보여 준다.
⑤ ㉤: 남이와 엿장수의 관계에 위기가 올 것임을 암시한다.

유형 해결 전략

인물들의 말과 ❶ [ ], 풍경을 묘사한 부분에 사용된 표현 방법과 그것을 통해 나타내는 바를 묻는 문제이다. 인물의 말과 행동과 그 안에 담긴 의미가 무엇일지, 글의 계절적 배경인 봄의 ❷ [ ]이 어떻게 표현되고 있는지 살펴본다.

❶ 행동 ❷ 풍경

10 다음은 이 글에 나타난 '고무신'에 대한 설명이다. 이를 바탕으로 하여 '고무신'에 담긴 상징적 의미를 쓰시오.

- 철수에게서 선물로 받아 남이가 아꼈던 물건
- 철수의 아이들이 엿과 바꾼 물건
- 남이가 마을을 떠날 때 신고 간 물건
- 엿장수가 남이에게 새로 사 준 것으로 짐작되는 물건

유형 해결 전략

글의 주요 소재인 '고무신'의 ❶ [ ] 의미를 묻는 문제이다. 제시된 내용과 글의 내용을 바탕으로 하여 '고무신'이 글에서 어떤 의미를 지니며 어떤 ❷ [ ]을 하는지 살펴본다.

❶ 상징적 ❷ 역할

1주 4일 교과서 대표 전략 ❷

[1~3] 다음 시를 읽고 물음에 답하시오.

나무들이
샤워하고 있다

저것 봐
저것 봐

진달래는 분홍 거품이
조팝나무는 하얀 거품이
영산홍은 빨강 거품이
보글보글 일고 있잖아

깨끗이 씻은 자리
씨앗 마중하려고
부지런히 목욕 중이야

㉠온 산이 공중목욕탕처럼
색색의 거품으로 부글거리고 있어.

– 정현정, 〈나무들의 목욕〉 천재(박)

1 이 시의 내용을 질문과 답으로 정리한다고 할 때, 적절하지 않은 것은?

- 무엇이? → 온 산이 ············ ①
- 언제? → 봄에 ············ ②
- 무엇을? → 꽃을 ············ ③
- 어떻게? → 부지런히 피우고 있다. ············ ④
- 왜? → 씨앗 마중하려고 ············ ⑤

도움말
이 시는 색색의 ❶ [ ] 을 피우는 나무들이 가득한 산의 풍경을 그리고 있다. 시에서 중심적으로 다루는 소재가 무엇인지, 대상이 어떤 행동을 하고 있는지, 시의 계절적 ❷ [ ] 이 무엇인지 등을 살펴보자.

❶ 꽃 ❷ 배경

2 ㉠에 쓰인 표현 방법에 대해 조건 에 맞게 서술하시오.

조건
- 사용된 표현 방법을 구체적으로 밝힐 것.
- 원관념과 보조 관념을 각각 밝힐 것.

3 이 시의 주제로 가장 적절한 것은?

① 신비로운 산의 풍경
② 자연을 사랑하는 마음
③ 나무들이 꽃을 피우는 일의 중요성
④ 평화로운 산골 마을의 아름다운 풍경
⑤ 자연을 파괴하는 현대인에 대한 비판

도움말
시에서 표현하고 있는 산과 나무들의 모습에서 더 나아가 이 시의 ❶ [ ] 인 '나무들의 목욕'에 주목하여 나무들이 ❷ [ ] 을 하는 까닭을 생각해 보자.

❶ 제목 ❷ 목욕

[4~6] 다음 글을 읽고 물음에 답하시오.

가 "헤헤, 4학년이 됐다는 아이가 남의 책 보퉁이나 메다 주고……." / "참 못난 아이제."

모두 이런 말로 수군거리는 것 같았습니다.

'뭐, 못난 아이라고?'

용이는 화가 났습니다. 벌써 고개 위에 다 올라갔는지 아이들의 고함이 산 위에서 들려왔을 때, 갑자기 용이는 눈앞에 있는 책 보퉁이들을 그냥 콱콱 짓밟아 버리고 싶은 생각이 났습니다. 발밑에 돌멩이 하나가 밟혔습니다. 용이는 벌떡 일어나 그 돌멩이를 집어 힘껏 골짜기 아래로 던졌습니다. 돌멩이가 저 밑에 떨어지자, 갑자기 온 산골을 뒤흔드는 소리를 치면서 커다란 뭉텅이 하나가 솟아올랐습니다. / "꼬공 꼬공, 푸드득!"

그것은 온 산골의 가라앉은 공기를 뒤흔들어 놓고 하늘을 날아오르는, 정말 살아 있는 생명의 소리였습니다.

'야, 참 멋지다!' / 날개를 쫙 펴고 꽁지를 쭉 뻗고 아침 햇빛에 눈부신 모습으로 산을 넘어가는 꿩을 쳐다보는 용이의 온몸에 갑자기 어떤 힘이 마구 솟구쳤습니다. 용이는 그 자리에서 한번 훌쩍 뛰어올라 보았습니다. 하늘에라도 날아오를 듯합니다. 용이는 발에 채는 책 보퉁이 하나를 집어 들었습니다. 그리고 그것을 하늘 위로 던졌습니다. (중략)

"됐다!" / 용이는 이제 하늘이 탁 트이고 가슴이 시원해져서, 저 건너 산을 보고 "하하하." 웃었습니다.

떠가는 구름을 따라 마구 날아갈 것 같았습니다.

㉠

나 용이는 돌아서서, 햇빛이 눈부신 내리받이 길을 바라보았습니다. 이제는 단숨에 학교까지 뛰어갈 듯합니다. 하늘에는 하얀 구름 한 송이가 날고 있었습니다. ⓐ용이는 훌쩍 한번 뛰더니 마구 두 팔을 내저으면서 내리 달렸습니다. 그것은 마치 한 마리의 꿩이 소리치면서 하늘을 날아오르는 모습과도 같았습니다.

- 이오덕, 〈꿩〉 천재(노)

4 이 글에 나타난 용이의 행동과 심리 변화를 다음과 같이 정리한다고 할 때, 괄호 안에 공통으로 들어갈 말을 쓰시오.

(　　　)을/를 보기 전	➡	(　　　)을/를 본 후
• 아이들의 책 보퉁이를 대신 날라 줌. • 아이들의 수군거림에 화가 남.		• 아이들의 책 보퉁이를 던져 버림. • 가슴이 시원해짐.

5 ㉠에 들어갈 용이의 생각으로 가장 적절한 것은?

① 이제 학교를 그만두고 원하는 일을 할 거야!
② 이제 힘이 세졌으니 제일 먼저 산 위에 도착할 수 있어!
③ 내가 정말 못난이였구나! 이제 다시는 그런 짓 안 한다!
④ 남의 책 보퉁이를 메고 다니는 것을 부끄럽게 여기지 말아야지.
⑤ 아버지가 머슴이니 내가 남의 짐을 대신 날라 주는 것이 당연하지!

도움말
다른 아이들의 책 보퉁이를 메다 주던 ❶ 　　　가 어떤 사건을 겪는지, 그 사건과 관련하여 어떤 ❷ 　　　을 느꼈는지를 바탕으로 하여 용이의 결심을 짐작해 보자.
❶ 용이 ❷ 감정

6 ⓐ에 대한 설명으로 적절하지 않은 것은?

① 용이의 자유로움을 인상적으로 표현한다.
② 용이의 당당한 기세를 선명하게 표현한다.
③ 날아오르는 '꿩'은 '양심', '신뢰' 등을 의미한다.
④ 용이를 상징적 소재인 '꿩'에 빗대어 주제를 강조한다.
⑤ 달려 내려가는 용이와 날아오르는 '꿩'은 힘차고 당당하다는 유사성이 있다.

도움말
ⓐ에서는 비유와 ❶ 　　　을 사용하고 있는데, 이를 통해 ❷ 　　　의 모습을 어떻게 전달하고 있는지, 어떤 의미를 나타내며, 어떤 효과가 있는지 생각해 보자.
❶ 상징 ❷ 용이

1주 누구나 합격 전략

[1~4] 다음 시를 읽고 물음에 답하시오.

㉠교실은 온통 별밭이다.
초롱초롱 반짝이는 너희들의 눈
별 하나의 꿈, / 별 하나의 희망,
별 하나의 이상.

교실은 흐드러진 장미밭이다.
까르르 웃는 너희들의 웃음
장미 한 송이의 사랑,
장미 한 송이의 열정,
장미 한 송이의 순결.

ⓐ교실은 향긋한 사과밭이다.
수줍게 피어나는 너희들의 볼
사과 한 알의 보람,
사과 한 알의 결실,
사과 한 알의 믿음.

[A]
교실은 찬란한 보석밭이다.
너희들의 빛나는 이마
이름을 부르면 하나씩 깨어나는
사파이어, / 에메랄드, / 다이아몬드.

아 너희들은 영원히 빛나는
별밭이다.
꽃밭이다.

- 오세영, 〈별처럼 꽃처럼〉 천재(노), 교학사

1 [A]에 대한 설명으로 적절하지 않은 것은?

① 비슷한 말을 반복하고 있다.
② 다양한 보석들의 이름을 나열하고 있다.
③ 소리나 모양을 흉내 낸 말을 사용하고 있다.
④ '너희들'에 대한 감탄의 감정을 드러내고 있다.
⑤ 한 대상을 다른 대상에 암시적으로 빗대고 있다.

2 ㉠을 다음과 같이 정리한다고 할 때, 빈칸에 알맞은 말을 쓰시오.

표현하려는 대상	유사성	빗댄 대상
너희들의 눈		별

3 ⓐ와 같은 표현 방법이 사용된 것은?

① 배춧잎 같은 발소리 타박타박
② 꽃들은 한들한들 춤을 추었다.
③ 하얀 꽃 이파리 손짓하며 날 반기네
④ 구름은 보랏빛 색지 위에 마구 칠한 한 다발 장미
⑤ 온 산이 공중목욕탕처럼 / 색색의 거품으로 부글거리고 있어

4 이 시에 사용된 비유의 효과로 보기 어려운 것은?

① 주제를 효과적으로 드러낼 수 있다.
② 대상을 참신하고 인상적으로 표현할 수 있다.
③ 대상을 구체적이고 실감 나게 표현할 수 있다.
④ 독자의 상상력을 자극하여 흥미를 유발할 수 있다.
⑤ 대상의 모습을 직접적으로 표현하여 의미를 분명하게 전달할 수 있다.

[5~7] 다음 글을 읽고 물음에 답하시오.

막내의 담임 선생님은 마흔 남짓한 남자분이신데, 무슨 깊은 병환으로 입원을 하셔서 한 두어 달 쉬시게 되었다. 그렇게 되자 학교에서는 막내의 반 아이들을 이 반 저 반으로 나누어 붙였다. 그러니까 막내의 반은 하루아침에 해체되고 아이들은 뿔뿔이 헤어지게 된 것이다.

그런데 배치해 주는 대로 가 보니 ㉠그 반 아이들의 괄시가(업신여겨 하찮게 대함.) 말이 아니었다. (중략) 그러는 동안에 아이들은 선생님이 다 나으셔서 오실 때까지 우리 기죽지 말자 하며 서로서로 격려하게 되었고, 이러한 기운이 팽배해지자(어떤 기세나 사조 따위가 매우 거세게 일어나게 되자.) 이른바 간부였던 아이들은 자기네의 사명을 깨닫게 되었다. 그래서 몇 아이들이 우리 집에 모였던 것이고, 그 기죽지 않을 방법으로 채택된 것이 야구 대회를 주최하여 우승을 차지하는 것이었다.

연습은 참으로 피나는 것이었다. 배 속에서 꼬르륵거리는 소리가 나도 누구 하나 배고프다는 말을 하지 않았다. 연습이 끝나면 또 작전 계획을 세우고 검토했다. 그러노라면 어느새 ㉡하늘에 푸른 별이 떴다.

그리하여 마침내 결승전에 진출했다. ㉢이 반 저 반으로 헤어진 반 아이들은 예선부터 한 사람 빠짐없이 응원에 나섰다. 그 응원의 외침은 차라리 처절한 것이었다. 그러나 열광의 도가니처럼 들끓던 결승에서 그만 패하고 만 것이다.

"아빠, 우린 해야 돼. 다음번엔 우승해야 돼. 선생님이 다 나으실 때까지 우린 누구 하나도 기죽을 수 없어."

막내는 이야기를 마치면서 이렇게 말했다. ㉣나는 아무 말도 하지 못했다. 무슨 ㉤망국민의 독립 운동사라도(망하여 없어진 나라의 백성.) 읽은 것처럼 감동 비슷한 것이 가슴에 꽉 차 오는 것 같았다. 학교라는 데는 단순히 국어, 수학이나 가르치는 데가 아니구나 하는 생각도 들었다.

이튿날 밤 나는 늦게 돌아오는 ⓐ막내의 방망이를 미더운(믿음이 가는 데가 있는.) 마음으로 소중하게 받아 주었다. 그때도 막내와 그 애의 친구 애들의 초롱초롱한 눈 같은 맑고 푸른 별이 두어 개 하늘에 떠 있었다. 나는 그때처럼 맑고 푸른 별을 일찍이 본 적이 없다.

- 정진권, 〈막내의 야구 방망이〉 금성

5 ㉠~㉤ 중, 보기 의 밑줄 친 관계에 있는 것을 바르게 짝지은 것은?

> 보기
> 비유란 표현하려는 대상을 직접 설명하지 않고 다른 비슷한 대상에 빗대어 표현하는 것으로, 표현하려는 대상과 빗댄 대상 사이에 유사성이 있다.

① ㉠과 ㉡ ② ㉠과 ㉢ ③ ㉡과 ㉢
④ ㉢과 ㉣ ⑤ ㉢과 ㉤

6 이 글에서 다음 설명에 해당하는 소재를 마지막 문단에서 찾아 다섯 글자로 쓰시오.

> • 막내와 막내네 반 아이들의 초롱초롱한 눈에 빗댄 대상
> • 막내와 막내네 반 아이들의 맑고 순수한 동심을 상징하는 대상

7 ⓐ의 상징적 의미에 대해 나눈 대화의 내용으로 적절하지 않은 것은?

초대 화상 찾기

① 야구 대회에서 우승하려는 막내의 강한 의지를 상징한다고 할 수 있지.
② 흩어진 반 아이들이 함께 어려움을 이겨 내려는 단결심을 상징하는 것일 수도 있어.
③ 밤늦게까지 연습하며 최선을 다하는 막내와 반 아이들의 모습을 상징하는 것이기도 해.
④ 국어나 수학 같은 공부만을 중요하게 생각하는 어른들에 대한 저항 정신을 상징하는 것 같아.
⑤ 지난 경기에서 졌지만 다음 경기를 위해 연습하는 막내와 반 친구들의 빛나는 도전 정신을 상징한다고 생각해.

1주 창의·융합·코딩 전략 ❶

1 다음 시에 나타난 비유적 표현을 보기 와 같이 정리한다고 할 때, ㉠~㉤에 들어갈 말로 적절하지 <u>않은</u> 것은?

> 꽃가루와 같이 부드러운 고양이의 털에
> 고운 봄의 향기가 어리우도다.
>
> 금방울과 같이 호동그란 고양이의 눈에
> 미친 봄의 불길이 흐르도다.
>
> 고요히 다물은 고양이의 입술에
> 포근한 봄의 졸음이 떠돌아라.
>
> 날카롭게 쭉 뻗은 고양이의 수염에
> 푸른 봄의 생기가 뛰놀아라.
>
> 
>
> – 이장희, 〈봄은 고양이로다〉

보기

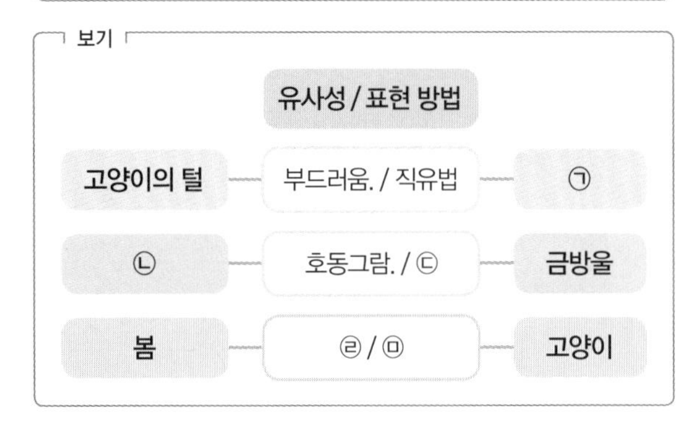

① ㉠: 꽃가루
② ㉡: 고양이의 입술
③ ㉢: 직유법
④ ㉣: 곱고 포근하며 생기가 느껴짐.
⑤ ㉤: 은유법

도움말

이 시에서는 1연과 2연, 시의 ❶ [ ] 에서 비유적 표현이 사용되었다. 따라서 여기에서 표현하려는 대상과 ❷ [ ] 대상, 둘의 유사성, 사용된 표현 방법이 무엇인지 찾아보자.

❶ 제목 ❷ 빗댄

2 보기 는 다음 시에 나타난 비유를 정리한 것이다. 시의 내용과 보기 를 바탕으로 할 때, '교실'의 속성으로 알맞지 <u>않은</u> 것은?

> 꽃망울이다
> 청춘의
> 닫히지 않은 성장판이다
>
> 꽃의 속살은
> 움츠린 시간처럼
> 고요히
> 제각각
> 자라나고 있다
>
> 빅뱅 이전의 숨죽인 우주다
>
> – 이삼남, 〈교실〉 금성

보기

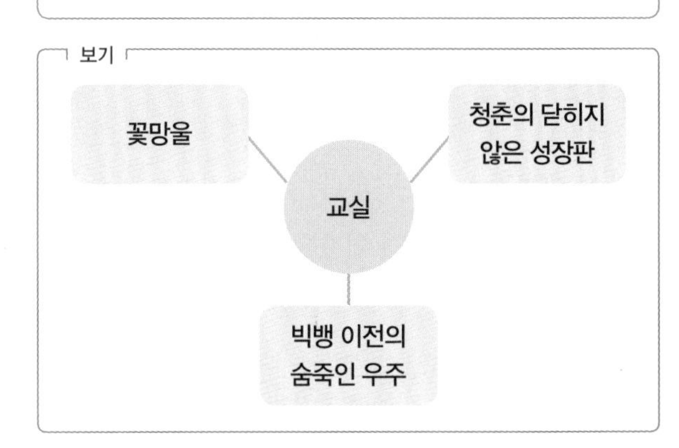

① 무언가를 품고 있음.
② 잠재력이 응축되어 있음.
③ 부드러운 속살을 내보임.
④ 긴장감이 느껴지는 공간임.
⑤ 성장의 가능성을 지니고 있음.

도움말

'교실'과 '꽃망울', '청춘의 닫히지 않은 ❶ [ ]', '빅뱅 이전의 숨죽인 우주' 사이에 어떤 ❷ [ ] 이 있는지를 바탕으로 하여 '교실'의 속성을 짐작해 보자.

❶ 성장판 ❷ 유사성

>> 정답과 해설 11쪽

3 |보기|는 다음 시에 사용된 표현 방법을 찾는 과정을 나타낸 것이다. (1)~(4)의 답이 모두 알맞게 연결된 것은?

> 고래들이 꼬리를 들어
> 바다를 친다
> 탕 탕 탕
> 바다가 커다란 북이다
>
> 하늘에서는 천둥이 친다
> 쾅 콰앙 쾅
> 하늘이 커다란 북이다
>
> 내 가슴에서는 심장이 뛴다
> 쿵 쿵 쿵
> 가슴이 북이다
>
> – 최승호, 〈북〉 금성

보기

(1) 대상을 직접적으로 설명하고 있다. → 예 / 아니요

(2) 원관념과 보조 관념이 나타나 있다. → 예 / 아니요

(3) 원관념과 보조 관념 사이에 유사성이 있다. → 예 / 아니요

(4) '같이', '처럼'과 같은 말을 사용하여 직접 빗대고 있다. → 예 / 아니요

	(1)	(2)	(3)	(4)
①	예	예	예	예
②	예	예	아니요	아니요
③	아니요	예	예	아니요
④	아니요	예	아니요	예
⑤	아니요	아니요	예	아니요

도움말

각 연의 마지막 행에서 '❶ ', '하늘', '가슴'을 어떻게 표현하고 있는지, '❷ '이 무엇을 나타내는지를 생각하며 질문에 답해 보자.

❶ 바다 ❷ 북

4 다음은 수필 〈내 마음의 희망등〉의 내용을 정리한 것이다. 이를 바탕으로 할 때, 제목에 나타난 '희망등'의 원관념으로 가장 적절한 것은?

〈내 마음의 희망등〉은 성인이 된 글쓴이가 초등학교 시절 자신을 믿고 격려해 준 선생님께 고마운 마음을 전하는 글이다.

어린 시절의 글쓴이는 백일장 같은 데에서 상을 받아 본 적이 없는 아주 평범한 소년이었음.

↓

초등학교 5학년 때, 백일장에 나가서 매번 떨어지기만 하던 글쓴이는 군 대회 백일장에 나가서도 아무 상도 받지 못하자 크게 낙담함.

↓

선생님은 글쓴이에게 매화나무에서 먼저 핀 꽃은 사람들의 눈길을 끌지만 대부분 열매를 맺지 못하고, 더 많은 준비를 하고 나중에 핀 꽃은 제대로 된 열매를 맺는다는 이야기를 들려줌.

↓

성인이 된 글쓴이는 소설가가 됨.

① 백일장 ② 선생님
③ 매화나무 ④ 먼저 핀 꽃
⑤ 나중에 핀 꽃

도움말

선생님이 글쓴이에게 해 준 ❶ 의 꽃과 열매 이야기에 담긴 교훈과 이 글을 통해 글쓴이가 선생님에게 전하고 싶은 내용이 무엇인지에 주목하여 '❷ '이 무엇을 빗댄 표현인지 생각해 보자.

❶ 매화나무 ❷ 희망등

5 다음 시조에 대한 |보기|의 설명을 바탕으로 할 때, 빈칸에 들어갈 '솔'의 상징적 의미로 가장 적절한 것은?

> 더우면 꽃 피고 추우면 잎 지거늘
> 솔아 너는 어찌 눈서리를 모르는다.
> 구천(九泉)에 뿌리 곧은 줄을 그로 하여 아노라
> 〈제4수〉
>
> 
>
> - 윤선도, 〈오우가〉에서

보기

옛사람들은 사람이 마땅히 갖추어야 할 성품이나 덕성을 자연물을 빌려 표현하였다. 예를 들면, 군자의 훌륭한 덕성을 사군자(四君子)로 불리는 매화·난초·국화·대나무라는 자연물을 빌려 표현하였다.

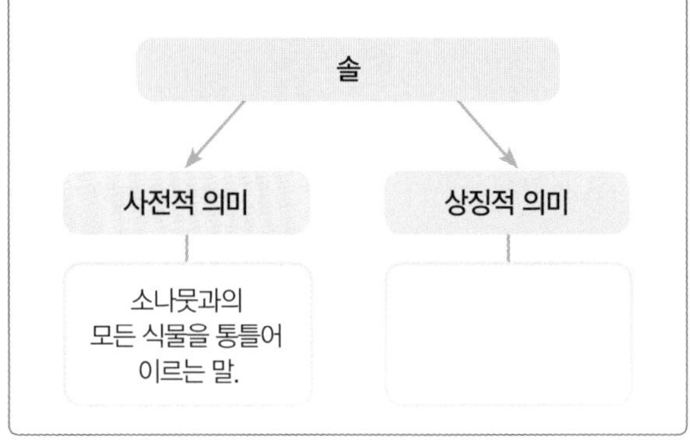

① 신뢰와 헌신　② 행운과 평화
③ 지조와 절개　④ 고난과 시련
⑤ 겸손과 절제

도움말
'솔'의 ❶ [　　] 적 의미를 파악하기 위해 시에 드러난 '솔'의 특성을 파악한 후, 〈보기〉에서 설명한 군자의 훌륭한 ❷ [　　] 과 연관 지어 생각해 보자.

❶ 상징 ❷ 덕성

6 다음 글의 밑줄 친 '어른들'에 대한 설명으로 적절하지 <u>않은</u> 것은?

> 나는 밀림 속에서 겪은 온갖 모험들을 곰곰이 생각해 보았다. 그러고 나서 색연필을 가지고 내 나름대로 생애 첫 번째 그림을 하나 그리게 되었다. 내 그림 제1호였다. 그 그림은 이런 것이었다.
>
> 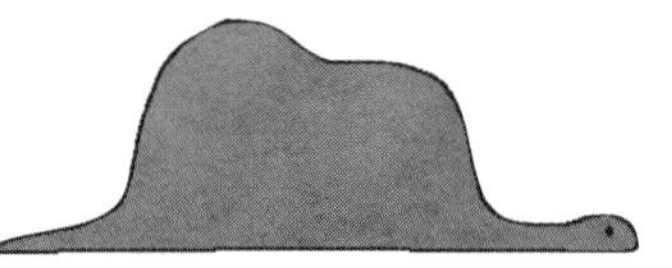
>
> 나는 그 걸작품을 <u>어른들</u>에게 보여 주고 내 그림이 무서우냐고 물어보았다. 어른들은 대답했다. "모자가 뭐가 무서워?"
>
> 내 그림은 모자를 그린 게 아니었다. 그것은 코끼리를 삼키고서 소화하는 보아 구렁이였다. (중략)
>
> 어른들은 나더러 속이 보이건 안 보이건 간에 보아 구렁이 그림 따위는 집어치우고 차라리 지리, 역사, 산수, 문법이나 열심히 공부해 보는 것이 좋겠다고 충고해 주었다. (중략)
>
> 어른들 중에 좀 똑똑해 보이는 이를 만날 때면 나는 늘 간직하고 있던 내 그림 제1호를 가지고 그 사람을 시험해 보곤 했다. 정말이지 이 사람이 무언가 이해할 줄 아는 사람인지 궁금했다. 그러나 그 사람은 으레 "모자로구나." 하고 대답하는 것이었다. 그러면 나는 보아 구렁이니, 원시림이니, 별이니 하는 이야기는 아예 꺼내지도 않았다.
>
> - 생텍쥐페리, 〈어린 왕자〉에서

① 그림 제1호를 모자로 보았다.
② 그림 제1호를 무서워하지 않았다.
③ '나'에게 그림을 그만두라고 하였다.
④ 지리와 역사 공부를 중요하게 생각하였다.
⑤ 원시림과 별에 관한 이야기를 하고 싶어 하였다.

도움말
그림 제1호를 바라보는 ❶ [　　] 과 '나'의 시각에 주목하여 '나'와 달리 어른들이 중요하게 생각하는 ❷ [　　] 가 무엇인지 생각해 보자.

❶ 어른들 ❷ 가치

>> 정답과 해설 11쪽

7 **| 보기 |는 '까마귀'와 '백로'에 대한 (가), (나) 화자의 평가와 그 근거를 정리한 것이다. ㉠~㉣ 중, 적절하지 않은 것을 고르시오.**

가 까마귀 싸우는 골에 백로야 가지 마라.
성난 까마귀 흰빛을 시샘할세라.
청강(淸江)에 기껏 씻은 몸을 더럽힐까 하노라.

– 영천 이씨, 〈까마귀 싸우는 골에〉

나 까마귀 검다 하고 백로야 웃지 마라.
겉이 검은들 속조차 검을쏘냐.
겉 희고 속 검은 것은 너뿐인가 하노라.

– 이직, 〈까마귀 검다 하고〉

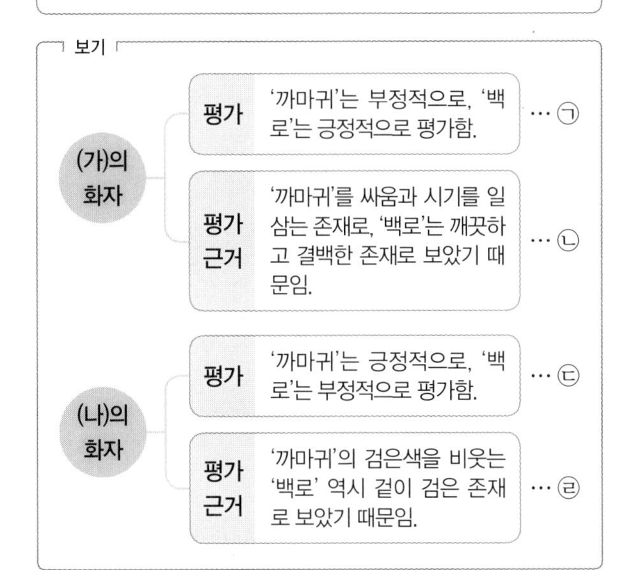

도움말
(가)와 (나)의 화자는 '까마귀'와 '❶ [ ]'에 대해 각각 다른 평가를 내리고 있다. (가), (나)에 나타난 '❷ [ ]'와 '백로'의 속성을 바탕으로 하여 (가), (나)의 화자가 그와 같은 평가를 내린 까닭을 생각해 보자.

❶ 백로 ❷ 까마귀

8 **다음 글의 밑줄 친 '옥색 고무신'과 같은 의미를 지닌 소재를 | 보기 |에서 찾아 쓰고, 그 의미를 쓰시오.**

다만 한 가지 철수 내외에게 수수께끼는 마을 중턱에서 남이를 보내고 서서 그의 뒷모양을 바라보는데, 남이가 어이한 옥색 고무신을 신고 가는 것이다. 더구나 한 번도 신지 않은 새것을……. (중략)

보리밭 사이 조그만 언덕길로 <u>옥색 고무신</u>을 신은 남이는 갔다. 자천 골짜기로 꽃놀이를 가는 줄만 알았던 남이가 난데없는 영감 하나를 따라가고 있는 광경을 엿장수는 울음 고개 위에서 멀거니 바라보고 있는 것을 남이 자신이야 알 리도 없었다.

– 오영수, 〈고무신〉에서

보기
묏버들 가려 꺾어 보내노라 임의 손에
자시는 창밖에 심어 두고 보소서
밤비에 새잎 나거든 나인가도 여기소서

– 홍랑, 〈묏버들 가려 꺾어〉 지학사

도움말
남이가 새 옥색 고무신을 신고 있다는 점과 남이가 떠나는 모습을 바라보는 ❶ [ ]의 모습에 주목하여 '옥색 고무신'의 의미를 생각해 보고, 〈보기〉에서 '❷ [ ]'에 대한 화자의 감정을 생각하며 같은 의미를 지닌 소재를 찾아보자.

❶ 엿장수 ❷ 임

문학 (2)

갈등은 어떻게 진행될까?

갈등은 처음 갈등이 발생하고 점점 깊어지다가
최고조에 이른 후에 해결이 되는 과정을 거쳐 진행되지요.

공부할 내용

❶ 갈등의 개념과 유형 ❷ 갈등에 따른 소설의 구성 단계 ❸ 문학 작품을 통한 성찰

작품을 통해 어떻게 자신의 삶을 성찰할까?

작품을 감상할 때 자신이 작품 속 인물이라면 어떻게 했을지 상상하고,
인물의 행동을 평가하며 자신의 삶을 성찰해 볼 수 있어요.

2주 1일 개념 돌파 전략 1

개념 1 갈등의 개념과 역할

◎ 문학 작품에서의 갈등: 소설이나 희곡에서 인물의 마음속이나 인물과 인물 사이, 인물과 외부 환경 사이에서 대립과 ❶ [   ]이 일어나 복잡하게 얽혀 있는 상태.

◎ 문학 작품 속 갈등의 역할

- 인물의 성격과 가치관 등을 드러내 줌.
- 갈등의 진행과 해결 과정에서 작품의 주제가 드러남.
- 극적인 ❷ [   ]을 형성하고, 독자의 재미와 흥미를 불러일으킴.
- 인물이 갈등을 해결하는 과정을 통해 바람직한 삶의 태도를 생각할 수 있음.
- 사건을 전개하고 사건이 그렇게 전개될 수밖에 없도록 만드는 필연성을 부여함.

❶ 충돌 ❷ 긴장감

Quiz

갈등에 대한 다음 설명이 맞으면 ○, 틀리면 X를 괄호 안에 써넣으시오.

(1) 갈등은 인물의 마음속이나 인물과 외부 대상 사이에서의 조화를 이르는 말이다. (   )

(2) 소설 속 인물이 갈등을 해결하는 과정에서 인물의 성격과 가치관 등이 드러난다. (   )

(3) 독자는 갈등의 진행 과정을 이해함으로써 작품의 주제와 작가의 의도를 이해할 수 있다. (   )

답 | (1) X (2) ○ (3) ○

개념 2 갈등의 유형

◎ 내적 갈등: 한 인물의 ❶ [   ]에서 서로 다른 감정이나 욕구가 일어나서 생기는 갈등.

◎ 외적 갈등: 인물과 인물을 둘러싼 외부 요소 사이에서 대립과 충돌이 일어나서 생기는 갈등.

인물과 인물의 갈등	인물 간의 성격이나 생각이 대립하여 생기는 갈등
인물과 사회의 갈등	인물이 자신이 속한 사회 윤리나 제도와 충돌하여 생기는 갈등
인물과 운명의 갈등	인물의 삶이 피할 수 없는 ❷ [ ]에 의해 결정되거나 파괴되는 경우에 일어나는 갈등
인물과 자연의 갈등	인물이 거대한 힘을 가진 자연환경과 부딪혀 겪게 되는 갈등

❶ 마음속 ❷ 운명

Quiz

다음 상황에서 나타나는 갈등이 내적 갈등이면 '내', 외적 갈등이면 '외'를 괄호 안에 쓰시오.

(1) 좋아하는 친구에게 마음을 고백할지 말지 고민하는 상황 (   )

(2) 산사태로 산에 고립되어 살아남으려고 고난을 겪는 상황 (   )

(3) 불공정한 법 때문에 피해를 본 피해자가 법을 고치려고 노력하는 상황 (   )

(4) 가수가 되고 싶은 아들과 아들이 선생님이 되기를 바라는 부모님이 갈등을 겪는 상황 (   )

답 | (1) 내 (2) 외 (3) 외 (4) 외

1-1 갈등에 대한 설명으로 알맞지 않은 것은?

① 소설이나 희곡과 같은 문학 작품에서 나타난다.
② 대립과 충돌이 일어나 서로 복잡하게 얽혀 있는 상태를 가리킨다.
③ 한 인물의 마음속에서 하나의 동일한 감정이나 바람이 나타나는 것이다.

정답 해설 | 소설이나 희곡과 같은 문학 작품에서 갈등은 인물의 마음속 또는 인물과 인물을 둘러싼 외부 요소 사이에서 대립과 충돌이 일어나 서로 복잡하게 얽혀 있는 상태를 말한다. 내적 갈등은 애정과 증오처럼 완전히 다른 감정이나 바람이 마음속에 동시에 나타나면서 생기는 갈등이므로 ③은 알맞지 않다. **답** | ③

1-2 갈등에 대한 설명으로 알맞지 않은 것은?

① 대립과 충돌 없이 조화로운 상태이다.
② 한 인물의 마음속에서 나타나기도 한다.
③ 인물과 인물의 외부 환경 사이에서 일어나기도 한다.

2-1 다음 상황에 나타난 갈등의 유형으로 적절한 것은?

지호는 길을 걷다가 우연히 지갑을 주웠다. 지갑에는 돈과 함께 지갑 주인의 신분증이 들어 있었다. 지호는 지갑의 주인을 찾아 줄지, 지갑 안의 돈을 그냥 자신이 써 버릴지 고민하였다.

① 인물과 자연환경의 갈등
② 한 인물의 마음속에서 일어나는 갈등
③ 인물과 그를 둘러싼 사회 제도 사이의 갈등

정답 해설 | 제시된 상황에서는 지갑의 주인을 찾아 줄지 주운 돈을 써 버릴지 고민하는 지호의 내적 갈등이 나타난다. **답** | ②

2-2 다음 갈등 상황에 대한 설명으로 적절한 것은?

중간고사를 앞두고 민재가 소라의 노트를 빌렸는데 함부로 다루다가 그만 잃어버렸다. 소라는 노트를 잃어버린 민재 때문에 시험을 망쳤다며 화를 내어 다툼이 일어났다.

① 인물과 다른 인물이 갈등하고 있다.
② 인물이 자신이 처한 운명과 갈등하고 있다.
③ 인물이 두 가지 선택 앞에서 갈등하고 있다.

개념 3 갈등에 따른 소설의 구성 단계

소설의 구성 단계

발단	인물과 배경이 소개되고, 갈등의 ❶ ______ 가 제시됨.
전개	사건이 발전되며, 갈등이 발생함.
위기	갈등이 고조되고 심화되며, 위기감과 긴장감이 조성됨.
절정	갈등과 긴장감이 최고조에 이름.
결말	갈등이 해소되고 사건이 마무리됨.

갈등의 전개 과정

- 발단: 갈등의 실마리 제시
- 전개: 갈등의 시작
- 위기: 갈등의 고조
- 절정: 갈등의 ❷ ______
- 결말: 갈등의 해소

❶ 실마리 ❷ 최고조

Quiz

다음 소설의 구성 단계와 그 설명을 바르게 연결하시오.

(1) 발단 • • ㉠ 갈등이 발생함.
(2) 전개 • • ㉡ 모든 갈등이 해소됨.
(3) 위기 • • ㉢ 갈등이 최고조에 이름.
(4) 절정 • • ㉣ 갈등의 실마리가 제시됨.
(5) 결말 • • ㉤ 갈등이 고조되고 심화됨.

답 | (1) ㉣ (2) ㉠ (3) ㉤ (4) ㉢ (5) ㉡

개념 4 문학 작품을 통한 성찰

성찰: 자신의 삶과 경험을 되돌아보고 ❶ ______ 하며 사고하는 과정.

문학 작품을 통해 성찰하는 방법

- 작품 속 인물이 경험을 통해 얻은 깨달음을 파악함.
- 작품 속 인물이 겪는 어려움과 그 어려움을 해결하는 과정을 파악함.
- 자신의 삶을 바탕으로 하여 작품 속 인물의 행동을 평가함.
- 작품 속 인물의 삶과 관련된 자신의 경험이나 가치관을 돌아봄.

문학 작품을 통한 성찰의 효과

- 인물이 갈등을 겪고 해결하는 과정을 보며 자신의 삶의 문제를 해결할 방법을 찾을 수 있음.
- 문학 작품에 나타난 다양한 삶의 모습을 통해 인간의 보편적인 삶을 이해하고 ❷ ______ 을 얻을 수 있음.

❶ 반성 ❷ 깨달음

Quiz

다음 빈칸에 들어갈 알맞은 말을 보기 에서 골라 쓰시오.

(1) 자신의 삶과 경험을 되돌아보며 살피는 과정을 (   )이라고 한다.
(2) 문학 작품을 통해 자신의 삶을 성찰하고 삶의 (   )을 얻을 수 있다.
(3) 자신의 삶을 바탕으로 하여 작품 속 인물의 행동을 (   )하며 성찰할 수 있다.

답 | (1) 성찰 (2) 깨달음 (3) 평가

3-1 다음은 소설 〈꿩〉의 줄거리이다. ㉠~㉤ 중, 보기 의 단계에 해당하는 것을 고르시오.

㉠ 4학년이 된 첫날 학교에 가지 않겠다고 투정을 부리던 용이는 아버지가 올해까지만 머슴살이를 한다는 말을 듣고 집을 나선다.
㉡ 용이는 머슴의 자식이란 이유로 다른 아이들의 책 보퉁이를 대신 메고 고갯길을 올라간다.
㉢ 용이는 날아오르는 꿩의 모습을 보고 용기를 얻어 다른 아이들의 책 보퉁이를 골짜기 아래로 던져 버린다.
㉣ 용이는 책 보퉁이를 찾아오라는 아이들에게 자신은 이제 못난 아이가 아니라고 말하며 당당하게 맞선다.
㉤ 용이는 꿩이 날아오르는 몸짓처럼 두 팔을 내저으며 학교를 향해 달려간다.

보기
갈등과 긴장감이 최고조에 이르는 단계

정답 해설 | 다른 아이들의 책 보퉁이를 골짜기 아래로 던져 버린 용이가 책 보퉁이를 찾아오라는 아이들에게 맞서는 ㉣에서 용이와 아이들의 갈등과 긴장감이 최고조에 이르고 있다. 답 | ㉣

3-2 다음은 소설 〈연〉의 줄거리이다. ㉢에 해당하는 소설의 구성 단계로 알맞은 것은?

㉠ 경제적인 이유로 상급 학교에 가지 못한 아들은 매일 연을 날리고, 어머니는 하늘에 떠 있는 연을 확인하며 한숨을 삼킨다.
㉡ 어머니는 아들이 연날리기에 위로를 받고 마을에 남아 있기를 바란다.
㉢ 바람이 심하게 부는 어느 날, 어머니는 하늘 높이 떠 있는 연을 보며 불안해한다.
㉣ 어느 순간 연실이 끊어져 연이 하늘로 날아가 버리고, 어머니는 체념한 모습으로 집으로 향한다.
㉤ 아들이 돈을 벌러 갔다는 옆집 아이의 말에도 놀라지 않은 어머니는 빈 하늘을 보며 아들의 건강을 기원한다.

① 발단 ② 위기 ③ 결말

4-1 문학 작품을 통해 성찰하는 방법과 거리가 먼 것은?

① 작품 속 인물이 경험을 통해 어떤 깨달음을 얻었는지 파악한다.
② 작품 속 인물이 사건과 갈등을 겪으며 느끼는 감정에 깊이 공감한다.
③ 자신의 삶을 바탕으로 하여 작품 속 인물의 행동이나 가치관을 평가한다.

정답 해설 | 문학 작품을 통해 성찰하려면 작품 속 인물의 경험과 깨달음을 자신의 삶과 연관 지어야 하는데, 인물의 감정에 공감하는 것은 작품을 깊이 있게 감상하는 방법일 뿐, 성찰하는 방법으로 보기 어렵다. 답 | ②

4-2 다음 중 삶을 성찰하는 태도와 거리가 먼 것은?

① 문학 작품을 읽고 교훈이나 깨달음을 얻으려는 용재
② 신문 기사의 내용을 사실과 의견으로 구분지어 이해하려는 하나
③ 시련을 이겨 낸 인물이 등장하는 작품을 읽고 자신의 삶에 비추어 본 선호

2주 1일 개념 돌파 전략 ❷

바탕 문제

문학 작품 속 갈등의 개념을 생각하며 빈칸에 알맞은 말을 써넣으세요.

소설이나 희곡과 같은 문학 작품에서 등장인물이 겪게 되는 (   ), 충돌 상황으로, 한 인물의 심리나 인물과 외부 요소 사이에 이해관계가 서로 얽혀 있는 상태

답 | 대립

1 문학 작품 속 갈등에 대한 설명으로 알맞지 않은 것은?

① 갈등은 크게 내적 갈등과 외적 갈등으로 나뉜다.
② 갈등 상황을 통해 인물의 성격을 파악할 수 있다.
③ 갈등의 진행과 해결 과정을 통해 주제가 드러나기도 한다.
④ 한 개인이 하나의 감정이나 생각에 이끌려 따를 때 발생한다.
⑤ 작품 속 인물은 다른 인물과 대립하거나 현실 상황과 갈등을 겪기도 한다.

바탕 문제

갈등의 종류를 생각하며 ㉠, ㉡에 들어갈 알맞은 말을 각각 써 보세요.

인물의 마음속에서 일어나는 대립과 충돌을 (㉠) 갈등이라고 하고, 인물과 인물 사이 또는 인물과 외부 환경 사이의 대립과 충돌을 (㉡) 갈등이라고 한다.

• ㉠: (   ) • ㉡: (   )

답 | ㉠: 내적 ㉡: 외적

2 다음 글에서 두드러지게 나타나는 갈등의 유형으로 알맞은 것은?

"아, 이년아! 남의 닭 아주 죽일 터이냐?"
내가 도끼눈을 뜨고 다시 꽥 호령을 하니까 그제서야 울타리께로 쪼르르 오더니 울 밖에 섰는 나의 머리를 겨누고 닭을 내팽개친다.
"예이 더럽다! 더럽다!"
"더러운 걸 널더러 입때 끼고 있으랬니? 망할 계집애 년 같으니."

① 인물의 내적 갈등
② 인물과 인물의 갈등
③ 인물과 운명의 갈등
④ 인물과 자연의 갈등
⑤ 인물과 사회의 갈등

바탕 문제

갈등의 역할을 생각하며 다음 설명이 맞으면 O, 틀리면 X에 표시해 보세요.

(1) 문학 작품에서 갈등은 사건의 전개와 관련이 적다. (O, X)
(2) 문학 작품에서 갈등은 작품의 의미나 주제와 밀접하게 연관된다. (O, X)

답 | (1) X (2) O

3 문학 작품에서 갈등의 역할로 알맞은 것끼리 묶인 것은?

㉠ 작품의 긴장감을 높인다.
㉡ 독자의 흥미를 불러일으킨다.
㉢ 사건 전개의 우연성을 높인다.
㉣ 작품의 결말을 미리 알려 준다.

① ㉠, ㉡　② ㉠, ㉢　③ ㉡, ㉢
④ ㉡, ㉣　⑤ ㉢, ㉣

바탕 문제

갈등의 정도에 따른 소설의 구성 단계를 떠올리며 다음 중 단계상 가장 앞서는 것을 골라 보세요.

① 갈등과 긴장감이 최고조에 이름.
② 갈등이 점차 고조되고 긴장감이 조성됨.
③ 인물과 배경이 소개되고 사건의 실마리가 제시됨.

답 | ③

4 다음 글에 해당하는 소설의 구성 단계로 가장 적절한 것은?

바다와 시가지 일부가 한꺼번에 내다보이는, 지대가 높고 귀환 동포가 누더기처럼 살고 있는 산기슭 마을이었다. 그렇기에 마을 사람들은 철수 내외와 같이 가난뱅이 월급쟁이가 아니면 대개가 그날그날의 날품팔이이다.

밤이면 모여들고 날이 새면 일터로 나가기가 바빴다. 다만 어린아이들만이 마을 앞 양지바른 담 밑에 모여 윤선이 오고 가는 바다를 바라보고, 윤선도 보이지 않는 날은 무료에 지쳐 버린다.

그러나 이 단조한 마을, 무료한 아이들에게도 단 하나의 즐거움은 있었다. 그것은 날마다 단골로 찾아오는 젊은 엿장수였다.

① 발단 ② 전개 ③ 위기 ④ 절정 ⑤ 결말

바탕 문제

괄호 안에서 적절한 말을 골라 문학 작품을 읽으며 성찰하는 방법을 완성해 보세요.

작품 속 인물의 삶과 관련된 자신의 경험이나 가치관을 떠올리며, 이를 바탕으로 하여 문학 작품 속 인물의 행동을 (평가 , 모방)하며 성찰할 수 있다.

답 | 평가

5 문학 작품을 읽으며 성찰하는 과정에서 할 수 있는 질문으로 가장 적절한 것은?

① 작품을 쓴 작가는 어떤 사람인가?
② 작품에는 몇 명의 인물이 등장하는가?
③ 작품 속의 사건은 실제 있었던 일인가?
④ 내가 작품 속 인물이라면 어떻게 했을 것인가?
⑤ 작품 속 사건은 언제, 어디에서 일어난 것인가?

2주 2일 필수 체크 전략 ①

전략 1 소설에 나타난 갈등의 원인 파악하기

㉮ "[대장부가 세상에 태어나서 공자, 맹자의 학문을 익힌 뒤에, 나가서는 장수가 되고 들어와서는 재상이 되며, 대장인을 허리춤에 차고 단 위에 높이 앉아 수많은 군사를 마음대로 지휘하며, 남쪽으로 초나라를 치고, 북쪽으로 중원을 평정하며, 서쪽으로 촉나라를 쳐 업적을 쌓은 후에, 얼굴을 기린각에 그려 빛내고 이름을 후세에 전함이 대장부의 떳떳한 일일 것이다.] 옛사람이 이르기를 '왕후장상의 씨가 따로 없다.'라고 하였는데 이는 나를 두고 말함인가? 아무리 하찮은 사람도 아버지를 아버지라 부르고 형을 형이라고 부르는데, 나만 홀로 그리하지 못하는구나. 내 인생은 어찌하여 이리도 기박한가?"

[ ]: 길동의 소망 ① – 입신양명(출세하여 이름을 세상에 떨침.)
대장인: 대장이 가지던 도장.
기린각: 중국 한나라의 무제가 장안의 궁중에 세운 전각.
왕후장상의 씨가 따로 없다: 계급이나 신분을 뛰어넘어 누구나 능력에 따라 높은 지위에 오를 수 있음을 이르는 말.
아버지를 아버지라 부르고 형을 형이라고 부르는데: 길동의 소망 ② – 호부호형(아버지를 아버지라 부르고 형을 형이라 부름.)
기박한가: 팔자, 운수 따위가 사납고 복이 없는가.

㉯ 길동은 방으로 들어가는 대신 어미 춘섬을 찾아가 통곡하며 말했다.

"어머니께서는 소자와 전생에 귀중한 인연이 있어 오늘날 모자지간이 되었습니다. 낳아 주시고 길러 주신 은혜는 하늘보다 더 큽니다. [사내대장부가 세상에 한번 태어났으면, 모름지기 입신양명한 후 조상을 섬기고 부모의 은혜를 만분의 일이라도 갚아야 할 것입니다.] 그런데 이 몸은 팔자가 사나운 까닭에 천하게 태어나 남의 천대나 받게 되었습니다. 하지만 대장부가 어찌 구차하게 근본에 얽매여 후회를 하겠습니까? 이 몸이 당당하게 조선국 병조 판서 대장인을 차고 이름난 장군이 되지 못할 바에야, 차라리 산중에 들어가 세상 영욕을 모르는 채 지내고자 합니다. [옛날 장충의 아들 길산은 소자보다 더한 천생이었습니다. 하지만 열세 살에 그 어미와 이별하고 운봉산에 들어가 도를 닦아, 아름다운 이름을 후세에 전하였습니다. 소자도 그를 본받아 세상을 벗어나려 하옵니다.]"

[ ]: 입신양명과 효를 중시하던 당시 사회의 가치관이 드러남.
천하게 태어나 남의 천대나 받게 되었습니다: 길동의 상황: 얼자(양반과 천민 여성 사이에서 낳은 아들)라는 이유로 차별을 당함.
영욕: 영예와 치욕을 아울러 이르는 말.
[ ]: 현실에 절망감을 느껴 집을 떠나기로 함.

– 허균, 〈홍길동전〉 천재(박), 비상, 지학사

☑ ㉮에서 길동이 갈등하는 내용은?

길동의 바람	↔	길동의 현실
• 입신양명하고 싶음. • 아버지를 아버지라 부르고 형을 형이라고 부르고 싶음.	↔	• 입신양명의 기회를 얻지 못함. • 아버지를 아버지라고 부르지 못하고 형을 형이라고 부르지 못함.

☑ ㉮에서 길동이 갈등하는 까닭은?

뛰어난 능력이 있지만 서얼(서자와 얼자를 아울러 이르는 말)이라는 ❶ ____ 때문에 꿈을 펼칠 수 없기 때문임.

☑ ㉯에서 길동이 갈등을 해결한 방법은?

어머니께 자신도 길산을 본받아 세상을 벗어나겠다는 결심을 말함.
→ 집안에서는 풀지 못하는 ❷ ____ 을 해결하기 위해 집을 떠나기로 함.

❶ 신분 ❷ 갈등

필수 예제 1

이 글에서 길동이 갈등을 겪는 까닭으로 가장 적절한 것은?

① 스스로의 능력이 부족했기 때문에
② 과거 시험에서 여러 번 떨어졌기 때문에
③ 아버지와 형 없이 자란 것이 서글펐기 때문에
④ 신분 제도가 엄격했던 조선 사회의 현실 때문에
⑤ 어머니와 함께 살지 못하는 것이 슬펐기 때문에

정답 해설 | 길동은 능력이 뛰어나도 서얼이라는 이유로 집에서도 차별받고 이름을 떨칠 수 없는 사회 현실 때문에 괴로워하고 있다. 답 | ④

확인 문제 1

(가)에 나타난 것과 같은 갈등 양상이 나타나는 것은?

① 홍수로 많은 사람들이 집을 잃은 상황
② 버스 앞에서 승객들이 서로 타려고 다투는 상황
③ 일제 강점기에 조선의 지식인들이 억압받는 상황
④ 높은 파도가 일어 바다 한가운데 어부가 고립된 상황
⑤ 지구 온난화 때문에 멸종 위기의 동물이 고통받는 상황

전략 2 소설에 나타난 외적 갈등의 양상 파악하기

앞부분 줄거리 길동은 집안에 자신을 해치려는 흉계(흉악한 계략.)가 있는 것을 알고 이를 물리치고 집을 나온다. 도둑 무리를 만난 길동은 자신의 비범(非凡)(보통 수준보다 훨씬 뛰어난.)한 능력을 알아보고 부하가 되고자 하는 그들의 청을 받아들여 도둑 무리의 우두머리가 된다.

가 [길동은 이 도둑의 무리를 '활빈당'(가난한 사람들을 살리는 무리.)이라 하고는 조선 팔도를 돌아다니며 각 읍의 관리 가운데 부정한 방법으로 재물을 얻은 사람이 있으면 그 재물을 빼앗고, 혹 집안이 가난한 사람이 있으면 도왔다. 그는 백성의 재물은 털끝 하나라도 건드리지 않았으며, 나라의 재물 또한 손대지 않았다.]
[ ]: 부패한 관리(탐관오리)를 응징하고, 가난한 백성을 도움.

나 [길동은 자신과 일곱 명의 길동을 팔도(八道)에 하나씩 흩어지게 하고, 각각 수백 명을 거느리고 다니게 하였다. 그러니 어느 길동이 진짜 길동인지 알아낼 도리가 없었다. 이들 여덟 명의 길동이 팔도를 돌아다니며 요술로 바람과 비를 불러 일으키고, 각 읍의 곡식을 하룻밤 사이에 종적(없어지거나 떠난 뒤에 남은 흔적.)도 없이 사라지게 하며, 서울로 가는 봉물(예전에, 지방에서 중앙으로 올리던 물품.)을 보이는 대로 뺏으니 온 나라가 홍길동 이야기로 떠들썩하게 되었다.]
[ ]: 길동의 비범한 능력

이에 팔도의 감사가 일시에 서울의 임금께 장계(지방에 나가 있는 신하가 자기가 관리하는 지역의 중요한 일을 왕에게 보고하던 문서.)를 올려 홍길동을 잡기 위해서는 포도청(조선 시대에, 범죄자를 잡거나 다스리는 일을 맡아보던 곳.) 군사를 동원해야 한다고 하였다.

다 임금이 장계를 보고 크게 놀라 말하기를, / "이 도둑의 용맹과 술법은 옛날 치우(중국 고대 전설에 나오는 인물로, 용맹하고 싸움에 능하여 전쟁의 신으로 받들어짐.)도 당하지 못하겠구나. 아무리 신기한 놈인들 어찌 한 몸이 팔도에서 한날한시에 도둑질을 하겠는가? 이는 보통 도둑이 아니니 잡기가 어려우리라."

하고 좌우 포도청 군사들을 함께 내보내 도둑을 잡으라 하였다. / 임금은 다시 팔도 감사들에게도 길동을 잡아들이라 어명을 내렸으나 아무도 잡을 수 없었다.
(길동을 잡으려는 임금(조정))

– 허균, 〈홍길동전〉

☑ 글에 나타난 갈등의 모습은?

길동	활빈당을 만들어 부패한 관리의 재물을 빼앗아 가난한 사람을 도움.
↕	
❶	포도청 군사들을 보내 도둑인 길동을 잡으라고 명함.

☑ 글에 나타난 당시의 사회 모습은?
- 유교적 가치관이 지배적이었음.
- 신분 제도가 엄격하고 적자와 서얼의 ❷ ______이 있었음.
- 부패한 벼슬아치들의 횡포가 있었음.

개념+ 〈홍길동전〉에 나타난 영웅의 일대기 구조
- 판서의 아들로 태어남. → 고귀한 혈통
- 서얼로 태어남. → 비정상적인 출생
- 총명하고 도술에 능함. → 비범한 능력
- 주변의 음모로 생명의 위협을 받음. → 시련과 위기
- 자객을 죽이고 위기에서 벗어남. → 위기 극복
- 활빈당을 조직하여 활동함, 율도국의 왕이 됨. → 위대한 업적

❶ 임금(조정) ❷ 차별

필수 예제 2

이 글의 내용과 일치하지 않는 것은?

① 임금은 길동을 잡으려고 애썼다.
② 길동은 재물을 모으려고 활빈당을 만들었다.
③ 길동은 집을 나가 도둑들의 우두머리가 되었다.
④ 길동은 일곱 명의 길동을 만드는 등 요술에 능했다.
⑤ 당시에 부정한 방법으로 재물을 모은 관리들이 있었다.

정답 해설 | 앞부분 줄거리와 (가)에서 길동이 활빈당의 우두머리가 되어 부정한 방법으로 재물을 모은 탐관오리를 벌하고 가난한 사람이 있으면 도왔다는 내용으로 보아, 재물을 모으려고 활빈당을 만들었다고 보기는 어렵다. 답 | ②

확인 문제 2

이 글에 나타난 갈등을 이해한 내용으로 가장 적절한 것은?

① 도둑이 된 길동과 길동을 잡으려는 임금(조정)의 외적 갈등이 나타난다.
② 재물을 빼앗으려는 길동과 재물을 지키려는 탐관오리의 외적 갈등이 나타난다.
③ 다른 사람의 재물을 훔치는 것에 죄책감을 느끼는 길동의 내적 갈등이 나타난다.
④ 길동의 행동을 벌할 것인지 칭찬할 것인지 고민하는 임금의 내적 갈등이 나타난다.
⑤ 길동이 잡히지 않기를 바라는 백성들과 길동을 잡으려는 임금(조정)의 외적 갈등이 나타난다.

전략 3 소설에서 갈등하는 인물의 심리 파악하기

가 "인마, 네놈의 자전거가 쓰러지면서 내 차를 들이받았단 말이야.(수남이와 신사가 갈등하는 까닭) 이런 고급 차를 말이야. 이런 미련한 놈, 왜 눈은 째려, 째리긴. 그러니 내 차에 흠이 안 나고 배겼겠냐. 내 차는 인마, 여자들 손톱만 살짝 닿아도 생채기(손톱 따위로 할퀴이거나 긁히어서 생긴 작은 상처.)가 나는 고급 차야 인마, 알간?" (중략) ㉠"울긴, 인마. 너 한 달에 얼마나 버냐?"

신사의 목청이 다분히 누그러지며 목소리에 연민이 담긴 것을 수남이는 재빨리 알아차린다. 그러자 흑흑 소리까지 내어 운다.

"울긴 짜아식, 할 수 없다. 너나 나나 오늘 재수 옴 붙은 걸로 치고 반반씩 손해 보자. 오천 원만 내." (중략) ㉡"아저씨, 잘못했습니다. 한 번만 용서해 주십시오. 네, 아저씨."(용서를 구하는 수남) / 제법 또렷한 소리로 용서를 빈다.

나 신사는 다시 네놈은 쳐다보기도 싫다는 듯이 수남이를 전혀 상대 안 하고, 묵묵히 자전거 바퀴에다 자물쇠를 채우고, 앞에 빌딩을 가리키면서, / "나 저기 306호실에 있으니까 돈 오천 원 갖고 와. 그러면 열쇠 내줄 테니."(수리비를 가지고 오라는 신사(냉정하고 인색한 성격)) (중략)

누군가가 나직이 속삭였다. / "토껴라 토껴. 그까짓 것 갖고 토껴라."

그것은 악마의 속삭임처럼 은밀하고 감미로웠다. ㉢수남이의 가슴은 크게 뛰었다. (중략) 그러자 모든 구경꾼이 수남이의 편이 되어 와글와글 외쳐 댔다.

"도망가라, 어서어서 자전거를 번쩍 들고 도망가라, 도망가라."

㉣수남이는 자기편이 되어 준 이 많은 사람들을 도저히 배반할 수 없었다. 이상한 용기가 솟았다. 수남이는 자전거를 마치 검부러기(가느다란 마른 나뭇가지, 마른 풀, 낙엽 따위의 부스러기.)처럼 가볍게 옆구리에 끼고 질풍같이 달렸다.(자전거를 들고 도망치는 수남) / 정말이지 조금도 안 무거웠다. 타고 달릴 때보다 더 신나게 달렸다. ㉤달리면서 마치 오래 참았던 오줌을 시원스레 내깔기는 듯한 쾌감까지 느꼈다.

– 박완서, 〈자전거 도둑〉 교학사, 금성, 비상

☑ **글에 나타난 갈등의 원인은?**
수남이의 ❶ [ ] 가 바람에 쓰러져 신사의 자동차에 흠집을 냄.

☑ **글에 나타난 갈등의 모습은?**

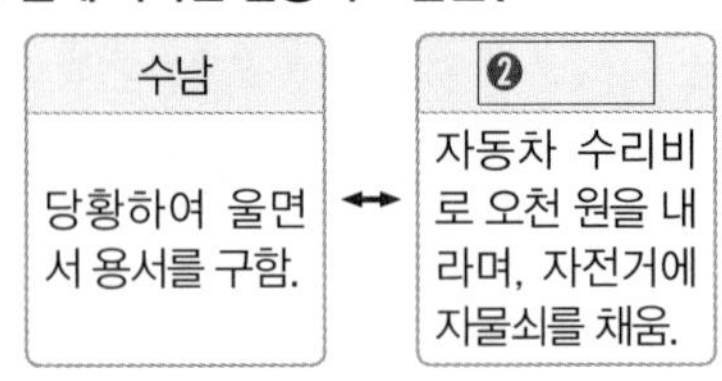

☑ **수남이가 갈등을 해결한 방법은?**
자신의 자전거를 들고 도망침.

❶ 자전거 ❷ 신사

필수 예제 3

㉠~㉤에 나타난 인물의 심리로 적절하지 않은 것은?

① ㉠: 우는 수남이에게 연민을 느끼는 신사
② ㉡: 신사가 용서해 주기를 간절히 원하는 수남
③ ㉢: 사람들의 말에 강한 유혹을 느끼는 수남
④ ㉣: 도망가라는 사람들 때문에 답답함을 느끼는 수남
⑤ ㉤: 자전거를 들고 도망치면서 쾌감을 느끼는 수남

정답 해설 | ㉣에서 수남이는 도망가라는 사람들의 말을 듣고 답답함을 느끼기보다는 자전거를 들고 도망치는 자신의 행동을 합리화하는 수단으로 삼고 있다. 답 | ④

확인 문제 3

이 글에서 수남이가 갈등을 해결한 방법으로 알맞은 것은?

① 신사에게 용서를 구했다.
② 자전거로 자동차에 흠집을 냈다.
③ 신사에게 수리비 오천 원을 주었다.
④ 자물쇠를 채운 자전거를 들고 도망갔다.
⑤ 구경꾼들에게 돈을 빌려 수리비를 냈다.

전략 4 소설에 나타난 내적 갈등의 양상 파악하기

가 낮에 내가 한 짓은 옳은 짓이었을까? 옳을 것도 없지만 나쁠 것은 또 뭔가. 자
(낮에 자신이 한 일에 대해 고민하는 수남이의 내적 갈등)
가용까지 있는 주제에 나 같은 아이에게 오천 원을 우려내려고 그렇게 간악하게
(간악하게: 마음이 바르지 않고 흉하고 독하게.)
굴던 신사를 그 정도 골려 준 것이 뭐가 나쁜가? 그런데도 왜 무섭고 떨렸던가. 그 때의 내 꼴이 어땠으면, 주인 영감님까지 "네놈 꼴이 꼭 도둑놈 꼴이다."라고 하였을까. / 그럼 내가 한 짓은 도둑질이었단 말인가. 그럼 나는 도둑질을 하면서 그렇게 기쁨을 느꼈더란 말인가.
(수남이가 내적 갈등을 겪는 근본적인 까닭)

나 수남이는 지금도 그날 밤 일이 생생하다. 그날 밤 형의 누런 똥빛 얼굴은 정말
(부도덕성을 상징함.)
로 못 잊겠다. 꼭 악몽 같다. / 다음 날 형은 읍내에서 온 순경한테 수갑이 채워져 붙들려 갔다. 형은 악을 써서 변명을 하며 갔다. / "2년 만에 빈손으로 집에 들어 갈 수는 없었단 말야. 도저히 그럴 수는 없었단 말야."

그래서 읍내 양품점을 털어 돈과 물건을 훔친 것이다. (중략) 아버지는 화병으로 몸져눕고 집안 형편은 말이 아니었다. 수남이는 드디어 어느 날 형이 그랬던 것처럼 서울 가서 돈 벌어 오겠다고 집을 나섰다. 아버지는 말리지 않았다. 문지방을 짚고 일어나 앉아서 띄엄띄엄 수남이를 타일렀다.

"무슨 짓을 하든지 그저 도둑질을 하지 마라, 알았쟈."
(서울로 떠나는 수남이에게 아버지가 당부한 것 - 도덕성을 중시함.)

다 소년은 아버지가 그리웠다. 도덕적으로 자기를 견제해 줄 어른이 그리웠다.
(수남이의 아버지)
주인 영감님은 자기가 한 짓을 나무라기는커녕 손해 안 난 것만 좋아서 "오늘 운 텄다."라고 좋아하지 않았던가. / 수남이는 짐을 꾸렸다. 아아, 내일도 바람이 불었으면. 바람
(아버지가 있는 고향으로 돌아가기로 결심함.)
이 물결치는 보리밭을 보았으면. /[마침내 결심을 굳힌 수남이의 얼굴은 누런 똥빛이 말끔히 가시고, 소년다운 청순함으로 빛났다.]
([ ]: 수남이의 내적 갈등이 해소되면서 양심과 순수성을 회복함.)

- 박완서, 〈자전거 도둑〉

글에 나타난 갈등의 내용은?

수남이의 속마음: 낮에 자신이 한 일(자전거를 들고 도망친 일)이 옳은 일이었을지 고민함.

▼

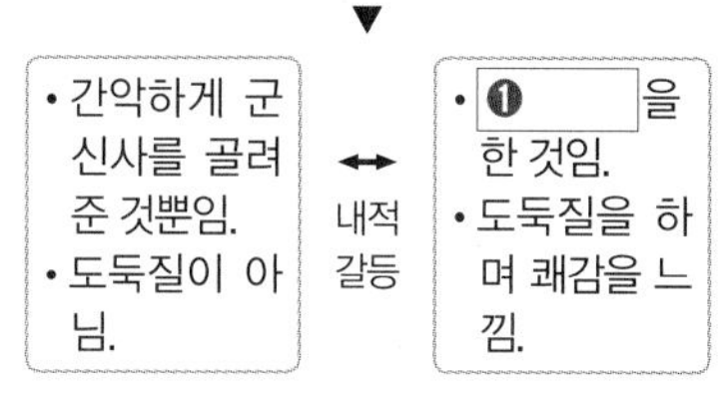

수남이가 갈등을 해결한 방법은?

수남이의 결심
도덕적으로 자신을 견제해 줄 아버지가 있는 고향으로 돌아가기로 결심함.

▼

갈등의 해소
내적 갈등이 해소되면서 순수성과 양심을 회복함.

갈등의 해결 과정을 통해 작가가 전달하고자 한 바는?

도덕적 ❷ 보다 물질적 이익을 중시하던 당대의 세태 비판

❶ 도둑질 ❷ 양심

필수 예제 4

이 글에 주로 나타난 갈등으로 알맞은 것은?

① 도둑질에 대한 수남이 형의 내적 갈등
② 낮에 한 일에 대한 수남이의 내적 갈등
③ 수리비를 둘러싼 신사와 수남이의 외적 갈등
④ 도둑질에 대한 수남이 형과 아버지의 외적 갈등
⑤ 낮에 한 일에 대한 수남이와 영감님의 외적 갈등

정답 해설 | (가)에서 수남이는 자전거를 들고 도망친 자신의 행동이 도덕적으로 옳았는지 고민하면서 내적 갈등을 겪고 있다. 답 | ②

확인 문제 4

이 글을 통해 작가가 비판하고자 한 내용으로 가장 적절한 것은?

① 도시와 시골의 심각한 빈부 격차
② 아버지와 아들의 세대 간 갈등의 심화
③ 내면보다 겉모습만을 중시하는 사회 현실
④ 어린아이들이 돈을 벌 수밖에 없는 경제 상황
⑤ 물질적 이익만을 중시하는 부도덕적인 사회 현실

2주 2일 필수 체크 전략 ❷

[1~3] 다음 글을 읽고 물음에 답하시오.

가 오늘도 또 우리 수탉이 막 쪼이었다. 내가 점심을 먹고 나무를 하러 갈 양으로 나올 때이었다. 산으로 올라서려니까 등 뒤에서 푸드덕푸드덕하고 닭의 횃소리가 야단이다. 깜짝 놀라며 고개를 돌려 보니 아니나 다르랴, 두 놈이 또 얼리었다. (중략) 이번에도 점순이가 쌈을 붙여 놨을 것이다. ㉠바짝바짝 내 기를 올리느라고 그랬음에 틀림없을 것이다. / 고놈의 계집애가 요새로 들어서서 왜 나를 못 먹겠다고 고렇게 아르렁거리는지 모른다.

나 나흘 전 감자 쪼간(어떤 사건.)만 하더라도 나는 저에게 조금도 잘못한 것은 없다. (중략) 즈 집께를 할금할금 돌아다보더니 행주치마의 속으로 꼈던 바른손을 뽑아서 나의 턱 밑으로 불쑥 내미는 것이다. 언제 구웠는지 아직도 더운 김이 확 끼치는 굵은 감자 세 개가 손에 뿌듯이 쥐였다.

"느 집엔 이거 없지?" / 하고 생색 있는 큰소리를 하고는 제가 준 것을 남이 알면은 큰일 날 테니 여기서 얼른 먹어 버리란다. 그리고 또 하는 소리가

"너 봄 감자가 맛있단다." / "난 감자 안 먹는다, 너나 먹어라." / 나는 고개도 돌리지 않고 일하던 손으로 그 감자를 도로 어깨 너머로 쑥 밀어 버렸다. (중략)

우리가 이 동리에 들어온 것은 근 삼 년째 되어 오지만 ㉡여지껏 가무잡잡한 점순이의 얼굴이 이렇게까지 홍당무처럼 새빨개진 법이 없었다. 게다 눈에 독을 올리고 한참 나를 요렇게 쏘아보더니 나중에는 눈물까지 어리는 것이 아니냐.

다 "이놈아! 너 왜 남의 닭을 때려죽이니?"

"그럼 어때?" / 하고 일어나다가 / "뭐 이 자식아! 누 집 닭인데?" (중략)

㉢나는 비슬비슬 일어나며 소맷자락으로 눈을 가리고는 얼김에 엉 하고 울음을 놓았다. 그러다 점순이가 앞으로 다가와서 / "그럼, 너 이담부턴 안 그럴 테냐?" 하고 물을 때에야 비로소 살길을 찾은 듯싶었다. 나는 눈물을 우선 씻고 뭘 안 그러는지 명색도 모르건만 / "그래!" / 하고 무턱대고 대답하였다.

"요담부터 또 그래 봐라, 내 자꾸 못살게 굴 테니."

㉣"그래그래, 인젠 안 그럴 테야!" / ㉤"닭 죽은 건 염려 마라. 내 안 이를 테니."

그리고 뭣에 떠다밀렸는지 나의 어깨를 짚은 채 그대로 픽 쓰러진다. 그 바람에 나의 몸뚱이도 겹쳐서 쓰러지며 한창 피어 퍼드러진 노란 동백꽃 속으로 폭 파묻혀 버렸다.

– 김유정, 〈동백꽃〉 (동아, 비상)

인물
'나', 점순

사건
점순이가 '나'를 괴롭히려고 닭싸움을 붙이고 '나'는 홧김에 점순이네 닭을 때려죽임.

배경
봄, 어느 산골 마을

표현상 특징
- '닭싸움'을 중심으로 하여 사건이 진행됨.
- 순박하고 어수룩한 '나'의 시각에서 사건을 전달하여 웃음을 유발함.
- 산골 마을을 배경으로 서정적이고 향토적인 분위기를 드러냄.
- 비속어와 사투리의 사용으로 토속적인 분위기를 형성함.

1 다음을 사건이 일어난 시간 순서대로 바르게 배열한 것은?

ⓐ '나'가 점순이네 닭을 때려 죽임.

ⓑ 점순이가 '나'에게 감자 세 개를 줌.

ⓒ '나'와 점순이가 동백꽃 속에 파묻힘.

ⓓ '나'의 닭이 점순이의 닭에게 쪼임.

① ⓐ - ⓑ - ⓒ - ⓓ
② ⓐ - ⓒ - ⓑ - ⓓ
③ ⓑ - ⓓ - ⓐ - ⓒ
④ ⓒ - ⓓ - ⓐ - ⓑ
⑤ ⓓ - ⓑ - ⓒ - ⓐ

문제 해결 전략

이 글은 사건이 ❶ 순서대로 서술되어 있지 않다는 점에 유의하여 사건의 ❷ 과 진행, 결과를 시간 순서대로 생각해 본다.

❶ 시간 ❷ 원인

2 이 글에 나타난 주된 갈등으로 가장 적절한 것은?

① 점순이에게 고백할지 말지 고민하는 '나'의 내적 갈등
② '나'를 괴롭히는 점순이와 그에 대항하는 '나'의 외적 갈등
③ 자신의 애정을 알지 못하는 '나'가 답답한 점순이의 내적 갈등
④ 점순이네 닭을 때려죽인 '나'와 이를 알리려는 점순이의 외적 갈등
⑤ 약한 생명을 괴롭히는 점순이와 생명을 지키고 싶은 '나'의 외적 갈등

문제 해결 전략

이 글의 주요 ❶ 은 점순이가 자신의 닭과 '나'의 닭을 싸움을 붙여 놓는 것이므로, 점순이가 ❷ 을 붙이는 까닭에 주목하여 어떤 갈등이 나타나는지 생각해 본다.

❶ 사건 ❷ 닭싸움

3 ㉠~㉤에 나타난 인물의 심리로 적절하지 않은 것은?

① ㉠: '나'가 점순이의 괴롭힘에 분노하고 있다.
② ㉡: 점순이가 '나'의 거절에 부끄러움을 느끼고 있다.
③ ㉢: '나'가 닭을 죽인 후 당황하며 두려워하고 있다.
④ ㉣: 점순이가 용서해 주는 것에 '나'가 안도하고 있다.
⑤ ㉤: 점순이가 여전히 눈치가 없는 '나'에게 화를 내고 있다.

문제 해결 전략

어리숙한 '나'와 적극적인 ❶ 의 성격, 점순이네 ❷ 을 때려죽인 '나'와 점순이가 처한 상황을 바탕으로 하여 인물의 심리를 파악해 본다.

❶ 점순이 ❷ 닭

2주 3일 필수 체크 전략 ❶

전략 1 소설에 나타난 갈등의 진행 과정 파악하기

(가) 문기는 저녁에 쓸 고기 한 근을 사 오라고 숙모에게 지전(지폐.) 한 장을 받았다. 언제나 그맘때면 사람이 붐비는 삼거리 고깃간이다. 한참을 기다려서 문기 차례가 왔다. 문기는 지전을 내밀었다. 뚱뚱보 고깃간 주인은 그 돈을 받아 둥구미(짚으로 둥글고 울이 깊게 결어 만든 그릇.)에 넣고 천천히 고기를 베어 저울에 단 후 종이에 말아 내밀었다. [그리고 그 거스름돈으로 지전 아홉 장과 그 위에 은전 몇 닢을 얹어 내주는 것이 아닌가. / 문기는 어리둥절하였다. 처음 그 돈을 숙모에게 받을 때와 고깃간 주인에게 내밀 때까지도 일 원짜리로만 알았던 것이다.] 문기는 돈과 주인을 의심스레 쳐다보았다.

[ ]: 고깃간 주인이 문기가 내민 돈이 십 원인 줄 알고 거스름돈을 많이 줌.

(나) 문기는 아랫방에 내려와 혼자 되자 삼촌 앞에서보다 갑절 얼굴이 달아올랐다.(양심의 가책 때문에) 지금까지 될 수 있는 대로 생각지 않으려고 힘을 써 오던 그편에 정면으로 제 몸을 세워 놓고 보지 않을 수 없었다. 그러자 자기라는 몸은 벌써 삼촌의 이른바 나쁜 데 빠지고 만 것이었다. [그야 자기는 수만이가 시켜서 한 일이니까 잘못이 없다는 것이지만 당초에 그것은 제 허물을 남에게 밀려는 얄미운 구실이 아니고 뭐냐.] 그리고 문기는 이미 삼촌을 속였다. 또 써서는 아니 될 돈을 쓰고 말았다.

[ ]: 문기가 갈등하는 내용

(다) 문기는 삼거리 고깃간을 향해 갔다. 그리고 골목으로 돌아가 나머지 돈을 종이에 싸서 담 너머로 그 집 안마당을 향해 던졌다.(갈등을 해결하기 위한 문기의 행동) / 그제야 문기는 무거운 짐을 풀어 놓은 듯 어깨가 거뜬했다.(갈등을 해결한 후 문기의 심리) 아까 물 위로 둥실둥실 떠가던 그 공, 지금은 벌써 십 리고 이십 리고 멀리 떠갔을 듯싶은 그 공과 함께 문기는 자기의 허물도 멀리 사라져 깨끗이 벗어난 듯 속이 후련했다.

– 현덕, 〈하늘은 맑건만〉 (천재(노), 천재(박), 미래엔, 지학사, 창비)

☑ 글에 나타난 주요 사건은?

- 숙모의 심부름을 하러 간 문기에게 고깃간 주인이 거스름돈을 많이 줌.
- 문기가 수만이와 함께 잘못 받은 거스름돈을 써 버림.
- 문기가 ❶ [ ]에게 꾸중을 들음.

☑ 글에 나타난 갈등의 진행 과정은?

원인
문기가 잘못 받은 거스름돈을 수만이와 쓴 후 삼촌에게 거짓말을 함.

⬇

문기의 내적 갈등
수만이가 시키는 대로 한 일이니까 잘못이 없음. ↔ 삼촌의 기대에 어긋난 행동을 하고 삼촌을 속인 것은 잘못임.

⬇

해결 방법
문기가 쓰고 남은 ❷ [ ]을 고깃간 집 안마당에 던짐.

❶ 삼촌 ❷ 거스름돈

필수 예제 1

(가)에 대한 설명으로 가장 적절한 것은?

① 갈등의 실마리가 제시되는 부분이다.
② 인물 간의 갈등이 발생하는 부분이다.
③ 갈등의 심화로 긴장감이 조성되는 부분이다.
④ 갈등과 긴장감이 최고조에 이르는 부분이다.
⑤ 갈등이 해결되고 사건이 마무리되는 부분이다.

정답 해설 | (가)에는 문기가 고깃간에서 거스름돈을 잘못 받는 사건이 제시된다. 문기는 이 돈을 수만이와 함께 써 버린 후 삼촌에게 꾸중을 듣고 갈등을 겪고 있으므로, (가)는 갈등의 실마리가 제시되는 부분이다. 답 | ①

확인 문제 1

이 글에서 문기가 갈등을 해결한 방법으로 알맞은 것은?

① 공과 지전을 방 안에 몰래 숨겼다.
② 잘못 받은 거스름돈을 다 써 버렸다.
③ 삼촌의 훈계를 듣고 잘못을 뉘우쳤다.
④ 고깃간 주인에게 잘못을 고백하고 용서를 구했다.
⑤ 쓰고 남은 거스름돈을 고깃간 집 안마당에 던졌다.

전략 2 소설에서 갈등의 역할 파악하기

가 "난 인제 돈 가진 것 없다." / "뭐?"

하고 수만이는 의외라는 듯 눈이 둥그레지다가는 금세 능청스러운 웃음을 지으며

"너 혼자 두고 쓰잔 말이지? 그러지 말구 어서 가자."

"정말 없어. 지금 고깃간 집 안마당으로 던져 주고 오는 길야. 공두 쌍안경두 버리구." / 하고 문기는 증거를 보이느라고 이쪽저쪽 주머니를 털어 보이는 것이나 수만이는 흥 하고 코웃음을 친다.

나 "너, 지금으로 가지고 나오지 않으면 낼은 가만 안 둔다. 도적질했다 하구 똑바루 써 놀 테야." (남은 돈을 내놓으라고 문기를 협박하는 수만) / 문기는 여전히 못 들은 척 걸음만 옮긴다. 자기 집 마당엘 들어섰다. (중략) 그리고 눈앞에 보이는 붙장(부엌 벽의 안쪽이나 바깥쪽에 붙여 만든 장.) 안 앞턱에 잔돈 얼마와 지전 몇 장이 놓여 있다. 그리고 문밖엔 지금 수만이가 돈을 가지고 나오기를 기다리고 섰다. 여기서 문기는 두 번째 허물을 범하고 말았다(숙모의 돈을 훔쳐 수만이에게 줌.).

다 "참, 점순이 고년 앙큼헌 년이드라. 낮에 내가 뒤곁에서 화초 모종을 내고 있는데 집을 간다고 나가더니 글쎄, 돈을 집어 갔구나." (점순이가 돈을 훔쳐 갔다는 오해를 받음.)

문기는 잠잠히 듣기만 한다. 그러나 속으로는 갚으면 고만이지 소리를 또 한 번 외어 본다. / 그날 밤이었다. 아랫방 들창(벽의 위쪽에 자그맣게 만든 창.) 밑에 훌쩍훌쩍 우는 어린아이 울음소리가 났다. 아랫집 심부름하는 아이 점순이 음성이었다. 숙모가 직접 그 집에 가서 무슨 말을 한 것은 아니로되 자연 그 말이 한 입 건너 두 입 건너 그 집에까지 들어갔고, 그리고 그 집주인 여자는 점순이를 때려 쫓아낸 것이다(문기가 한 행동의 결과). (중략) 방 안의 문기는 그 밤을 뜬눈으로 새웠다(점순이에 대한 미안함과 죄책감 때문에).

– 현덕, 〈하늘은 맑건만〉

글에 나타난 갈등의 진행 과정은?

갈등		
더 이상 잘못을 저지르고 싶지 않은 문기	↔	문기의 말을 믿지 않고 남은 돈을 달라고 협박하는 수만

⬇

해결
문기가 숙모의 돈을 훔쳐 수만이에게 줌.

⬇

결과
• 문기의 잘못 때문에 점순이가 누명을 쓰고 쫓겨남. • 문기가 점순이의 울음소리를 들음.

⬇

갈등
점순이에 대한 미안함과 죄책감 때문에 문기의 ❶ ______ 갈등이 심화됨.

갈등의 진행과 해결 과정에서 나타나는 인물의 성격은?

- ❷ ______ : 소심하고 우유부단함.
- 수만: 영악하고 대담함.

❶ 내적 ❷ 문기

필수 예제 2

이 글에 나타난 인물의 성격으로 알맞은 것은?

	문기	수만
①	용감함.	음흉함.
②	소심함.	영악함.
③	적극적임.	생각이 깊음.
④	우유부단함.	부끄러움이 많음.
⑤	자유분방함.	치밀하고 계산적임.

정답 해설 | 문기는 수만이의 협박에 못 이겨 숙모의 돈을 훔치고, 자신 때문에 누명을 쓴 점순이에 대한 미안함으로 잠을 이루지 못하는 것으로 보아 소심하고 우유부단한 성격이며, 수만이는 문기의 돈을 쓰고 문기를 협박하는 것으로 보아 대담하고 영악한 성격이다. 답 | ②

확인 문제 2

(다)에 드러난 문기의 갈등 원인과 심리로 가장 적절한 것은?

① 수만이와의 갈등을 해결하지 못해 속상해함.
② 점순이처럼 집에서 쫓겨날까 봐 두려움을 느낌.
③ 삼촌과 숙모의 돈을 갚아야 한다는 부담감을 느낌.
④ 자신 때문에 쫓겨난 점순이에게 미안함과 죄책감을 느낌.
⑤ 잘못을 고백한 후 받게 될 주위의 안 좋은 시선 때문에 두려움을 느낌.

전략 3 소설에 나타난 갈등의 해결 과정 파악하기

가 언제나 다름없이 하늘은 맑고 푸르건만 문기는 어쩐지 그 하늘조차 쳐다보기가 두려워졌다. 자기는 감히 떳떳한 얼굴로 그 하늘을 쳐다볼 만한 사람이 못 된다 싶었다. (중략) / 문기는 선생님 앞에 엎드려 모든 것을 자백할 결심이었다. 그런데 선생님의 부드러운 태도에 도리어 문기는 말문이 열리지 않았다. 다음은 건넌방에서 어린애가 울어 못 했다. 다음은 사모님이 들락날락하고 그리고 다음엔 손님이 왔다. 기어이 문기는 입을 열지 못한 채 물러 나오고 말았다. (중략)

(하늘은 맑고 푸르건만: 어두운 문기의 마음과 대조됨. / 떳떳한 얼굴로 그 하늘을 쳐다볼 만한 사람이 못 된다 싶었다: 양심을 속이고 잘못을 저질렀기 때문에 / 문기는 선생님 앞에 ~ 열리지 않았다: 선생님께 잘못을 고백하러 가지만 고백하지 못하는 문기)

어느덧 걸음은 삼거리를 건너고 있었다. 문기 등 뒤에서 아주 멀리 뿡뿡하고 자동차 소리와 비켜라 하는 사람의 소리가 나는 듯하더니 갑자기 귀밑에서 크게 울린다. 언뜻 돌아다보니 바로 눈앞에 자동차 머리가 달려든다.

(바로 눈앞에 자동차 머리가 달려든다: 자동차 사고를 당하는 문기)

나 "저는 마땅히 받아야 할 벌을 받은 거예요."

하고[문기는 눈을 감으며 한 마디 한 마디 그러나 똑똑하게 처음서부터 끝까지 먼저 고깃간 주인이 일 원을 십 원으로 알고 거슬러 준 것, 그 돈을 써 버린 것, 그리고 또 붙장 안의 돈을 자기가 훔쳐 낸 것, 이렇게 하나하나 숨김없이 자백을 하자] 이때까지 겹겹으로 몸을 싸고 있던 허물이 한 꺼풀 한 꺼풀 벗어지면서 따라 마음속의 어둠도 차차 사라지며 맑아지는 것을, 문기는 확실히 깨달을 수 있었다. 마음이 맑아지며 따라 몸도 가뜬해진다. / 내일도 해는 뜨고 하늘은 맑아지리라. 그리고 문기는 그 하늘을 떳떳이 마음껏 쳐다볼 수 있을 것이다.

([ ]: 삼촌에게 그동안의 잘못을 고백하는 문기 → 문기의 내적 갈등 해소 / 가뜬해진다: 몸과 마음이 가벼워 기분이 좋아진다. / 하늘을 떳떳이 마음껏 쳐다볼 수 있을 것이다: 잘못을 고백하고 양심의 가책에서 벗어났기 때문에)

– 현덕, 〈하늘은 맑건만〉

☑ 글에 나타난 갈등의 해결 과정은?

문기의 내적 갈등
잘못을 사실대로 고백하고 싶은 마음 ↔ 잘못을 고백하기 두려운 마음

⬇

문기의 행동
잘못을 고백하려고 선생님을 찾아가지만 말하지 못하고 나옴.

⬇

경과
교통사고를 당함.

⬇

갈등의 해결
삼촌에게 그동안의 모든 잘못을 고백함. → 마음속의 ❶ ( ) 이 사라지는 것을 느낌.

☑ '하늘'의 의미는?

- 어둡고 무거운 문기의 마음과 대조되는 대상
- 문기가 회복하고 싶은 정직한 마음
- 문기를 비추어 주는 ❷ ( ) 과 같은 역할

❶ 어둠 ❷ 거울

필수 예제 3

(가), (나)에 해당하는 소설의 구성 단계를 골라 그 기호를 쓰시오.

> ㉠ 갈등의 실마리가 제시되는 발단
> ㉡ 사건이 전개되고 갈등이 발생하는 전개
> ㉢ 갈등이 심화되어 위기감이 조성되는 위기
> ㉣ 갈등과 긴장감이 최고조에 이르는 절정
> ㉤ 갈등이 모두 해소되고 소설의 주제가 드러나는 결말

• (가): (   )   • (나): (   )

정답 해설 | (가)는 문기의 내적 갈등이 최고조에 이르는 절정, (나)는 문기가 삼촌에게 잘못을 고백한 후 갈등이 완전히 해소되고 양심을 지키는 삶의 중요성이라는 주제가 드러나는 결말 부분이다. 답 | (가): ㉣ (나): ㉤

확인 문제 3

이 글을 읽고 자신의 삶을 성찰한 내용으로 적절하지 않은 것은?

① 부모님께 거짓말을 했던 나의 경험이 생각났어.
② 문기는 정직하게 사는 삶의 중요성을 깨달았을 거야.
③ 문기가 뒤늦게라도 삼촌에게 잘못을 고백한 것은 잘한 행동이라고 생각해.
④ 폭력적인 방법으로 문제를 해결하려고 한 문기의 행동은 잘못되었다고 생각해.
⑤ 나도 앞으로 잘못을 저질렀을 때 잘못을 고백하고 양심을 회복할 수 있는 용기를 가져야겠어.

전략 4 문학을 통해 삶을 성찰하는 태도 파악하기

나는 어릴 때부터 그랬다.

칠칠치 못한 나는 걸핏하면 넘어져

무릎에 딱지를 달고 다녔다.

[그 흉물 같은 딱지가 보기 싫어
[ ]: 딱지에 대한 어린 시절 '나'의 태도
손톱으로 득득 긁어 떼어 내려고 하면]

아버지는 그때마다 말씀하셨다.

딱지를 떼어 내지 말아라 그래야 낫는다.
딱지에 대한 아버지의 태도
아버지 말씀대로 그대로 놓아두면

까만 고약 같은 딱지가 떨어지고
고약: 주로 헐거나 곪은 데에 붙이는 끈끈한 약.
딱정벌레 날개처럼 하얀 새살이
상처가 아물고 새살이 남.
돋아나 있었다.

지금도 칠칠치 못한 나는
현재의 '나'
사람에 걸려 넘어지고 부딪히며

마음에 딱지를 달고 다닌다.
마음의 상처
그때마다 그 딱지에 아버지 말씀이

얹혀진다.

딱지를 떼지 말아라 딱지가 새살을 키운다.

– 이준관, 〈딱지〉 천재(노)

'딱지'를 대하는 '나'와 아버지의 태도는?

'나'		아버지
딱지가 보기 싫어서 손으로 떼어 내려고 함.	↔	딱지를 떼어 내지 않아야 상처가 낫는다고 말씀하심.

'딱지'의 의미는?
- 넘어져서 무릎에 생긴 상처가 낫는 과정
- 사람들로 인한 ❶ [ ] 의 상처가 회복되는 과정
- 인생에서 겪는 시련과 고난을 이겨 내는 과정

화자가 깨달은 내용은?
- 몸이나 마음에 생긴 ❷ [ ] 는 우리가 더욱 성숙해질 수 있게 도와줌.
- 딱지가 저절로 떨어지기를 기다리는 과정에서 사람이 성장할 수 있음.

시를 통해 알 수 있는 삶의 가치는?
인간은 상처를 입고 회복하는 과정에서 더욱 성장할 수 있음.

❶ 마음 ❷ 딱지

필수 예제 4

이 시를 이해한 내용으로 적절하지 않은 것은?

① '나'는 어린 시절을 회상하고 있다.
② '나'는 지금도 무릎에 딱지를 달고 다닌다.
③ '나'는 아버지의 말씀을 뒤늦게 이해하고 있다.
④ 아버지는 '나'에게 딱지를 떼지 말라고 말하셨다.
⑤ 어린 시절의 '나'와 아버지는 딱지에 대해 다른 태도를 보였다.

정답 해설 | 1~3행에서는 칠칠치 못해서 무릎에 딱지를 달고 다녔던 어린 시절 '나'의 모습이, 12~14행에서는 어린 시절과 달리 사람 때문에 마음에 딱지를 달고 다니는 지금 '나'의 모습이 나타난다. **답 |** ②

오답 풀이 | ①, ③ 마음에 딱지를 달고 다니는 현재의 '나'는 딱지를 떼지 않고 두어 새살이 났던 어린 시절의 경험을 회상하며 아버지의 가르침을 이해하고 있다.
④, ⑤ 어린 시절 딱지를 긁어 떼어 내려던 '나'와 달리 아버지는 딱지를 떼지 말아야 낫는다고 말씀하셨다.

확인 문제 4

이 시를 통해 알 수 있는 보편적인 삶의 가치로 적절한 것은?

① 몸과 달리 마음의 상처는 나을 수 없다.
② 시련을 이겨 내려는 노력을 끊임없이 해야 한다.
③ 성숙한 사람은 마음의 상처를 입지 않을 수 있다.
④ 인간은 상처가 회복되는 과정에서 성숙해질 수 있다.
⑤ 마음의 상처를 입지 않으려면 인생의 경험이 많은 사람의 말씀을 잘 들어야 한다.

2주 3일 필수 체크 전략 ❷

[1~2] 다음 글을 읽고 물음에 답하시오.

용왕: 내 병이 깔끔히 나을 묘수를 말하란 말이다.
(묘수: 묘한 기술이나 수.)

꼴뚜기: 폐하! 약초보다는 어패류가 나은 줄 아뢰오.

용왕: 어패류가 무엇을 말하는고? 신약이 나왔단 말이냐?
(신약: 새로 발명한 약.)

문어: 어패류란 물고기나 조개 종류를 말하는 것인 줄 아뢰오.

용왕: 물고기…… 너희를 먹으라고?

용왕 놀란다. / 용왕 구역질을 한다.

신하들은 깜짝 놀라 꼴뚜기를 두드려 팬다.

뱀장어: 어물전 망신은 꼴뚜기가 시킨다더니,
(어물전 망신은 꼴뚜기가 시킨다: 지지리 못난 사람일수록 같이 있는 동료를 망신시킨다는 말.)
아예 용궁 망신까지 시키는구나, 누굴 먹어?

꼴뚜기: (분해서) 폐하! 예로부터 뱀장어가 몸에 좋고 기력이 살아난다는 명약으로 알려졌다고 합니다.
(명약: 효험이 좋아 이름난 약.)

뱀장어: (당황해서) 폐하! 죄송스러우나 지난 여섯 달간 다이어트를 하고 있어서 약 될 것이 없는 줄 아뢰오. 차라리 제 사촌 전기뱀장어가 어떨는지요.

전기뱀장어: 이런 의리 없는 사촌을 봤나. 폐하! 제 몸은 전기가 흐르고 있어 물속에서 드시면 전기가 올라 입이 삐뚤어진다고 하옵니다.

– 엄인희, 〈토끼와 자라〉 미래엔

인물
용왕, 신하들(꼴뚜기, 문어, 뱀장어, 전기뱀장어)

사건
용왕이 신하들에게 자신의 병이 나을 약을 찾으라고 함.

배경
용궁

개념+ 희곡의 구성 요소
- 지시문: 인물의 몸짓, 무대 장치, 분위기 등을 나타내는 부분.
- 해설: 첫머리에서 인물, 배경 등을 설명하는 부분.
- 대사: 등장인물이 주고받는 말.

1 이 글의 내용과 일치하지 않는 것은?

① 뱀장어는 꼴뚜기의 의견에 반대하고 있다.
② 전기뱀장어는 용왕에게 먹히지 않기를 바라고 있다.
③ 병에 걸린 용왕은 병이 나을 수 있는 방법을 찾고 있다.
④ 꼴뚜기는 용왕에게 물고기를 먹을 것을 제안하고 있다.
⑤ 용왕은 병을 고치기 위해 아끼는 신하들을 먹을지 말지 고민하고 있다.

문제 해결 전략
인물이 한 ❶ [ ]의 내용뿐만 아니라 ❷ [ ]에 담긴 인물의 심리까지 추측하여 글의 내용을 파악해 본다.

❶ 말 ❷ 행동

2 이 글의 주된 갈등이 나타난 상황으로 가장 적절한 것은?

① 산불로 인해 세계 각지에서 큰 피해를 입은 상황
② 행인과 자전거 운전자가 부딪쳐서 잘못을 떠넘기는 상황
③ 특정 사람들을 차별하는 법을 고치기 위해 노력하는 상황
④ 숙제를 하지 않은 것을 선생님께 고백할지 말지 고민하는 상황
⑤ 한곳에 머무를 수 없는 운명 때문에 떠돌이 생활을 하게 된 상황

문제 해결 전략
용왕의 ❶ [ ]을 낫게 하려고 자신의 목숨을 바칠 수는 없다고 생각하여 서로 미루는 ❷ [ ]의 입장에 주목하여 갈등의 유형을 파악해 본다.

❶ 병 ❷ 신하들

[3~4] 다음 글을 읽고 물음에 답하시오.

(가) 나방을 오른손에 감추고 층계를 내려오는데 그때, 아래편에서 위로 올라오는 발소리가 났어. 순간, 나는 내가 비겁한 놈이라는 것을 깨달았다네. 그와 동시에 들키면 어쩌나 하는 무서운 불안에 사로잡혀, 나는 본능적으로 나방을 감춘 손을 그대로 양복저고리 주머니 속에다 찔러 넣었어. 그리고 천천히 발을 떼어 놓았어. 그러면서 속으로, 해서는 안 될 일을 했다는 부끄러운 생각에 가슴이 서늘해졌지.

(나) 나는 그제야 그것이 나의 소행인 것을 밝혔다네. 그랬더니 에밀은 격분하지도, 큰 소리로 꾸짖지도 않고, 혀를 차며 한동안 나를 지켜보다가 나직한 소리로,

소행: 이미 해 놓은 일이나 짓.

"알았어. 말하자면 너는 그런 자식이란 말이지?" / 라고 하더군.

나는 그에게 내 장난감을 모두 주겠다고 했어. 하지만 그는 듣지 않고 냉담하게 앉아, 여전히 나를 비웃는 눈으로 지켜보고만 있었으므로, 이번에는 내가 수집한 나비를 전부 주겠다고 했지.

"뭐, 그렇게까지 하지 않아도 좋아. 나는 네가 모은 것들이 어떤 것인지 잘 알고 있어. 게다가 오늘은 너의 나비 다루는 성의가 어떻다는 것을 알 만큼은 알았어."

(다) 그때 나는 비로소, 한번 저지른 일은 어떻게 해도 바로잡을 도리가 없다는 것을 깨달았다네. 나는 그 자리에서 물러나 힘없이 집으로 돌아왔어. (중략) 나는 잠자리에 들기 전에 가만히 식당으로 가서 갈색의 두껍고 커다란 종이 상자를 찾아가지고 와서 침대 위에 올려놓고, 어둠 속에서 뚜껑을 열었어. 그리고 그 속에 든 ㉠나비들을 끄집어내어 손끝으로 비벼서 못쓰게 가루를 만들었다네.

– 헤르만 헤세, 〈공작나방〉 천재(노), 동아

인물
'나', 에밀

사건
'나'가 에밀의 공작나방을 훔친 후 에밀에게 사실대로 고백함.

배경
에밀의 집, '나'의 집

표현상 특징
- 작가의 나비 수집과 관련된 추억이 반영된 소설임.
- 소년 하인리히 모어가 에밀과의 갈등을 통해 정신적으로 성숙해 가는 과정을 그린 성장 소설임.

3 이 글에 나타난 갈등에 대한 설명으로 적절하지 않은 것은?

① (가)에서 '나'는 자신의 잘못에 대해 내적 갈등을 겪고 있다.
② (가)에서 일어난 사건 때문에 (나)의 갈등이 발생하게 된다.
③ (나)에서 '나'와 에밀의 갈등은 최고조에 이르고 있다.
④ (나)에서 '나'는 (가)의 갈등을 해소하기 위해 노력하고 있다.
⑤ (나)에 나타난 인물 간의 갈등은 (다)에서 모두 해소되고 있다.

문제 해결 전략
(가)에서 '나'가 에밀의 ❶ ______ 을 훔친 직후의 심리와 (나)에서 '나'가 에밀에게 잘못을 고백하고 난 이후 ❷ ______ 의 반응에 주목하여 어떤 갈등이 나타나는지 생각해 본다.

❶ (공작)나방 ❷ 에밀

4 ㉠과 같은 '나'의 행동에 대해 나눈 대화의 내용으로 적절하지 않은 것은?

① 다른 사람의 물건을 훔친 경험을 통해 얻은 깨달음이 담긴 행동이야.
② 에밀과의 갈등 이후 나비에 대한 '나'의 바뀐 태도를 보여 주는 행동이야.
③ 양심을 지키는 일이 더 중요하다는 것을 깨달았기 때문에 한 행동이야.
④ 자신은 더 이상 나비를 가질 자격이 없다는 반성이 드러나는 행동이야.
⑤ 에밀의 공작나방보다 아름다운 것을 수집할 자신이 없어서 한 행동이야.

문제 해결 전략
에밀에게 자신의 잘못을 고백한 뒤 '나'가 얻은 ❶ ______ 을 바탕으로 하여 '나'가 그동안 수집한 ❷ ______ 들을 가루로 만들어 버린 까닭을 생각해 본다.

❶ 깨달음 ❷ 나비

2주 4일 교과서 대표 전략 ❶

대표 작품 & 예제 1~2

가 (파르한 어머니, 파르한에게 선물할 노트북을 열어 본다.)

아버지: 파르한이 좋아할 것 같소?

어머니: 뭐 이렇게 비싼 것을 샀어요?

아버지: 우리 아들이 취직할 거잖소. 이런 자랑스러운 순간에 아낄 필요가 있겠소?

나 **파르한**: 아버지, 저는 공학자가 되기 싫어요.

아버지: 란초 그 녀석이 또 네 마음을 흔든 것이냐?

파르한: 전 공학이 싫어요. 공학자가 돼도 형편없을 거예요. 란초는 간단한 이야기만 해 줬어요. 제가 원하는 것을 하라고요. 그러면 일이 놀이 같을 것이라고요.

아버지: 그렇게 해서 이 정글에서 돈이나 벌 수 있겠냐?

파르한: 보수는 적어도 많은 것을 배울 거예요.

아버지: 한 오 년 뒤에 네 친구들이 좋은 차에 큰 집을 가진 것을 보면 너 자신을 저주할 거다.

다 **파르한**: 아버지, 저는 아버지를 설득하고 싶은 것이지 협박하는 게 아니에요. 제가 사진작가가 된다고 무슨 일이 생기겠어요? 돈은 덜 벌겠죠. 집도 더 작고 차도 더 작겠죠. 하지만 저는 행복할 거예요. 정말 행복할 거예요. 다 제 진심 어린 마음에서 나온 말이에요. 지금까지 아버지 말씀 잘 듣는 아들이었잖아요. 한 번만 제 마음이 원하는 대로 하면 안 될까요? 아버지. 제발요. 아버지, 가지 마세요.

(파르한의 아버지, 일어나서 거실을 나간다.)

아버지: 이거 환불해. 전문가용 카메라는 얼마나 하지? 노트북이랑 바꾸면 될지 모르겠다. 돈이 더 필요하면 말하렴. 너의 인생을 살아라.

– 라지쿠마르 히라니 외, 〈세 얼간이〉 (교학사)

1 이 글의 내용과 일치하지 않는 것은?

① 아버지는 파르한을 위해 선물을 준비하였다.
② 아버지는 파르한이 자신의 직업을 이어받기를 원하였다.
③ 파르한은 이전까지 아버지의 말씀을 잘 듣는 아들이었다.
④ 아버지는 파르한이 생각을 바꾼 것이 란초 때문이라고 생각하였다.
⑤ 아버지는 사진작가가 되면 돈을 많이 벌지 못할 것이라고 생각하였다.

유형 해결 전략

글의 내용을 제대로 이해했는지 묻는 문제이다. 대사와 지시문을 바탕으로 하여 ❶ ______ 와 파르한이 처한 상황과 인물의 ❷ ______ 를 짐작해 본다.

❶ 아버지 ❷ 심리

2 이 글에 나타난 갈등에 대한 설명으로 알맞은 것은?

① 파르한은 갈등을 해결하기 위해 집을 나갔다.
② 아버지가 파르한의 말을 들어줌으로써 갈등이 해결되고 있다.
③ 파르한과 아버지는 파르한의 학업 성적 때문에 갈등을 겪고 있다.
④ 파르한의 아버지와 어머니는 파르한의 직업 때문에 갈등을 겪고 있다.
⑤ 아버지는 갈등을 해결하기 위해 파르한을 경제적으로 지원해 주지 않기로 했다.

유형 해결 전략

글에 나타난 갈등의 ❶ ______ 과 진행, 해결 과정을 파악하는 문제이다. ❷ ______ 이 공학자가 되는 것을 두고 아버지와 파르한이 어떤 태도를 취하고 있는지에 주목하여 갈등의 양상을 파악해 본다.

❶ 원인 ❷ 파르한

대표 작품 & 예제 3~4

가 "너 미쳤구나? 학생이 염색을 다 하고."

"윤선이도 했는데."

내 말대꾸에 엄마는 불같이 화를 내기 시작했다.

"집에서 하라는 공부는 안 하고 잘한다. 응? 그리고 매니큐어는 왜 발랐어? 너 지금 한 것 내 허리띠 맞지? 도저히 참을 수 없어. ㉠날마다 엉뚱한 짓이나 하고."

엄마는 내가 차고 있던 허리띠를 휙 빼앗아 가더니만 또 다시 소리쳤다. / "휴대 전화도 압수야! 내가 너만 한 나이 때는 공부만 하고 책만 읽었다. 도대체 누굴 닮아 엉뚱한 궁리만 하는 거야?"

나 "할머니, 엄마는 나만 할 때 공부만 했어?" / 그러자 할머니가 잠이 묻은 소리로 말했다. / "누구? 니 엄마가?"

"응, 공부가 너무 재미있어서 멋도 안 부리고 죽으라고 공부만 했대. 그래서 나는 엄마 딸 같지가 않대. 엄마 닮은 구석이 하나도 없어서 그렇게 놀 궁리만 하는 거래."

"아이고, 별소리를 다 한다. 내 새끼가 어때서. 사과처럼 예쁘기만 하구먼. 힝, 저 클 때는 안 그랬나? 그때 남학생들이랑 빵집으로 들판으로 극장으로 얼마나 쏘다니던지 내가 학교도 한번 불려 가고 진짜 속 썩었는데 그건 까맣게 잊었는가 보다."

"정말? 엄마가 그렇게 할머니 속을 썩였단 말야?"

다 "역시 우리 엄마 음식 솜씨가 최고야."

할머니가 끓여 준 오리탕을 먹으며 ㉡엄마는 젊어진 할머니 앞에서 어린애처럼 어리광을 부렸다. 나는 확실히 알았다.

㉢'우리 엄마도 누군가의 딸이구나.'

라 "야, 춘기야. 우리 들꽃 공원으로 운동하러 가자."

㉣엄마는 내가 좋아하는 초록 껌 하나를 내밀었다. 엄마가 내미는 껌 하나에 마음이 열린 나는 인라인스케이트를 신고 따라나섰다. / (중략) 우리는 들꽃 공원을 신나게 돌았다. ㉤함께 '딱딱' 소리 내어 씹는 껌 소리가 경쾌하게 울려 퍼졌다. 꼭 이중창 같았다.

– 김옥, 〈야, 춘기야〉 창비

3 (가)에 두드러지게 나타나는 갈등으로 알맞은 것은?

① 염색을 할지 말지 고민하는 '나'의 내적 갈등
② 사춘기인 딸을 어떻게 교육할지 고민하는 엄마의 내적 갈등
③ 염색을 하라는 윤선이와 염색을 하고 싶지 않은 '나'의 외적 갈등
④ 엄마를 이해할 수 없는 '나'와 엄마의 편을 드는 할머니의 외적 갈등
⑤ 멋을 부리고 싶은 '나'와 '나'가 공부에 열중하기를 원하는 엄마의 외적 갈등

유형 해결 전략

글에 나타나는 주요 ❶ ______의 유형을 파악하는 문제이다. 갈등을 겪는 ❷ ______이 한 인물의 마음속에 있는지, 인물과 인물의 외부 요소 사이에 있는지를 파악해 본다.

❶ 갈등 ❷ 원인(까닭)

4 ㉠~㉤에 대한 설명으로 적절하지 않은 것은?

① ㉠: '나'의 행동에 대한 엄마의 생각이 드러난다.
② ㉡: '나'가 엄마를 이해하는 계기가 된다.
③ ㉢: 새로운 갈등이 일어날 것임을 암시한다.
④ ㉣: 엄마가 '나'에게 화해를 청하는 행동이다.
⑤ ㉤: 갈등이 모두 해소되는 부분이다.

유형 해결 전략

인물의 말과 행동의 ❶ ______를 파악하는 문제이다. 글에 나타난 갈등을 중심으로 하여 엄마와 할머니, '나'의 말과 행동이 ❷ ______과 어떤 연관이 있는지 생각해 본다.

❶ 의미 ❷ 갈등

대표 작품 & 예제 5~6

친구가 원수보다 더 미워지는 날이 많다

티끌만 한 잘못이 맷방석만 하게
(맷방석: 맷돌을 쓸 때 밑에 까는, 짚으로 만든 방석.)

동산만 하게 커 보이는 때가 많다

그래서 세상이 어지러워질수록

남에게는 엄격해지고 내게는 너그러워지나 보다

돌처럼 잘아지고 굳어지나 보다
(잘아지고: 알곡이나 과일, 모래 따위의 둥근 물건이나 글씨 따위의 크기가 작아지고.)

멀리 동해 바다를 내려다보며 생각한다

널따란 바다처럼 너그러워질 수는 없을까

깊고 짙푸른 바다처럼

감싸고 끌어안고 받아들일 수는 없을까

스스로는 억센 파도로 다스리면서

제 몸은 맵고 모진 매로 채찍질하면서

– 신경림, 〈동해 바다 – 후포에서〉 천재(박)
(후포: 경상북도 울진군 후포면에 있는 작은 항구.)

5 이 시에서 다음 설명에 해당하는 시어를 찾아 쓰시오.

> • 화자가 자신의 태도를 되돌아보게 하는 매개체
> • 남에게는 너그럽고 자신은 엄격하게 다스리는 대상

유형 해결 전략

시어의 의미와 역할을 파악하는 문제이다. 시에 나타난 '친구', '맷방석', '동산', '❶ ', '동해 바다', '파도', '매' 등 시어의 ❷ 을 바탕으로 하여 각각의 시어가 어떤 의미인지, 화자에게 어떤 영향을 미치는지를 살펴보고 제시된 설명에 해당하는 시어를 찾아본다.

❶ 돌 ❷ 속성

6 이 시의 화자가 바라는 삶의 태도로 가장 적절한 것은?

① 어지러운 세상에서도 길을 잃지 않는 태도
② 사소하고 작은 일에도 신경을 쓰는 세심한 태도
③ 남과 자신을 같은 기준으로 평가하는 공정한 태도
④ 남에게는 너그럽고 자신은 엄격하게 다스리는 태도
⑤ 스스로를 다그치고 채찍질하며 완벽함을 추구하는 태도

유형 해결 전략

화자가 시를 통해 전달하고자 하는 내용을 파악하는 문제이다. 이는 시의 주제와도 밀접한 관련이 있으므로, 화자가 ❶ 으로 생각하는 대상의 속성을 바탕으로 하여 화자가 어떤 ❷ 로 살고 싶어 하는지 살펴본다.

❶ 긍정적 ❷ 태도

대표 작품 & 예제 7~8

앞부분 줄거리 할머니의 손맛으로 운영하던 성태네 식당은 할머니의 치매 때문에 문을 닫을 위기에 처한다. 할머니를 위해 음식을 만들고 싶었던 성태는 평양 음식 조리법이 담긴 할머니의 빛바랜 일기장을 발견한다.

가 **국진**: 야, 들어 봐. 직업반에 피부미용학과가 있는데 그게 진짜 내가 꿈꾸던 공부인 거야. 너 10반 주연희 알지? 걔 얼굴 마사지를 딱 해 주는데 내가 이걸 하기 위해 태어났구나, ㉠손끝에 전기가 딱 왔어! 내가 하고 싶던 게 거기 있었어. (중략)

성태: …… 그래 ……좋겠다…….

나 국진이는 이제 교실에 없다는 것이 생각나서 허전해지는 성태의 표정. / 대답 없이 그냥 뒤돌아 할머니의 일기장을 뒤적여 본다.

성태: ㉡아 맞다, 온반! 할머니 정신 있을 때 온반 조리법 물어볼걸. 아…… 온반 조리법…….

(온반: 더운 장국에 만 밥.)

이때 성태의 볼을 잡고 일으키는 담임.

담임: 또 자냐, 또 자. 아직 하루가 시작되지도 않았다.

성태: 아, 자긴 누가 자요. 저 안 잤어요.

담임: 어이구 그러셔……. 교무실로 와. ㉢진로 계획서 전교에서 너 하나 안 낸 것 같다!

다 **성태**: 길짱구지지개, 행베리고추장찜, 칠색송어찜, 그리고 이 평양온반. 다 내가 할 수 있다니까!

아빠: 이걸 네가 했다고, 고등학생인 네가!

엄마: 야! 식당이 뭐 아무나 하는 건 줄 알아? 얘가 진짜 오냐오냐하니까 끝을 모르고 왜 이래?

성태: ㉣일단 먹어 봐요! 먹어 보고 얘기하면 되잖아!

라 책상 위에는 계속 들고 다녀 꼬깃꼬깃해진 진로 계획서가 놓여 있다. / 성태, 뭔가 결심한 듯 두꺼운 펜을 꺼내 들더니 전에 ㉤써 놓은 '가업 승계'라는 글자 위에 한 번 더 꾹꾹 눌러 가며 '가업 승계'라고 적는다.

– 민예지·김태희, 〈슴슴한 그대〉 천재(노)

7 ㉠~㉤에 대한 설명으로 적절하지 않은 것은?

① ㉠: 하고 싶은 일을 찾은 국진이의 열정적인 태도가 드러난다.
② ㉡: 평양 음식 조리법에 흥미를 가지게 된 성태의 모습이 드러난다.
③ ㉢: 진로를 결정하지 못한 성태의 상황이 드러난다.
④ ㉣: 자신이 만든 요리에 대한 가족들의 반응에 불안해하는 성태의 심리가 드러난다.
⑤ ㉤: 할머니의 식당을 이어받기로 한 성태의 결심이 드러난다.

유형 해결 전략

인물의 말과 ❶ [ ] 에 담긴 의미를 파악하는 문제이다. 국진이와 성태가 처한 상황, 담임 선생님과 가족들의 말 등을 통해 변해 가는 ❷ [ ] 의 모습과 심리를 파악해 본다.

❶ 행동 ❷ 성태

8 이 글의 주제를 바탕으로 할 때, 이 글을 추천하기에 가장 적절한 학생은?

① 다른 사람과 자신을 늘 비교하는 지우
② 친구와의 잦은 다툼으로 고민하는 진서
③ 뚜렷한 목표 없이 무기력하게 지내는 무혁
④ 하고 싶은 일이 너무 많아서 고민하는 원주
⑤ 공부보다 외모를 가꾸는 것에 관심이 많은 강희

유형 해결 전략

글의 주제를 파악하는 문제이다. 글에 나타난 성태의 ❶ [ ] 과 성장 과정에서 드러나는 ❷ [ ] 를 바탕으로 하여 주제와 가장 관계 깊은 상황에 처한 학생이 누구인지 살펴본다.

❶ 갈등 ❷ 주제

2주 4일 교과서 대표 전략 ❷

[1~3] 다음 글을 읽고 물음에 답하시오.

(가) **아버지**: 발레가 어떠냐고?

빌리: 지극히 평범한 거예요.

아버지: 지극히 평범하다고?

할머니: 나도 예전엔 발레를 했었다.

빌리: 봐요.

아버지: 그래, 할머니에겐……. 여자들에겐 평범하지만 남자한테는 아니야, 빌리. 남자들은 축구나 권투나 레슬링을 하는 거야. 발레는 안 해.

빌리: 무슨 남자가 레슬링을 하죠?

아버지: 성질 돋우지 마라, 빌리.

빌리: 전 뭐가 잘못된 건지 모르겠어요.

아버지: 뭐가 잘못된 건지는 네가 더 잘 알잖아.

빌리: 몰라요. (중략)

아버지: 네가 매를 버는구나.

빌리: 그게 아니라 정말로요.

아버지: 빌리, 너 정말…….

빌리: 계집애 같은 남자만 하는 게 아니에요, 아빠. 발레 무용수도 운동선수라고요.

중간 부분 줄거리 발레를 하기 어려워진 빌리는 우울한 마음으로 발레 연습장에서 친구 마이클과 춤을 춘다. 이 모습을 본 아버지는 결국 빌리의 재능을 인정하게 된다. 우여곡절 끝에 빌리는 왕립 발레 학교에 입학하여 고향을 떠나게 되고, 몇 년이 흐른다.

(나) 빌리, 무대로 나갈 준비를 한다.

S#167 객석

아버지, 감격스러운 표정을 한다.

S#168 무대 뒤

무대로 달려 나간 빌리, 힘차게 날아오른다.

– 리 홀, 〈빌리 엘리엇〉 천재(박), 금성

1 이 글에 대한 설명으로 가장 적절한 것은?

① 비극적인 결말을 통해 세대 간의 갈등을 보여 준다.
② 한 소년이 꿈을 이루는 과정을 시간 순으로 전달한다.
③ 어려운 가정 형편 때문에 좌절하는 소년의 이야기를 그린다.
④ 서로를 이해하지 못하는 부자 간의 갈등을 통해 소통이 부족한 현실을 보여 준다.
⑤ 사람들의 편견과 사회의 시선 때문에 해체되는 가족의 모습을 통해 사회를 비판한다.

2 (가)에 나타난 갈등으로 알맞은 것은?

① 권투를 할지 발레를 할지 고민하는 빌리의 내적 갈등
② 빌리의 꿈을 막는 아버지와 빌리를 응원하는 할머니의 외적 갈등
③ 발레를 시키려는 할머니와 발레를 하고 싶지 않은 빌리의 외적 갈등
④ 발레를 하고 싶은 빌리와 빌리가 발레하는 것을 반대하는 아버지의 외적 갈등
⑤ 빌리를 뒷받침해 주지 못하는 자신의 능력 때문에 괴로워하는 아버지의 내적 갈등

도움말

(가)에 나타난 대화를 통해 ❶ ______ 에 대한 아버지, 할머니, 빌리의 생각을 비교하여 ❷ ______ 을 겪는 대상과 갈등의 내용을 파악해 보자.

❶ 발레 ❷ 갈등

3 이 글을 읽고 자신의 삶을 성찰하기 위한 질문으로 적절하지 않은 것은?

① 내가 빌리의 상황이라면 어떻게 했을까?
② 빌리의 태도를 통해 나는 무엇을 배울 수 있을까?
③ 무대에 오른 빌리를 본 아버지의 표정은 어땠을까?
④ 나도 빌리와 같은 어려움을 겪은 경험이 있었을까?
⑤ 나도 빌리처럼 꿈을 이루려고 애쓴 적이 있었을까?

[4~5] 다음 글을 읽고 물음에 답하시오.

가 "우리 강 건너까지 한번 가 보자. 넌 호리병박을 안고 가면 될 거야."

줄곧 꼼짝 않고 앉아 있던 완이 뉴뉴에게 제안을 했다.

"무서워." / "내가 있잖아." (중략) 갑자기 완이 뉴뉴를 꼭 끌어안더니 뉴뉴의 손에 들린 호리병박을 낚아챘다. 뉴뉴는 날카로운 비명을 지르며 물속으로 가라앉았다.

나 뉴뉴가 더 이상 몸부림을 치지 않고 그대로 물속으로 가라앉자, 완도 당황하기 시작했다. 완은 재빨리 뉴뉴에게로 다가가 그녀의 두 손을 끌어당겨 빨간 호리병박을 쥐여 주었다. (중략) 완이 뉴뉴를 강가로 끌어올렸다. / 호리병박을 손에서 놓자, 뉴뉴는 극도의 공포가 극도의 원망으로 바뀌는 걸 느꼈다. 뉴뉴는 완을 향해 소리 질렀다.

"사기꾼! 넌 거짓말쟁이 사기꾼이야."

다 하루는 점심을 먹는 자리에서 외할머니께서 아이들에게 어린 시절 이야기를 들려주셨다.

"그때는 나도 너희들처럼 물에서 놀기를 좋아했단다. 하지만 겁이 많아서 뒤뜰에 있는 조그만 물웅덩이에서 헤엄을 치곤 했지. (중략) 그런 나를 보고 아버지는 겁쟁이라고 호통을 치셨지. 그날 아버지는 커다란 나무 대야를 가져오시더니 내가 거기 앉아 있으면, 나를 강 건너까지 데리고 가서 대나무 숲에 있는 새끼 참새를 보여 주겠다고 하시더구나. 나는 좋다고 했지. 그런데 아버지께서는 강 한가운데까지 나를 데리고 가서는, 갑자기 나무 대야를 뒤집어 버리셨어. 물에 빠진 나는 허우적대면서 몇 번이나 물을 삼켰지. (중략) 그런데 그때 이상한 일이 일어났지 뭐니. 갑자기 몸이 가벼워지더니 뒤뜰 물웅덩이에서처럼 헤엄을 칠 수 있게 된 거야."

라 뉴뉴는 모든 것을 잊고 물속으로 뛰어들어 헤엄쳐 나아갔다. 그녀는 가라앉지 않았을 뿐만 아니라 헤엄도 아주 잘 쳤다. 그녀의 수영 실력은 이미 강을 건널 수 있을 정도였던 것이다.

그녀는 처음으로 맞은편 초가집에 가 보았다. 하지만 그 집의 대문은 단단한 자물쇠로 채워져 있었다. (중략)

개학하기 전날 황혼 녘, 뉴뉴는 갈대숲에 걸려 있던 빨간 호리병박을 풀어 주었다.

- 차오원쉬엔, 〈빨간 호리병박〉 비상

4 뉴뉴가 (다)를 통해 깨달은 내용을 조건 에 맞게 서술하시오.

조건
- 완의 행동과 관련 지어 서술할 것.
- (다)의 '나무 대야'와 같은 역할을 하는 소재를 포함하여 쓸 것.

5 이 글을 읽고 나눈 대화의 내용으로 적절하지 <u>않은</u> 것은?

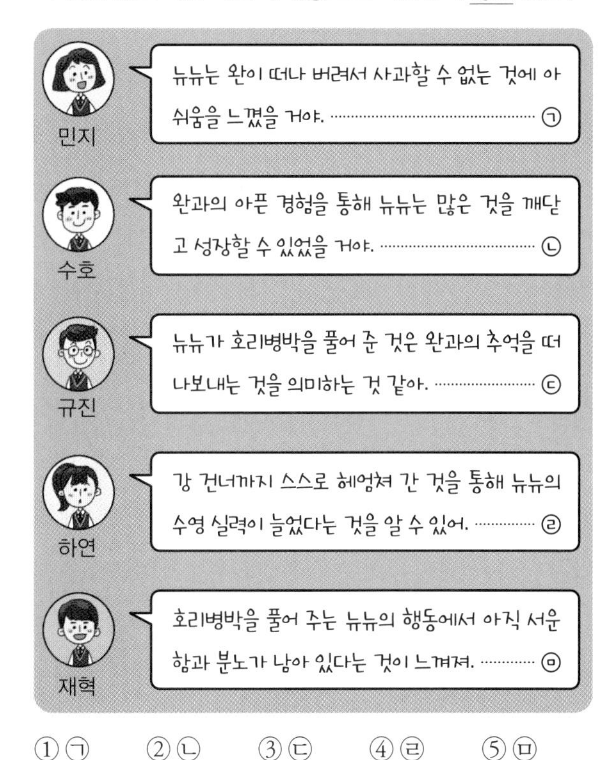

① ㉠ ② ㉡ ③ ㉢ ④ ㉣ ⑤ ㉤

도움말

작품을 읽은 후의 ❶ 을 묻는 문제이다. 외할머니의 이야기를 듣고 뉴뉴가 깨달은 내용과 ❷ 을 풀어 주는 행동에 담긴 의미에 주목하여 생각해 보자.

❶ 감상 ❷ (빨간) 호리병박

[1~3] 다음 글을 읽고 물음에 답하시오.

(가) 나는 조금 망설이다 용기를 내어 수택이 보리밥 위에 내 깍두기를 얹어 주었어. 젓가락으로 들어서 얼른 옮겨 놓고 고개를 푹 수그렸지. 수택이는 밥을 우물거리다 말고 멍하니 있었고. / 한참 그렇게 보고만 있던 수택이가 젓가락으로 깍두기를 푹 찍었어. 그러고는 깍두기 하나를 조금씩 다섯 번으로 나눠서 먹는 거야. 도시락 밑으로 흘러내린 국물까지 밥으로 싹싹 닦아 먹었지. / "윤희야, 이거 어제 배달하고 남은 거야."

깍두기를 나눠 먹기 시작하고 얼마 안 되었을 때였어. 수택이는 어린이 신문을 한 부씩 갖다 주기 시작했어. 나는 차마 신문을 거절할 수가 없더라. 건네주는 손에 거무죽죽한 자줏빛이 돌았거든. 손등에는 여기저기 튼 자국이 있었고.

(나) "야, 너 보리 방구랑 사귀냐? 너는 반찬 주고, 걔는 신문 주고 그런다며?" / 소문은 삽시간에 퍼졌어. 다른 반 친구들도 곧 알게 되었지. 화장실 문에는 '구윤희♡보리 방구'라는 낙서까지 생겼어. (중략) 나는 난로 뚜껑을 열었어. 난로 속에는 석탄이 빨갛게 달구어져 있었지. 나는 두 손으로 있는 힘껏 신문을 구겨서 공처럼 만들었어. 그러고는 아이들 보란 듯이 신문을 난로 속에 던져 버렸단다.

(다) 곧 겨울 방학이 되었고, 수택이는 방학 때 시골 친척 집으로 이사를 가 버리고 말았거든. 왜 갔는지 아는 사람은 아무도 없었어. 선생님은 가정 형편상 이사 갔다는 말만 하셨고. (중략) 그리고 시간이 많이 흐른 지금도 이렇게 겨울 부츠 속에 신문지를 구겨 넣을 때면, 봄 신발을 꺼내 구겨 넣었던 신문지를 빼낼 때면, 나는 한참씩 수택이 생각에 잠긴단다. 수택이는 지금 어디서 어떻게 살까 궁금해지기도 하지. / 어디서 무얼 했으면 좋겠냐고? 음…… 어디서 무얼 하든…… 그날이 생각나지 않았으면…… 생각나더라도 너무 아프지 않았으면…… 그랬으면, 내 친구 수택이가 꼭 그랬으면 좋겠어.

– 유은실, 〈보리 방구 조수택〉 미래엔

1 (나)에 나타난 갈등의 해결 방법으로 가장 적절한 것은?

① 수택이는 '나'와의 갈등을 해결하려고 '나'에게 신문을 주었다.
② '나'는 수택이와의 갈등을 해결하려고 반 친구들에게 화를 냈다.
③ '나'는 반 친구들과의 갈등을 해결하려고 신문을 난로에 던져 버렸다.
④ 반 친구들이 '나'와 수택이의 갈등을 해결하려고 일부러 소문을 냈다.
⑤ 수택이는 친구들과의 갈등을 해결하려고 친구들에게 신문을 주었다.

2 (다)의 내용을 다음과 같이 정리한다고 할 때, 빈칸에 들어갈 말로 적절하지 않은 것은?

어른이 된 '나'는 어린 시절을 (   )하며 수택이가 상처를 잊고 잘 지내기를 바란다.

① 기억 ② 반성 ③ 회상 ④ 동경 ⑤ 성찰

3 다음 설명에 해당하는 소재를 이 글에서 찾아 쓰시오.

- '나'에 대한 수택이의 고마운 마음
- '나'와 수택이가 사귄다는 소문의 원인
- '나'에게 죄책감을 불러일으키는 소재

[4~6] 다음 글을 읽고 물음에 답하시오.

가 내가 자전거를 배우기 위해 큰집에서 빌린 자전거는 읍내로 출퇴근하는 아버지의 자전거보다 더 무겁고 짐받이가 큰 '농업용' 자전거였다. 그 대신 자전거가 아주 튼튼해서 자전거를 배우자면 꼭 거쳐야 하는, '꼬라박기'를 무난히 감당해 낼 수 있을 듯 보였다.

나 바퀴가 두 번도 구르기 전에 자전거는 멈췄고 나는 넘어졌다. 같은 식의 시행착오가 수백 번 거듭되었다. 정강이와 허벅지에 멍 자국이 생겨났고 팔과 손의 피부가 벗겨졌다. 나중에는 자전거를 일으키는 일조차 힘이 들었다. 마지막으로 쓰러졌을 때 어둠이 다가오고 있는 걸 알고는 막막한 마음에 자전거 옆에 한참 누워 있다가 일어났다.

다 오르막에 올라서서 숨을 고르다가 문득 내리막을 달려 내려가면 자전거를 쉽게 탈 수 있지 않을까 하는 생각이 들었다. 내리막 아래쪽은 길이 휘어 있었고 정면에는 내가 어릴 적 물장구를 치고 놀던 도랑이 기다리고 있었다. 그리고 그 옆에는 다음 해 봄에 거름으로 쓸 분뇨를 모아 두는 '똥통'이 있었다. 내가 자전거를 통제하지 못하게 된다면 결말은 단순했다. 운 좋으면 도랑, 나쁘면 똥통.

라 그럼에도 불구하고 나는 돌을 딛고 자전거에 올라섰다. 어차피 가지 않으면 안 될 길, 나는 몸을 앞뒤로 흔들어 자전거를 출발시켰다. 자전거는 앞으로 나아가기 시작했다. 페달을 밟지 않고도 가속이 붙었다. 나는 난생처음 봄을 맞는 장끼처럼 나도 모를 이상한 소리를 내지르며 자전거와 한 몸이 되어 달려 내려갔다. 가슴이 터질 듯 부풀었고 어질어질한 속도감에 사로잡혔다. 어느새 내 발은 페달을 차고 있었고 자전거는 도랑과 똥통 옆을 지나고 있었다. 나는 삽시간에 어른이 된 기분으로 읍내로 가는 길을 내달렸다.

마 그날 나는 내 근육과 뇌에 새겨진 평범한, 그러면서도 세상을 움직여 온 비밀을 하나 얻게 되었다. 일단 안장 위에 올라선 이상 계속 가지 않으면 쓰러진다. 노력하고 경험을 쌓고도 잘 모르겠으면 자연의 판단 — 본능에 맡겨라.

– 성석제, 〈어느 날 자전거가 내 삶 속으로 들어왔다〉 동아

4 이 글에 나타난 글쓴이의 주된 경험으로 알맞은 것은?

① 읍내에서 자전거를 새로 산 것
② 자전거를 타다가 크게 다친 것
③ 큰집에서 빌린 자전거를 망가뜨린 것
④ 많은 실패 끝에 자전거 타기에 성공한 것
⑤ 아버지에게 자전거를 타는 방법을 배운 것

5 이 글에서 글쓴이가 얻은 깨달음으로 알맞은 것은? (정답 2개)

① 세상의 비밀을 알아야 어른이 된다.
② 성공에는 그만큼의 고통이 뒤따른다.
③ 한번 시작한 일은 중간에 그만둘 수 없다.
④ 노력해도 안 될 때는 본능에 맡겨야 한다.
⑤ 모든 일이 성공하려면 자연의 도움이 필요하다.

6 이 글을 읽은 독자가 자신의 삶을 성찰한 내용으로 가장 적절한 것은?

초대 화상 찾기

① 글쓴이가 도전적인 성격이라는 것을 알게 되었어.
② 본래부터 재능이 없으면 노력해도 되지 않는다는 것을 깨달았어.
③ 글쓴이가 자전거를 타며 시행착오를 겪는 부분에서 마음이 아팠어.
④ 나도 스케이트보드를 처음 배울 때 수없는 실패 끝에 겨우 성공했던 적이 있어.
⑤ 혼자 자전거를 배우는 건 위험한 일이니까 글쓴이는 아주 잘못된 행동을 한 거야.

2주 창의·융합·코딩 전략 ①

[1~2] 다음 글을 읽고 물음에 답하시오.

가 "느 집엔 이거 없지?" / 하고 생색 있는 큰소리를 하고는 제가 준 것을 남이 알면 큰일 날 테니 여기서 얼른 먹어 버리란다. 그리고 또 하는 소리가 / "너 봄 감자가 맛있단다."

"난 감자 안 먹는다, 니나 먹어라." / 나는 고개도 돌리지 않고 일하던 손으로 그 감자를 도로 어깨 너머로 쑥 밀어 버렸다.

나 사람들이 없으면 틈틈이 제집 수탉을 몰고 와서 우리 수탉과 쌈을 붙여 놓는다. 제집 수탉은 썩 험상궂게 생기고 쌈이라면 홰를 치는(아주 능숙한.) 고로 으레 이길 것을 알기 때문이다. 그래서 툭하면 우리 수탉이 면두며 눈깔이 피로 흐드르하게 되도록 해 놓는다. (중략) 이렇게 되면 나도 다른 배채(어떤 일을 하기 위한 꾀.)를 차리지 않을 수 없다. 하루는 우리 수탉을 붙들어 가지고 넌지시 장독께로 갔다. 쌈닭에게 고추장을 먹이면 병든 황소가 살모사를 먹고 용을 쓰는 것처럼 기운이 뻗친다 한다. 장독에서 고추장 한 접시를 떠서 닭 주둥아리께로 들이밀고 먹여 보았다.

다 "이놈아! 너 왜 남의 닭을 때려죽이니?" / "그럼 어때?" 하고 일어나다가 / "뭐 이 자식아! 누 집 닭인데?"

하고 복장(가슴의 한복판.)을 떠미는 바람에 다시 벌렁 자빠졌다. 그러고 나서 가만히 생각을 하니 분하기도 하고 무안도 스럽고 또 한편 일을 저질렀으니 인젠 땅이 떨어지고 집도 내쫓기고 해야 될는지 모른다. (중략) / "그럼, 너 이담부텀 안 그럴 터냐?"

하고 물을 때에야 비로소 살길을 찾은 듯싶었다.

나는 눈물을 우선 씻고 뭘 안 그러는지 명색도 모르건만

"그래!" / 하고 무턱대고 대답하였다.

"요담부터 또 그래 봐라, 내 자꾸 못살게 굴 터니."

"그래 그래, 인젠 안 그럴 테야!"

"닭 죽은 건 염려 마라. 내 안 이를 테니."

그리고 뭣에 떠다밀렸는지 나의 어깨를 짚은 채 그대로 픽 쓰러진다. 그 바람에 나의 몸뚱이도 겹쳐서 쓰러지며 한창 피어 퍼드러진 노란 동백 꽃 속으로 폭 파묻혀 버렸다.

– 김유정, 〈동백꽃〉

1

이 글의 '나'와 점순이의 성격으로 알맞은 것은?

① '나': 영악하고 음흉함.
② '나': 순진하고 눈치가 없음.
③ 점순: 부끄러움이 많음.
④ 점순: 소심하고 순수함.
⑤ 점순: 이해심이 많고 신중함.

2

다음은 이 글에 나타난 갈등의 진행 과정을 정리한 것이다. 빈칸에 들어갈 내용으로 가장 적절한 것은?

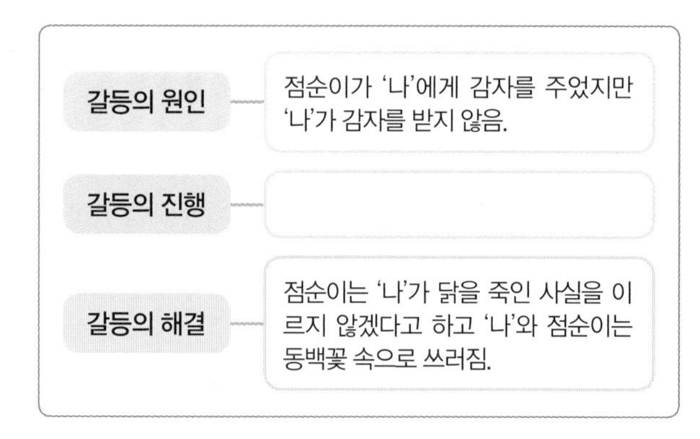

갈등의 원인	점순이가 '나'에게 감자를 주었지만 '나'가 감자를 받지 않음.
갈등의 진행	
갈등의 해결	점순이는 '나'가 닭을 죽인 사실을 이르지 않겠다고 하고 '나'와 점순이는 동백꽃 속으로 쓰러짐.

① 닭싸움을 하며 '나'와 점순이가 가까워짐.
② '나'가 점순이의 닭에게 고추장을 먹여 괴롭힘.
③ 점순이가 화를 내자 '나'가 점순이에게 용서를 구함.
④ 점순이가 '나'를 괴롭혀 '나'가 마을에 점순이에 대한 안 좋은 소문을 냄.
⑤ 점순이가 닭싸움을 붙이자 '나'가 자신의 닭에게 고추장을 먹여 닭싸움에서 이기려고 함.

도움말

(가)에는 갈등의 원인, (나)에는 ❶ [ ] 의 진행, (다)에는 갈등의 해결 과정이 나타나 있다. (나)에서 ❷ [ ] 와 '나'의 행동을 바탕으로 하여 갈등의 진행 과정을 살펴보자.

❶ 갈등 ❷ 점순이

>> 정답과 해설 18쪽

3 |보기|는 다음 글의 등장인물 관계도이다. ㉠~㉢에 들어갈 내용으로 알맞은 것은?

가 "엄마, 정말 나 이제 학교 안 갈래요." (중략)

순이는 뒷집에 있는 아이입니다. 작년에 학교에 입학했는데, 하도 아이들이 곰보딱지라고 놀려서 한 달도 다니지 못하고 학교를 그만두었습니다.

나 "나도 이젠 4학년 됐잖아요? 남의 책 보퉁이만 메고 다니는 거 부끄럽다니까요."

"글쎄, 그거 늘 하는 소리제. 지발 좀 참아라. 아이구, 없는 기 원수지. 그 애들이 왜 그렇게 못살게 하나!" / 어머니도 밥숟갈을 들 생각을 않으시고 한숨을 쉬시더니 또 말을 이었습니다.

"야야, 너 아부지도 올해만 남의 일을 하면 그만 두실 끼다. 한 해만 참아라. 부디 한 해만……."

다 "너, 책 보퉁이 어쨌어?"

"이 자식, 죽고 싶나? 빨리 말해!"

용이는 아이들을 한번 둘러보고는 조용히, 그러나 힘찬 소리로 말했습니다. 이상하게도 책 보퉁이를 모두 날리고 나니 마음이 가라앉는 것이 조금도 겁이 나지 않았습니다.

"너희들 책보 말이제? 저 밑에 두꺼비 바위 아래 던져 놨어."

– 이오덕, 〈꿩〉에서

보기

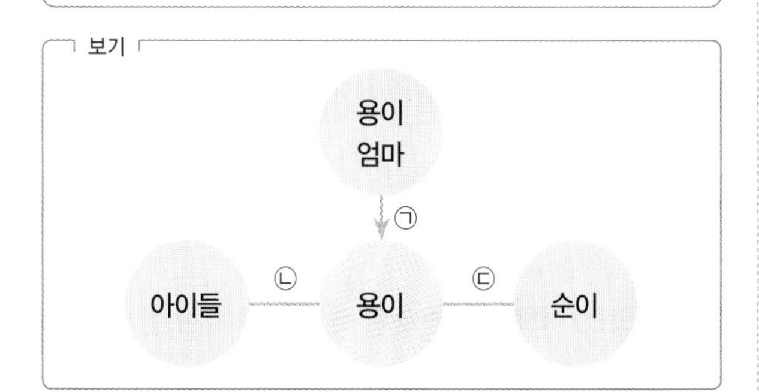

	㉠	㉡	㉢
①	강요	외적 갈등	상반된 처지
②	강요	내적 갈등	비슷한 처지
③	설득	외적 갈등	비슷한 처지
④	설득	외적 갈등	상반된 처지
⑤	설득	내적 갈등	비슷한 처지

4 다음과 유사한 갈등 양상이 나타난 상황은?

"요즘 아파트에서 그런 거 만드는 사람이 몇이나 된다고 그러세요."

"너는 안 먹고 살래? 아무리 아파트기로서니 사람이 할 일은 하고 살아야재. 그래, 아파트 살면 장을 다 사 먹어야 한단 말이여?"

"아유, 그만두세요. 어머닌 옛날 방식만 고집하시니."

엄마는 돌아서서 안방 쪽으로 갔다. 할머니는 속이 상한지 한참이나 그대로 서 있었다. 나는 조심스럽게 할머니를 불러 보았다. / "…… 할머니이."

할머니는 그제서야 내 얼굴을 보더니 혼잣말같이 중얼거렸다. / "시상이 아무리 달라졌다 혀도 달라지지 않는 것도 있는 법이여. 그렇재, 암."

그러고는 박아 놓은 못에 메주를 걸었다. 메주는 창고 문 앞에 주렁주렁 매달렸다. 못에 다 걸 수가 없어서 빨래 건조대에도 매달았다.

내 방으로 가다가 안방 문을 살짝 열어 보았다. 엄마가 쪼그려 앉아 두 팔에 머리를 묻고 있었다. 나는 엄마를 부르지도 못하고 문을 다시 닫았다.

– 오승희, 〈할머니를 따라간 메주〉에서 (지학사)

① 진로를 결정하지 못해 진로 계획서를 내지 못한 성태의 상황

② 대장부로 태어나 능력을 마음껏 펼칠 수 없는 현실 때문에 고민하는 길동의 상황

③ 자신 때문에 누명을 쓰고 쫓겨난 점순이 때문에 잠을 이루지 못하는 문기의 상황

④ 사진작가가 되고 싶은 파르한과 파르한이 공학자가 되기를 원하는 아버지의 상황

⑤ 신사의 자동차 수리비를 갚지 않고 도망친 일이 도둑질이었는지 고민하는 수남이의 상황

도움말

이 글에서 아파트에서 ❶ [   ]를 만드는 것에 대해 할머니, ❷ [   ], '나'가 어떻게 생각하는지를 바탕으로 하여 어떤 갈등이 나타나는지 파악해 보자.

❶ 메주 ❷ 엄마

[5~6] 다음 글을 읽고 물음에 답하시오.

가 서너 간 앞을 서서 동무 수만이가 간다. 문기는 쫓아가 그와 나란히 서며, / "너 집에 인제 가니?" / 하고 어깨에 손을 걸고,

"이거 이상한 일 아냐?" / "뭐가 말야?"

"고길 사러 갔는데 말야, 난 일 원짜리로 알구 냈는데 십 원으로 거슬러 주니 말야." (중략)

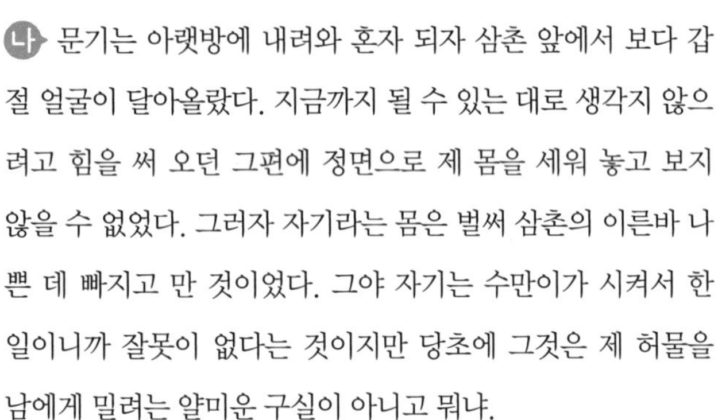

드디어 그들은 공을 샀다. 만년필을 샀다. 쌍안경을 샀다. 만화책을 샀다. 그리고 활동사진 구경도 갔다. 다니며 이것저것 군것질도 했다.

활동사진: 영화의 옛 용어.

나 문기는 아랫방에 내려와 혼자 되자 삼촌 앞에서 보다 갑절 얼굴이 달아올랐다. 지금까지 될 수 있는 대로 생각지 않으려고 힘을 써 오던 그편에 정면으로 제 몸을 세워 놓고 보지 않을 수 없었다. 그러자 자기라는 몸은 벌써 삼촌의 이른바 나쁜 데 빠지고 만 것이었다. 그야 자기는 수만이가 시켜서 한 일이니까 잘못이 없다는 것이지만 당초에 그것은 제 허물을 남에게 밀려는 얄미운 구실이 아니고 뭐냐.

다 문기는 삼거리 고깃간을 향해 갔다. 그리고 골목으로 돌아가 나머지 돈을 종이에 싸서 담 너머로 그 집 안마당을 향해 던졌다.

그제야 문기는 무거운 짐을 풀어 놓은 듯 어깨가 거뜬했다.

라 두어 간 문기를 앞세워 놓고 따라오면서 연해 수만이는,

"앞에 가는 아이는 공공공했다지." / 그리고 점점 더해 나중엔 도적질을 거꾸로 붙여서, / "앞에 가는 아이는 질적도했다지." 하고 거리거리 외며 따라오는 것이다.

마 언제나 다름없이 하늘은 맑고 푸르건만 문기는 어쩐지 그 하늘조차 쳐다보기가 두려워졌다. 자기는 감히 떳떳한 얼굴로 그 하늘을 쳐다볼 만한 사람이 못 된다 싶었다. (중략)

숨김없이 자백을 하자 이때까지 겹겹으로 몸을 싸고 있던 허물이 한 꺼풀 한 꺼풀 벗어지면서 따라 마음속의 어둠도 차차 사라지며 맑아지는 것을, 문기는 확실히 깨달을 수 있었다.

– 현덕, 〈하늘은 맑건만〉

5
다음은 이 글에 나타난 사건과 그에 따른 문기의 심리 변화를 정리한 것이다. 빈칸에 들어갈 내용으로 적절한 것은?

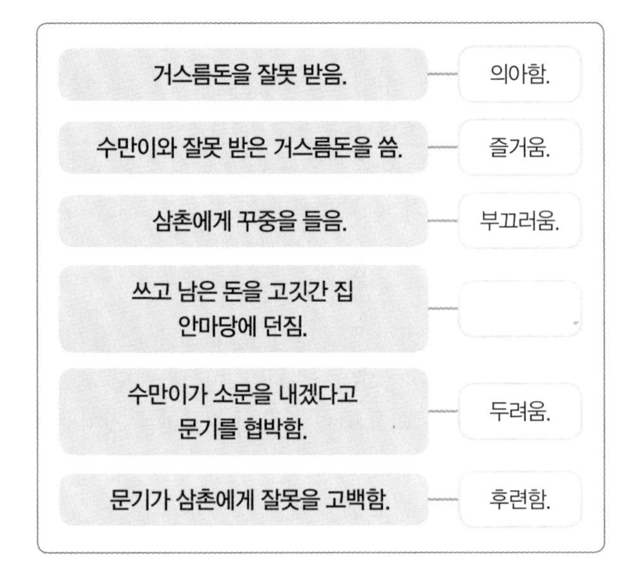

① 아쉬움.
② 기대함.
③ 후련함.
④ 화가 남.
⑤ 후회스러움.

6
이 글에 나타난 사건을 통해 문기가 다짐했을 내용으로 가장 적절한 것은?

① 정직보다는 우정을 지키는 일이 더 중요해.
② 앞으로 양심에 어긋나는 행동을 하지 않을 거야.
③ 제대로 끝내지 못할 일은 처음부터 하지 않을 거야.
④ 내가 원하는 것보다 부모님이 원하는 것을 따라야 해.
⑤ 수만이 같은 친구에게는 좋은 일이 있어도 알리지 않을 거야.

도움말

이 글에서 문기가 저지른 ❶ [ ]이 무엇인지, 이 때문에 어떤 갈등을 겪고, 갈등을 ❷ [ ]하기 위해 어떤 행동을 했는지를 파악하여 사건을 통해 문기가 깨달은 내용을 짐작해 보자.

❶ 잘못 ❷ 해결

>> 정답과 해설 18쪽

7 (가), (나)의 공통점을 파악한 내용으로 가장 적절한 것은?

가 나는 그제야 그것이 나의 소행인 것을 밝혔다네. 그랬더니 에밀은 격분하지도, 큰 소리로 꾸짖지도 않고, 혀를 차며 한동안 나를 지켜보다가 나직한 소리로, / "알았어. 말하자면 너는 그런 자식이란 말이지?" / 라고 하더군. (중략)

나는 몹시 나쁜 놈으로 결정이 나고 에밀은 천하에 정직한 사람이 되어, 정의를 방패로 삼아 냉정하고 모멸적인 태도로 내 앞에 버티고 있었어. 그는 욕설을 늘어놓지도 않았고, 다만 나를 바라보면서 경멸할 따름이었지. (중략)

나는 잠자리에 들기 전에 가만히 식당으로 가서 갈색의 두껍고 커다란 종이 상자를 찾아 가지고 와서 침대 위에 올려놓고, 어둠 속에서 뚜껑을 열었어. 그리고 그 속에 든 나비들을 끄집어내어 손끝으로 비벼서 못쓰게 가루를 만들었다네.

– 헤르만 헤세, 〈공작나방〉에서

나 호리병박을 손에서 놓자, 뉴뉴는 극도의 공포가 극도의 원망으로 바뀌는 걸 느꼈다. 뉴뉴는 완을 향해 소리 질렀다.

"사기꾼! 넌 거짓말쟁이 사기꾼이야."

말을 마친 뉴뉴는 엄마 품으로 뛰어들며 온몸을 떨면서 엉엉 울었다. (중략)

뉴뉴는 모든 것을 잊고 물속으로 뛰어들어 헤엄쳐 나아갔다. 그녀는 가라앉지 않았을 뿐만 아니라 헤엄도 아주 잘 쳤다. (중략)

개학하기 전날 황혼 녘, 뉴뉴는 갈대숲에 걸려 있던 빨간 호리병박을 풀어 주었다. 그리고 빨간 호리병박은 반짝반짝 빛을 내면서 그렇게 황혼 속으로 떠내려갔다.

– 차오원쉬엔, 〈빨간 호리병박〉에서

① 꾸준한 노력으로 꿈을 이룬 인물을 그리고 있어.
② 친구와의 다툼을 통해 우정의 소중함을 전달하는군.
③ 아픈 경험을 통해 인물이 성장하는 모습을 보여 주고 있어.
④ 거짓말로 비롯된 갈등을 통해 정직의 중요성을 전달하는구나.
⑤ 어린 시절의 회상을 통해 과거를 반성하는 인물의 심리를 표현하고 있군.

8 다음 시의 내용을 보기 와 같이 정리한다고 할 때, 화자가 자신의 삶을 비추어 보고 성찰하는 매개체로 알맞은 것은?

죽는 날까지 하늘을 우러러
한 점 부끄럼이 없기를,
잎새에 이는 바람에도
나는 괴로워했다.
별을 노래하는 마음으로
모든 죽어 가는 것을 사랑해야지.
그리고 나한테 주어진 길을
걸어가야겠다.

오늘 밤에도 별이 바람에 스치운다.

– 윤동주, 〈서시〉 지학사

보기

과거	부끄러움 없이 살고자 했지만, 작은 시련에도 괴로워함.
미래	모든 죽어 가는 것을 사랑하며, 스스로의 길을 가고자 함.
현재	현실은 여전히 힘들고 암담함.

① 하늘 ② 잎새 ③ 바람
④ 사랑 ⑤ 밤

도움말
이 시에서는 다양한 상징적인 시어를 사용하여 부끄러움 없는 삶에 대한 화자의 소망과 ❶ [ ] 를 드러내고 있다. '하늘', '잎새', '바람', '밤' 등의 시어에 어떤 의미가 담겨 있는지 살펴보고, 화자가 무엇을 보고 자신의 삶을 ❷ [ ] 하고 있는지 파악해 보자.

❶ 의지 ❷ 성찰

시험 대비 마무리 전략

비유와 상징

비유

개념과 특징
- 개념: 대상을 직접 설명하지 않고 그와 비슷한 다른 대상에 빗대어 표현하는 방법
- 특징
  ① 원관념(표현하려는 대상)과 보조 관념(빗댄 대상)이 함께 나타남.
  ② ❶ ______ 과 보조 관념 사이에 유사성이 있어야 함.

종류
- 직유법: 두 대상을 '같이', '처럼', '-듯이'와 같은 표현을 사용하여 직접 빗대어 표현하는 방법
- 은유법: '~은/는 ~이다.'와 같은 형식으로 한 대상을 다른 대상에 암시적으로 빗대어 표현하는 방법
- 의인법: 사람이 아닌 것을 사람에 빗대어 사람이 행동하는 것처럼 표현하는 방법

효과
- 주제를 효과적이고 인상 깊게 전달할 수 있음.
- 대상을 직접적으로 표현하는 것보다 참신한 느낌을 줌.
- 표현하고 싶은 대상을 더 생생하고 실감 나게 나타낼 수 있음.

비유는 대부분 원관념과 보조 관념이 겉으로 드러나.
짠!
원관념
보조 관념

짠!
하지만 상징은 원관념이 겉으로 드러나지 않지.
보조관념
원관념 평등 자유

상징

개념과 특징
- 개념: 인간의 감정, 사상과 같은 추상적인 내용을 구체적인 대상으로 나타내는 표현 방법
- 특징: 표현하려는 대상이 겉으로 드러나지 않아, ❷ ______ 의미로 해석할 수 있음.

효과
- 작품의 주제를 효과적으로 드러냄.
- 추상적인 개념을 구체적으로 드러낼 수 있음.
- 대상이 나타내는 의미를 다양하게 해석할 수 있어 작품의 의미를 풍부하게 함.

비유는 표현의 의미가 보통 한 가지로 해석되지만, 상징은 의미가 다양하게 해석된다는 점에서 차이가 있지.

❶ 원관념 ❷ 다양한

문학 작품에서의 갈등

갈등

개념	인물의 마음속이나 인물과 외부 환경 사이에서 대립과 충돌이 일어나 복잡하게 얽혀 있는 상태
종류	• ❶ ______ 갈등: 한 인물의 마음속에서 서로 다른 감정이나 욕구가 일어나서 생기는 갈등 • 외적 갈등: 인물과 인물을 둘러싼 외부 요소와의 대립과 충돌이 일어나서 생기는 갈등
전개 과정	발단(갈등의 실마리 제시) ➡ 전개(갈등의 시작) ➡ 위기(갈등의 고조) ➡ 절정(갈등의 최고조) ➡ 결말(갈등의 해소)

문학 작품을 통한 성찰

성찰

개념과 효과	• 개념: 자신의 삶과 경험을 되돌아보고 반성하며 사고하는 과정 • 효과 ① 문학 작품에 나타난 다양한 삶의 모습을 통해 인간의 보편적인 삶을 이해하고 삶의 ❷ ______ 을 얻을 수 있음. ② 작품 속 인물의 갈등 해결 과정을 보며 자신의 삶의 문제를 해결할 방법을 깨달을 수 있음.

❶ 내적 ❷ 깨달음

신유형·신경향·서술형 전략

1 다음 시에 나타난 표현 방법을 아래와 같이 정리한다고 할 때, 적절하지 않은 것은?

> 아씨처럼 나린다
> 보슬보슬 햇비
> 맞아 주자 다 같이
> 옥수숫대처럼 크게
> 닷 자 엿 자 자라게
> 해님이 웃는다
> 나 보고 웃는다.
>
> 하늘 다리 놓였다
> 알롱알롱 무지개
> 노래하자 즐겁게
> 동무들아 이리 오나
> 다 같이 춤을 추자
> 해님이 웃는다
> 즐거워 웃는다.

– 윤동주, 〈햇비〉

표현하려는 대상	빗대어 표현한 대상	
햇비	아씨	… ㉠
유사성: 잠깐 나타났다가 금방 숨음.		… ㉡
(아이들)	옥수숫대	
유사성: 비를 맞으며 무럭무럭 자람.		… ㉢
무지개	하늘 다리	… ㉣
유사성: 여러 빛깔을 지님.		… ㉤

① ㉠ ② ㉡ ③ ㉢ ④ ㉣ ⑤ ㉤

[2~3] 다음 시를 읽고 물음에 답하시오.

> ㉠밤하늘은
> 별들의 운동장
> ㉡오늘따라 별들 부산하게 바자닌다.
> 운동회를 벌였나
> 아득히 들리는 함성,
> 먼 곳에서 아슴푸레 빈 우레 소리 들리더니
> 빗나간 야구공 하나
> 쨍그랑
> 유리창을 깨고
> 또르르 지구로 떨어져 구른다.

– 오세영, 〈유성〉 비상

서술형

2 ㉠에 사용된 표현 방법을 조건에 맞게 서술하시오.

조건
- ㉠의 원관념과 보조 관념을 포함하여 표현 방법을 구체적으로 밝힐 것.
- ㉠과 같은 표현 방법으로 '유성'을 빗대어 표현한 시행을 찾아 쓸 것.

도움말

㉠에서 표현하고자 하는 대상은 '❶ '이다. 이를 어떻게 표현하고 있는지 파악한 후, 같은 표현 방법을 사용하여 '❷ '을 빗댄 시행을 찾아보자.

❶ 밤하늘 ❷ 유성

3 ㉡에 나타난 표현 방법이 사용된 것은?

① 바위가 되고 싶다, 늘 한결같은.
② 쉴 틈도 없이 일하는 부지런한 시계.
③ 초콜릿처럼 달콤한 댓글을 전하세요.
④ 꽃가루와 같이 부드러운 고양이의 털
⑤ 바다! 지켜야 하는 소중한 보물입니다.

서술형

4 다음 시에 나타난 '길'의 의미를 조건 에 맞게 서술하시오.

내를 건너서 숲으로
고개를 넘어서 마을로

어제도 가고 오늘도 갈
나의 길 새로운 길

민들레가 피고 까치가 날고
아가씨가 지나고 바람이 일고

나의 길은 언제나 새로운 길
오늘도…… 내일도……

내를 건너서 숲으로
고개를 넘어서 마을로

- 윤동주, 〈새로운 길〉

보기
㉠ 학교에 가는 길에 친구를 만났다.
㉡ 연극을 보고 난 후의 감동을 표현할 길이 없었다.
㉢ 영화관에 가는 길을 몰라 우리는 한참을 헤매었다.
㉣ 내가 살아온 길을 되돌아보며 최선을 다했는지 고민해 보았다.

조건
• 〈보기〉의 ㉠~㉣에 제시된 '길' 중, 이 시의 '길'과 의미가 같은 것을 골라 그 기호를 쓸 것.
• '길'의 의미를 포함하여 한 문장으로 쓸 것.

도움말
이 시에서는 추상적 개념을 ❶ ______ 대상인 '길'로 나타내는 상징적 표현이 쓰였다. 이를 고려하여 이 시의 '❷ ______'과 같은 의미로 쓰인 것을 ㉠~㉣에서 찾아보자.

❶ 구체적 ❷ 길

[5~6] 다음 시조를 읽고 물음에 답하시오.

㉠구름 빛이 좋다 하나 검기를 자로 한다.
㉡바람 소리 맑다 하나 그칠 적이 하노매라.
좋고도 그칠 뉘 없기는 ㉢물뿐인가 하노라.

〈제2수〉

㉣꽃은 무슨 일로 피면서 쉬이 지고
㉤풀은 어이하여 푸르는 듯 누르나니
아마도 변치 않는 건 바위뿐인가 하노라.

〈제3수〉

더우면 꽃 피고 추우면 잎 지거늘
ⓐ솔아 너는 어찌 눈서리를 모르는다.
구천(九泉)에 뿌리 곧은 줄을 그로 하여 아노라.

〈제4수〉

- 윤선도, 〈오우가〉에서

5 ㉠~㉤ 중, 자연물을 대하는 화자의 태도가 다른 하나는?

① ㉠ ② ㉡ ③ ㉢ ④ ㉣ ⑤ ㉤

도움말
이 시는 상징적 표현을 사용하여 다섯 가지 ❶ ______ 의 덕을 예찬하는 시이다. '구름', '바람', '물', '꽃', '풀'의 상징적 의미를 바탕으로 하여 ❷ ______ 의 태도를 구분해 보자.

❶ 자연물 ❷ 화자

서술형

6 ⓐ의 속성을 조건 에 맞게 서술하시오.

조건
• ⓐ의 속성이 나타난 두 부분을 찾아 밝힐 것.
• 두 가지 속성의 의미를 쓸 것.

7 | 보기 |의 갈등의 유형과 (가)~(마)가 바르게 연결된 것은?

(가) "인마, 네놈의 자전거가 쓰러지면서 내 차를 들이받았단 말이야. 이런 고급 차를 말이야. 이런 미련한 놈, 왜 눈은 째려, 째리긴. 그러니 내 차에 흠이 안 나고 배겼겠냐."

(나) "용서라니, 이만큼 했으면 됐지 어떻게 더 용서를 해." / "아저씨, 그러시지 말고 한 번만 봐주셔요. 네, 아저씨." (중략)

신사는 다시 네놈은 쳐다보기도 싫다는 듯이 수남이를 전혀 상대 안 하고, 묵묵히 자전거 바퀴에다 자물쇠를 채우고, 앞에 빌딩을 가리키면서, / "나 저기 306호실에 있으니까 돈 오천 원 갖고 와. 그러면 열쇠 내줄 테니." / 하고는 수남이를 힐끗 흘겨보고 유유히 빌딩 속으로 사라져 갔다.

(다) "도망가라, 어서어서 자전거를 번쩍 들고 도망가라, 도망가라." / 수남이는 자기편이 되어 준 이 많은 사람들을 도저히 배반할 수 없었다. 이상한 용기가 솟았다. 수남이는 자전거를 마치 검부러기처럼 가볍게 옆구리에 끼고 질풍같이 달렸다.

(라) 낮에 내가 한 짓은 옳은 짓이었을까? 옳을 것도 없지만 나쁠 것은 또 뭔가. 자가용까지 있는 주제에 나 같은 아이에게 오천 원을 우려내려고 그렇게 간악하게 굴던 신사를 그 정도 골려 준 것이 뭐가 나쁜가? (중략) 소년은 아버지가 그리웠다. 도덕적으로 자기를 견제해 줄 어른이 그리웠다.

(마) 수남이는 짐을 꾸렸다. 아아, 내일도 바람이 불었으면. 바람이 물결치는 보리밭을 보았으면.

마침내 결심을 굳힌 수남이의 얼굴은 누런 똥빛이 말끔히 가시고, 소년다운 청순함으로 빛났다.

– 박완서, 〈자전거 도둑〉에서

| 보기 |
㉠ 한 인물의 마음속에서 일어나는 갈등
㉡ 인물과 다른 인물 사이에서 일어나는 갈등

① (가) – ㉠ ② (나) – ㉡ ③ (다) – ㉡
④ (라) – ㉡ ⑤ (마) – ㉠

8 다음 글에 나타난 갈등의 양상을 정리한 내용 중, 적절하지 않은 것은?

토끼: 잠깐! 잠깐! 내가 잘못 들었나? (정중하게) 방금 간이라고 하셨습니까?
자라: 토끼님, 미안하오. 용왕께 명약으로 바치려고 당신을 데려온 것이오. (중략)
토끼: 예로부터 토끼들은 간이 배 밖으로 나왔습니다. 호랑이, 여우, 늑대, 표범, 살쾡이, 독수리한테 쫓기다 보니 간을 배 속에 넣고는 살아갈 수가 없거든요. 산속 깊은 골짜기에다 차곡차곡 재어 놓고 다니다 밤에만 배 안에 집어넣고 살고 있다고 합니다……가 아니라, 살고 있습니다.
용왕: 그거 큰일이다.
뱀장어: 저 놈 말을 믿지 마세요, 폐하!
도루묵: 먼저 저놈 배를 갈라 보고, 간이 없으면 다시 토끼를 잡아 오면 어떨는지요.
토끼: (엄살을 떤다.) 아이고, 나 죽네. 그 아까운 간을, 그 용하다는 명약을 •심심산골에 숨겨 두고 아까운 목숨만 사라지네.
자라: 폐하! 다시 육지로 나가 토끼 간을 받아오겠나이다.

• **심심산골** 깊고 깊은 산골.

– 엄인희, 〈토끼와 자라〉에서

갈등의 원인
① 용왕의 병을 낫게 하려고 토끼의 간을 약으로 쓰려 함.

⬇

갈등의 진행

② 토끼를 잡아서 간을 얻으려는 용왕과 신하들	↔ ③ 인물과 운명의 갈등	④ 목숨을 잃지 않기 위해 용왕과 신하들을 속이는 토끼

⬇

갈등의 해결
⑤ 토끼가 지혜를 발휘하여 용궁에서 도망침.

도움말
이 희곡에는 용왕은 병에 걸려 ❶ ____ 의 간이 필요하고, 토끼는 자라에게 속아 용궁으로 온 상황이 드러나 있다. 토끼와 ❷ ____, 신하들의 대사에 주목하여 이 장면에 나타난 갈등의 양상을 살펴보자.

❶ 토끼 ❷ 용왕

9 보기 의 질문을 바탕으로 할 때, 다음 시의 화자가 부정적으로 바라볼 태도를 지닌 사람으로 가장 적절한 것은?

친구가 원수보다 더 미워지는 날이 많다
 티끌만 한 잘못이 맷방석만 하게
동산만 하게 커 보이는 때가 많다
그래서 세상이 어지러울수록
남에게는 엄격해지고 내게는 너그러워지나 보다
돌처럼 잘아지고 굳어지나 보다

멀리 동해 바다를 내려다보며 생각한다
널따란 바다처럼 너그러워질 수는 없을까
깊고 질푸른 바다처럼
감싸고 끌어안고 받아들일 수는 없을까
스스로는 억센 파도로 다스리면서
제 몸은 맵고 모진 매로 채찍질하면서

– 신경림, 〈동해 바다-후포에서〉

보기
- 화자는 어떤 날을 떠올리고 있을까?
- 티끌과 동산은 얼마나 차이가 날까?
- 돌은 어떤 특성이 있을까?

① 사소한 일에도 크게 좌절하는 수하
② 주변의 안 좋은 시선에 주눅이 든 지희
③ 친구들의 말에 이리저리 휘둘리는 다윤
④ 같은 잘못을 저지르고 친구의 잘못만 나무라는 은경
⑤ 다른 사람만 신경 쓰느라 자신을 돌보지 못하는 보연

10 다음 시를 읽고 정리한 학생의 메모 내용 중, 적절하지 않은 것은?

바다가 가까워지자 어린 강물은 엄마 손을 더욱 꼭 그러쥔 채 놓지 않았습니다. 그러다가 그만 거대한 파도의 배 속으로 뛰어드는 꿈을 꾸다 엄마 손을 아득히 놓치고 말았습니다. 그래 잘 가거라 내 아들아. 이제부터는 크고 다른 삶을 살아야 된단다. 엄마 강물은 새벽 강에 시린 몸을 한번 뒤채고는 오리처럼 곧 순한 머리를 돌려 반짝이는 은어들의 길을 따라 산골로 조용히 돌아왔습니다.

– 이시영, 〈성장〉 교학사, 금성

이 시는 ①'어린 강물'과 '엄마 강물'이 바다를 만나 헤어지게 된 상황을 다루고 있어. '강물'을 사람처럼 표현한 걸 보니 내가 배운 ②'의인법'이 사용되었네. 그리고 '엄마 강물'의 손을 놓쳐 바다로 흘러가는 '어린 강물'에게 '크고 다른 삶'을 살라고 하는 '엄마 강물'의 말로 보아 ③'바다'는 도전의 공간이자 시련을 상징한다고 볼 수 있겠어. 그렇다면 ④'어린 강물'이 바다로 흘러가는 건 '어린 강물'의 성장을 의미하는 걸까? 그리고 산골로 돌아오는 '엄마 강물'의 모습에서 의연함이 느껴지기도 해. 그렇다면 이 시는 전체적으로 ⑤'어린 강물'의 성장과 '엄마 강물'의 냉정함에 대해 전달하고 있는 거구나.

도움말
바다를 만난 '어린 강물'과 '❶ ' 의 태도를 바탕으로 하여 시적 상황, 시적 공간인 '❷ ' 의 의미, '어린 강물'과 '엄마 강물'의 심리와 행동의 의미를 파악해 보자.
❶ 엄마 강물 ❷ 바다

적중 예상 전략 | 1회

[1~3] 다음 시를 읽고 물음에 답하시오.

눈이 내린다
봄이라서
㉠봄빛처럼 포근한 눈

담장 위에 쌓이는 봄눈
나무 위에 쌓이는 봄눈
마당 위에 쌓이는 봄눈

그리고
마루에서 졸다가 깬
눈을 하고 앉은
새끼 고양이의 눈 속에도
내리는 봄눈

감았다 떴다 하는
새끼 고양이의 눈처럼
보드라운
봄
봄 하늘
봄 하늘의 봄눈

– 오규원, 〈포근한 봄〉 천재(노), 지학사

1 이 시에 대한 설명으로 가장 적절한 것은?

① 색채를 대비하여 주제를 강조하고 있다.
② 말을 건네는 말투로 친근감을 형성하고 있다.
③ 비슷한 문장을 반복하여 운율을 형성하고 있다.
④ 분주한 봄날의 모습을 감각적으로 표현하고 있다.
⑤ 사람이 아닌 대상을 사람인 것처럼 친근하게 표현하고 있다.

고난도

2 ㉠과 보기 에 공통적으로 나타난 표현 방법이 쓰인 것은?

보기
태양처럼 빛을 내는 그대여

① 아아, 너는 이제 여기에 없구나!
② 저 혼자 방긋방긋 웃으며 흘러가는 샘물
③ 하늘은 하얀 도화지 위에 번진 푸른 물감
④ 한 그루의 소나무가 되고 싶다, 늘 푸르른.
⑤ 나는 풀잎이 좋아, 풀잎 같은 친구가 좋아.

㉠과 〈보기〉에서는 모두 표현하려는 대상을 다른 대상에 빗대어 표현하고 있어. 어떻게 빗대고 있는지 살펴봐.

서술형

3 이 시에 나타난 표현 방법을 다음과 같이 정리하려고 한다. ⓐ와 ⓑ에 들어갈 알맞은 말을 각각 쓰고, 시인이 말하고자 하는 바를 25자 이내로 서술하시오.

표현하려는 대상	빗대어 표현한 대상
(ⓐ)	봄빛, 새끼 고양이의 눈

▼

유사성: (ⓑ)

4 비유와 상징에 대한 설명으로 적절하지 않은 것은?

① 비유란 표현하려는 대상을 다른 대상에 빗대어 표현하는 방법이다.
② 비유는 원관념과 보조 관념 사이에 서로 비슷한 성질이 있어야 한다.
③ 비유를 사용하면 시인이 말하려는 바를 직접적으로 간결하게 전달할 수 있다.
④ 상징이란 추상적인 관념이나 감정 등을 구체적인 대상으로 표현하는 방법이다.
⑤ 상징을 사용하면 그 의미가 다양하게 해석되어 작품을 깊이 있게 이해할 수 있다.

[5~7] 다음 시를 읽고 물음에 답하시오.

㉠푸른 바다에 고래가 없으면
푸른 바다가 아니지
마음속에 ⓐ푸른 바다의
ⓑ고래 한 마리 키우지 않으면
청년이 아니지

푸른 바다가 고래를 위하여
푸르다는 걸 아직 모르는 사람은
아직 사랑을 모르지

고래도 가끔 ⓒ수평선 위로 치솟아 올라
ⓓ별을 바라본다
나도 가끔 내 마음속의 고래를 위하여
ⓔ밤하늘 별들을 바라본다

– 정호승, 〈고래를 위하여〉

고난도

5 보기는 ㉠을 풀이한 것이다. ㉠과 보기를 비교하여 이해한 내용으로 적절하지 않은 것은?

보기
인생에 꿈이 없으면 의미 있는 삶이 아니다.

① ㉠은 〈보기〉보다 쉽게 구체적인 이미지가 머릿속에 떠오른다.
② ㉠은 〈보기〉와 달리 여러 가지 해석이 가능하므로 풍부한 의미를 지니고 있다.
③ ㉠은 일상 언어가 사용된 〈보기〉보다 문학적 표현의 아름다움을 느낄 수 있다.
④ 〈보기〉는 ㉠과 달리 추상적 개념을 통해 글쓴이의 생각을 직접적으로 전달한다.
⑤ 〈보기〉는 ㉠과 달리 원관념과 보조 관념을 나란히 제시하여 대상을 나타내고 있다.

6 이 시의 주제를 고려할 때, 이 시를 추천해 주기에 가장 적절한 사람은?

① 무슨 일이든 최선을 다하는 사람
② 최근에 사랑하는 사람과 헤어진 사람
③ 뚜렷한 꿈 없이 무기력하게 지내는 사람
④ 다른 사람을 배려하지 않는 이기적인 사람
⑤ 항상 다른 사람과 비교하며 열등감을 느끼는 사람

7 ⓐ~ⓔ가 의미하는 내용으로 가장 적절한 것은?

① ⓐ: 다가올 미래
② ⓑ: 꿈을 추구하는 존재
③ ⓒ: 불안정한 삶
④ ⓓ: 이룰 수 없는 꿈
⑤ ⓔ: 암울한 현실

적중 예상 전략 | 1회

[8~9] 다음 글을 읽고 물음에 답하시오.

가 마을 쪽 하늘에선 연이 떠오르지 않는 날이 없었다.

㉠연은 먼 하늘 여행을 꿈꾸는 작은 새처럼 하루 종일 마을 위를 맴돌았다.

들에서나 산에서나 마을 근처에선 언제 어디서나 새처럼 하늘을 떠도는 연을 볼 수 있었다. / 연이 하늘에 떠올라 있는 동안은 어머니도 마음이 차라리 편했다.

나 아비 없이 자란 놈이라 하는 수가 없는가 보았다.

"우리 집 처지에 상급 학교가 당하기나 한 소리냐. 이름자나 마 쓰고 읽게 된 걸 다행으로 알거라."

어미 곁에서 함께 땅이나 파고 살자던 소리가 아들놈의 어린 가슴에 못을 박은 모양이었다.

"상급 학교 못 가면 연이나 실컷 띄우고 놀 거야. 상급 학교 안 보내 준 대신 연실이나 많이 만들어 줘."

다 연은 언제나 머나먼 하늘 여행을 꿈꾸고 있는 작은 새처럼 보였고, 그래서 언젠가는 실줄을 끊고 마을의 하늘을 떠나가 버릴 것처럼 어머니의 마음을 불안하게 했다.

하지만 연이 그렇게 하늘에 떠올라 있는 동안엔 어머니도 아직은 마음을 놓을 수 있었다. 연이 하늘을 나는 동안은 어느 집 양지바른 담벼락 아래, 마을의 회관 뜰 한구석에, 또는 아지랑이 피어오르는 어느 보리밭 이랑 끝에 그 봄 하늘처럼 적막스럽고 외로운 아들의 모습이 선하기 때문이었다.

이랑: 논이나 밭을 갈아 골을 타서 두두룩하게 흙을 쌓아 만든 곳.

라 연이 있어야 할 곳에 연의 모습이 보이질 않았다.

연은 어느새 실이 끊어져 날아간 것이었다. 빗살처럼 곧게 하늘로 뻗어 오르던 연실이 머리 위를 구불구불 힘없이 흘러 내려오고 있었다. (중략)

"아지매요. 건이 새끼 좀 빨리 쫓아가 봐야 혀요. 건이 새낀 아까 도회지 돈벌이 간다고 읍내께로 튀었다니께요."

도회지: 사람이 많이 살고 상공업이 발달한 번잡한 지역.

마 이제 연의 흔적은 보이지 않았다. 텅 빈 하늘만 하염없이 멀어져 가고 있었다. / 어머니는 다만 그 무심한 하늘을 향해 다시 한번 가는 한숨을 삼키며 허망스럽게 중얼거리고 있었다. / "아가, 어딜 가거나 몸이나 성하거라……."

– 이청준, 〈연〉

8 (가)~(마)에 대한 설명으로 알맞지 않은 것은?

① (가)에는 매일 연을 날리는 아들의 상황이 나타난다.
② (나)에는 아들이 연을 날리게 된 까닭이 드러난다.
③ (다)에서는 연을 보며 불안감과 안도감을 느끼는 어머니의 모습이 나타난다.
④ (라)에는 어머니와 아들의 상황에 생긴 변화가 나타난다.
⑤ (마)에는 어머니가 아들을 원망하는 마음이 드러난다.

'연'은 아들의 상황과 밀접한 관련이 있으니, 연과 관련하여 각 문단에 나타난 어머니와 아들의 상황과 심리를 살펴봐.

9 다음 중 ㉠을 이해한 내용으로 적절한 것을 모두 고른 것은?

> ⓐ '연'을 '새'에 빗대어 표현하고 있다.
> ⓑ '연'과 '새'는 마을 위를 맴돈다는 유사성이 있다.
> ⓒ '새'는 '연'과 같은 상징적인 의미를 지니고 있다.
> ⓓ '연'은 어머니의 곁을 떠나기 싫은 '아들'을 상징하고 있다.

① ⓐ, ⓑ
② ⓐ, ⓒ
③ ⓐ, ⓑ, ⓒ
④ ⓐ, ⓑ, ⓓ
⑤ ⓑ, ⓒ, ⓓ

[10~12] 다음 글을 읽고 물음에 답하시오.

가 학창 시절에는 유별나게도 학년이 바뀌고 반이 바뀌어 친구들과 뿔뿔이 흩어져야 하는 신학기가 싫었다. (중략)

[A] 망망대해(茫茫大海)를 헤매는 듯한 인생의 항해는 신학기 잠시의 외로움을 극복하는 일 따위와는 비교도 할 수 없을 만큼 두려움 가득하고 힘들다. 삶은 고난투성이고 끝없는 인내를 요구하기만 하는데, 그러나 홀로 헤치는 파도는 높고 거칠기만 한 것이다.

바로 이때에 영혼을 함께 나눌 친구가 절실히 필요해진다. 인생이란 험난한 항해를 같이 겪고 있다는 동지애의 확인, 혹은 내 삶의 따뜻한 동반자라는 느낌이 전해져 오는 친구와 같이 있는 시간에는 이 세상도 한번 살아 볼 만하다는 용기가 솟는다.

나 누군가는 말했다. 친구 없이 사는 일만큼 무서운 사막은 없다고. 또 누군가는 말했다. 친구 없이 사는 것은 증인 없이 죽는 일이라고.

그 말들을 새기고 있으면 불현듯 마음이 찡해 온다. 나는 지금 무서운 사막을 홀로 걷고 있는 것은 아닌지, 지금 내 삶의 의미를 설명해 줄 단 한 사람의 증인도 없이 마음을 닫고 살아가는 것은 아닌지.

하지만 우정은 상호 간의 교류이다. 일방적인 행위가 결코 아닌 것이다. 말하자면 내가 먼저 쌓아야 할 ㉠탑이고 내가 밭을 경작해서 맺어야 할 ㉡열매인 것이다. 그럼에도 불구하고 탑을 제대로 쌓는 사람, 혹은 빛깔 곱고 아름다운 열매를 맺는 사람은 참 드물다. 친구는 많지만 진정으로 벗이라 부를 만한 이는 몇이나 되는지, 그것만이라도 한 번쯤 되새겨 보며 살아야 하는 것 아닐까.

– 양귀자, 〈사막을 같이 가는 벗〉

10 (가)의 내용을 바탕으로 할 때, [A]의 의미로 가장 적절한 것은?

① '항해'라는 말을 고려할 때, 흥미진진하고 도전적인 인생을 의미한다.
② 바다에서 헤맨다는 점을 고려할 때, 고난과 어려움이 가득한 인생을 의미한다.
③ 배를 타고 다닌다는 점을 고려할 때, 평화롭고 안정감 있는 인생을 의미한다.
④ 크고 넓은 바다라는 '망망대해'의 뜻을 고려할 때, 끝없는 영원한 인생을 의미한다.
⑤ 크고 넓은 바다에서의 항해라는 점을 고려할 때, 경이롭고 위대한 인생을 의미한다.

11 (나)의 내용을 바탕으로 할 때 ㉠, ㉡이 공통으로 의미하는 바를 한 단어로 쓰시오.

12 이 글에서 글쓴이가 말하고자 하는 바를 모두 고른 것은?

ⓐ 진정한 친구임을 증명하려면 증인이 필요하다.
ⓑ 험난한 인생을 살아가려면 많은 친구가 있어야 한다.
ⓒ 진정한 벗을 얻으려면 자신이 먼저 참된 벗이 되어 주어야 한다.
ⓓ 인생을 살아가려면 어려움을 함께 나누는 진정한 친구가 필요하다.
ⓔ 나 대신 탑을 쌓아 주고, 밭을 경작해 주는 친구가 진정한 친구이다.

① ⓐ, ⓑ ② ⓐ, ⓓ ③ ⓑ, ⓔ
④ ⓒ, ⓓ ⑤ ⓓ, ⓔ

적중 예상 전략 | 2회

[1~2] 다음 글을 읽고 물음에 답하시오.

가 "대장부가 세상에 태어나서 공자, 맹자의 학문을 익힌 뒤에, 나가서는 장수가 되고 들어와서는 재상이 되며, 대장인을 허리춤에 차고 단 위에 높이 앉아 수많은 군사를 마음대로 지휘하며, 남쪽으로 초나라를 치고, 북쪽으로 중원을 평정하며, 서쪽으로 촉나라를 쳐 업적을 쌓은 후에, 얼굴을 기린각에 그려 빛내고 이름을 후세에 전함이 대장부의 떳떳한 일일 것이다. 옛사람이 이르기를 '왕후장상의 씨가 따로 없다.'라고 하였는데 이는 나를 두고 말함인가? 아무리 하찮은 사람도 아버지를 아버지라 부르고 형을 형이라 부르는데, 나만 홀로 그리하지 못하는구나. 내 인생은 어찌하여 이리도 기박한가?"

중간 부분 줄거리 자신을 해치려는 집안의 흉계 때문에 집을 떠난 길동은 도적들의 집단인 활빈당의 우두머리가 되어 탐관오리의 부정한 재물을 빼앗아 불쌍한 백성을 돕는다. 조정에서는 여러 방법을 동원하여 길동을 잡으려 한다.

나 "네가 진짜 길동이라. 나는 아니라." / 이에 임금이 길동의 부친 홍 판서를 불러 진짜 길동을 알아보게 하였다. 홍 판서가 여덟 길동을 꾸짖으니 여덟 길동이 임금에게 아뢰었다.

"신은 본래 천비 소생이오라 아비를 아비라 못 하옵고, 형을 형이라 부르지 못하오니, 평생 원한(怨恨)이 마음속에 맺혀 집을 버리고 도둑 무리의 우두머리가 되었사오나 백성은 추호도 범치 않았사옵고, 탐관오리들이 백성의 고혈을 빨아서 모은 재물을 빼앗았사오나, 이제 십 년만 지나오면 떠나갈 곳이 있으니 바라옵건대 성상(聖上)께서는 걱정하지 마시고 소인을 풀어 주시옵소서." / 말을 끝낸 여덟 길동이 일시에 넘어지면서 짚으로 만든 제웅으로 변하였다.

- 천비 소생: 신분이 천한 여자 종이 낳은 자식을 이르는 말.
- 고혈: 기름과 피. 몹시 고생하여 얻은 이익이나 재산을 비유적으로 이르는 말.
- 성상: 살아 있는 자기 나라의 임금을 높여 이르는 말.
- 제웅: 짚으로 만든 사람 모양의 물건.

길동은 사대문에 방을 붙여 자신에게 병조 판서를 내리면 잡히겠다고 하였다. 임금은 고심(苦心) 끝에 길동에게 병조 판서 벼슬을 내렸다. ㉠이에 길동은 임금에게 감사 인사를 드리고는 공중으로 사라졌다.

– 허균, 〈홍길동전〉

1 이 글에 나타난 갈등 양상에 대해 학생들이 나눈 대화 내용 중, 적절하지 않은 것은?

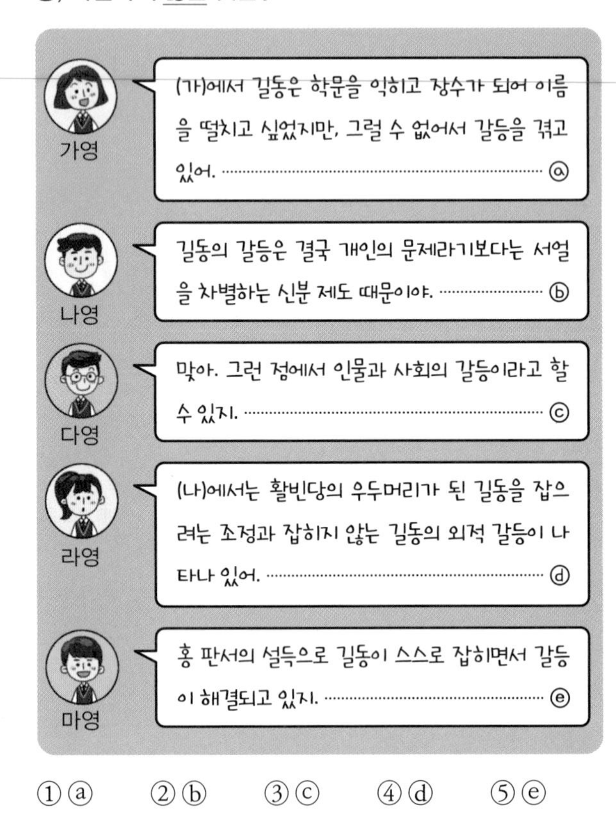

① ⓐ ② ⓑ ③ ⓒ ④ ⓓ ⑤ ⓔ

고난도 서술형

2 다음은 ㉠ 이후에 나타난 길동의 행적이다. 길동이 이와 같이 행동한 까닭을 조건에 맞게 서술하시오.

> 홍길동은 조선을 떠난 뒤, 무리를 이끌고 나가 율도국을 정벌하고 이상적인 나라를 세운다.

조건
- 갈등의 해결과 연관 지어 서술할 것.
- '~기 때문에 조선을 떠나 새 나라를 세웠다.'와 같은 형식으로 서술할 것.

(가)에서 길동이 갈등을 겪었던 까닭과 (나)에 나타난 사회의 모습을 바탕으로 하여 길동이 원했던 사회의 모습을 떠올리며 ㉠의 까닭을 생각해 봐.

[3~5] 다음 글을 읽고 물음에 답하시오.

앞부분 줄거리 청각 장애를 가진 고등학생 은하는 힙합 댄스를 좋아한다. 그러던 중 우연히 친해진 유성이 은하에게 자신이 속한 힙합 댄스 동아리에 들어오라고 한다. 동아리 구성원 모두 은하가 동아리에 들어오는 것을 반대하지만 선배인 성태가 허락을 한다. 그러나 장애 학생이 속한 동아리에 주던 지원금이 사라진 것을 알게 된 성태와 동아리 친구들은 은하를 내보내기 위해 댄스 오디션 공고를 한다.

(가) **예진**(E.): 그럼 걔 때문에 우리까지 오디션 보는 거야?
효과음.

대찬(E.): 아! 오십만 원! 아니, 장애인 뽑으면 지원금 준다더니 웬 변덕이래?

유성: (그 소리에 기막힌다. 후다닥 뛰어 들어간다.) (중략)

유성: (대찬 멱살 잡아채며) 지원금 때문에 은하를 이용했다, 이거야?

대찬: 야, 이거 놓고 말해.

유성: (더 조이며) 네 눈엔 은하가 돈으로 보이냐, 어? 돈으로 보여?

예진: 야, 왜 대찬이한테 그래. 성태 선배가 시킨 건데.

유성: (멱살 확 놓고는) 너희들은 시키면 다 하는 똥개들이냐?

예진: 야!

대찬: 아니, 근데 이 자식이!

예진: 솔직히 말해서 걔 여기 들어오는 거 좋아할 사람 아무도 없어. 음악도 못 들으면서 무슨 춤을 춘다는 거야? 그게 말이 돼?

(나) 은하, 박자 맞춰 춤춘다. 음악과 일치하는 몸놀림이다. 유성도 놀란다. 은하의 춤이 끝나자, 모두 놀란다. 성태가 주위 둘러보니 모두 입을 다물지 못한다. 성태, 얼른 일어나 박수 치는데, 아이들 짧게 어찌할 줄 모르다가, 성태 따라 박수 친다. 열렬하게 치는 대찬. (중략)

성태: 은하 넌 이제 우리 논스톱의 자랑이다. 축제 때 네가 춤추는 걸 보면 모두 감동의 도가니가 될 거야! (아이들 보고) 그치?

아이들: (갑자기 반전된 분위기에 얼떨떨하지만) 네…….

– 극본 박범수, 연출 홍경철, 〈그대로도 괜찮아〉 금성

3 이 글의 내용과 일치하지 않는 것은?

① 유성이는 은하가 댄스 동아리에 들어오기를 원했다.
② 댄스 오디션은 은하를 동아리에서 내보내기 위해 기획된 것이다.
③ 예진이는 청각 장애를 가진 사람이 춤을 추는 것이 어렵다고 생각하였다.
④ 은하가 다니는 학교에서는 장애 학생이 속한 동아리에 지원금을 주었었다.
⑤ 성태는 은하의 춤을 축제에 이용하려고 은하가 동아리에 들어오는 것에 찬성하였다.

4 (가)에 나타난 갈등의 원인으로 가장 적절한 것은?

① 동아리 친구들이 은하의 춤 실력을 질투해서
② 동아리 친구들이 지원금 때문에 은하를 이용해서
③ 대찬이가 아무리 노력해도 춤 실력이 늘지 않아서
④ 장애 학생은 동아리에 들어갈 수 없는 학교 규칙 때문에
⑤ 유성이가 친구들의 동의 없이 은하를 동아리에 들어오게 해서

고난도
5 (나)에 대한 설명으로 적절한 것은?

① 은하의 내적 갈등이 심화되는 부분이다.
② 유성이의 내적 갈등이 해소되는 부분이다.
③ 은하와 사회의 갈등이 최고조에 이르는 부분이다.
④ 동아리 친구들과 유성이의 외적 갈등이 해소되는 부분이다.
⑤ 지원금 때문에 은하와 성태 사이에 갈등이 발생하는 부분이다.

[6~8] 다음 시를 읽고 물음에 답하시오.

가 풀잎에도 ㉠상처가 있다
꽃잎에도 상처가 있다
너와 함께 걸었던 들길을 걸으면
들길에 앉아 저녁놀을 바라보면
ⓐ상처 많은 풀잎들이 손을 흔든다
상처 많은 꽃잎들이
가장 향기롭다

– 정호승, 〈풀잎에도 상처가 있다〉 비상

나 나는 어릴 때부터 그랬다.
칠칠치 못한 나는 걸핏하면 넘어져
무릎에 딱지를 달고 다녔다.
그 흉물 같은 딱지가 보기 싫어
손톱으로 득득 긁어 떼어 내려고 하면
아버지는 그때마다 말씀하셨다.
딱지를 떼어 내지 말아라 그래야 낫는다.
아버지 말씀대로 그대로 놓아두면
까만 고약 같은 딱지가 떨어지고
딱정벌레 날개처럼 하얀 새살이 / 돋아나 있었다.
지금도 칠칠치 못한 나는
사람에 걸려 넘어지고 부딪히며
마음에 ㉡딱지를 달고 다닌다.
그때마다 그 딱지에 아버지 말씀이 / 얹혀진다.
딱지를 떼지 말아라 딱지가 새살을 키운다.

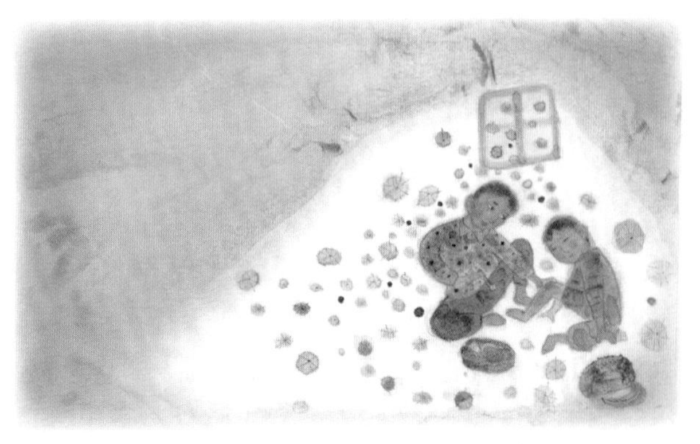

– 이준관, 〈딱지〉

6 (가), (나)에 대한 설명으로 적절하지 않은 것은?

① (가)는 비슷한 문장 구조를 반복하여 운율을 형성하고 있다.
② (가)는 다양한 심상을 사용하여 대상을 감각적으로 표현하고 있다.
③ (가)는 의인법을 사용하여 냉정한 사회에 대한 비판을 드러내고 있다.
④ (나)는 일상적인 소재를 활용하여 깨달음을 전달하고 있다.
⑤ (나)는 현재의 '나'가 과거를 회상하는 형식으로 시상을 전개하고 있다.

고난도

7 ㉠, ㉡에 대한 다음 설명의 빈칸에 알맞은 말을 쓰시오.

> ㉠과 ㉡은 시에서 그 자체로는 아픔과 고통을 의미하지만, 모두 (   )을/를 위해 필요하다는 점에서 긍정적인 대상이라고 할 수 있다.

8 ⓐ를 통해 알 수 있는 (가)의 주제로 가장 적절한 것은?

① 고난을 극복한 후에 느끼는 성취감
② 다른 사람을 위해 희생하는 숭고한 삶
③ 서로의 상처를 위로하며 더불어 사는 삶
④ 성공을 위해 겪어야만 하는 고난과 시련
⑤ 시련을 겪는 사람들이 많은 현실에 대한 비판

[9~10] 다음 글을 읽고 물음에 답하시오.

가 깍두기를 나눠 먹기 시작하고 얼마 안 되었을 때였어. 수택이는 어린이 신문을 한 부씩 갖다 주기 시작했어. 나는 차마 신문을 거절할 수가 없더라. 건네주는 손에 거무죽죽한 자줏빛이 돌았거든. 손등에는 여기저기 튼 자국이 있었고.

나 "야, 너 보리 방구랑 사귀냐? 너는 반찬 주고, 걔는 신문 주고 그런다며?"

소문은 삽시간에 퍼졌어. 다른 반 친구들도 곧 알게 되었지. 화장실 문에는 '구윤희♡보리 방구'라는 낙서까지 생겼어. 꼭 내 몸에서 시궁창 냄새가 나는 것만 같았어. 수택이랑 짝이 되었던 날보다도 더 힘든 시간이었어.

나는 더 이상 깍두기를 나눠 먹지 않았어. 신문도 수택이 서랍에 도로 넣어 버렸지.

다 나는 서랍에서 신문을 꺼냈어. 신문을 들고 뒤로 돌아섰지. 나는 난로 쪽으로 성큼성큼 걸어갔고, 아이들 시선은 나한테로 모아졌어. 나는 난로 뚜껑을 열었어. 난로 속에는 석탄이 빨갛게 달구어져 있었지. 나는 두 손으로 있는 힘껏 신문을 구겨서 공처럼 만들었어. 그러고는 아이들 보란 듯이 신문을 난로 속에 던져 버렸단다.

신문에는 금세 불이 붙었어. 내 가슴은 쿵쾅쿵쾅 뛰기 시작했어. 교실은 숨소리도 들릴 만큼 조용했고. 나는 난로 뚜껑을 덮고 교실 밖으로 나가 버렸지. 그리고 다시는…… 다시는 말이야, 수택이 얼굴을 똑바로 보지 못했어.

라 시간이 많이 흐른 지금도 이렇게 겨울 부츠 속에 신문지를 구겨 넣을 때면, 봄 신발을 꺼내 구겨 넣었던 신문지를 빼낼 때면, 나는 한참씩 수택이 생각에 잠긴단다. 수택이는 지금 어디서 어떻게 살까 궁금해지기도 하지.

어디서 무얼 했으면 좋겠냐고? 음…… 어디서 무얼 하든 …… 그날이 생각나지 않았으면…… 생각나더라도 너무 아프지 않았으면…… 그랬으면, 내 친구 수택이가 꼭 그랬으면 좋겠어.

– 유은실, 〈보리 방구 조수택〉

9 이 글의 '나'가 수택이에게 글을 쓴다고 할 때, 그 내용으로 적절하지 않은 것은?

수택아, 안녕! 나 기억하니? 오학년 때 네 짝이었던 윤희야. ㉠네 소식이 많이 궁금했는데 오랜만에 연락이 되어 정말 반갑다.

㉡그날 네가 준 신문을 그렇게 던져 버렸던 것 정말 미안해. 그러면 안 됐었는데 말이야. ㉢나도 내 행동을 많이 후회하고 있어. 그래서 ㉣네가 그날 일을 꼭 잊지 않았으면 좋겠어. 나도 내가 너한테 준 상처를 잊지 않고 평생 반성하는 마음으로 살려고 해. ㉤이제라도 내 사과를 받아 주겠니?

① ㉠ ② ㉡ ③ ㉢ ④ ㉣ ⑤ ㉤

(가)~(다)에 나타난 사건을 (라)에서 '나'가 어떻게 회상하고 있는지, '나'가 수택이에 대해 어떤 감정을 가지고 있을지 추측해 봐.

10 이 글의 작가가 '나'의 성찰을 통해 말하고자 하는 내용으로 가장 적절한 것은?

① 근거 없는 소문에 휘둘리면 안 된다.
② 누구나 어린 시절에 상처를 받으며 자란다.
③ 다른 사람의 호의를 함부로 받으면 안 된다.
④ 다른 사람의 마음에 상처를 주지 말아야 한다.
⑤ 과거의 잘못은 이미 일어난 일이므로 잊고 살아야 한다.

MEMO

book.chunjae.co.kr

교재 내용 문의 ························· 교재 홈페이지 ▸ 중학 ▸ 교재상담
교재 내용 외 문의 ······················ 교재 홈페이지 ▸ 고객센터 ▸ 1:1문의
발간 후 발견되는 오류 ·············· 교재 홈페이지 ▸ 중학 ▸ 학습지원 ▸ 학습자료실

실력향상 필수학습!
고득점을 예약하자!

국어전략 중학 1

BOOK 2

천재교육

국어전략

국어전략

중학 1

BOOK 2

이 책의 차례

BOOK 1

BOOK 2

1주 문법

- 언어의 본질
- 우리말 어휘의 체계와 양상
- 우리말의 품사

2주 읽기/쓰기/듣기·말하기

- 예측하며 읽기의 방법과 효과
- 요약하며 읽기의 개념과 방법
- 통일성 있게 글을 쓰는 과정
- 면담의 과정과 고려할 점
- 토의의 개념과 참여자의 역할
- 타당성 판단의 뜻과 기준

이 개념들만 알면
국어 생활은
문제없지!

문법

품사를 알아야 하는 이유가 무엇일까?

단어를 공통된 성질에 따라 묶은 것을 품사라고 해요.
품사의 특성을 알면 국어를 효과적으로 사용할 수 있지요.

공부할 내용

❶ 언어의 본질 ❷ 우리말 어휘의 체계와 양상 ❸ 우리말의 품사

우리말의 어휘는 어떤 모습을 지니고 있을까?

또 어휘는 지역적 요인이나 사회적 요인에 따라 다양하게 사용되지요.

1주 1일 개념 돌파 전략 ❶

개념 1 언어의 본질

- **언어의 자의성**: 언어의 의미와 말소리의 관계는 ❶ ______ 이지 않고, 우연히 결정된 것임.
- **언어의 사회성**: 언어는 그 언어를 사용하는 사람들 사이의 ❷ ______ 이므로, 약속한 이후에는 어느 한 개인이 마음대로 바꿀 수 없음.
- **언어의 역사성**: 언어는 시간이 흐르면서 새로 생기기도 하고, 사라지기도 하며, 소리나 의미가 변하기도 함.
- **언어의 창조성**: 인간은 이미 알고 있는 언어를 바탕으로 하여 ❸ ______ 단어나 문장을 무한히 만들어 낼 수 있음.

❶ 필연적 ❷ 약속 ❸ 새로운

Quiz

언어의 본질에 대한 다음 설명 중 괄호 안에서 알맞은 말을 고르시오.

한국어로 '돼지[돼ː지]'라고 부르는 것을 영어로는 'Pig[피그]'라고 부르는 것은 언어의 (자의성 , 역사성)을 보여 준다.

답 | 자의성

개념 2 우리말 어휘의 체계

- 국어의 어휘는 그 기원(어종)에 따라 ❶ ______, 한자어, 외래어로 나눌 수 있음.

구분	개념	특징
고유어	우리말에 본디부터 있던 말이나 이것을 바탕으로 하여 만들어진 말.	• 촉감, 모양, 색 등을 생생하게 표현함. 예 파랗다 • 우리 민족 고유의 문화나 정서를 표현함. 예 달맞이
한자어	❷ ______ 를 바탕으로 하여 만들어진 말.	대개 고유어보다 분화된 의미를 지니고 있어 고유어를 보완하는 역할을 함. 예 수리(修理), 수선(修繕)
외래어	외국에서 들어와 우리말처럼 쓰이는 말.	❸ ______ 문물과의 접촉을 통해 들어와 우리말 어휘를 보충해 줌. 예 피자(pizza), 버스(bus)

❶ 고유어 ❷ 한자 ❸ 외국

Quiz

국어의 어휘에 대한 다음 설명이 맞으면 ○, 틀리면 X에 표시하시오.

(1) 고유어는 오랜 기간 우리 민족의 삶과 밀접한 관련을 맺으면서 발달해 왔기 때문에 우리 민족 고유의 문화나 정서를 잘 표현한다. (○ , X)

(2) 한자어는 대체로 고유어보다 단순한 의미를 지니고 있다. (○ , X)

(3) 외래어는 우리말 어휘를 보충해 준다. (○ , X)

답 | (1) ○ (2) X (3) ○

개념 3 지역적, 사회적 요인에 따른 우리말 어휘의 양상

- **방언**: 한 언어가 지역 또는 사회적 요인에 따라 달라진 말.

지역 방언	• 지역에 따라 다르게 쓰는 말. 예 부추(서울) / 정구지(경상, 전북, 충청) • 같은 지역 방언을 사용하는 사람들 사이에 ❶ ______, 친밀감을 형성함.
사회 방언	• 직업, 나이 등 사회적 요인에 따라 다르게 쓰는 말. • ❷ ______ (특정 분야에서 전문적인 개념을 표현하기 위해 사용하는 말), 은어(다른 사람들이 알아듣지 못하도록 특정 집단 안에서 사용하는 말) 등이 있음. 예 무고(誣告)(법률 분야의 전문어), 대(청과물 상인들의 은어)

❶ 유대감 ❷ 전문어

Quiz

어휘의 양상과 그 예를 알맞게 연결하시오.

(1) 지역 방언 • • ㉠ 클로즈업, 숏 등 촬영 관련 용어

(2) 사회 방언 • • ㉡ 옥시기/옥수깨이(옥수수)

답 | (1) ㉡ (2) ㉠

1-1 다음과 관계 깊은 언어의 본질로 알맞은 것은?

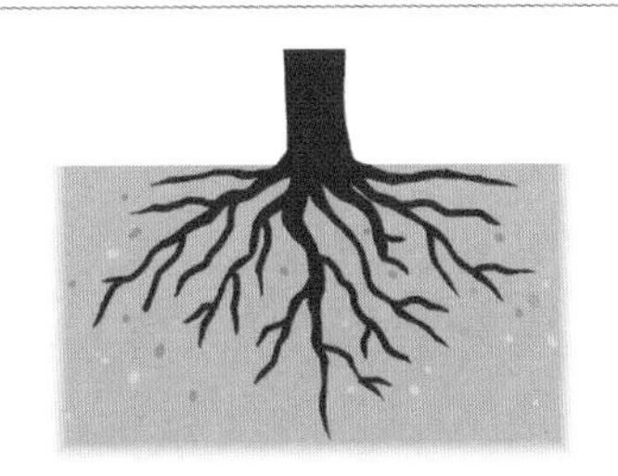

오늘날 우리가 '뿌리'라고 부르는 것을 조선 시대 사람들은 '불휘'라고 불렀다.

① 자의성　② 역사성　③ 창조성

정답 해설 | 제시된 설명은 시간의 흐름에 따라 어휘의 말소리가 '불휘'에서 '뿌리'로 변화한 모습을 보여 주므로 언어의 역사성과 관계 깊다.　답 | ②

1-2 다음과 관계 깊은 언어의 본질로 알맞은 것은?

'우유 마시자.'와 '수박 먹고 싶어요.'라는 각각의 문장을 배운 아이가 '우유 먹고 싶어요.'와 같이 배운 적이 없는 새로운 문장을 만들어 낸다.

① 자의성　② 역사성　③ 창조성

2-1 어휘를 어종에 따라 나눌 때, 다음 어휘들이 속하는 유형으로 알맞은 것은?

불그스름하다　주룩주룩　별　하늘　쌀

① 외래어　② 한자어　③ 고유어

정답 해설 | 제시된 어휘들은 모두 우리말에 본래 있던 말이나 이것을 바탕으로 하여 만들어진 고유어이다.　답 | ③

2-2 어휘를 어종에 따라 나눌 때, 다음 어휘들이 속하는 유형으로 알맞은 것은?

볼펜　바이올린　샐러드　텔레비전

① 외래어　② 한자어　③ 고유어

3-1 다음 어휘에 대한 설명으로 적절하지 않은 것은?

레가토(legato)
악보에서, 둘 이상의 음을 이어서 부드럽게 연주하라는 말.

① 음악 분야에서 사용하는 전문어이다.
② 특정 지역에서 사용하는 지역 방언이다.
③ 사회적 요인에 따라 다르게 쓰는 말에 속한다.

정답 해설 | 제시된 어휘는 음악 분야에서 사용하는 전문어로, 전문어는 직업이나 나이 등 사회적 요인에 따라 다르게 쓰는 사회 방언에 해당한다.　답 | ②

3-2 다음 어휘들에 대한 설명으로 적절한 것은?

옥수시　깡내이
옥시끼　강냉수꾸

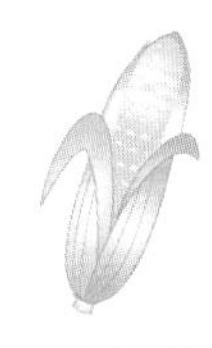

① 요리 분야에서 사용하는 전문어이다.
② 특정 집단 안에서만 사용하는 은어이다.
③ 특정 지역에서 사용하는 지역 방언이다.

개념 4 품사의 개념과 분류 기준

- **품사**: 공통된 성질에 따라 묶은 ❶ [   ]의 갈래.
- **품사 분류 기준**

❶ 단어 ❷ 체언

Quiz

다음을 품사의 분류 기준에 맞게 바르게 연결하시오.

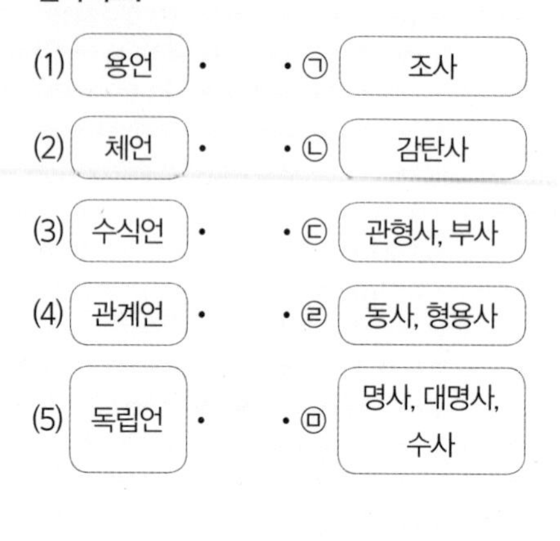

답 | (1) ㉣ (2) ㉤ (3) ㉢ (4) ㉠ (5) ㉡

개념 5 품사의 종류와 특성

- **용언**: 문장에서 주로 주체의 움직임, 상태, 성질 등을 설명하는 역할을 하는 단어.

동사	사람이나 사물의 움직임, 작용을 나타냄. 예 받다, 뛰다
형용사	사람이나 사물의 상태나 성질을 나타냄. 예 높다, 크다

- **체언**: 문장에서 주로 주체가 되는 역할을 하는 단어.

명사	구체적, 추상적인 대상의 이름을 나타냄. 예 식당, 사랑, 철수
대명사	사람이나 사물, 장소의 이름을 대신 나타냄. 예 그, 이것, 거기
수사	사람이나 사물의 ❶ [ ]이나 순서를 나타냄. 예 하나, 둘째

- **수식언**: 문장에서 주로 다른 말을 꾸며 주는 역할을 하는 단어.

관형사	체언 앞에 놓여 그 체언의 내용을 자세히 꾸며 줌. 예 새, 어떤
부사	용언 또는 다른 부사, 문장 전체 등을 꾸며 줌. 예 일찍, 가장

- **관계언**: 문장에서 홀로 쓰일 수 없고, 주로 다른 단어 간의 문법적 ❷ [   ]를 나타내거나 특별한 뜻을 더해 주는 단어.

조사	다른 말에 붙어서 문법적 관계를 나타내거나 특별한 뜻을 더해 줌. 예 이/가, 도

- **독립언**: 문장에서 다른 말과 관계를 맺지 않고 독립적으로 쓰이는 단어.

감탄사	놀람, 느낌, 부름, 대답 등을 나타냄. 예 아, 여보게

❶ 수량 ❷ 관계

Quiz

품사에 대한 다음 설명의 괄호 안에서 알맞은 말을 고르시오.

(1) 문장에서 주로 주체가 되는 역할을 하는 단어는 (체언 , 용언)이다.
(2) 수식언은 문장에서 주로 다른 말을 (대신하는 , 꾸며 주는) 단어이다.
(3) 문장에서 주로 다른 단어 간의 문법적 관계를 나타내거나 특별한 뜻을 더해 주는 단어는 (동사 , 조사)이다.
(4) 문장에서 독립적으로 쓰이는 독립언은 느낌이나 부름, 대답 등을 나타내는 단어로, (형용사 , 감탄사)가 있다.

답 | (1) 체언 (2) 꾸며 주는 (3) 조사 (4) 감탄사

4-1 다음 설명에 해당하는 단어를 | 보기 |의 밑줄 친 단어 중에서 바르게 찾은 것은?

- 문장에서 쓰일 때 형태가 변하지 않음.
- 문장에서 주로 다른 말을 꾸며 줌.

보기

저 새는 크기가 굉장히 크다.

① 저 ② 새 ③ 크다

정답 해설 | '저'는 문장에서 쓰일 때 형태가 변하지 않으며, 체언인 '새'의 의미를 구체적으로 해 주어 꾸미는 기능을 하는 수식언(관형사)이다. '크다'는 용언(형용사)이다. 답 | ①

4-2 다음 설명에 해당하는 단어를 | 보기 |의 밑줄 친 단어 중에서 바르게 찾은 것은?

- 문장에서 쓰일 때 형태가 변함.
- 문장에서 주체의 움직임이나 상태 등을 설명하는 역할을 함.

보기

아, 꽃이 무척 예쁘다.

① 아 ② 이 ③ 예쁘다

5-1 다음 밑줄 친 단어가 속한 품사가 나타내는 공통적인 의미로 적절한 것은?

나는 새 안경을 버렸다.

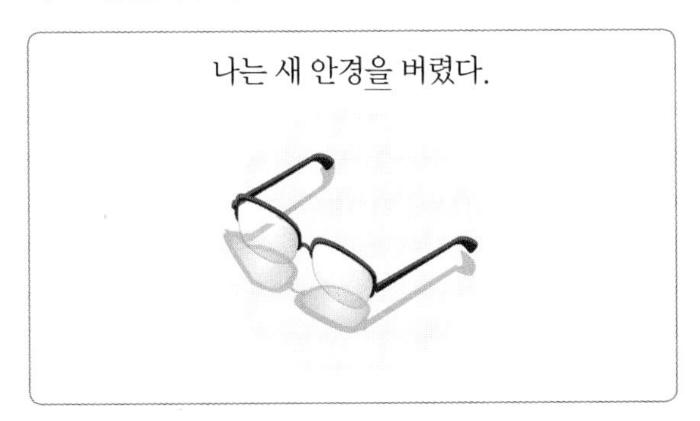

① 사물의 수량이나 순서를 나타냄.
② 다른 말에 붙어서 문법적 관계를 나타냄.
③ 체언 앞에 놓여 그 체언의 내용을 꾸며 줌.

정답 해설 | '을'은 체언인 '안경' 뒤에 붙어 다른 말과의 문법적 관계를 나타내는 조사이다. ①은 수사, ③은 관형사가 나타내는 공통적인 의미이다. 답 | ②

5-2 다음 밑줄 친 단어가 속한 품사가 나타내는 공통적인 의미로 적절한 것은?

와, 그는 손가락이 매우 길구나.

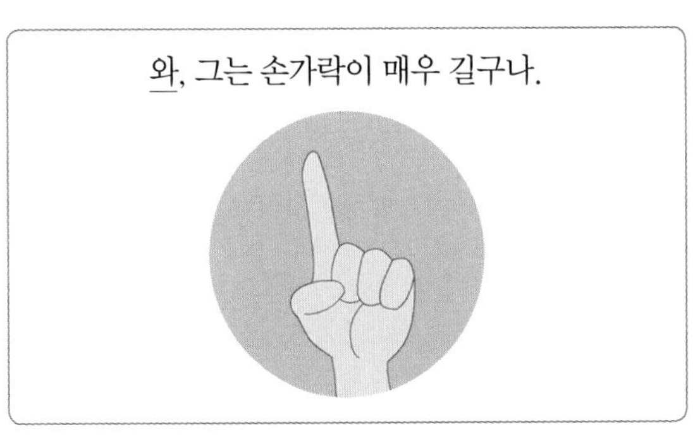

① 놀람, 느낌, 부름, 대답 등을 나타냄.
② 사람이나 사물의 상태나 성질을 나타냄.
③ 사람이나 사물, 장소의 이름을 대신하여 가리킴.

개념 돌파 전략 ②

바탕 문제

괄호 안에서 알맞은 말을 골라 언어의 자의성에 대한 설명을 완성해 보세요.

> 언어의 의미와 말소리의 관계는 필연적이 아니라 (우연히 , 당연히) 그렇게 맺어진 것이다.

답 | 우연히

1 언어의 자의성을 알 수 있는 사례로 가장 적절한 것은?

① '책상'을 '의자'로 바꿔 부르면 다른 사람들이 알아듣지 못한다.
② 예전에 '산'을 가리키던 '뫼'라는 말이 지금은 거의 쓰이지 않는다.
③ '쫄면', '순대', '떡볶이'를 합친 새로운 음식을 '쫄순이'라고 이름 붙인다.
④ '딸기'는 한국어로 '딸기', 중국어로 '草莓', 영어로 'strawberry'라고 부른다.
⑤ 지도를 보이거나 지름길을 찾아 주어 운전을 도와주는 장치가 개발되었는데, 이를 '내비게이션'이라고 한다.

바탕 문제

우리말의 어휘 체계를 떠올리며 각 설명에 해당하는 어휘를 써 보세요.

(1) 한자를 바탕으로 하여 만들어진 말. (　　　)
(2) 외국에서 들어와 우리말처럼 쓰이는 말. (　　　)
(3) 우리말에 본디부터 있던 말이나 이것을 바탕으로 한 말. (　　　)

답 | (1) 한자어 (2) 외래어 (3) 고유어

2 고유어, 한자어, 외래어에 대한 설명으로 적절한 것은?

① 어휘를 고유어, 한자어, 외래어로 나누는 것은 수량에 따른 분류이다.
② 고유어는 대개 한자어보다 분화된 의미를 지니고 있다.
③ 한자어는 촉감, 색, 맛 등을 생생하게 표현하는 어휘가 많다.
④ 한자어의 예로는 '파랗다, 달콤하다, 주룩주룩' 등이 있다.
⑤ 외래어는 주로 외국 문화와의 접촉을 통해 들어온다.

바탕 문제

전문어의 특징을 떠올리며 다음 설명이 맞으면 ○, 틀리면 X에 표시해 보세요.

(1) 직업, 나이에 따라 다르게 쓰이는 사회 방언에 속한다. (○ , X)
(2) 특정 분야에서 전문적인 개념을 표현하기 위해 쓰는 말이다. (○ , X)
(3) 일부러 다른 사람들이 알아듣지 못하게 하려는 목적이 있다. (○ , X)

답 | (1) ○ (2) ○ (3) X

3 ㉠, ㉡에 대한 설명으로 적절하지 않은 것은?

- **심리** 재판의 기초가 되는 사실 관계, 법률관계를 명확히 하려고 법원이 증거나 방법 따위를 심사하는 행위.
- **변론** 소송 당사자나 변호인이 법정에서 주장하거나 진술함. 또는 그런 주장이나 진술.

① 법 관련 분야에서 사용하는 전문어이다.
② 업무를 효율적으로 수행하기 위해 사용한다.
③ 각 지역에 따라 다르게 쓰이는 지역 방언이다.
④ 특정 집단에 따라 다르게 쓰는 사회 방언에 속한다.
⑤ 어휘의 의미를 모르는 사람에게 사용하면 의사소통에 어려움이 생길 수 있다.

바탕 문제

품사를 다음과 같이 나눈 분류 기준이 무엇인지 | 보기 |에서 골라 보세요.

(1) 가변어, 불변어 (　　)
(2) 용언, 체언, 수식언, 관계언, 독립언 (　　)
(3) 명사, 대명사, 수사, 동사, 형용사, 관형사, 부사, 조사, 감탄사 (　　)

보기
㉠ 의미　㉡ 기능　㉢ 형태

답 | (1) ㉢ (2) ㉡ (3) ㉠

4 우리말의 품사에 대해 나눈 대화 내용 중 적절하지 않은 것은?

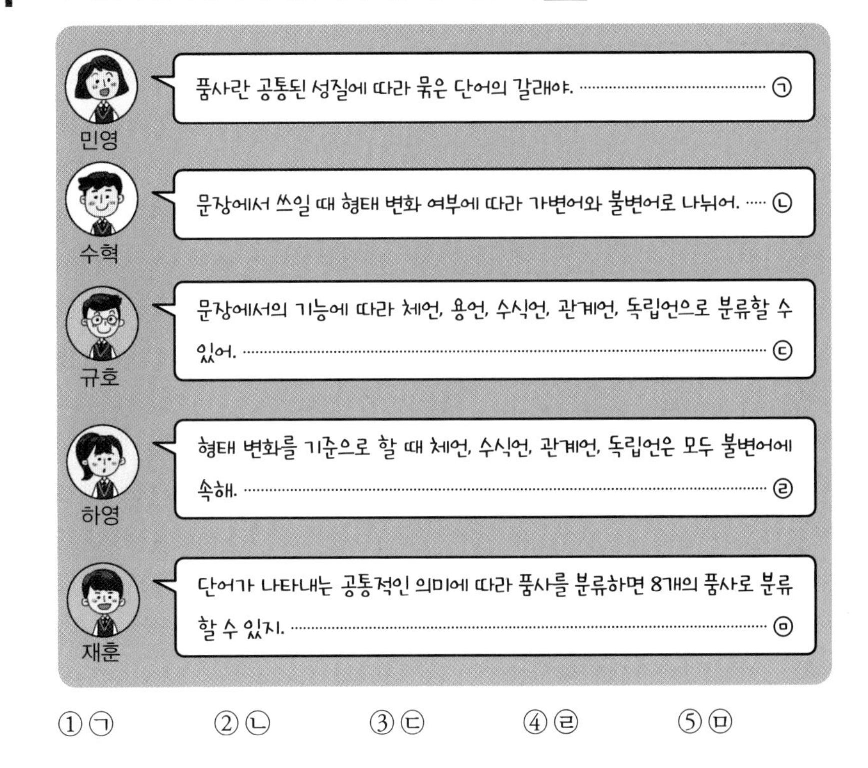

① ㉠　② ㉡　③ ㉢　④ ㉣　⑤ ㉤

바탕 문제

다음 단어들의 품사로 알맞은 것을 골라 보세요.

그　여기　그녀　그것

① 사물의 수량이나 순서를 나타내는 수사이다.
② 구체적, 추상적인 대상의 이름을 나타내는 명사이다.
③ 사람이나 사물, 장소의 이름을 대신하여 나타내는 대명사이다.

답 | ③

5 다음 밑줄 친 단어 중 | 보기 |의 설명에 해당하는 단어로 알맞은 것은?

보기

① 철수는 달린다.
② 저 꽃이 아름답다.
③ 내가 이것을 가질게.
④ 모든 학생들이 자고 있었다.
⑤ 그녀는 나에게 선물 하나를 주었다.

필수 체크 전략 ❶

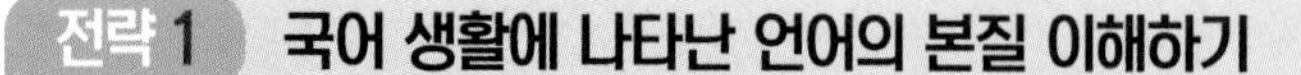

전략 1 국어 생활에 나타난 언어의 본질 이해하기

→ '여름'이 '열매'로 변함.

→ '고맙다'를 나타내는 말이 나라마다 다름.

→ 몇 개의 단어를 조합해 많은 문장을 만들 수 있음.

→ 공동체에서 어떤 대상을 나타내기로 약속한 말을 개인이 바꿀 수 없음.

☑ ㉮에 나타난 언어의 본질은?
'열매'를 가리키는 말소리가 시간의 흐름에 따라 변함.
→ 언어의 ❶ [ ]

☑ ㉯에 나타난 언어의 본질은?
'고맙다'라는 의미를 나타내는 말이 언어마다 다름.
→ 언어의 자의성

☑ ㉰에 나타난 언어의 본질은?
세 개의 단어로 많은 문장을 새롭게 만들어 낼 수 있음.
→ 언어의 창조성

☑ ㉱에 나타난 언어의 본질은?
'눈'을 가리키는 말을 개인이 마음대로 바꾸어 쓰면 의사소통이 어려워짐.
→ 언어의 ❷ [ ]

❶ 역사성 ❷ 사회성

필수 예제 1

(가)를 이해한 내용으로 가장 적절한 것은?

① '여름'은 오늘날 '열매'로 바뀌었군.
② 나이에 따라 사용하는 언어가 다르군.
③ 사물의 이름은 사람마다 다르게 부를 수 있군.
④ '여름'과 '열매'는 각각 다른 대상을 가리키는군.
⑤ 같은 대상을 가리키는 말이 여러 개였다가 하나가 되었군.

정답 해설 | (가)는 과거에 '여름'으로 불리었던 것이 현재는 '열매'로 바뀌어 불리는 상황을 보여 준다. 이를 통해 언어가 시간의 흐름에 따라 변한다는 언어의 역사성을 알 수 있다. 답 | ①

오답 풀이 | ② '열매'를 '여름'과 '열매'로 부른 것은 나이가 달라서가 아니라 그 말을 사용하는 시대가 다르기 때문이다.
③ '여름', '열매'라는 말은 그 시대에 정해진 약속으로 사람마다 다르게 부른 것은 아니다.
④, ⑤ '여름'과 '열매'는 같은 대상을 가리키는 말이 시간의 흐름에 따라 달라진 것을 보여 준다.

확인 문제 1

다음 밑줄 친 내용과 관련 있는 언어의 본질을 (가)~(라)에서 찾아 바르게 연결한 것은?

> 이 교실에 있는 우리가 개를 다른 이름으로 부르기로 하면, 그리고 다른 사람들도 모두 그렇게 하면, 개는 그 이름으로 불릴 테고, 나중에는 사전에도 그 이름이 올라가게 될 거야. <u>사전에 나오는 말은 바로 '우리'가 만드는</u> 거란다.
>
> – 앤드루 클레먼츠, 《프린들 주세요》에서

① (가), 언어의 체계성
② (나), 언어의 역사성
③ (다), 언어의 창조성
④ (라), 언어의 자의성
⑤ (라), 언어의 사회성

전략 2 우리말 어휘의 체계와 특징 이해하기

가

그네

씨름

달맞이

→ 고유어인 '그네', '씨름', '달맞이' 등에는 우리 민족의 문화와 정서가 담겨 있음.

나

㉠감상(感想) — 예 그 소설을 읽고 난 느낌을 친구에게 말했다.
→ '감상'으로 바꾸어 쓸 수 있음.

㉡예감(豫感) — 예 오늘은 왠지 좋은 일이 생길 것 같은 느낌이 든다.
→ '예감'으로 바꾸어 쓸 수 있음.

㉢감정(感情) — 예 친구가 떠났다. 이 슬픈 느낌을 말로 표현하기 어렵다.
→ '감정'으로 바꾸어 쓸 수 있음.

→ 한자어인 '감상', '예감', '감정'은 고유어인 '느낌'에 비해 분화된 의미를 지니고 있음.

다

스케이트보드 바이올린 펜

→ 외래어인 '스케이트보드', '바이올린', '펜' 등은 고유어로 바꾸기 어려움.

☑ 가에 나타난 어휘의 특징은?
'그네', '씨름', '달맞이'는 본디부터 우리 말에 있던 말을 바탕으로 한 고유어임.
→ 오랜 기간 우리 민족의 삶과 밀접한 관련을 맺으면서 발달해 왔기 때문에 우리 민족의 ❶ ______ 나 정서를 표현함.

☑ 나에 나타난 어휘의 특징은?
'감상', '예감', '감정'은 한자를 바탕으로 하여 만들어진 한자어임.
→ 대개 고유어보다 분화된 의미를 지니고 있어 고유어를 보완하는 역할을 함.

☑ 다에 나타난 어휘의 특징은?
'스케이트보드', '바이올린', '펜'은 외국에서 들어와 우리말처럼 쓰이는 외래어임.
→ ❷ ______ 문물과의 접촉을 통해 들어와 우리말 어휘를 보충해 줌.

☑ 다양한 어휘를 사용하는 올바른 방법은?
- 한자어와 외래어는 고유어를 보충해 주는 역할을 하므로, 상황에 맞게 적절하게 사용해야 함.
- 한자어와 외래어를 과도하게 사용하기보다는 가능하면 고유어나 쉬운 한자어로 다듬어서 사용해야 함.

❶ 문화 ❷ 외국

필수 예제 2

(가)~(다)에 대한 설명으로 적절하지 않은 것은?

① (가), (다)의 어휘, (나)의 ㉠~㉢을 어종에 따라 분류하면 세 가지로 나눌 수 있다.
② (가)는 고유어, (나)의 ㉠~㉢은 한자어, (다)는 외래어의 예를 보여 준다.
③ (가)의 어휘들에는 우리 민족의 문화가 잘 담겨 있다.
④ (나)의 ㉠~㉢은 '느낌'을 분화한 의미를 전달한다.
⑤ (다)의 어휘들은 고유어로 대체할 수 있다.

정답 해설 | (다)에 제시되어 있는 '스케이트보드, 바이올린, 펜'은 외국 문물이 들어오면서 함께 들어온 외래어로, 대체할 수 있는 고유어가 없다.

답 | ⑤

확인 문제 2

(가)~(다)의 어종에 맞게 보기 의 어휘를 바르게 분류한 것은?

보기
마음 버스 심정 의향 호감 컴퓨터 새파랗다

	(가)	(나)	(다)
①	심정, 의향, 호감	마음, 새파랗다	버스, 컴퓨터
②	심정, 의향, 호감	버스, 컴퓨터	마음, 새파랗다
③	마음, 새파랗다	심정, 의향, 호감	버스, 컴퓨터
④	마음, 새파랗다	버스, 컴퓨터	심정, 의향, 호감
⑤	버스, 컴퓨터	심정, 의향, 호감	마음, 새파랗다

전략 3 지역적 요인에 따른 우리말 어휘의 양상 이해하기

(가) **사회자:** ㉠전국에 계신 시청자 여러분, 안녕하십니까? 오늘도 노래자랑과 함께해 주셔서 감사합니다. 먼저 첫 번째 참가자를 모시겠습니다. 어머니, 이쪽으로 오세요. 그런데 왜 이리 땀을 흘리시나요? 긴장되십니까?
(전국의 시청자들이 잘 알아들을 수 있도록 표준어를 사용함.)

참가자: 하모예, 억수로 긴장됩니더.

사회자: ㉡어무이, 여거 다 동네 사람들이니 긴장 안 하셔도 됩니더. 마음 단디 먹고 잘하실 수 있겠지예?
(참가자가 친근감을 느껴 긴장을 풀 수 있도록 지역 방언을 사용함.)

(나)

(다)

☑ (가)의 사회자가 사용한 말의 특징은?
- 전국의 모든 시청자들이 잘 알아들을 수 있도록 표준어를 사용함.
- 참가자가 긴장을 풀 수 있도록 참가자가 사용하는 ❶ [ ] 방언을 사용함.

☑ (나), (다)에서 은수가 사용한 말의 특징은?
- 친밀한 관계의 사람과 대화를 나누는 (나)의 상황에서는 지역 방언을 사용함.
  → ❷ [ ]을 느끼게 함.
- 기자 회견을 하는 공식적인 (다)의 상황에서는 표준어를 사용함.
  → 모든 사람과 원활하게 의사소통을 하기 위함.

☑ (가)~(다)에 나타난 어휘를 사용할 때의 유의점은?
지역 방언의 의미를 이해하지 못하는 사람에게 사용하면 의사소통에 어려움이 생김. → 상황에 맞게 표준어나 지역 방언을 선택하여 쓰는 것이 좋음.

개념+ 표준어
한 나라에서 공용어로 쓰도록 규범으로 정한 언어.

❶ 지역 ❷ 친밀감

필수 예제 3

(가)를 분석한 내용으로 적절하지 않은 것은?

① 사회자는 전국의 시청자를 고려하여 ㉠과 같이 말하고 있다.
② 사회자는 표준어로는 할 수 없는 말을 하기 위해 ㉡과 같이 말하고 있다.
③ ㉠은 공식적인 상황에서 쓰기에 적합한 표준어이다.
④ ㉡은 같은 지역 사람이 아니라면 이해하지 못할 수 있다.
⑤ ㉡은 사용자들끼리의 유대감을 형성하는 지역 방언이다.

정답 해설 | 지역 방언을 사용하면 표준어로는 나타내기 힘든 향토적 정서를 표현할 수 있다. 하지만 (가)에서 사회자가 ㉡과 같이 말한 것은 표준어로는 할 수 없는 말을 하기 위함이 아니다. 답 | ②

확인 문제 3

(나), (다)의 상황에서 은수가 사용한 언어에 대한 설명으로 적절하지 않은 것은?

① (나), (다)에서 은수는 각 상황에 맞는 적절한 어휘를 사용하였다.
② (나)에서 은수가 사용한 언어는 모든 사람과 원활한 의사소통을 하기에 적합하다.
③ (나)에서 은수가 사용한 언어는 대화하는 상대와 친밀감을 형성한다.
④ (다)에서 은수가 사용한 언어는 표준어이다.
⑤ (다)에서 은수가 사용한 언어는 공식적인 상황에서 사용하기 적절하다.

전략 4 사회적 요인에 따른 우리말 어휘의 양상 이해하기

가

→ 법률 분야에서 업무를 효율적으로 수행하기 위해 전문어를 사용함.

나

→ 다른 사람들이 알아듣지 못하도록 청과물 시장 상인들이 숫자를 대신하는 은어를 사용함.(상황에 따라 '이천 원', '삼천 원' 등 단위가 바뀌어 쓰이기도 함.)

☑ **가에 나타난 사회 방언의 특징은?**
법률 분야의 일을 효과적으로 수행하기 위해 '재정 증인'이라는 ❶ ______ 를 사용함.

☑ **나에 나타난 사회 방언의 특징은?**
다른 사람들이 알아듣지 못하게 하거나 집단의 ❷ ______ 을 유지하기 위해 청과물 상인들이 '먹주', '대', '삼패'와 같은 은어를 사용함.

☑ **가, 나에 나타난 어휘를 사용할 때의 유의점은?**
단어의 의미를 잘 모르는 사람과 대화할 때 사용하면 의사소통에 방해가 되며 상대에게 소외감을 줄 수도 있음.
→ 대화 상대와 상황에 맞게 적절히 사용해야 함.

❶ 전문어 ❷ 비밀

필수 예제 4

(가)의 밑줄 친 어휘에 대한 설명으로 적절한 것은?

① 나이에 따라 다르게 쓰이는 말이다.
② 같은 지역 사람들끼리 소통하는 데 사용된다.
③ 의사소통의 불편을 덜기 위해 전 국민이 사용하는 말이다.
④ 법률 분야의 일을 효과적으로 수행하기 위해 사용하는 말이다.
⑤ 그 의미를 잘 모르는 사람과 대화할 때 사용하면 친근감과 동질감을 형성할 수 있다.

정답 해설 | 밑줄 친 '재정 증인'은 전문어로, 법률 분야의 일을 효과적으로 수행하는 데 쓰이며, 특정 집단에 따라 다르게 사용하는 사회 방언에 해당한다. ②는 지역 방언, ③은 표준어에 대한 설명이다. 답 | ④

확인 문제 4

(나)를 통해 알 수 있는 내용으로 적절하지 않은 것은?

① 은어는 특정 집단에서만 사용되는 말이군.
② '먹주', '대', '삼패'는 손님들이 알아듣지 못하는 말이군.
③ 청과물 상인들은 '먹주', '대', '삼패'라는 말을 사용하는군.
④ '먹주', '대', '삼패'를 사용하면 과일의 수를 세는 데 효과적이군.
⑤ 청과물 상인들은 집단의 비밀을 유지하기 위해 은어를 사용하는군.

필수 체크 전략 ❷

1 다음 기사의 내용을 분석한 내용으로 적절한 것은? (정답 2개)

> **'짜장면', 표준어 됐다**
> **국립국어원, '먹거리' 등 서른아홉 개 단어 표준어 인정**
>
> 방송인 정도만 '자장면'이라고 발음하는 '짜장면'이 마침내 표준어가 됐다. 국립국어원은 국민 실생활에서 많이 사용하지만 표준어 대접을 받지 못한 '짜장면'과 '먹거리'를 비롯한 서른아홉 개 단어를 표준어로 인정하고 이를 인터넷 '표준국어대사전'에 반영했다고 31일 밝혔다.

① '짜장면' 외에도 서른아홉 개 단어가 표준어로 인정되었으므로 언어의 창조성과 관련 있다.
② '짜장면'이 표준어가 된 것은 잘못 쓰이던 말을 바로잡은 것이므로 언어의 자의성과 관련 있다.
③ '짜장면'과 '자장면' 두 단어로 무수히 많은 단어를 만들 수 있으므로 언어의 창조성과 관련 있다.
④ '짜장면'을 표준어로 인정한다는 사회적 약속을 새롭게 맺은 사례에 해당하므로 언어의 사회성과 관련 있다.
⑤ '짜장면'이 표준어로 인정받은 것은 시간이 지남에 따라 언어가 변화한 것이므로 언어의 역사성과 관련 있다.

> **문제 해결 전략**
>
> 실제 언어생활에서 찾아볼 수 있는 언어의 본질은 하나의 사례에 하나씩만 있는 것이 아니라, 복합적으로 나타나기도 한다는 점에 유의하여 기사를 분석해야 한다.
> 또 언어는 ❶ [ ] 약속이자 그 약속이 시간의 흐름에 따라 변하기 때문에 국립국어원에서는 해마다 표준어를 조사하여 발표한다는 점에 유의하여 '짜장면'이 ❷ [ ] 로 인정된 사실을 분석해 본다.
>
> ❶ 사회적 ❷ 표준어

2 ㉠, ㉡의 어휘들을 분석한 내용으로 적절하지 <u>않은</u> 것은?

> ㉠: 고치다
> ㉡: 치료하다, 수선하다, 수리하다

① ㉠과 ㉡은 어종에 따라 분류했을 때 서로 다른 종류에 속한다.
② ㉠과 ㉡은 나타내는 의미가 비슷하다.
③ ㉠과 같은 어종의 어휘들은 우리 민족의 정서를 잘 표현한다.
④ ㉡은 본래 우리말에 있던 말이나 이를 바탕으로 하여 만들어진 말이다.
⑤ ㉡은 대체로 ㉠에 비해 분화된 의미를 지닌다.

> **문제 해결 전략**
>
> 고유어는 우리 민족의 문화와 정서를 잘 표현하고, ❶ [ ] 는 고유어에 비해 ❷ [ ] 의미를 지니고 있다는 점에 주목하여 ㉠, ㉡의 어휘들을 분석해 본다.
>
> ❶ 한자어 ❷ 분화된

3 ㉠~㉢에 대한 설명으로 적절한 것은?

> **하늘 레스토랑이 새롭게 태어납니다!**
>
> **10월 20일! ○○ 건물 2층으로 이전합니다.**
>
> **좀 더 넓은 매장에서 세련된 인테리어로 여러분을 맞이하겠습니다.**
>
> **㉠이벤트 1.**
>
> 10월 20일에 방문하시는 분 모두에게 기념품을 ㉡증정합니다.
>
> **이벤트 2.**
>
> 식사 후, 홈페이지의 설문 조사에 참여해 주세요. 추첨을 통해 ㉢내비게이션을 선물로 드립니다.

① ㉠~㉢은 어종에 따라 분류했을 때 같은 어종에 속한다.
② ㉠은 한자어로, 대체할 수 있는 우리말이 없다.
③ ㉡은 광고문을 읽는 모든 사람이 쉽게 이해할 수 있는 말이다.
④ ㉢은 '길 안내기/길 도우미' 등의 우리말로 다듬을 수 있다.
⑤ ㉠~㉢과 같은 말은 우리말을 보완하므로 우리말로 순화할 필요가 없다.

문제 해결 전략

한자어와 외래어는 모두 그 나름의 가치가 있어 ❶ [　　] 어휘를 풍부하게 해 주지만, 과하게 사용하면 의사소통에 방해가 될 수 있으므로 적절하게 ❷ [　　] 사용해야 한다.

❶ 우리말 ❷ 다듬어서

4 (가), (나)의 상황을 분석한 내용으로 적절한 것은?

• **럽처** 파열. • **엔세이드** 소염 진통제. 염증을 치료하고 통증을 완화하는 약.

① (가), (나)에서 의사는 같은 내용을 다른 말을 사용하여 전달하고 있다.
② (가)에서 의사는 업무를 효율적으로 수행하려고 전문어를 사용하고 있다.
③ (가)에서 의사가 사용한 언어는 다른 지역에 사는 사람과 대화할 때 사용하면 상대에게 소외감을 줄 수 있다.
④ (나)에서 의사는 집단의 비밀을 지키려고 은어를 사용하고 있다.
⑤ (나)에서 의사는 상대가 사는 지역을 고려한 지역 방언을 사용하고 있다.

문제 해결 전략

지역에 따라 달라진 말을 지역 방언, 특정 집단이나 세대 등 사회적 요인에 따라 달라진 말을 ❶ [　　] 방언이라고 한다. 사회 방언에 속하는 전문어는 특정 분야에서 ❷ [　　]인 개념을 표현하기 위해 사용하는 말로, 해당 분야의 업무를 효과적으로 수행할 수 있도록 해 준다. (가), (나)의 상황에서 의사가 환자와 간호사에게 하는 말에 주목하여 상황을 분석해 본다.

❶ 사회 ❷ 전문적

1주 3일 필수 체크 전략 ❶

전략 1 체언의 특성과 종류 이해하기

체언의 특성은?

- 문장에서 동작이나 상태의 주체(누가/무엇이), 동작의 ❶ ______ (누구를/무엇을)을 나타내거나, '되다/아니다' 앞에서 문장을 보충하는 역할을 함.
  - 예 • 너 주말에 약속 있어? → 상태의 주체
  - • 영화 볼래? → 동작의 대상
- 형태가 변하지 않음. → ❷ ______

체언의 종류는?

명사	구체적이거나 추상적인 대상의 이름을 나타냄. 예 • 영화, 극장 등 → 구체적인 대상 • 약속, 우정 등 → 추상적인 대상
대명사	사람, 사물, 장소의 이름을 대신하여 가리킴. 예 너, 우리, 여기, 이것
수사	사람이나 사물의 수량이나 순서를 나타냄. 예 • 둘, 셋 → 수량 • 첫째, 둘째 → 순서

❶ 대상 ❷ 불변어

필수 예제 1

이 온라인 대화의 밑줄 친 단어들의 품사를 다음과 같이 분류한다고 할 때, ㉠, ㉡에 들어갈 알맞은 말을 각각 쓰시오.

명사	대명사	㉡
윤서, 주말, 약속, 영화, 민호, 우정, 극장, 약도	㉠	둘, 셋, 첫째, 둘째

• ㉠: (　　　　　) • ㉡: (　　　　　)

정답 해설 | 대명사는 사람이나 사물, 장소의 이름을 대신하여 나타내는 단어로, '윤서'를 대신 나타내는 '너', '지우'와 '윤서'를 대신 나타내는 '우리', '극장'을 대신 나타내는 '여기', '약도'를 대신 나타내는 '이것'이 대명사에 속한다. '둘', '셋'은 사람의 수, '첫째', '둘째'는 순서를 나타내는 수사이다.

답 | ㉠: 너, 우리, 여기, 이것 ㉡: 수사

확인 문제 1

이 온라인 대화의 밑줄 친 단어들의 품사를 이해한 내용으로 적절하지 않은 것은?

① '너'는 상태의 주체가 되는 단어이다.
② '영화'는 어느 문장에서 쓰여도 형태가 변하지 않는 불변어이다.
③ '둘'은 '지우'와 '윤서', '셋'은 '지우', '윤서', '민호'를 대신 나타낸다.
④ '우정'과 '극장'을 보면 명사는 구체적인 대상과 추상적인 대상 모두를 나타낸다는 것을 알 수 있다.
⑤ '여기'는 '알다'의 대상이 되므로 체언이다.

전략 2 용언의 특성과 종류 이해하기

가

나

나는 손 씻을게. → 씻다	영화관이 정말 넓네. → 넓다
• 손을 씻는다. → 현재의 뜻을 나타냄. • 손을 씻자. → 청유의 뜻을 나타냄. • 손을 씻어라. → 명령의 뜻을 나타냄.	• 정말 넓는다(X). • 정말 넓자(X). • 정말 넓어라(X).

용언의 특성은?

• 문장에서 '(누가/무엇이) 어찌하다, 어떠하다'와 같이 주로 사물이나 사람의 움직임, 상태 등을 설명하는 역할을 함.

• 형태가 변함. → ❶ ______

용언의 종류는?

동사	사람이나 사물의 ❷ ______이나 동작을 나타냄. 예 보다, 먹다, 씻다, 가다, 시작하다
형용사	사람이나 사물의 상태나 성질을 나타냄. 예 넓다, 깨끗하다

동사와 형용사의 차이점은?

	동사	형용사
현재의 뜻을 나타내는 어미 '-는-, -ㄴ-'이 붙어 활용함.	○	X
청유의 뜻을 나타내는 어미 '-자'가 붙어 활용함.	○	X
명령의 뜻을 나타내는 어미 '-아라/-어라'가 붙어 활용함.	○	X

개념+ 활용
용언(동사, 형용사)이 문장에서 쓰일 때 형태가 변하는 것.

개념+ 기본형
활용하는 단어의 기본이 되는 형태로, 활용할 때 변하지 않는 부분(어간)에 '-다'를 붙여 만듦.

❶ 가변어 ❷ 움직임

필수 예제 2

이 만화의 밑줄 친 단어들에 대한 설명으로 적절하지 않은 것은?

① '넓다'는 '영화관'의 상태를 나타낸다.
② '깨끗하다'와 '먹다'는 문장에서의 기능은 같지만, 나타내는 의미가 다르다.
③ '보다'는 '우리'의 동작을 나타낸다.
④ '가다'는 청유의 뜻을 나타내는 어미를 붙여 쓸 수 있다.
⑤ '시작하다'는 명령의 뜻을 나타내는 어미를 붙여 쓸 수 없다.

정답 해설 | '시작하다'는 명령의 의미를 나타내는 어미 '-아라/-어라'가 붙어 '시작하라', '시작해라'와 같이 활용할 수 있는 동사이다. 답 | ⑤

확인 문제 2

다음 밑줄 친 단어 중 ㉠과 의미상 같은 품사인 것은?

① 아기가 방긋 웃었다.
② 셋을 센 후에 같이 뛰자.
③ 청결한 화장실을 만들어요.
④ 나는 멈춘 버스에 올라탔다.
⑤ 겨울이 되니 손이 건조하다.

전략 3 수식언의 특성과 종류 이해하기

가 자전거가 지나간다.

→ ㉠새 자전거가 지나간다. → '자전거'를 꾸며 줌.

→ 새 자전거가 ㉡쌩쌩 지나간다. → '지나가다'를 꾸며 줌.

→ '새'와 '쌩쌩'이 붙어 의미가 더 구체적이고 분명해짐.

나
- 세홍이가 헌 옷을 버렸다. → '옷'을 꾸며 줌.
- 너는 어떤 과일을 좋아하니? → '과일'을 꾸며 줌.
- 나는 작년부터 새 가방이 갖고 싶었다. → '가방'을 꾸며 줌.
- 사람들이 온 힘을 다해 차를 들어 올렸다. → '힘'을 꾸며 줌.

다
- 세홍이가 매우 높이 뛰어올랐다. '높이'를 꾸며 줌. ← → '뛰어오르다'를 꾸며 줌.
- 과연 세홍이는 훌륭한 선수로구나. → 문장 전체를 꾸며 줌.
- 나는 발표를 앞두고 바짝 입이 말랐다. → '마르다'를 꾸며 줌.
- 연지는 일요일인데도 일찍 일어났구나. → '일어나다'를 꾸며 줌.

☑ 수식언의 특성은?
- 문장에서 다른 단어를 꾸며 주는 역할을 함.
- 형태가 변하지 않음. → 불변어

☑ 수식언의 종류는?

관형사	체언 앞에서 그 ❶ [ ] 을 꾸며 줌. 예 헌, 어떤, 새, 온
부사	용언이나 다른 부사, ❷ [ ] 전체 등을 꾸며 줌. 예 • 바짝 말랐다. → 용언을 꾸며 줌. • 매우 높이 뛰어올랐다. → 부사를 꾸며 줌. • 과연 세홍이는 훌륭한 선수로구나. → 문장 전체를 꾸며 줌.

☑ 용언의 활용형과 수식언을 구별하는 방법은?

수식언	용언의 활용형
• 새 신발을 신다. • 금방 지나가다.	• 작은 신발을 신다. • 빠르게 지나가다.
관형사인 '새'와 부사인 '금방'은 문장에서 쓰일 때 형태가 변하지 않음.	형용사인 '작은'과 '빠르게'는 '작으니, 작아서', '빠르면, 빠르고'와 같이 형태가 변함.

❶ 체언 ❷ 문장

필수 예제 3

다음 밑줄 친 단어 중 문장에서의 기능을 기준으로 할 때 ㉠, ㉡과 품사가 다른 것은?

① 그는 모든 책을 버렸다.
② 작은 새가 하늘을 난다.
③ 비행기가 빨리 지나간다.
④ 그가 드디어 그 일을 해냈다.
⑤ 시험이 끝나서 기분이 매우 좋다.

정답 해설 | ㉠은 관형사, ㉡은 부사로, 둘 다 다른 단어를 꾸며 주는 기능을 하는 수식언이다. ①의 '모든', ④의 '그'는 체언인 '책'과 '일'을 꾸며 주는 관형사, ③의 '빨리', ⑤의 '매우'는 용언인 '지나가다'와 '좋다'를 꾸며 주는 부사로 모두 수식언에 해당한다. ②의 '하늘'은 나는 동작의 대상이 되는 체언(명사)이다.

답 | ②

확인 문제 3

다음 밑줄 친 단어들의 품사를 분석한 내용으로 적절하지 않은 것은?

> 내가 정말 원했던 그 검은 모자를 드디어 샀다.

① 밑줄 친 단어들은 모두 뒤에 오는 단어의 의미를 구체적이고 분명하게 해 준다.
② '정말'은 '원하다'를 꾸며 주는 부사이다.
③ '그'는 '모자'를 꾸며 주는 관형사이다.
④ '검은'은 '모자'를 꾸며 주는 관형사이다.
⑤ '드디어'는 '사다'를 꾸며 주는 부사이다.

전략 4 관계언, 독립언의 특성과 종류 이해하기

가

→ 조사 '를'과 '가'의 위치를 바꾸면 문법적 관계가 달라져서 문장의 의미가 달라짐.

나

- 민재도 춤을 추고, 은지도 춤을 춘다.
- 민재만 춤을 추고, 다른 사람들은 노래를 부른다.
- 민재마저 춤을 추는구나.
- 민재가 춤을 잘도 추네.

→ 조사 '도', '만', '마저'가 다른 단어 뒤에 붙어 특별한 뜻을 더해 줌.

다

→ '아이고머니나', '어머', '으악'은 놀람의 감정을 나타냄.

→ '야', '그래'는 '같이 가자.', '빨리 와.'와 관계를 맺지 않고 독립적으로 쓰임.
→ '야', '그래'와 같은 감탄사는 부름이나 대답 등을 나타냄.

☑ 관계언의 특성과 종류는?

- 다른 단어 뒤에 붙어 문장에 쓰인 단어들의 문법적 관계를 나타내거나 특별한 ❶ (　　) 을 더해 주는 역할을 함.
- 조사 '이다'를 제외하고 형태가 변하지 않음. → 불변어

조사	홀로 쓰일 수 없고 반드시 다른 말에 붙어 쓰임. 예 • 이/가, 을/를 → 문법적인 관계를 나타냄. • 도, 만, 마저 → 특별한 뜻을 더함.

☑ 독립언의 특성과 종류는?

- 문장에서 다른 단어와 관계를 맺지 않고 ❷ (　　) 으로 쓰임.
- 형태가 변하지 않음. → 불변어

감탄사	느낌, 부름, 대답 등을 나타냄. 예 • 아이고머니나, 어머, 으악 → 놀라움, 반가움 등의 느낌을 나타냄. • 야, 이봐, 여보게 → 부름을 나타냄. • 그래, 응, 예, 아니요 → 대답을 나타냄.

❶ 뜻 ❷ 독립적

필수 예제 4

(가), (나)를 통해 알 수 있는 조사의 특성으로 알맞지 않은 것은?

① 조사는 체언 뒤에만 붙어 쓰인다.
② 조사에 따라 문장의 의미가 달라진다.
③ 조사는 단어들의 문법적 관계를 나타낸다.
④ 조사는 문장에 특별한 뜻을 더해 주기도 한다.
⑤ 조사는 문장에서 사용될 때 형태가 변하지 않는다.

정답 해설 | (가)와 (나)를 통해 조사가 단어 간의 문법적 관계를 보여 주고, 문장에서 쓰일 때 형태가 변하지 않음을 알 수 있다. 특히 (나)에서는 조사가 특별한 뜻을 더해 주기도 하며, '잘도'에서와 같이 체언 외에 다른 단어(부사)에도 붙어 사용된다는 것을 알 수 있다. **답 |** ①

확인 문제 4

(다)의 ㉠~㉤을 비교한 내용으로 적절한 것은?

① ㉠과 달리 ㉣은 문장에서 다른 단어와 관계를 맺지 않는다.
② ㉡과 달리 ㉣은 문장에서 사용될 때 형태가 변한다.
③ ㉢과 달리 ㉤은 대답을 나타낸다.
④ ㉣과 달리 ㉢은 부름을 나타낸다.
⑤ ㉠과 ㉣은 모두 놀라움의 감정을 나타낸다.

1주 3일 필수 체크 전략 ❷

1 다음과 같이 단어들을 나누었다고 할 때, 그 기준으로 가장 적절한 것은?

희망, 나, 둘	읽다, 친절하다	온갖, 늘	을/를, 도	앗, 응

① 문장에서 독립적으로 쓰이는가?
② 문장에서 어떠한 기능을 하는가?
③ 공통으로 어떤 의미를 나타내는가?
④ 문장에서 사용될 때 형태가 변하는가?
⑤ 다른 단어들을 꾸며 주거나 특별한 뜻을 더해 주는가?

문제 해결 **전략**

품사를 나누는 기준은 크게 세 가지가 있는데, 먼저 형태가 변하는지에 따라 가변어와 불변어로 나뉜다. 그리고 문장에서 어떠한 기능을 하느냐에 따라 ❶ ____ 가지(체언, 용언, 수식언, 관계언, 독립언)로 나뉜다. 마지막으로 공통으로 나타내는 의미에 따라 ❷ ____ 가지로 나뉜다. 이를 바탕으로 하여 제시된 단어들의 분류 기준을 파악해 본다.

❶ 다섯 ❷ 아홉

2 다음 문장에 쓰인 단어들의 품사를 분석한 내용으로 적절한 것은?

① 형태 변화에 따라 품사를 분류하면 '본'과 '재미있었다'는 불변어이다.
② 기능에 따라 품사를 분류하면 '정말'은 다른 단어를 꾸며 주는 용언이다.
③ 의미에 따라 품사를 분류하면 '우리'와 '극장'은 같은 품사이다.
④ '가', '에서', '는'은 단어 간의 문법적 관계를 나타내는 역할을 한다.
⑤ '모든'은 사물의 수량을 나타내는 품사이다.

문제 해결 **전략**

불변어는 기능에 따라 체언, 수식언, 관계언, ❶ ____ 으로 나뉘고, 체언은 의미에 따라 명사, 대명사, 수사로, 수식언은 관형사와 부사, 관계언은 조사, 독립언은 감탄사로 나뉜다. 가변어인 용언은 의미에 따라 동사와 ❷ ____ 로 나뉜다. 문장에서 같은 기능을 하더라도 의미에 따라 분류하면 품사가 달라진다는 점에 유의하여 품사를 분석해 본다.

❶ 독립언 ❷ 형용사

3 단어가 공통으로 나타내는 의미를 기준으로 할 때, ㉠~㉤과 다음 밑줄 친 단어의 품사가 같은 것은?

㉠ 첫째	㉡ 씻다	㉢ 무척	㉣ 어머나	㉤ 따뜻하다

① ㉠ – <u>나</u>는 산에 갔다.
② ㉡ – 기분이 참 <u>좋다</u>.
③ ㉢ – <u>옛</u> 생각이 자꾸 난다.
④ ㉣ – <u>네</u>, 금방 잘게요.
⑤ ㉤ – 나는 열심히 <u>달렸다</u>.

문제 해결 **전략**

㉠~㉤의 단어와 밑줄 친 단어가 나타내는 공통적인 ❶ ____ 를 고려하여 각각이 명사, 대명사, 수사, 동사, 형용사, 관형사, 부사, 조사, ❷ ____ 중 무엇에 해당하는지 파악해 본다.

❶ 의미 ❷ 감탄사

4 다음을 바탕으로 하여 |보기| 단어들의 품사를 분류한 내용으로 적절하지 않은 것은?

> 동사는 어간에 '-는다/-ㄴ다'가 붙어 현재, '-아라/-어라'가 붙어 명령, '-자'가 붙어 청유의 뜻을 나타낼 수 있지만, 형용사는 그렇지 않다.

|보기|

넓다　　먹다　　맵다　　웃다　　밝다

① '넓다'는 '-는다'가 붙은 '넓는다'가 어색하므로 형용사이군.

② '먹다'는 '-어라'가 붙어 명령의 뜻을 나타낼 수 있으므로 동사이군.

③  '맵다'는 '-자'가 붙어 청유의 뜻을 나타낼 수 없으므로 형용사이군.

④  '웃다'는 '-는다'가 붙어 '웃는다'로 활용할 수 있으므로 동사이군.

⑤  '밝다'는 '-아라'가 붙어 명령의 뜻을 나타낼 수 있으므로 동사이군.

문제 해결 전략

어미 '-아라/-어라'는 ❶ [　　] 의 뜻을 나타내기도 하지만, '달이 참 밝아라!'에서와 같이 ❷ [　　] 에 붙어 감탄의 뜻을 나타내기도 한다는 점에 유의하여 동사와 형용사를 분류해 본다.

❶ 명령 ❷ 형용사

5 다음 문장을 분석한 내용으로 적절한 것은?

> ㉠ 우리 반에서 소희도 노래를 잘 부른다.
> ㉡ 우리 반에서 소희만 노래를 잘 부른다.

① ㉠, ㉡에는 다른 단어와의 문법적 관계를 나타내는 품사가 각각 4개씩 나타난다.

② ㉠, ㉡의 '에서'는 다른 단어에 붙어 사용되지 않고 독립적으로 쓰일 수도 있다.

③ ㉠의 '도'와 ㉡의 '만'은 문장에서 형태가 변하지 않는다.

④ ㉠에서는 '도'를 사용하여 우리 반에서 노래를 잘 부르는 유일한 사람이 '소희'라는 뜻을 나타낸다.

⑤ ㉡에서는 '만'을 사용하여 '소희'를 포함한 많은 친구들이 노래를 잘 부른다는 뜻을 나타낸다.

문제 해결 전략

조사는 관계언으로, 단어 간의 ❶ [　　] 관계를 나타내거나 특별한 뜻을 더해 주는 역할을 한다. 또한 문장에서 혼자 쓰이지 못하고 다른 단어 뒤에 붙어서 사용되며 ❷ [　　] 가 변하지 않는 불변어('이다' 제외)라는 점에 주목하여 ㉠, ㉡에 쓰인 조사를 분석해 본다.

❶ 문법적 ❷ 형태

1주 4일 교과서 대표 전략 ❶

대표 예제 1

㉠~㉣에 들어갈 말이 모두 적절한 것은?

'나비'를 한국어로는 '나비[나비]', 중국어로는 '蝴蝶[후데]', 일본어로는 'ちょう[조]', 이탈리아어로는 'farfalla[파르팔라]', 인도네시아어로는 'rama-rama[라마라마]'라고 한다.

이와 같이 어떤 한 대상을 부르는 말이 언어마다 (㉠) 이유는 의미와 (㉡) 사이에 (㉢)인 관계가 없기 때문이다. 이와 관련된 언어의 본질을 (㉣)이라고 한다.

	㉠	㉡	㉢	㉣
①	다른	말소리	필연적	자의성
②	다른	말소리	필연적	사회성
③	같은	글자	우연적	자의성
④	같은	의미	우연적	사회성
⑤	같은	의미	자의적	필연성

유형 해결 전략

구체적인 사례에서 언어의 본질을 파악하는 문제이다. '나비'라는 ❶ [   ] 대상을 가리키는 말소리가 언어마다 ❷ [   ] 까닭이 무엇인지, 그것과 관련한 언어의 본질이 어떤 특성을 지니고 있는지 생각해 본다.

❶ 같은 ❷ 다른

대표 예제 2

㉠에 들어갈 내용으로 가장 적절한 것은?

채원: 우리 고모가 중국에 다녀오셨는데, 거기서는 '수박'을 '시과'라고 한대.

경수: 영어로 '워터멜론'이라고 하는데 중국어로는 '시과'라고 하는구나!

채원: 그래, '수박', '시과', '워터멜론' 모두 똑같은 것을 가리키는 말이야.

경수: 그럼 '수박'을 꼭 '수박'으로 부를 필요는 없는 거네.

채원: 그렇다고 할 수 있지.

경수: 나도 오늘부터 '수박'을 '시과'라고 해야겠다.

채원: 우리나라에서는 그러면 안 돼.

경수: 왜?

채원: [㉠]

① '수박'이 '수박'인 것은 우연히 결정된 것이기 때문이야.

② 예전에는 '시과'로 불렸지만 오늘날에는 '수박'으로 불리기 때문이야.

③ '시과'라는 한자어보다 '수박'이라는 고유어를 더 자주 써야 하기 때문이야.

④ '수박'이라는 단어를 활용하여 무수히 많은 문장들을 만들 수 있기 때문이야.

⑤ '수박'을 '수박'이라고 부르기로 한 우리나라 사람들끼리의 약속을 지키지 않으면 의사소통이 어렵기 때문이야.

유형 해결 전략

언어의 본질을 제대로 파악하고 있는지 확인하는 문제이다. 우리나라에서 '수박'을 '❶ [   ]'이라고 부르는 것과 '시과'라고 부르면 안 되는 까닭은 언어의 ❷ [   ]과 관련이 있는데, 이와 연결 지어 그 까닭을 생각해 본다.

❶ 수박 ❷ 사회성

대표 예제 3

다음 상황에서 드러나는 언어의 본질로 가장 적절한 것은?

① 모든 언어는 정해진 규칙에 따라 써야 한다.
② 언어의 의미와 말소리의 관계는 우연적이다.
③ 시간이 흐르면서 새로운 말이 생겨나기도 한다.
④ 언어는 그 말을 사용하는 사람들 간의 약속이다.
⑤ 이미 아는 말을 활용하여 문장을 무수히 만들 수 있다.

유형 해결 전략

일상의 언어생활에서 살펴볼 수 있는 언어의 ❶ ______을 파악하는 문제이다. 학생들이 ❷ ______가 열린 상황을 다양하게 표현한 데서 드러나는 언어의 본질을 파악해 본다.

❶ 본질 ❷ 토마토

대표 예제 4

다음 설명과 관련된 언어의 본질이 드러나는 예가 아닌 것은?

> 언어는 시간의 흐름에 따라 끊임없이 변화한다.

① '나모'는 '나무'를 부르던 옛말이다.
② 조선 시대에는 '어리다'의 의미가 '어리석다'였다.
③ '스마트폰'은 새로운 사물이 생겨나면서 만들어졌다.
④ '천'을 뜻하던 '즈믄'은 오늘날에는 거의 쓰이지 않는다.
⑤ '엄마', '주다', '밥'이라는 단어를 활용하여 아기가 '엄마 밥 주세요.'라는 문장을 만들 수 있다.

유형 해결 전략

언어의 본질과 그것을 보여 주는 예를 파악하는 문제이다. 언어는 ❶ ______의 흐름에 따라 사라지기도 하고, 의미나 말소리가 변화하기도 하고, 새롭게 생기기도 한다. 이러한 언어의 ❷ ______의 예에 해당하지 않는 것이 무엇인지 찾아본다.

❶ 시간 ❷ 역사성

대표 예제 5

다음 설명에 해당하는 어휘만으로 바르게 묶인 것은?

> 우리말에 본디부터 있던 말이나 그것을 바탕으로 하여 만들어진 말

① 밤, 목도리, 식물, 아파트
② 별, 바지, 원피스, 자동차
③ 학교, 교복, 자동차, 모자
④ 바지, 목도리, 강아지, 지우개
⑤ 스위치, 원피스, 재킷, 샐러드

유형 해결 전략

우리말 어휘의 종류와 그 예를 찾는 문제이다. 제시된 설명은 우리말을 ❶ ______에 따라 나누었을 때 ❷ ______에 대한 것이므로, 어휘들 중 한자를 바탕으로 한 말이나 외국에서 들어온 말이 포함되지 않은 것을 골라야 한다.

❶ 기원(어종) ❷ 고유어

대표 예제 6

다음과 같은 어휘들의 특징으로 알맞은 것은?

> 버스, 택시, 컴퓨터, 피자, 인터넷, 햄버거

① 고유어나 한자어로 쉽게 바꿀 수 있다.
② 한자를 바탕으로 하여 만들어진 말이다.
③ 외국에서 들어와 우리말처럼 쓰이는 말이다.
④ 많이 사용할수록 의사소통에 도움이 되는 말이다.
⑤ 다른 나라의 문화와 접촉할 때 들어오는 말로, 그 수가 점차 줄어들고 있다.

유형 해결 전략

구체적인 어휘들이 고유어, ❶ ______, 외래어 중 어떤 어휘에 속하는지 파악한 후 그 특징을 확인하는 문제이다. 고유어, 한자어, 외래어의 ❷ ______과 함께 각 어휘들의 특징과 주로 사용되는 상황, 사용할 때의 유의점 등을 생각해 본다.

❶ 한자어 ❷ 뜻(개념)

교과서 대표 전략 ❶

대표 예제 7

㉠~㉤ 중, 다음과 같은 언어에 대한 설명으로 적절한 것을 모두 고른 것은?

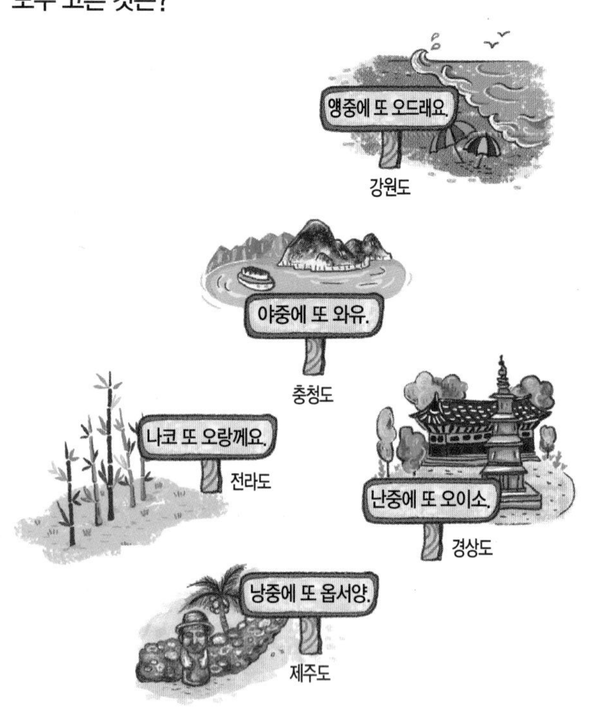

> ㉠ 표준어와 서로를 보완해 주는 관계이다.
> ㉡ 공식적인 상황에서 사용하기에 적절하다.
> ㉢ 모든 사람들과 원활한 소통을 하는 데 적합하다.
> ㉣ 표준어로 나타내기 힘든 정서와 느낌을 전달할 수 있다.
> ㉤ 같은 방언을 사용하는 사람들 사이에 친근감을 느끼게 해 준다.

① ㉠, ㉡, ㉢　② ㉠, ㉢, ㉤
③ ㉠, ㉣, ㉤　④ ㉡, ㉢, ㉣
⑤ ㉢, ㉣, ㉤

유형 해결 전략

지역 방언의 특징과 역할을 묻는 문제이다. 제시된 말들은 '나중에 또 오세요.'를 각 ❶ [　　] 의 말로 나타낸 것이다. ❷ [　　] 와 비교하여 지역 방언이 어떤 특징을 지니고 있는지 살펴본다.

❶ 지방 ❷ 표준어

대표 예제 8

다음 중 전문어를 사용하기에 적절하지 않은 상황은?

① 의사가 동료에게 환자의 상태를 설명하는 상황
② 교수가 미술 전공인 대학생을 대상으로 그림을 설명하는 상황
③ 오케스트라 지휘자가 단원들과 연습을 하며 의견을 나누는 상황
④ 영화 촬영 현장에서 감독과 카메라 감독이 촬영 구도에 대해 의논하는 상황
⑤ 건축가가 일반 대중을 대상으로 한 텔레비전 프로그램에서 유명 건축물을 소개하는 상황

유형 해결 전략

전문어의 적절한 사용에 대해 묻는 문제이다. ❶ [　　] 는 특정 분야의 업무를 효율적으로 수행하는 데 도움을 주지만, 그 의미를 모르는 사람에게 사용하면 의사소통에 어려움이 생기고, 상대방이 ❷ [　　] 을 느낄 수도 있으므로 상황에 맞게 사용해야 한다.

❶ 전문어 ❷ 소외감

대표 예제 9

다음 상황에서 의사소통에 어려움이 생긴 요인으로 가장 적절한 것은?

* 본방 사수 어떤 프로그램의 본방송을 꼭 봄.

① 지역　② 성별　③ 세대
④ 직업　⑤ 성격

유형 해결 전략

일상의 대화 상황을 ❶ [　　] 과 관련 지어 이해하는 문제이다. 제시된 상황에서는 손자의 '본방 사수'라는 말을 ❷ [　　] 가 이해하지 못하고 있다. 따라서 지역, 직업 등 어떤 요인에 따라 다르게 쓰이는 방언 때문에 의사소통에 어려움이 생긴 것인지 살펴본다.

❶ 방언 ❷ 할머니

대표 예제 10

우리말의 품사에 대한 설명으로 적절하지 않은 것은?

① 모든 품사는 문장에서 혼자 사용될 수 있다.
② 공통된 성질을 가진 것끼리 묶은 단어의 갈래이다.
③ 가변어, 불변어는 단어의 형태 변화 여부에 따라 분류한 것이다.
④ 단어가 문장에서 하는 기능에 따라 5개의 품사로 나눌 수 있다.
⑤ 단어가 공통으로 나타내는 의미에 따라 9개의 품사로 나눌 수 있다.

유형 해결 전략

우리말 품사의 뜻과 분류 ❶ [ ], 특성을 확인하는 문제이다. 우리말 품사가 형태, 기능, ❷ [ ]에 따라 어떻게 분류되는지, 각 품사의 특징과 더불어 생각해 본다.

❶ 기준 ❷ 의미

대표 예제 11

|보기|의 문장에 쓰인 품사로 알맞지 않은 것은?

보기

① 명사 ② 조사 ③ 부사
④ 관형사 ⑤ 형용사

유형 해결 전략

실제 문장에 사용된 단어의 품사를 분석하는 문제이다. 단어가 문장에서 쓰일 때 형태가 변하는지, 문장에서 어떤 ❶ [ ]을 하는지, 나타내는 의미가 무엇인지를 따져 품사를 분석해 본다. 특히 ❷ [ ]은 문장에서 쓰일 때 형태가 변하므로 기본형을 생각하며 단어의 품사를 분석해 본다.

❶ 기능 ❷ 용언

대표 예제 12

다음 밑줄 친 단어 중, 수식언에 해당하는 것은?

① 그는 <u>달리는</u> 기차를 바라보았다.
② 그녀가 드디어 <u>새</u> 차에 올라탔다.
③ 나에게 <u>새로운</u> 여자 친구가 생겼다.
④ 내 동생은 <u>맛있는</u> 음식을 좋아한다.
⑤ 카메라에 과자를 몰래 <u>먹는</u> 모습이 찍혔다.

유형 해결 전략

수식언의 특징을 확인하는 문제이다. 문장에서 다른 단어를 꾸며 주는 기능을 하는 ❶ [ ]은 문장에서 사용될 때 형태가 변하지 않으며, 체언을 꾸며 주는 ❷ [ ]와 용언을 꾸며 주는 부사가 있다. 이와 같은 수식언의 특징과 종류를 바탕으로 하여 밑줄 친 단어의 품사를 분석해 본다.

❶ 수식언 ❷ 관형사

대표 예제 13

㉠~㉤의 품사를 모두 바르게 분류한 것은?

<u>그가</u>(㉠) <u>그</u>(㉡) <u>일을</u>(㉢) <u>드디어</u>(㉣) <u>해냈네!</u>(㉤)

	㉠	㉡	㉢	㉣	㉤
①	수사	부사	명사	부사	동사
②	명사	대명사	수사	관형사	동사
③	관형사	대명사	명사	관형사	형용사
④	대명사	관형사	수사	부사	형용사
⑤	대명사	관형사	명사	부사	동사

유형 해결 전략

실제 문장에 사용된 단어의 품사를 잘 분류할 수 있는지 확인하는 문제이다. '❶ [ ]'와 같이 하나의 단어가 두 개의 ❷ [ ]로 쓰일 수 있다는 점에 유의하여 각 단어의 품사를 분류해 본다.

❶ 그 ❷ 품사

1주 4일 교과서 대표 전략 ❷

[1~2] 다음을 읽고 물음에 답하시오.

(가) 닉이 두 살쯤 되었을 때, 엄마는 플라스틱으로 만든 아기용 녹음기와 동요 테이프를 사다 주었다. 닉은 그 노래를 무척 좋아해서 테이프를 듣고 또 들었다. 닉은 동요 테이프와 녹음기를 들고 엄마 아빠나 형한테 가서, 노래를 틀어 줄 때까지 테이프와 녹음기를 탁탁 부딪치며 "과갈라, 과갈라, 과갈라." 하고 말하곤 했다.

3년 동안 닉이 "과갈라, 과갈라."라고 할 때마다 식구들은 닉이 목소리와 악기 소리가 어우러진 아름다운 소리를 듣고 싶어 한다는 것을 알았다.

닉은 유치원에 들어가면서 선생님이나 다른 아이들은 '음악'이라고 말해야 알아듣는다는 것을 알게 되었다.

– 앤드루 클레먼츠, 《프린들 주세요》

(나) 지난번에는 '옷이나 실내 장식 등과 관련된 일에 조언을 하거나 그 일을 지도하는 사람'을 뜻하는 외래어 '스타일리스트(stylist)'를 대신할 우리말을 확정하기 위해 누리꾼이 제안한 435건 가운데 '맵시가꿈이', '멋지기', '멋도우미', '맵시연출가', '맵시관리사' 등을 후보로 하여 투표를 벌였습니다.

총 561명이 투표에 참여하여 '맵시가꿈이'는 268명(47%), '멋지기'는 84명(14%), '멋도우미'는 68명(12%), '맵시연출가'는 108명(19%), '맵시관리사'는 33명(5%)이 지지하였습니다. 따라서 가장 많은 지지를 얻은 '맵시가꿈이'가 '스타일리스트'의 다듬은 말로 결정되었습니다.

앞으로 이 말이 널리 퍼지도록 힘써 주시기 바랍니다.

– 국립국어원, 〈우리말 다듬기〉

(다)

1 (가), (나)에 드러난 언어의 본질에 대해 나눈 대화의 내용으로 적절하지 않은 것은?

초대 화상 찾기

① (가), (나)에서 대상을 각각 '과갈라', '맵시가꿈이'로 부를 수 있는 이유는 언어의 자의성 때문이야.
② (가), (나)에서 '음악', '스타일리스트'가 시간의 흐름에 따라 사라지게 된 것은 언어의 역사성 때문이야.
③ (가)에서 유치원 선생님이나 다른 아이들이 '과갈라'를 알아듣지 못한 것은 언어의 사회성 때문이야.
④ (나)에서 앞으로 '맵시가꿈이'를 쓰기로 사람들과 약속하는 것은 언어의 사회성을 보여 주지.
⑤ (나)에서 '맵시가꿈이', '멋지기' 등 누리꾼들이 여러 단어를 만든 것은 언어의 창조성을 보여 주지.

도움말
(가)에는 닉이 '❶ ______'을 가리키는 말을 새롭게 만들어 사용하는 내용이, (나)에는 '❷ ______'라는 외래어를 우리말로 다듬어 그렇게 사용하자고 전하는 내용이 담겨 있다. 여기에서 나타나는 언어의 본질이 무엇인지 생각해 보자.

❶ 음악 ❷ 스타일리스트

2 (다)에서 가게 주인이 ㉠과 같이 말한 까닭을 조건에 맞게 서술하시오.

조건
- 성호의 행동을 포함하여 쓸 것.
- 관련된 언어의 본질을 바탕으로 하여 쓸 것.

도움말
(다)에는 성호가 '❶ ______'을 '몽미'라고 불러 가게 주인이 성호의 말을 알아듣지 못하고 ㉠과 같이 답하는 상황이 나타나 있다. 성호와 가게 주인이 ❷ ______에 어려움을 겪게 된 까닭을 중심으로 하여 생각해 보자.

❶ 수박 ❷ 의사소통

3 다음 밑줄 친 말과 바꾸어 쓸 수 있는 한자어를 | 보기 |에서 바르게 고른 것은?

| 보기 |
개선하다 개정하다 수선하다
수정하다 치료하다

① 수진이는 뜯어진 가방을 고쳤다. → 치료했다
② 나는 문서에서 잘못 쓴 부분을 고쳤다. → 수선했다
③ 그가 오랫동안 앓아 왔던 병을 드디어 고쳤다. → 개선했다
④ 국회에서 그 법을 고치기로 했다는 기사를 보았다. → 개정하기로
⑤ 엄마는 나에게 늦잠 자는 습관을 고치라고 하셨다. → 수정하라고

도움말
한자어는 고유어에 비해 ❶ [ ] 된 의미를 지니고 있다는 점에 주목하여 다양한 문장에 쓰인 '❷ [ ]'라는 고유어를 적절한 한자어로 바꾸어 넣어 보자.

❶ 분화 ❷ 고치다

4 다음 상황에서 의사들이 전문어를 사용한 효과로 가장 적절한 것은?

의사 1: (수술을 진행하며) •보비, …… •켈리 주세요.
의사 2: •관상 동맥까지 잘 살펴요. •어레스트를 조심해야지요.
마취과 의사: 아직까지는 괜찮습니다. •심전도는 정상이고 환자의 상태도 안정적입니다.

- **보비(bovi)** 절개나 지혈에 사용되는 전기 수술 기구.
- **켈리(kelly)** 깊은 수술 부위의 조직을 떼어 낼 때 쓰는 가위 모양의 집게.
- **관상 동맥(冠狀動脈)** 심장 동맥. 심장을 둘러싼 동맥.
- **어레스트(arrest)** 심장이 멈추는 현상.
- **심전도(心電圖)** 심장의 수축에 따른 움직임을 나타낸 곡선 도면.

① 향토적이고 정겨운 감성을 전달할 수 있다.
② 일반 사람들과의 원활한 의사소통을 돕는다.
③ 해당 분야의 업무를 효과적으로 수행할 수 있다.
④ 다른 사람들로부터 집단의 비밀을 지킬 수 있다.
⑤ 참신한 느낌을 주어 대화의 분위기를 부드럽게 한다.

5 다음 밑줄 친 단어의 품사로 적절하지 않은 것은?

① 할머니가 아기를 업고 있다. – 동사
② 나는 내일 청바지를 입어야지. – 대명사
③ 따뜻한 말 한마디가 중요하다. – 형용사
④ 주희가 이번 주 청소 당번이다. – 동사
⑤ 철수와 나는 빵을 매우 좋아한다. – 조사

도움말
문장에서 쓰일 때의 형태 ❶ [ ] 여부와 문장에서의 기능, 단어가 나타내는 의미를 기준으로 품사를 분석해 보자. 특히, 형태 변화 여부로 분류할 때 예외적인 단어가 있다는 점, 용언의 경우 ❷ [ ]으로 생각해야 한다는 점에 유의하여 품사를 분석해 보자.

❶ 변화 ❷ 기본형

6 다음 대화에서 알 수 있는 내용으로 적절한 것은?

민호: 지우야, 뭐 먹을래?

지우: 나는 자장면 먹을래.

민호: 나도 자장면 먹어야겠다.

윤서: 응? 민호도? 그러면 나만 볶음밥 먹네!

① 지우처럼 윤서도 볶음밥을 시켰다.
② 윤서처럼 민호도 자장면을 시켰다.
③ 친구들 중에 민호만 자장면을 시켰다.
④ 친구들 중에 지우만 자장면을 시켰다.
⑤ 민호와 달리 윤서는 볶음밥을 시켰다.

도움말
조사는 주로 ❶ [ ] 뒤에 붙어 단어 간의 문법적 관계를 나타내거나 특별한 뜻을 더해 주는데, ❷ [ ]의 사용에 따라 문장의 의미가 달라질 수 있다. 따라서 친구들의 대화에서 조사 '는', '도', '만'의 쓰임에 주목하여 대화의 내용을 파악해 보자.

❶ 체언 ❷ 조사

1주 누구나 합격 전략

1 언어의 본질에 대한 설명으로 적절한 것은?

① 언어의 의미와 말소리는 필연적으로 맺어진 것이다.
② 언어는 사회적 약속이지만 개인이 마음대로 바꿀 수 있다.
③ 언어는 시간이 흐르더라도 그 의미와 말소리가 변하지 않는다.
④ 인간은 기존의 단어들을 조합하여 무수히 많은 문장을 만들 수 있다.
⑤ 언어는 처음에 모두 같았으나 시간의 흐름에 따라 나라마다 변화하였다.

[2~3] 다음 글을 읽고 물음에 답하시오.

닉은 손을 번쩍 들고 선생님이 이름을 부르기도 전에 질문을 던졌다. / "그런데 왜 이 낱말은 이 뜻이고 저 낱말은 저 뜻인지는 아직도 모르겠어요. 예를 들어 '개'라는 말이 꼬리를 흔들며 왈왈 짖는 동물을 뜻한다고 누가 정했나요? 누가 그런 거지요?"

선생님이 닉이 던진 질문에 대답했다.

"누가 개를 개라고 했느냐고? 네가 그런 거야, 니콜라스. 너와 나와 이 반에 있는 아이들과 이 학교와 이 마을과 이 주와 이 나라의 모든 사람이. 우리 모두 그렇게 하자고 약속한 거야. 여기가 ㉠프랑스라면 그 털북숭이 네발짐승은 다른 말로, '시엥'이라고 불렀을 거야. 우리말로는 '개'이지. 독일어로는 '훈트'이고. 이렇게 전 세계에 다른 말이 있어. ㉡하지만 이 교실에 있는 우리가 개를 다른 이름으로 부르기로 하면, 그리고 다른 사람들도 모두 그렇게 하면, 개는 그 이름으로 불릴 테고, 나중에는 사전에도 그 이름이 올라가게 될 거야. 사전에 나오는 말은 바로 '우리'가 만드는 거란다."

– 앤드루 클레먼츠, 《프린들 주세요》

2 ㉠에서 알 수 있는 언어의 본질을 쓰시오.

3 ㉡과 관계 깊은 언어의 본질을 보여 주는 예로 가장 적절한 것은?

① '강'을 뜻하는 '가람'이라는 단어는 오늘날 거의 쓰이지 않는다.
② '은하수'를 '사랑강'이라고 말했더니 다른 사람들이 알아듣지 못했다.
③ 한국어로 '나무[나무]'라고 부르는 것을 중국어로는 '樹[슈]'라고 부른다.
④ '쫄면', '순대', '떡볶이'라는 단어를 결합하여 '쫄순이'라는 단어를 만들었다.
⑤ 여러 컴퓨터 지원 기능을 추가한 휴대 전화가 쓰이자 '스마트폰'이라는 어휘가 생겨났다.

4 다음 어휘들의 특징을 바르게 설명한 것은?

> 매끄럽다 매끈매끈하다 반들반들하다
> 반드르르하다 반질반질하다

① 특정 지역만의 향토적인 느낌을 전달한다.
② 지나치게 사용하면 오히려 의사소통에 방해가 된다.
③ 전문적인 일을 효과적으로 수행하기 위해 발달하였다.
④ 우리 민족의 정서나 감정, 감각 등을 생생하게 표현한다.
⑤ 외국 문화와의 접촉을 통해 들어와 우리말을 보충해 준다.

5 (가), (나)의 밑줄 친 어휘의 유형이 바르게 연결된 것은?

* 속다 '수고하다'의 제주도 방언.

	(가)	(나)
①	은어	전문어
②	유행어	표준어
③	표준어	비속어
④	사회 방언	지역 방언
⑤	지역 방언	사회 방언

6 ㉠~㉢에 들어갈 알맞은 말을 각각 쓰시오.

공통된 성질에 따라 묶은 단어의 갈래를 (㉠)(이)라고 한다. 우리말 단어는 형태, 기능, (㉡)을/를 기준으로 이를 분류하며, (㉡)을/를 기준으로 분류하면 총 (㉢)개의 품사로 나누어진다.

• ㉠: ( ) • ㉡: ( ) • ㉢: ( )

7 다음 밑줄 친 단어들의 공통적인 특징을 모두 고른 것은?

• 윤서가 손을 씻었다.
• 민수는 마음이 넓다.

ⓐ 주체를 설명하는 역할을 한다.
ⓑ 대상의 상태나 성질을 나타낸다.
ⓒ 문장에서 사용될 때 형태가 변한다.
ⓓ 청유, 명령의 뜻을 나타내는 어미가 붙어 활용할 수 있다.

① ⓐ, ⓑ ② ⓐ, ⓒ ③ ⓑ, ⓒ
④ ⓑ, ⓓ ⑤ ⓒ, ⓓ

8 | 보기 |의 밑줄 친 단어의 특징으로 적절하지 않은 것은?

보기
• 효주는 귤을 좋아한다.
• 효주는 귤도 좋아한다.
• 효주는 귤만 좋아한다.

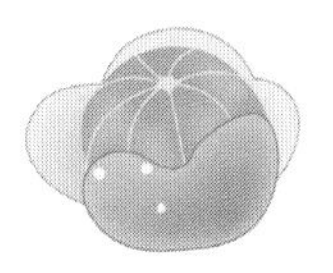

① 특별한 뜻을 더해 주기도 한다.
② 다른 단어를 꾸며 주는 역할을 한다.
③ 문장에서 쓰일 때 형태가 변하지 않는다.
④ 다른 단어들 간의 문법적 관계를 나타낸다.
⑤ 문장에서 홀로 쓰일 수 없고 다른 단어와 결합하여 쓰인다.

9 다음 문장에 쓰인 단어들의 품사를 순서대로 바르게 나열한 것은?

와, 날씨가 정말 춥다.

① 명사 – 조사 – 수사 – 부사 – 형용사
② 수사 – 명사 – 조사 – 관형사 – 동사
③ 감탄사 – 명사 – 조사 – 부사 – 형용사
④ 감탄사 – 명사 – 조사 – 관형사 – 동사
⑤ 관형사 – 대명사 – 수사 – 부사 – 동사

1주 창의·융합·코딩 전략 ❶

1 다음은 질문에 '예'와 '아니요'로 답하며 언어의 본질을 탐구하는 과정이다. ㉠~㉣에 들어갈 말로 알맞은 것은?

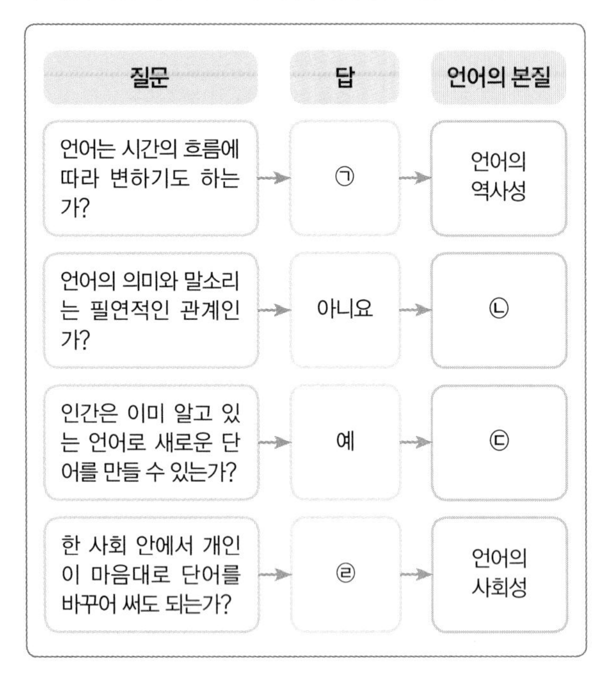

질문	답	언어의 본질
언어는 시간의 흐름에 따라 변하기도 하는가?	㉠	언어의 역사성
언어의 의미와 말소리는 필연적인 관계인가?	아니요	㉡
인간은 이미 알고 있는 언어로 새로운 단어를 만들 수 있는가?	예	㉢
한 사회 안에서 개인이 마음대로 단어를 바꾸어 써도 되는가?	㉣	언어의 사회성

	㉠	㉡	㉢	㉣
①	예	언어의 창조성	언어의 자의성	예
②	예	언어의 자의성	언어의 창조성	아니요
③	아니요	언어의 창조성	언어의 자의성	아니요
④	아니요	언어의 자의성	언어의 창조성	아니요
⑤	아니요	언어의 창조성	언어의 자의성	예

도움말

언어의 본질 네 가지인 자의성, ❶ ______, 사회성, 창조성의 뜻과 특징을 바탕으로 하여 질문에 답을 하며 관련된 언어의 ❷ ______을 찾아보자.

❶ 역사성 ❷ 본질

2 다음은 한 학생이 '나무'라는 말을 활용하여 언어의 본질을 서술한 답안지이다. 학생의 점수는 몇 점인지 쓰시오.

1. '나무'라는 말을 활용하여 언어의 본질 네 가지를 설명하시오.

(1) 언어의 역사성 (2점)

→ 오늘날 우리가 '나무'라고 부르는 것을 옛날에는 '나모'라고 불렀다. 이는 언어가 시간의 흐름에 따라 변하는 언어의 역사성을 보여 준다.

(2) 언어의 자의성 (2점)

→ 한국어로 '나무'라고 부르는 것을 영어로는 'tree[트리]'라고 부른다. 이는 언어의 의미와 말소리의 관계가 우연적이지 않고 필연적으로 결정된 것이라는 언어의 자의성을 보여 준다.

(3) 언어의 창조성 (2점)

→ 인간은 '나무'라는 단어를 가지고 무수히 문장을 만들 수 있는데 이는 언어의 창조성에 해당한다.

(4) 언어의 사회성 (2점)

→ 우리나라에서 '나무'를 '나무'로 부르기로 약속한 것을 지키지 않고 개인이 마음대로 바꾸어 쓰면 의사소통에 어려움이 생긴다. 이는 언어의 사회성을 보여 준다.

도움말

언어는 시간의 흐름에 따라 변한다는 점, 언어의 의미와 말소리가 ❶ ______인 관계라는 점, 언어가 같은 언어를 사용하는 사회 안에서 맺은 ❷ ______이라는 점, 인간은 이미 아는 언어를 활용하여 새로운 단어나 문장을 만들어 낼 수 있다는 점을 바탕으로 하여 언어의 본질을 생각해 보자.

❶ 자의적 ❷ 약속

3 (가), (나)는 각각 우리말의 어휘 체계와 양상을 정리한 표이다. ㉠~㉢에 들어갈 알맞은 내용을 보기에서 고르시오.

가

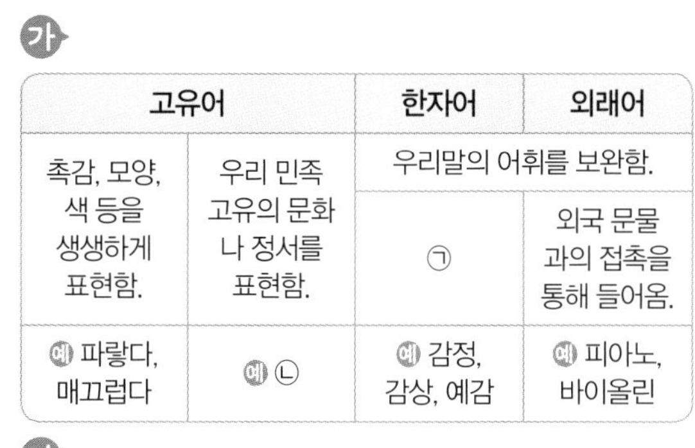

고유어		한자어	외래어
촉감, 모양, 색 등을 생생하게 표현함.	우리 민족 고유의 문화나 정서를 표현함.	우리말의 어휘를 보완함.	
		㉠	외국 문물과의 접촉을 통해 들어옴.
예 파랗다, 매끄럽다	예 ㉡	예 감정, 감상, 예감	예 피아노, 바이올린

나

지역 방언	사회 방언
㉢	
표준어를 보완하는 역할을 함.	특정 분야나 집단 안에서 사용하며, 전문어, 은어 등이 있음.

보기

ⓐ 그네, 씨름

ⓑ 교복, 수선, 치료

ⓒ 배드민턴, 피겨 스케이트

ⓓ 고유어보다 분화된 의미를 지님.

ⓔ 새로운 사물이나 현상을 나타내는 말이 많음.

ⓕ 사용하는 사람들 간의 유대감, 소속감을 형성함.

ⓖ 예로부터 우리말에 있었거나 우리말을 바탕으로 하여 만들어짐.

• ㉠: (　　　　) • ㉡: (　　　　) • ㉢: (　　　　)

도움말

㉠에는 한자어의 특성, ㉡에는 ❶ [　　] 중 우리 민족 고유의 문화를 나타내는 어휘의 예, ㉢에는 ❷ [　　] 방언과 사회 방언의 공통적인 특성이 들어가야 한다는 점에 유의하여 ㉠~㉢에 들어갈 내용을 찾아보자.

❶ 고유어 ❷ 지역

4 ㉠, ㉡에 모두 해당하는 어휘로만 나열된 것은?

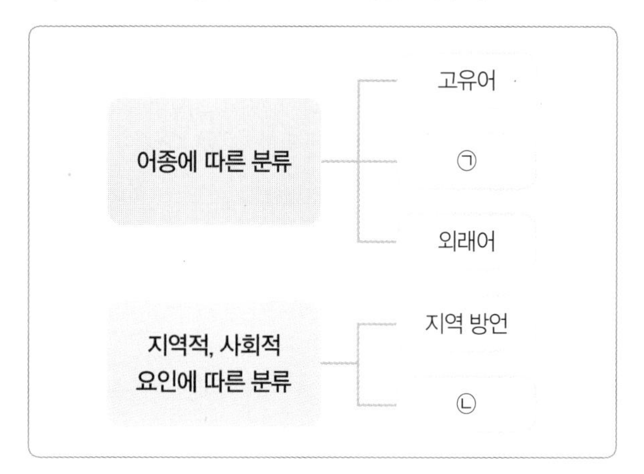

① 깜놀, 본방, 영애

② 목도리, 바지, 별

③ 변론, 변호, 재정 증인

④ 옥수시, 깡내이, 옥시끼

⑤ 레가토, 싱커페이션, 세뇨

도움말

우리말 어휘는 어종에 따라 고유어, ❶ [　　], 외래어로 나눌 수 있다. 또 지역에 따라 달라진 말을 지역 방언, 세대나 직업 등의 사회적 요인에 따라 달라진 말을 ❷ [　　] 방언이라고 한다. 이와 같은 어휘 체계와 양상에서 각 어휘 유형의 특징을 떠올려 본 뒤 ㉠, ㉡의 어휘 유형에 공통으로 포함되는 어휘를 찾아보자.

❶ 한자어 ❷ 사회

1주 창의·융합·코딩 전략 ❷

5 ㉠~㉢에 들어갈 품사로 알맞지 않은 것은?

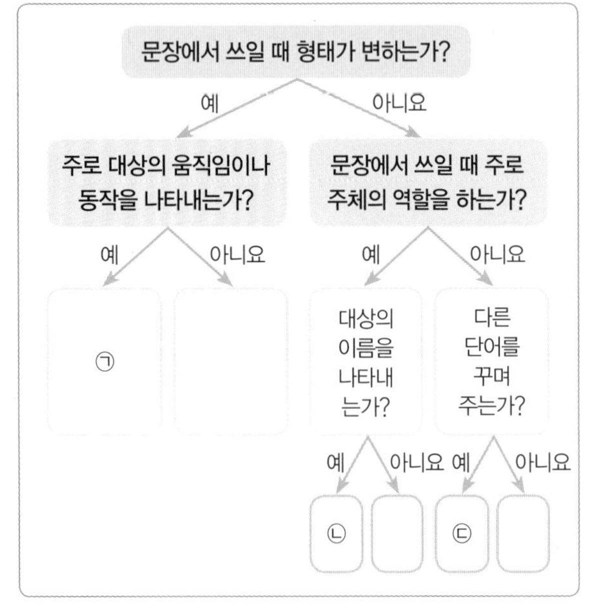

① ㉠: 동사　② ㉠: 형용사
③ ㉡: 명사　④ ㉢: 관형사
⑤ ㉢: 부사

도움말
문장에서 쓰일 때 형태가 ❶ [　　] 것은 가변어로, 용언이 가변어에 해당한다. 문장에서 쓰일 때 주로 주체의 역할을 하는 것은 체언이며, 다른 단어를 꾸며 주는 것은 ❷ [　　]의 역할이라는 것을 생각하며 ㉠~㉢에 들어갈 알맞은 품사를 파악해 보자.

❶ 변하는 ❷ 수식언

[6~7] 다음을 읽고 물음에 답하시오.

(가)
을/를　저　그녀　사다
짧다　어머나　높다　우산　셋

(나)
을/를　저　그녀
어머나　우산　셋

사다　짧다　높다

6 (가)의 단어들을 (나)와 같이 나누었다고 할 때, 분류 기준으로 가장 적절한 것은?

① 문장의 다른 단어를 꾸며 주는가?
② 문장에서 쓰일 때 형태가 변하는가?
③ 문장에서 생략해도 의미가 전달되는가?
④ 문장에서 반드시 다른 단어의 뒤에 붙어 쓰이는가?
⑤ 문장에서 쓰일 때 그 위치를 자유롭게 바꿀 수 있는가?

도움말
공통된 성질을 갖는 것끼리 묶은 단어의 갈래를 ❶ [　　] 라고 한다. (나)에서 왼쪽과 오른쪽에 나누어 묶인 단어들의 ❷ [　　]인 성질이 무엇인지 생각해 보자.

❶ 품사 ❷ 공통적

7 (가)에서 보기 의 설명에 해당하는 단어인 ㉠~㉣을 순서대로 나열하여 청유의 뜻을 나타내는 문장을 만들어 쓰시오.

보기
- 체언을 꾸며 주는 품사 ········ ㉠
- 구체적인 대상의 이름을 나타내는 품사 ········ ㉡
- 단어 간의 문법적 관계를 나타내는 품사 ········ ㉢
- 사람의 동작을 나타내는 품사 ········ ㉣

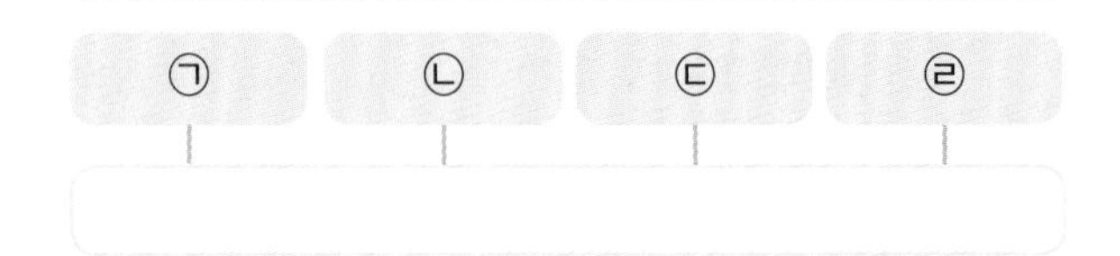

>> 정답과 해설 30쪽

8 ㉠~㉤에 들어갈 단어의 예가 적절한 것은?

① ㉠ – 사랑, 책상, 가다
② ㉡ – 그녀, 셋, 매우
③ ㉢ – 이것, 마저, 에게
④ ㉣ – 하나, 두, 셋째
⑤ ㉤ – 먹다, 걷다, 해내다

도움말
품사의 분류 기준을 바탕으로 하여 ㉠~㉤의 예로 제시된 단어들이 각각 ❶ [ ] 가 변하는지 변하지 않는지, 문장에서 쓰일 때 주체 역할을 하는지 문법적 관계를 나타내는지, 의미상 수량이나 ❷ [ ] 를 나타내는지, 동작을 나타내는지를 파악해 보자.

❶ 형태 ❷ 순서

9 |보기|의 품사들을 활용하여 다음 그림을 한 문장으로 묘사한 것으로 알맞지 않은 것은?

보기
- 대상의 이름을 나타내는 품사
- 대상의 동작이나 움직임을 나타내는 품사
- 문장에서 단어 간의 문법적 관계를 나타내거나 특별한 뜻을 더해 주는 품사

① 사자가 개미를 문다.
② 사자가 개미를 물었다.
③ 사자는 개미를 물었다.
④ 개미가 사자를 물었다.
⑤ 개미가 사자에게 물렸다.

도움말
조사가 어떤 단어의 ❶ [ ] 에 붙는지에 따라 단어 간의 문법적 ❷ [ ] 가 바뀌어 문장의 의미가 달라질 수 있다는 점에 유의하여 제시된 그림을 한 문장으로 묘사해 보자.

❶ 뒤 ❷ 관계

읽기/쓰기/듣기·말하기

어떻게 글을 예측하고 요약하며 읽을까?

제목이나 사진 등을 보고 글의 내용을 예측하고,
글의 구조에 따라 중심 내용을 요약하며 읽으면 글을 제대로 이해할 수 있어요.

공부할 내용

❶ 예측하며 읽기의 방법과 효과
❷ 요약하며 읽기의 개념과 방법
❸ 통일성 있게 글을 쓰는 과정
❹ 면담의 과정과 고려할 점
❺ 토의의 개념과 참여자의 역할
❻ 타당성 판단의 뜻과 기준

합리적으로 문제를 해결하는 듣기·말하기 방법은 무엇일까?

다른 사람의 말이 타당한지 판단하며 듣고,
토의를 통해 의견을 나누면 문제를 합리적으로 해결할 수 있어요.

2주 1일 개념 돌파 전략 1

개념 1 예측하며 읽기

글을 예측하며 읽는 방법과 효과

예측할 때 활용할 수 있는 요소		예측할 수 있는 내용
• 제목, 그림, 목차 등 글에 제시된 정보 • 독자의 ❶ ______ 과 경험 • 읽기가 이루어지는 상황	➡	• 글의 전체적인 내용 및 구성 • 글의 뒤에 이어질 내용 • 글쓴이의 의도 • 글이 독자에게 미칠 영향

⬇

• 글의 ❷ ______ 을 더욱 깊이 있게 이해할 수 있음.
• 자신의 읽기 과정을 점검하며 글을 능동적으로 읽을 수 있음.

❶ 배경지식 ❷ 내용

Quiz

예측하며 읽기에 대한 다음 설명이 맞으면 ○, 틀리면 X에 표시하시오.

(1) 책의 제목이나 목차를 보고 글의 전체적인 흐름이나 구조를 예측할 수 있다. (○, X)

(2) 예측하며 글을 읽으면 글의 내용에 집중하기 어렵다. (○, X)

답 | (1) ○ (2) X

개념 2 요약하며 읽기

요약: 말이나 글의 ❶ ______ 내용을 간추려 정리하는 것으로, 읽기 목적, 글의 특성, 글의 구조 등을 고려하여 글을 요약해야 함.

문단의 중심 내용을 요약하는 방법

• 선택: 중심 내용이 분명하게 드러난 부분을 골라 뽑음.
• ❷ ______: 덜 중요하거나 세부적인 내용, 반복되는 내용을 지움.
• 일반화: 구체적이고 개별적인 내용은 그것을 포괄하는 말로 묶음.
• 재구성: 중심 내용이 분명하게 드러나 있지 않으면 제시된 내용을 바탕으로 하여 중심 내용을 만듦.

❶ 중심 ❷ 삭제

Quiz

다음 요약 방법과 설명을 바르게 연결하시오.

(1) 선택 • • ㉠ 구체적인 내용은 그것을 포괄하는 말로 묶음.

(2) 일반화 • • ㉡ 중심 내용이 드러난 부분을 골라 뽑음.

답 | (1) ㉡ (2) ㉠

개념 3 통일성 있게 글 쓰기

통일성: 글의 주제와 세부 내용이 서로 밀접한 관련을 맺고 있는 것.
➡ 글의 주제를 명료하게 드러내기 위해 ❶ ______ 을 고려해야 함.

통일성 있는 글을 쓰는 과정

과정	고려해야 할 점
계획하기	글의 목적, 예상 독자, 주제를 명확하게 정함.
내용 선정(생성)하기	다양한 매체에서 주제와 밀접한 관련이 있는 내용을 선정함.
내용 조직하기	선정한 내용을 글의 흐름에 맞게 배열하고, ❷ ______ 에서 벗어나는 내용이 없는지 살펴봄.
표현하기	주제가 명료하게 드러나도록 글로 표현함.
고쳐쓰기	주제와 관련하여 글의 내용, 구성, 표현 등을 평가하고 고쳐 씀.

❶ 통일성 ❷ 주제

Quiz

다음에 해당하는 글쓰기 과정을 쓰시오.

우리 동네 맛있는 음식점을 소개하는 글을 써 볼까? 블로그에 올려서 친구들이 볼 수 있게 하는 거지.

답 | 계획하기

1-1 글을 읽기 전, 전체 내용을 예측하기 위해 활용할 수 있는 요소로 가장 적절한 것은?

① 글의 제목

② 글의 첫 문장

③ 본문에 들어간 인물 그림

정답 해설 | 글을 읽기 전 책이나 글의 제목을 보고 글의 전체 내용을 예측해 볼 수 있다. 글의 첫 문장이나 본문에 들어간 인물 그림은 글을 읽기 시작한 후에 확인할 수 있는 요소로 글을 읽기 전에 전체 내용을 예측하는 데 활용할 수 없다. 답 | ①

1-2 글의 내용을 예측할 때 활용할 수 있는 요소로 적절하지 않은 것은?

① 독자의 배경지식

② 글에 제시된 정보

③ 글이 독자에게 미칠 영향

2-1 다음에서 설명하는 문단 요약 방법으로 알맞은 것은?

> 덜 중요하거나 반복되는 내용을 지우는 방법

① 선택 ② 삭제 ③ 일반화

정답 해설 | 글을 요약할 때 덜 중요하거나 세부적인 내용, 반복되는 내용을 지우는 방법을 '삭제'라고 한다. 답 | ②

2-2 다음에서 설명하는 문단 요약 방법으로 알맞은 것은?

> 중심 내용이 분명하게 드러나 있지 않을 때 제시된 내용을 바탕으로 하여 중심 내용을 만드는 방법

① 선택 ② 일반화 ③ 재구성

3-1 통일성을 갖춘 글을 쓰기 위해 다음과 같은 내용을 고려해야 하는 글쓰기 과정으로 가장 적절한 것은?

① 계획하기 ② 내용 선정하기 ③ 표현하기

정답 해설 | 글쓰기 과정 중 내용 선정(생성)하기 단계에서는 글쓰기 계획에 따라 다양한 매체에서 주제에 맞는 내용을 골라야 한다. 답 | ②

3-2 통일성을 갖춘 글을 쓰기 위해 다음과 같은 내용을 고려해야 하는 글쓰기 과정으로 가장 적절한 것은?

① 계획하기 ② 내용 조직하기 ③ 고쳐쓰기

개념 4 면담하기

○ **면담**: 일정한 목적을 위해 면담자와 면담 대상자가 대화를 주고받는 것.

○ **면담의 과정 및 고려할 점**

면담 준비하기	➡	면담하기
• 면담 목적에 맞는 면담 ❶ ______ 을 정함. • 면담 대상 및 주제와 관련된 정보를 수집함. • 면담 ❷ ______ 에 맞는 질문을 만듦.		• 상대의 동의를 구한 뒤 면담 내용을 녹음하거나 기록함. • 상대를 배려하며 예의를 갖추어 면담을 진행함.

❶ 대상 ❷ 목적

Quiz

면담에 대한 다음 설명이 맞으면 ○, 틀리면 X에 표시하시오.

(1) 면담 대상을 정할 때에는 유명한 사람인지 아닌지를 고려해야 한다. (○, X)

(2) 면담을 준비할 때에는 면담 대상 및 주제와 관련된 정보를 미리 수집해야 한다. (○, X)

답 | (1) X (2) ○

개념 5 토의하기

○ **토의**: 공동의 문제를 ❶ ______ 하기 위해 여러 사람의 의견을 모으는 협력적인 의사소통 과정.

○ **토의 참여자의 역할**

사회자	토의에서 합리적인 해결 방안이나 결론에 이르도록 토의를 진행함.
토의자	자신의 의견을 적절한 근거를 들어 조리 있게 전달함.
청중	토의 내용을 경청하고 ❷ ______ 을 통해 토의에 적극적으로 참여함.

○ **토의에 참여하는 올바른 태도**

• 합리적인 해결 방안을 찾기 위해 협력적인 태도로 임해야 함.

• 다른 사람의 의견을 경청하고 존중하며, 상대방의 감정을 상하게 하는 말을 삼가야 함.

❶ 해결 ❷ 질의응답

Quiz

다음은 토의에 대한 설명이다. 괄호 안에서 알맞은 말을 고르시오.

(1) 공동의 문제를 해결하기 위해 여러 사람이 의견이나 생각을 주고받는 협력적인 말하기 활동을 (토론 , 토의)라고 한다.

(2) 토의 참여자 중 합리적인 해결 방안이나 결론에 이르도록 토의를 진행하는 사람은 (사회자 , 청중)이다.

답 | (1) 토의 (2) 사회자

개념 6 타당성 판단하며 듣기

○ **타당성 판단하기**: 주장과 ❶ ______ 가 이치에 맞고 합리적인지 따지는 것.

○ **내용의 타당성을 판단하는 기준**

• 근거와 주장 사이에 연관성이 있는가?

• 근거로부터 주장을 이끌어 내는 과정에 ❷ ______ 는 없는가?

• 근거로부터 주장을 이끌어 내는 과정에 영향을 미치는 다른 정보는 없는가?

❶ 근거 ❷ 오류

Quiz

다음 빈칸에 알맞은 말을 쓰시오.

(   )을 판단하며 듣는 것은 일상적인 대화나 광고, 방송 등 다양한 듣기 상황에서 주장과 근거가 이치에 맞고 합리적인지, 내용이 타당한지 따지며 듣는 것을 말한다.

답 | 타당성

4-1 다음은 면담을 준비할 때 고려할 점이다. 빈칸에 공통으로 들어갈 알맞은 말을 쓰시오.

- 면담 (   )에 맞는 면담 대상을 정한다.
- 면담 대상 및 주제와 관련된 정보를 수집한다.
- 면담 (   )에 맞는 질문을 만든다.

정답 해설 | 면담을 준비할 때 면담 대상과 질문은 면담 목적에 맞게 정하고 만들어야 한다. **답** | 목적

4-2 면담을 준비하는 과정에서 필요한 활동으로 적절하지 않은 것은?

① 면담 목적에 맞는 질문을 만든다.
② 면담 주제와 관련된 정보를 수집한다.
③ 면담 목적에 맞게 면담 내용을 정리한다.

5-1 다음 빈칸에 들어갈 말로 가장 적절한 것은?

토의는 공동의 문제를 (   )할 수 있는 의사소통 방법이다.

① 감정적으로 전달 ② 논리적으로 주장
③ 합리적으로 해결

정답 해설 | 토의는 공동의 문제를 해결하기 위해 여러 사람이 의견을 모으는 말하기로, 문제를 합리적으로 해결할 수 있는 방법이다. **답** | ③

5-2 토의의 주된 목적으로 가장 적절한 것은?

① 공동의 문제를 해결하는 것
② 문제에 대한 정확한 정보를 전달하는 것
③ 자신의 의견에 따르도록 상대방을 설득하는 것

6-1 다음은 내용의 타당성을 판단하는 기준에 대한 설명이다. 빈칸에 공통으로 들어갈 알맞은 말을 쓰시오.

내용의 타당성을 판단하며 들으려면 (   )과 근거를 파악한 뒤 그 둘 사이에 연관성이 있는지, 근거로부터 (   )을 이끌어 내는 과정에서 오류가 있거나 영향을 미치는 다른 요소가 없는지 등을 따져야 한다.

정답 해설 | 내용의 타당성을 판단하는 것은 주장과 근거가 이치에 맞고 합리적인지 따지는 것이므로, 주장과 근거 사이에 연관성이 있는지, 근거로부터 주장을 이끌어 내는 과정이 논리적인지를 따져야 한다. **답** | 주장

6-2 내용의 타당성을 판단하는 기준으로 알맞지 않은 것은?

① 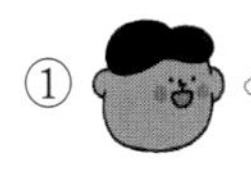
근거와 주장 간에 연관성이 있는가?

② 
근거로부터 주장을 이끌어 내는 과정에 오류는 없는가?

③ 
근거로부터 주장을 이끌어 내는 과정에 영향을 미치는 정보가 충분히 많은가?

2주 1일 개념 돌파 전략 ❷

바탕 문제

괄호 안에서 알맞은 말을 골라 예측하며 읽기의 효과를 완성해 보세요.

(1) 글의 내용을 (깊이 있게 , 빠르게) 이해할 수 있다.

(2) 글을 (능동적 , 소극적)으로 읽을 수 있다.

답 | (1) 깊이 있게 (2) 능동적

1 글을 예측하며 읽는 활동에 대한 설명으로 적절하지 않은 것은?

① 글을 읽으며 글쓴이의 의도를 예측할 수 있다.
② 글의 제목과 목차 등을 통해 전체적인 내용을 예측할 수 있다.
③ 글을 읽기 전과 글을 읽는 중에 활용할 수 있는 읽기 방법이다.
④ 글의 내용을 예측하며 읽으면 글을 요약적으로 빠르게 읽을 수 있다.
⑤ 글을 읽기 전 예측한 내용과 실제 글을 비교하는 과정을 통해 글을 더욱 깊이 있게 읽을 수 있다.

바탕 문제

다음 빈칸을 채워 문단의 중심 내용을 요약하는 방법을 완성해 보세요.

> 문단에서 중심 내용이 분명하게 드러난 부분이 있으면 그 부분을 (   )하는 방법으로 요약한다.

답 | 선택

2 중심 문장이 뚜렷하게 나타나 있지 않을 때, 문단의 내용을 요약할 수 있는 방법으로 가장 적절한 것은?

① 세부적인 내용이나 반복되는 내용을 지운다.
② 정확하고 분명한 근거가 드러난 부분을 찾는다.
③ 제시된 내용을 바탕으로 하여 중심 내용을 만든다.
④ 문단에서 중심 내용이 직접 드러난 부분을 선택한다.
⑤ 구체적이고 개별적인 내용을 그것을 포괄하는 말로 묶는다.

바탕 문제

글쓰기 과정을 떠올려 보며 글쓰기에 대한 다음 설명이 맞으면 ○, 틀리면 X에 표시해 보세요.

(1) 글쓰기의 과정 중, 가장 먼저 해야 하는 것은 '표현하기'이다. (○ , X)

(2) 글쓰기의 모든 과정에서 주제를 고려해야 한다. (○ , X)

답 | (1) X (2) ○

3 ㉠~㉤을 글쓰기의 과정에 맞게 순서대로 나열하시오.

(   ) – (   ) – (   ) – (   ) – (   )

바탕 문제

다음 빈칸을 채워 면담을 준비할 때 고려할 점을 완성해 보세요.

면담을 준비할 때에는 면담 (   ) 에 맞게 면담 대상을 선정하고, 질문을 만들어야 한다.

답 | 목적

4

요리 예술사라는 직업에 대한 정보를 얻기 위해 면담하고자 할 때, 면담 대상자에게 할 질문으로 적절하지 않은 것은?

㉠ 요리 예술사는 어떤 일을 하는 사람인가요?
㉡ 요리 예술사라는 직업의 매력은 무엇인가요?
㉢ 요리 예술사가 가장 싫어하는 음식은 무엇인가요?
㉣ 요리 예술사가 되기 위해서는 어떤 과정을 거쳐야 하나요?
㉤ 요리 예술사라는 직업에 흥미를 가지게 된 계기가 무엇인가요?

① ㉠ ② ㉡ ③ ㉢ ④ ㉣ ⑤ ㉤

바탕 문제

토의의 개념을 생각하면서 다음 설명이 맞으면 ○, 틀리면 X에 표시해 보세요.

(1) 토의는 여러 사람이 서로 의견을 주고받는 의사소통 과정이다. (○ , X)
(2) 토의에서는 의견을 나누는 데 협력적인 태도로 임해야 한다. (○ , X)

답 | (1) ○ (2) ○

5

토의 참여자의 올바른 태도와 가장 거리가 먼 것은?

① 다른 참여자의 말을 경청한다.
② 합리적인 해결 방안을 찾기 위해 노력한다.
③ 토의 절차를 이해하고 예의 바른 태도를 지닌다.
④ 자신이 주장하는 바를 적절한 근거를 들어 말한다.
⑤ 다른 참여자의 감정이 상하지 않도록 반대 의견을 제시하지 않는다.

바탕 문제

타당성을 판단하는 것의 의미로 가장 적절한 것을 골라 보세요.

① 주장과 근거가 창의적인지 따지는 것
② 주장과 근거가 합리적인지 따지는 것
③ 주장이 자신의 생각과 동일한지 따지는 것

답 | ②

6

내용의 타당성을 판단하며 들을 때 주의해야 할 사항이 아닌 것은?

① 주장과 근거가 흥미를 끌 만한가?
② 주장을 뒷받침하는 근거가 있는가?
③ 근거와 주장 사이에 연관성이 있는가?
④ 근거로부터 주장을 이끌어 내는 과정에 오류는 없는가?
⑤ 근거로부터 주장을 이끌어 내는 과정에 영향을 미치는 다른 정보는 없는가?

2주 2일 필수 체크 전략 ❶

전략 1 예측하며 글을 읽는 방법 파악하기

㉮ 내가 버린 전기·전자 제품의 행방은?
글의 제목

악취가 나고 검은 폐수가 흐르는 곳에서 사람들이 아무 보호 장비 없이 버려진 전기·전자 제품들, 곧 전자 폐기물들을 분해하고 있고, 아이들은 그 쓰레기 더미 위에서 놀고 있다. 이미 오염으로 생활 터전이 망가져 쓰레기 처리 말고는 생계 수단이 없는 사람들이다. 그곳 사람들은 그 지역에 들어온 전자 폐기물에서 재활용이 가능한 부품을 떼어 내고 나머지는 태우거나 땅에 묻는다. 폐기물을 태우거나 땅에 묻으면 각종 중금속 성분이 토양과 하천을 오염하고 주민들을 병들게 한다. 병에 걸린 사람들은 돈이 없어 제대로 치료를 못 받는 형편이지만, 더 이상 갈 곳이 없어 이곳까지 왔기 때문에 어쩔 도리가 없다.

(폐기물: 못 쓰게 되어 버리는 물건. / 중금속: 무거운 금속 원소로 매우 위험한 물질.)

[ ]: 전자 폐기물과 환경의 관계를 다룬 내용이 전개될 것을 예측할 수 있음.

[2010년 서울 환경 영화제에서 상영된 영화 〈중금속 인생〉의 내용이다.][전자 폐기물이 일으키는 이런 끔찍한 일을 막을 수 있는 방법은 없을까?]

[ ]: 전자 폐기물 문제를 해결할 수 있는 방법이 나올 것을 예측할 수 있음.

▲ 전자 폐기물을 분해하는 모습
→ 글의 내용을 짐작할 수 있는 사진

㉯ 글의 소제목

- 전자 폐기물이 매년 지구를 한 바퀴나 돈다고?
- 우리 손을 떠난 전자 폐기물은 어디로 갈까?

→ 전자 폐기물의 행방과 문제점

- 덜 쓰고 덜 버리기!
- 잘 버리기!

→ 전자 폐기물을 줄이는 방법

– 장미정, 〈내가 버린 전기·전자 제품의 행방은?〉

☑ 예측하며 글을 읽을 때 활용할 수 있는 요소와 예측할 수 있는 내용은?

- 글의 제목 → 전자 폐기물이 어디서, 어떻게 처리되고 있는지 다룰 것이라고 예측할 수 있음.
- 글에 제시된 사진 → 전자 폐기물의 양이 많다는 내용이 나올 것이라고 예측할 수 있음.
- ㉮의 마지막 문장 → 전자 폐기물 문제를 해결할 방법이 뒤에 나올 것이라고 예측할 수 있음.
- 글의 ❶ [ ] → 전자 폐기물 때문에 생기는 문제점을 다룬 뒤, 그 해결 방법을 설명하는 흐름으로 전개될 것이라고 예측할 수 있음.

☑ 글을 통해 예측할 수 있는 글쓴이의 의도는?

- 전자 폐기물 문제의 ❷ [ ]을 알림.
- 전자 폐기물을 줄이자고 주장함.

❶ 소제목 ❷ 심각성

필수 예제 1

이 글의 내용을 예측하며 읽는 방법으로 적절하지 않은 것은?

① 사진을 보고 글의 내용을 짐작한다.
② 제목을 보고 글의 주요 내용을 예측한다.
③ 소제목을 보고 글의 구조와 흐름을 예측한다.
④ 글의 내용을 활용하여 독자의 배경지식을 예측한다.
⑤ 글의 내용을 바탕으로 하여 이어질 내용을 예측한다.

정답 해설 | 독자의 배경지식은 글을 읽을 때 예측에 활용할 수 있는 요소이지, 예측해야 하는 대상이 아니다. 답 | ④

확인 문제 1

이 글의 소제목을 통해 예측한 내용으로 가장 적절한 것은?

① 쓰레기 처리의 개선 방안이 뒤에 이어지겠군.
② 에너지를 절약할 수 있는 방안을 찾는 것이 핵심 내용이군.
③ 경제적 불평등의 문제점을 설명한 뒤, 그 해결 방법을 설명하겠군.
④ 전자 폐기물 때문에 생기는 문제점을 다룬 뒤, 그 해결 방법을 설명하겠군.
⑤ 글쓴이는 여러 가지 폐기물 처리 방식을 설명한 뒤, 가장 모범이 되는 사례를 소개하겠군.

전략 2 요약하며 글을 읽는 방법 파악하기

㉮ 

사회 시간에 독도의 가치와 생태계를 주제로 발표하려면 이 글의 내용을 전체적으로 요약해야겠지?

㉯ 독도 주변의 바다는 수산 자원이 풍부한 황금 어장입니다. 난류와 한류가 만나 물고기가 많을 뿐만 아니라 소라, 전복 등의 해양 생물도 풍족하지요. 또한 독도 주변의 바다에는 새로운 에너지 자원으로 기대되는 가스 하이드레이트 등의 해저 자원이 많이 묻혀 있을 것으로 추정됩니다. 이러한 자원들이 개발된다면 현재 에너지 자원 대부분을 수입에 의존하는 문제를 해결할 수 있을 것입니다. 이렇게 보면 독도는 경제적인 가치가 높다고 할 수 있겠지요.
(문단의 중심 내용이 직접 드러나 있는 문장)

㉰ 이제 독도의 생태계는 어떠한지 살펴볼까요? 독도에는 바닷새인 괭이갈매기와 쇠가마우지, 바다제비, 슴새 등이 집단으로 번식하고 있습니다. ('다양한 새'로 묶일 수 있는 세부 내용 ①) 또 매나 벌매와 같은 멸종 위기종에서부터 육지에서도 흔히 볼 수 있는 참새까지 여러 종류의 새가 서식하고 있습니다. ('다양한 새'로 묶일 수 있는 세부 내용 ②) 독도는 봄과 가을에 철새들이 이동하다가 쉬기 위해 머무는 곳이기 때문에 계절에 따라 다양한 철새를 관찰할 수도 있습니다. ('다양한 새'로 묶일 수 있는 세부 내용 ③)

㉱ [지금까지 독도의 가치와 독특한 생태계를 살펴봤습니다. 이 외에도 독도는 우리가 알아야 할 많은 특성이 있습니다. 아는 만큼 보이고 보는 만큼 느낀다는 말이 있지요? 앞으로도 독도를 더 아끼고 사랑할 방법을 생각해 보기 바랍니다.]
([ ]: 중심 내용이 뚜렷하게 드러난 부분이 없음.)

☑ ㉯~㉱의 중심 내용을 요약하는 방법은?

- ㉯: 문단의 중심 내용이 직접 드러나 있음. → ❶ [ ] 의 방법
- ㉰: 상위 개념으로 묶을 수 있는 세부 내용이 나타남. → 일반화의 방법
- ㉱: 중심 내용이 뚜렷하게 드러난 부분이 없음. → ❷ [ ] 의 방법

☑ 글의 내용을 요약하는 방법은?

- 문단별로 중심 내용을 요약함.
- 글의 구조를 파악함.

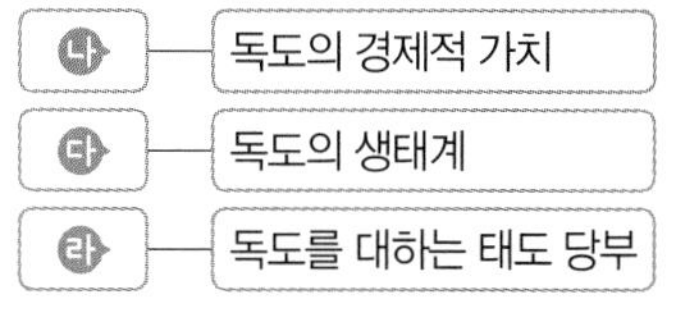

- 목적에 맞게 글 전체의 내용을 요약함.
→ 독도는 경제적·생태적 가치가 높은 곳으로 우리가 더 아끼고 사랑해야 한다.

❶ 선택 ❷ 재구성

필수 예제 2

(나)의 중심 내용을 요약하는 방법으로 가장 적절한 것은?

① 세부적인 해양 생물의 종류를 삭제한다.
② 중심 내용이 드러난 마지막 문장을 선택한다.
③ 중심 내용이 드러난 첫 번째 문장을 선택한다.
④ 중심 내용이 드러난 부분이 없으므로 재구성한다.
⑤ '해양 생물'과 '해저 자원'을 '수산 자원'으로 포괄하여 묶는다.

정답 해설 | (나)에는 독도 주변의 바다에 수산 자원과 에너지 자원이 풍족하여 독도의 경제적 가치가 높다는 중심 내용이 글의 마지막 부분에 제시되어 있으므로 마지막 문장을 선택하는 방법으로 요약할 수 있다. 답 | ②

확인 문제 2

다음과 같은 읽기 목적에 따라 (나)~(라)를 보기와 같이 요약한다고 할 때, 빈칸에 알맞은 말을 순서대로 쓰시오.

> 독도 여행 안내서에 독도의 자연환경을 소개하는 글을 쓰려고 해. 독도를 여행하는 사람들이 관심을 가질 만한 정보를 찾아야겠어.

보기

> 독도 주변의 바다에는 다양한 (　　　　)이/가 살고 있으며, 독도에서는 바닷새와 철새 등 (　　　　)을/를 관찰할 수 있다.

>> 정답과 해설 32쪽

전략 3 통일성 있게 글 쓰는 방법 파악하기

(가) **지훈**: 글쓰기 과정에서 통일성을 고려해야 주제를 분명하게 전달할 수 있겠구나. 너는 어떤 내용의 글을 쓸 거야?
(글을 쓸 때 통일성을 고려해야 하는 이유)

민지: 내 꿈이 여행 작가가 되어 세계 문화유산을 모두 가 보는 것이잖아. 그래서 이번 기회에 우리 반 친구들에게 세계 문화유산을 알려 주는 글을 쓰고 싶어.
(예상 독자 / 민지가 쓰고자 하는 글의 목적)

지훈: 네가 쓴 글을 읽으면 세계 문화유산이 뭔지 알 수 있겠네.

민지: 응. 먼저 우리와 가까운 아시아의 세계 문화유산을 소개하고, 세계 문화유산의 가치를 알리는 글을 쓰려고 해. 그리고 글을 블로그에 올려서 더 많은 친구와 공유하고 싶어.
(민지가 쓰고자 하는 글의 주제)

(나) **제목: 아시아의 세계 문화유산을 찾아 떠나는 여행**

처음	• ㉠세계 문화유산의 의미 • ㉡글의 목적 제시
중간	• 아시아의 세계 문화유산 1. 우리나라의 세계 문화유산 – 종묘 – 종묘 대제의 절차 (→ 글의 주제에 맞지 않으므로 삭제해야 함.) 2. 인도의 세계 문화유산 – ㉢타지마할
끝	• ㉣필리핀의 세계 문화유산 – 코르딜레라스의 계단식 논 (→ 글의 구성상 중간 부분에 들어가야 할 내용임.) • ㉤세계 문화유산 보존의 필요성 강조

☑ (가)에서 민지가 글을 쓰기 위해 계획한 내용은?
- 글의 ❶ [ ]: 세계 문화유산을 알리는 것
- 글의 주제: 아시아의 세계 문화유산 소개와 세계 문화유산의 가치
- 예상 독자: 우리 반 친구들

☑ (나)의 개요에서 고려할 점은?
- ❷ [ ]에 맞는 내용인지 살펴봐야 함.
  → 주제에 맞지 않는 '종묘 대제의 절차'를 삭제함.
- 내용이 글의 흐름에 맞게 조직되었는지 살펴봐야 함.
  → '필리핀의 세계 문화유산'은 중간 부분으로 옮겨야 함.

❶ 목적 ❷ 주제

필수 예제 3

(가)의 내용을 바탕으로 할 때, 민지가 글쓰기에 활용할 자료로 가장 적절한 것은?

① 세계 7대 불가사의를 소개하는 잡지
② 유럽의 세계 문화유산에 대해 설명한 전문 서적
③ 세계 문화유산 지정의 문제점을 다룬 신문 기사
④ 중국과 일본의 세계 문화유산을 소개한 백과사전
⑤ 세계적으로 유명한 계단식 논의 모습이 담긴 사진

정답 해설 | (가)에서 민지는 반 친구들에게 아시아의 세계 문화유산을 소개하고 그 가치를 알리는 글을 쓰고자 하므로, 글쓰기에 활용할 자료로는 아시아인 중국과 일본의 세계 문화유산을 소개한 백과사전이 가장 적합하다.
답 | ④

확인 문제 3

통일성을 고려하여 개요의 ㉠~㉤을 고치는 방안으로 가장 적절한 것은?

① ㉠은 독자의 관심을 끌 수 있는 내용이므로 중간 부분인 '아시아의 세계 문화유산'으로 옮긴다.
② ㉡은 글의 자연스러운 흐름을 고려하여 삭제한다.
③ ㉢은 우리나라의 문화유산과 구별하기 위해 끝부분으로 옮긴다.
④ ㉣은 '아시아의 세계 문화유산'에 속하므로 중간 부분으로 옮긴다.
⑤ ㉤은 이 글에 필요 없는 내용이므로 삭제한다.

2주 2일 필수 체크 전략 ❷

[1~2] 다음 글을 읽고 물음에 답하시오.

가 고래들의 따뜻한 동료애

몇 년 전 일이다. 어디론가 가기 위해 바삐 걷던 중 저만치 앞에서 휠체어를 탄 한 장애인이 차도로 내려서는 것을 보았다. (중략) 나는 황급히 그에게 다가가 그의 휠체어 손잡이를 잡으며 도와 드리겠다고 했다. 그러나 나의 도움은 아무런 효과가 없었다. 차들은 여전히 매정하게(얄미울 정도로 쌀쌀맞고 인정이 없게.) 우리 앞을 가로지르고 있었고 세워 달라고 내가 손을 흔들 때면 더 빠른 속도로 달려오곤 했다. 그러자 그는 나에게 휠체어는 혼자서도 운전할 수 있으니 미안하지만 차도로 내려가 달려오는 차들을 잠시 멈춰 줄 수 있겠느냐고 부탁했다.

나 우리 사회의 장애인들에게도 휠체어를 직접 밀어 줄 사람들보다 그들이 스스로 밀고 갈 수 있도록 길을 비켜 주고 따뜻하게 함께 있어 줄 사람들이 필요한 것인지도 모른다. 그들이 당당하게 삶을 꾸릴 수 있도록 여건을 마련해 준 뒤 그저 다른 이들을 대하듯 똑같이만 대해 주면 될 것이다. (중략) 다친 고래를 등에 업고 있는 고래가 가족이나 친척으로 밝혀질 가능성은 충분히 있지만 다친 고래를 가운데 두고 보호하는 그 모든 고래가 다 가족일 가능성은 적은 것 같다. 고래들의 사회에 우리처럼 장애인의 날이 있어 "장애 고래를 도웁시다."라는 구호를 외치며 배웠을 리 없건만 결과만 놓고 보면 고래들이 우리보다 훨씬 낫다.

– 최재천, 〈고래들의 따뜻한 동료애〉

중심 화제
동료를 돕는 고래들의 모습과 우리 사회의 모습

글을 쓴 목적
장애인이 당당히 살아갈 수 있는 여건을 마련해야 한다는 내용을 전달하고자 함.

내용 전개 방식
글쓴이의 경험을 바탕으로 하여 우리 사회의 문제점을 지적하고, 고래들의 모습과 대조하여 글쓴이의 생각을 밝힘.

1 〈보기〉는 이 글을 읽은 독자가 예측한 내용이다. 예측한 내용으로 알맞은 것은?

> 보기
> 요즘 우리 사회의 모습을 보면 장애인의 복지가 나아지고 있지만 아직 부족한 부분이 많은 것 같아. 이 글이 사람들에게 현재 우리 사회의 모습을 되돌아보는 계기를 마련해 주지 않을까?

① 글에서 이어질 내용　② 글쓴이의 성향과 특성
③ 글이 독자에게 미칠 영향　④ 글에 나타난 정보의 정확성
⑤ 글쓰기의 계몽적 효과와 가치

문제 해결 전략
〈보기〉에서는 이 글을 읽은 ❶ [　　] 가 어떤 생각을 하게 될지 ❷ [　　] 하고 있다는 점에 주목하여 답을 찾아본다.

❶ 독자 ❷ 예측

2 다음은 무엇을 보고 예측한 내용인지 빈칸에 알맞은 말을 쓰시오.

> 고래들에게도 '따뜻한 동료애'가 있다고? (　　　　)을/를 통해 예측해 보면 고래들이 동료를 챙기며 더불어 살아가는 모습을 다룬 글인가 봐.

문제 해결 전략
'따뜻한 ❶ [　　] '라는 표현이 쓰인 부분이 글의 어디에 있는지 찾은 뒤, 예측에 활용한 ❷ [　　] 를 생각해 본다.

❶ 동료애 ❷ 요소

[3~4] 다음 글을 읽고 물음에 답하시오.

(가) ㉠현대 사회에서는 많은 사람이 아침을 바쁘게 시작한다. 그러다 보니 아침밥을 거르거나 대충 때우는 경우가 많다. (중략) 물론 바쁜 생활 속에서 아침밥을 꼬박꼬박 챙겨 먹기란 쉬운 일이 아니다. 그러나 건강을 지키고 하루를 활기차게 시작하려면 반드시 아침밥을 챙겨 먹어야 한다.

(나) 먼저, ㉡아침밥을 먹으면 뇌의 기능이 활발해진다. 아침에 음식을 먹고 냄새를 맡으면 대뇌가 자극을 받는다. 이렇게 아침 일찍 대뇌를 자극하면 작업 능률이 오르고 학습 능력도 향상된다. 아침밥을 먹으면 기억력이 좋아진다는 연구 결과도 있다.

(다) 다음으로, ㉢아침밥을 먹으면 소화 기능이 좋아진다. 아침밥을 먹으면 위산(위액 속에 들어 있는 산.) 등이 분비되어 위장 운동이 활발해진다. 또한 규칙적으로 아침밥을 챙겨 먹으면 위염(위에 생기는 염증. 또는 그 때문에 생기는 병.)이나 위궤양(위 점막에서 피가 날 정도로 상처가 생기고 짓무르는 병.)과 같은 위장병을 예방하는 데에도 도움이 된다.

(라) 끝으로, ㉣아침밥은 체중 조절에도 도움을 준다. 아침밥을 거르면 전날 밤부터 위장이 오랫동안 비어 있어 공복감(배 속이 빈 듯한 느낌.)을 느끼게 된다. (중략) 그런데 아침밥을 먹으면 공복감이 해소되어 과식과 폭식을 막는 데 도움이 되고, 간식을 먹는 일도 줄일 수 있다.

(마) 건강한 식습관에 대한 관심이 갈수록 높아지고 있는데, 그중 가장 손쉽게 실천할 수 있는 것이 아침밥을 꼬박꼬박 챙겨 먹는 일이다. 이제부터 아침에 조금 일찍 일어나 ㉤아침밥을 먹고 하루를 활기차게 시작하자.

중심 화제
아침밥

글을 쓴 목적
아침밥을 먹자는 내용을 주장하고자 함.

내용 전개 방식
아침밥을 먹었을 때의 좋은 점을 뇌의 기능, 소화 기능, 체중 조절의 측면에서 제시하고 있음.

3 이와 같은 글을 요약하는 방법으로 가장 적절한 것은?

① 인상 깊은 장면을 중심으로 요약한다.
② 주장과 그 근거를 중심으로 요약한다.
③ 인물, 사건, 배경 등의 요소를 중심으로 요약한다.
④ 흥미를 끄는 사실이나 정보를 중심으로 요약한다.
⑤ 갈등 상황과 그것이 해결되는 과정을 중심으로 요약한다.

문제 해결 전략
이 글의 글쓴이는 ❶ [ ] 을 챙겨 먹어야 한다고 주장하고 있으므로, 이와 같은 글의 ❷ [ ] 을 파악하여 그에 맞는 요약 방법을 선택해야 한다.

❶ 아침밥 ❷ 특성

4 ㉠~㉤ 중, 글의 내용을 요약할 때 필요한 문장이 아닌 것은?

① ㉠ ② ㉡ ③ ㉢ ④ ㉣ ⑤ ㉤

문제 해결 전략
요약은 글의 중심 내용을 ❶ [ ] 것이므로, 문단의 ❷ [ ] 내용과 가장 관련이 적은 문장을 찾아본다.

❶ 간추리는 ❷ 중심

[5~6] 다음 글을 읽고 물음에 답하시오.

가 나는 어릴 때부터 로봇을 좋아했다. 로봇 장난감과 로봇 만화 등 '로봇'이라는 말이 들어가 있으면 눈을 떼지 못할 정도였다. 그러다가 초등학교 6학년 때 한 로봇 공학자의 강연 영상을 보고 로봇을 만드는 사람이 되겠다고 결심하였다. 몸이 불편한 사람을 보살피거나 재난 현장에서 인간의 생명을 구하는 등 사람들을 돕는 로봇을 만든다는 것이 굉장히 멋진 일이라고 생각했기 때문이다.

나 내가 만들고 싶은 로봇 가운데 하나는 불이 났을 때 활약할 수 있는 소방 로봇이다. 현재에도 화재 현장에서 소방관의 일을 대신하려고 만들어진 '무인 방수 로봇'이나 '화재 정찰 로봇'이 있지만, 실제로는 거의 사용되지 않는다. (중략) 그래서 나는 어떤 환경에서도 빠르고 정확하게 움직여서 불을 끄고 사람을 찾아 구하는 소방 로봇을 만들고 싶다.

방수: 물길을 찾거나 터서 물을 흘려보냄.

다 그리고 반려동물 로봇도 만들고 싶다. 나는 고양이 털이 피부에 닿으면 너무 가려워서 고양이를 키우고 싶어도 키우지 못한다. 반려동물 로봇을 만들면, 나처럼 반려동물을 키우기 어려운 사람들에게 도움을 줄 수 있을 것이다. (중략) 겉모습이 실제 반려동물과 비슷할 뿐만 아니라 주인의 마음을 읽을 줄 알고, 그 마음에 맞추어 행동할 수 있는 로봇을 만들어 사람들을 기쁘게 하고 싶다. ㉠물론 털이 있는 동물을 키우기 어려우면 열대어나 이구아나처럼 털이 없는 반려동물을 키워도 된다.

중심 화제
로봇

글을 쓴 목적
만들고 싶은 로봇을 소개하고자 함.

내용 전개 방식
로봇에 관심을 가지게 된 계기를 설명한 뒤, 만들고 싶은 로봇을 소개하고 있음.

5

글쓴이가 이 글을 쓰기 전에 다음과 같은 자료를 찾았다고 할 때, (가)~(다) 중 이 자료를 활용한 문단의 기호를 쓰시오.

> **예산 낭비 '소방 로봇'**
> …… 1센티미터 높이의 장애물도 넘지 못할 정도로 성능이 형편없었고, 충격에도 약했습니다. ……
> – 〈뉴스 데스크〉(2016. 3. 29.)

문제 해결 전략
글의 내용을 ❶ [ ] 할 자료를 선정할 때에는 글의 주제, 독자의 ❷ [ ] 와 수준 등을 고려해야 하고 자료를 글에서 어떻게 활용할지 고민해야 한다.

❶ 뒷받침 ❷ 흥미

6

통일성을 고려하여 ㉠을 고쳐 쓰는 방안으로 가장 적절한 것은?

① 주제와 관련이 적은 내용이므로 삭제한다.
② 글의 흐름에 맞지 않으므로 (나)로 옮긴다.
③ 글의 목적을 고려하여 자세한 설명을 덧붙인다.
④ 독자의 이해를 돕기 위해 사진 자료를 추가한다.
⑤ 예상 독자의 수준을 고려하여 어려운 단어를 쉬운 단어로 고친다.

문제 해결 전략
㉠이 글의 주제와 관련 있는 내용인지, 글의 ❶ [ ] 에 맞는지, 독자의 ❷ [ ] 에 맞는 어휘로 쓰였는지, 추가해야 할 설명이 없는지 등을 살펴본다.

❶ 흐름 ❷ 수준

2주 3일 필수 체크 전략 ❶

전략 1 면담 준비 과정 파악하기

서준: 선생님, 이번 진로 발표회에서 '꿈을 찾아서'라는 주제로 발표하려는데 어떻게 하면 좋을까요?

선생님: 어떤 내용으로 발표할지 구체적으로 생각해 보았니?

서준: 자신의 꿈을 이루기 위해 열심히 노력하고 있는 친구를 찾아서 소개하고 싶어요.

선생님: 그럼 우선 발표 주제에 어울리는 대상을 찾아야겠네.(면담을 준비할 때 고려할 점 ①) 그리고 그 친구와 면담을 해 보는 것이 좋겠다. 면담을 통해 발표에 필요한 정보를 얻을 수 있을 거야.(면담의 목적)

서준: 면담을 하려면 무엇을 준비해야 할까요?

선생님: 면담 대상을 정했다면 면담 대상에게 허락을 구하고 면담 시간과 장소를 정해야겠지.(면담을 준비할 때 고려할 점 ②) 그리고 면담 질문을 준비해야 하는데, 제한된 시간 안에 원하는 정보를 충분히 얻으려면 면담 목적에 맞는 적절한 질문을 마련해야 해.(면담을 준비할 때 고려할 점 ③) 면담 목적에 맞는 질문을 만들기 위해서는 사전에 면담 대상과 관련된 다양한 정보를 수집하는 것이 좋아.(면담을 준비할 때 고려할 점 ④) 수집한 정보를 바탕으로 면담 질문을 더욱 풍성하게 만들 수 있거든. 만약 면담 대상이나 주제가 생소하다면 정보를 더욱 꼼꼼하게 수집해야겠지?

서준: 예, 알겠습니다. 그리고 면담을 마친 뒤에 면담한 내용을 정리하고 그중 발표 주제에 맞는 것을 추려서 발표를 준비하면 되겠지요?

☑ **면담의 과정은?**

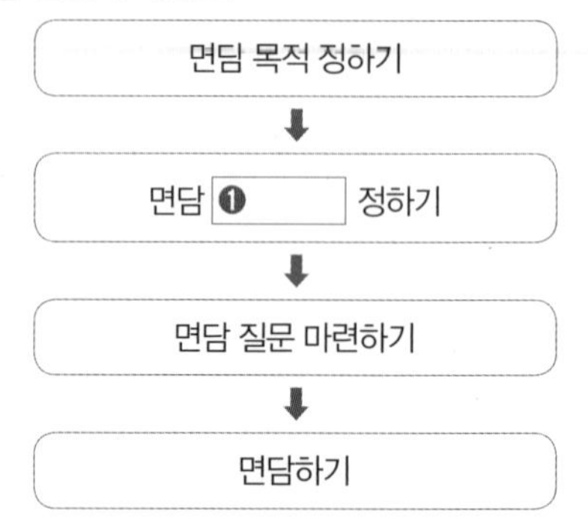

☑ **면담을 준비할 때 고려할 점은?**

- 면담 목적에 맞는 면담 대상을 선정함.
- 면담 대상에게 허락을 구하고 면담 약속을 잡음.
- 면담 대상 및 주제와 관련된 정보를 수집함.
- 면담 ❷ [   ] 에 맞는 질문을 만듦.

❶ 대상 ❷ 목적

필수 예제 1

이 대화에서 알 수 있는 서준이의 면담 목적으로 적절한 것은?

① 우리 학교의 인기 동아리를 소개하는 것
② 진로 발표회의 특징과 절차를 알아보는 것
③ 진로를 정하는 방법에 대한 정보를 수집하는 것
④ 친구들이 선호하는 직업이 무엇인지 조사하는 것
⑤ 꿈을 이루기 위해 노력하고 있는 친구를 소개하는 데 필요한 정보를 수집하는 것

정답 해설 | 서준이는 진로 발표회에서 자신의 꿈을 이루기 위해 열심히 노력하고 있는 친구를 소개하고자 하였고, 선생님의 조언에 따라 면담을 하여 필요한 정보를 수집하려고 한다.

답 | ⑤

확인 문제 1

서준이의 면담 목적을 고려했을 때, 면담 대상으로 더 적절한 사람을 고르시오.

다현이는 우리 학교 태권도부 선수야. 전 세계에 태권도를 알리겠다는 꿈을 위해 지금도 열심히 노력하고 있어.

현서는 곤경에 빠진 어르신을 도와서 표창을 받았어. 현서의 착한 마음씨는 누구나 본받을 만해.

전략 2 면담 진행 과정 파악하기

(가) **서준:** 진로 발표회를 위한 면담에 응해 줘서 고맙습니다. 나중에 면담 내용을 잘 정리할 수 있도록 면담 과정을 녹음하려고 하는데 괜찮을까요?
(같은 학년이지만 예의를 갖추어 말함. / 면담 과정을 녹음하는 것에 대해 미리 양해를 구함.)

다현: 예, 괜찮습니다.

서준: 그럼 지금부터 본격적으로 면담을 진행하겠습니다. 우선 자기소개를 부탁해도 될까요?

다현: 저는 1학년 2반 서다현입니다. 우리 학교 태권도부 선수로 활동하고 있어요.

(나) **서준:** 서다현 선수의 이야기를 듣다 보니, 외국인들 앞에서 태권도 시범 공연을 하는 태권도부 사진에서 서다현 선수를 본 것이 생각나네요. 그때 기분이 어땠는지 이야기해 줄 수 있나요?
(미리 조사한 정보를 바탕으로 한 질문)

다현: 정말 뿌듯했어요. 외국인들에게 태권도를 알릴 수 있어서 가슴이 벅차기도 했고, 태권도를 전 세계에 알리고 싶다는 꿈이 조금이나마 이루어진 것 같은 느낌도 들었고요.

서준: 이야기를 들어 보니 정말 뿌듯했겠어요. 그런데 지금까지 태권도를 하면서 힘든 점은 없었나요?
(다현이의 말에 적극적으로 호응함.)

다현: 처음 태권도를 배울 때에는 재미있기만 했는데, 막상 태권도부에 들어가 본격적으로 운동을 시작하니 몸이 아주 힘들었어요. 매일 훈련을 해야 해서 개인 시간이 줄어드는 것도 아쉬웠지요.

서준: 정말 힘들었을 것 같아요. 그런 힘든 상황을 어떻게 극복했는지도 궁금한데요.
(다현이의 말에 공감하며 호응함. / 관련된 추가 질문을 함.)

다현: 속상할 때마다 제가 이루고 싶은 꿈을 생각하며 마음을 다잡았어요.

☑ **(가)에서 서준이가 면담을 원활하게 진행하기 위해 한 노력은?**
- 면담 ❶ [ ]에게 예의를 갖추어 존댓말을 사용함.
- 녹음에 대한 양해를 구함.

☑ **(나)에서 서준이가 면담을 원활하게 진행하기 위해 한 노력은?**
- 미리 조사한 정보를 바탕으로 하여 ❷ [ ]을 함.
- 다현이의 답변에 적극적으로 호응함.
- 다현이의 답변과 관련된 추가 질문을 함.

❶ 대상 ❷ 질문

필수 예제 2

서준이의 면담 진행 과정에 대한 설명으로 적절하지 않은 것은?

① 면담 대상자에게 예의를 갖추어 면담을 진행함.
② 면담 대상자의 흥미를 끄는 질문으로 면담을 시작함.
③ 면담 대상자가 편안하게 말할 수 있도록 맞장구를 침.
④ 면담 대상자에 대한 정보를 미리 수집하여 만든 질문을 함.
⑤ 면담을 녹음하는 것에 대해 미리 면담 대상자에게 양해를 구함.

정답 해설 | (가)에서 서준이는 본격적으로 면담을 시작하며 자기소개를 부탁하고 있으므로, 면담 대상자의 흥미를 끄는 질문으로 시작하고 있지 않다. 답 | ②

확인 문제 2

이 면담의 내용으로 보아 면담 전에 서준이가 수집했을 정보로 가장 적절한 것은?

① 다현이가 다녔던 초등학교
② 우리나라에서 태권도가 시작된 시기
③ 지난 올림픽에서 금메달을 딴 태권도 선수
④ 전 세계적으로 태권도 수업이 개설된 외국 학교
⑤ 태권도부가 외국인들 앞에서 했던 태권도 시범 공연

전략 3 토의 과정 파악하기

사회자: 안녕하세요. 오늘은 "깨끗한 교실, 어떻게 만들까?"(토의 주제 제시)라는 주제로 토의하겠습니다. 학기 초에 깨끗했던 교실이 많이 지저분해져서 지난 학급 회의 시간에 어떻게 하면 교실을 깨끗하게 사용할 수 있을지 생각해 보자는 의견이 있었습니다. 이에 따라 토의자로 뽑힌 박준영, 김채원, 오유민 학생이(토의자 소개) 토의 준비를 해 오셨습니다. 오늘 토의는 먼저 세 분의 토의자가 의견을 발표하고, 토의자끼리 의견을 교환한 뒤에 청중의 질문을 받고 그에 답하는 순서로 진행하겠습니다(토의 절차 안내). 그럼 박준영, 김채원, 오유민 학생 순으로 발표해 주시기 바랍니다.

박준영: 학기 초에 비해 교실 바닥에 흙이 많습니다. [운동화를 신고 교실까지 들어와서 실내화로 갈아 신는 학생과 쉬는 시간이나 점심시간에 실내화를 신은 채 운동장에 나가서 놀다 들어오는 학생이 많기 때문입니다. 흙 묻은 신발을 신고 들어오면 교실 바닥이 더러워질 뿐만 아니라 공기도 나빠집니다.]([ ]: 의견의 근거) 그래서 저는 실내화와 실외화를 구별해서 신을 것을(토의자의 의견) 제안합니다.

김채원: 요즘 오후에 교실 바닥을 보면 여기저기 쓰레기가 많습니다. [쓰레기를 쓰레기통에 버리지 않고 교실 바닥에 버리거나 쓰레기통 주변에 대충 던져 버리는 학생이 많기 때문입니다.]([ ]: 의견의 근거) 그래서 저는 쓰레기를 아무 데나 버리지 말 것을(토의자의 의견) 제안합니다.

☑ **토의의 주제는?**
깨끗한 교실, 어떻게 만들까?

☑ **토의자의 의견과 근거는?**
- 박준영 학생: 실내화와 실외화를 구별해서 신을 것을 제안함.(← 흙 묻은 신발을 신고 들어오면 교실 바닥이 더러워지기 때문임.)
- 김채원 학생: 쓰레기를 아무 데나 버리지 말 것을 제안함.(← 쓰레기를 교실 바닥에 버리거나 쓰레기통 주변에 대충 던지는 학생이 많기 때문임.)

☑ **토의 참여자의 올바른 태도는?**
- ❶ ______: 토의 주제, 토의자, 토의 절차를 안내하고, 토의에 적극적으로 참여할 수 있도록 이끎.
- 토의자: 토의 주제에 대해 미리 조사하고, 타당한 ❷ ______를 들어 자신의 의견을 전달함.

❶ 사회자 ❷ 근거

필수 예제 3

이 토의에 대한 설명으로 적절하지 않은 것은?

① 토의가 어떤 순서로 진행될지 예측할 수 있다.
② 발표 순서에 상관없이 자유롭게 의견을 말하고 있다.
③ '깨끗한 교실, 어떻게 만들까?'를 주제로 하여 의견을 나누고 있다.
④ 토의자들은 주제에 맞게 간결하고 정확하게 자신의 의견을 말하고 있다.
⑤ 토의자들은 자신의 의견을 뒷받침하는 적절한 근거를 들어 말하고 있다.

정답 해설 | 이 토의에서는 사회자가 처음에 토의 주제와 토의 절차를 안내하고 발표 순서를 정해 주고 있으므로 ②는 적절하지 않다. 답 | ②

확인 문제 3

㉠~㉤ 중, 이 토의에서 나온 의견으로 알맞은 것을 모두 고른 것은?

> ㉠ 실내화를 깨끗이 신어야 한다.
> ㉡ 쓰레기를 아무 데나 버리지 말아야 한다.
> ㉢ 실내화와 실외화를 구별해서 신어야 한다.
> ㉣ 쉬는 시간에 운동장에 나가지 말아야 한다.
> ㉤ 쓰레기를 버릴 때에는 분리배출을 잘 해야 한다.

① ㉠, ㉡　② ㉠, ㉢
③ ㉠, ㉤　④ ㉡, ㉢
⑤ ㉣, ㉤

>> 정답과 해설 33쪽

전략 4 타당성을 판단하며 듣는 방법 파악하기

진행자: 오늘 소개해 드리는 신제품 '장 튼튼 건강 음료'는 장 건강에 효능이 있는 제품입니다. 이 제품은 무엇보다도 인기 있는 교수님이 참여하여 개발했다는 점에서 믿을 수 있는 제품이랍니다. 텔레비전에도 많이 출연하시는 교수님이니까 믿을 수 있겠지요? 그럼 교수님의 설명을 들어 볼까요?

텔레비전에 많이 출연하고 인기 있는 교수가 개발에 참여했다는 점을 근거로 제시함.

동물과 사람을 대상으로 실험한 결과 이 제품의 이로운 성분이 장까지 잘 전달되어 병원균을 억제하는 것으로 밝혀졌습니다. 이 실험 결과는 이 제품이 사람의 장 건강에 탁월한 효과가 있다는 것을 보증합니다.

교수가 제시한 근거

진행자: 정말 뛰어난 제품이네요. 다음으로 이 제품을 이용하고 계시는 영화배우 박미남 씨가 나오셨습니다.

빠듯한 영화 촬영 일정 때문에 항상 피곤했는데요, 이 제품을 3일 동안 마셨더니 피로가 완전히 풀리더라고요. 마셔 보면 약간 쓴맛이 나는데, 왠지 건강이 좋아진 것 같은 느낌이 들었어요.

배우가 제시한 근거 ①, 배우가 제시한 근거 ②

진행자: 여러분, 보셨지요? 이 제품으로 장 건강을 회복해 보시는 것은 어떤가요? 망설이지 말고 지금 바로 전화하세요.

진행자가 제시한 근거의 타당성은?

텔레비전에 많이 출연하고 인기 있는 교수님이 제품 개발에 참여함.
→ 제품의 효능과 관련이 없는 정보임.

⬇

타당하지 않음.

교수가 제시한 근거의 타당성은?

실험 결과, 제품의 이로운 성분이 장까지 잘 전달되어 병원균을 억제하는 것으로 밝혀짐.
→ 제품의 효능을 뒷받침하는 ❶ [　　] 임.

⬇

타당함.

영화배우가 제시한 근거의 타당성은?

3일 동안 마시니 피로가 풀렸으며, 쓴맛이 나서 건강이 좋아진 느낌이 들었음.
→ 피로가 풀리는 데 다른 요소가 영향을 끼쳤을 수도 있음.
→ 쓴맛이 난다고 해서 건강이 좋아지는 것은 아니므로, 주장을 이끌어 내는 과정에 오류가 있음.

⬇

❷ [　　] 하지 않음.

❶ 근거 ❷ 타당

필수 예제 4

이 광고에서 진행자가 내세운 근거로 알맞은 것은?

① 오랜 시간 동안 노력하여 개발하였다.
② 많은 사람들의 경험을 통해 효과가 입증되었다.
③ 인기 있는 교수가 평소에 많이 이용하는 제품이다.
④ 장에 관한 연구를 많이 한 교수가 개발에 참여하였다.
⑤ 텔레비전에 많이 출연하는 인기 있는 교수가 개발에 참여하였다.

정답 해설 | 진행자는 텔레비전에 많이 출연하는 인기 있는 교수가 제품을 개발하는 데 참여했다는 점을 근거로 들어 믿을 수 있는 제품이라고 주장하고 있다.

답 | ⑤

확인 문제 4

이 광고에서 교수의 말이 타당하다고 판단할 때, 그 이유로 가장 적절한 것은?

① 제품 개발에 직접 참여한 사람이기 때문에
② 텔레비전에 많이 출연하는 인기 있는 교수이기 때문에
③ 제품을 개발하는 데 많은 시간과 비용을 들였기 때문에
④ 제품을 직접 이용해 본 경험을 근거로 제시했기 때문에
⑤ 제시한 실험 결과가 제품의 효능을 뒷받침하기 때문에

필수 체크 전략 ❷

[1~2] 다음을 읽고 물음에 답하시오.

오유민: 네 명이서 이런 방법으로 청소하려면 시간이 좀 오래 걸립니다. 그런데 집에 빨리 가고 싶은 마음 때문에 청소를 대충하게 됩니다. 청소를 대충하니까 교실이 깨끗해지지 않습니다. 그래서 짧은 시간에 청소를 제대로 할 수 있도록 청소 당번의 수를 늘려야 한다고 생각합니다. (중략)

박준영: 저는 오유민 학생 의견에 동의합니다. 매일매일 청소를 깨끗하게 하는 것이 중요하니까요. 실내화와 실외화를 구별해서 신고, 방과 후에 교실 청소도 제대로 한다면 교실을 훨씬 더 깨끗하게 할 수 있을 것입니다. 그래서 제 의견과 오유민 학생의 의견을 모두 받아들여서 실천하면 좋겠습니다.

김채원: 실내화와 실외화를 구별해서 신자는 의견에는 저도 동의하지만 청소 인원을 늘리자는 의견에는 동의하기 힘듭니다. 특별 구역 청소 담당이나 급식 도우미, 멀티미디어 관리 담당은 교실 청소에서 제외했기 때문에 청소 인원을 늘리면 청소 순서가 너무 빨리 돌아온다는 문제가 있습니다.

오유민: 제가 그 점은 생각하지 못했네요. 그럼 교실에 운동화를 신고 들어오거나 실내화를 신고 운동장에 나갔다 오는 사람이 그날 청소 당번과 함께 청소를 하면 어떨까요? (중략)

사회자: [㉠]는 절충안이 나왔습니다.

중심 화제
교실을 깨끗하게 하는 방법

담화 참여자
오유민 학생, 박준영 학생, 김채원 학생, 사회자

담화의 유형
교실을 깨끗하게 만드는 최선의 방안을 찾기 위한 토의

1

㉠에 들어갈 절충안을 |조건|에 맞게 서술하시오.

조건
- 김채원 학생의 말과 오유민 학생의 두 번째 말을 바탕으로 하여 쓸 것.
- '~ 하자'의 형식에 맞게 서술할 것.

문제 해결 전략

사회자는 ❶ [ ] 들이 주고받은 의견을 정리하여 전달하고 있으므로 토의자들이 낸 ❷ [ ] 이 무엇인지 살펴본다.

❶ 토의자 ❷ 의견

2

이 토의에서 의견을 낸 토의자를 평가하기 위한 항목으로 적절하지 <u>않은</u> 것은?

① 다른 사람의 의견을 귀 기울여 들었는가?
② 주제에서 벗어나는 발언을 하지 않았는가?
③ 문제 해결을 위해 협력적인 태도를 보였는가?
④ 자신의 의견을 분명하고 조리 있게 말하였는가?
⑤ 어느 한쪽에 치우치지 않고 의견을 정리하였는가?

문제 해결 전략

토의는 문제에 대한 최선의 ❶ [ ] 방안을 찾기 위한 의사소통임에 주목하여 토의자와 ❷ [ ] 가 지녀야 할 태도를 생각해 본다.

❶ 해결 ❷ 사회자

[3~4] 다음을 읽고 물음에 답하시오.

(가) 안녕하세요. 저는 '체력 쑥쑥 동아리' 회장 김소희입니다. 우리 동아리에 가입하면 여러분도 체력을 기를 수 있습니다. 우리 동아리에 가입하면 먼저, 신입 부원의 체력 수준을 파악하여 그것에 맞게 운동 계획을 세워 줍니다. 그리고 그 계획에 따라 꾸준히 운동하도록 도와줍니다. 한국대학교 스포츠 연구소의 연구 결과에 따르면, 다른 사람과 함께 운동하면 혼자 할 때보다 더 꾸준히 할 수 있다고 합니다. 마지막으로 운동한 것을 평가하고, 그것을 바탕으로 하여 앞으로의 운동 계획을 다시 세워 줍니다. 여러분, '체력 쑥쑥 동아리'로 오세요.

(나) 안녕하세요. 저는 '요리 조리 동아리' 회장 최준혁입니다. '요리 조리 동아리'에 가입하면 요리 실력을 키워 요리를 잘할 수 있게 됩니다. 우리 동아리에서는 일주일에 한 번 요리 강사에게 요리를 배웁니다. 꾸준히 배우다 보면 자연스럽게 요리 실력이 향상될 것입니다. 그리고 우리 동아리에서는 요리뿐만 아니라 친목도 중요하게 생각해서 한 달에 한 번 다 함께 영화를 관람합니다. 여러분도 잘 아시는 대한민국 대표 요리사 유민석도 우리 동아리 부원이었기 때문에 최고의 요리사가 되었습니니다. 여러분도 우리 동아리에 오셔서 요리 실력을 키워 보세요!

중심 화제
동아리 가입

담화 참여자
- (가): '체력 쑥쑥 동아리' 회장 김소희
- (나): '요리 조리 동아리' 회장 최준혁

담화의 유형
동아리 가입을 권유하는 연설

3 (가), (나)를 들으며 타당성을 판단할 때 고려해야 할 점으로 가장 적절한 것은?

① 개인적인 경험이 잘 드러나는가?
② 흥미로운 내용으로 주의를 끄는가?
③ 실생활에 유익한 정보를 제공하는가?
④ 주장과 근거 사이에 연관성이 있는가?
⑤ 주제를 드러내는 인상 깊은 표현이 사용되었는가?

문제 해결 전략
타당성을 판단하며 듣는 것은 내용을 ❶ [   ]으로 받아들이는 것으로 말의 주장과 ❷ [   ]가 이치에 맞는지를 따지는 것이다.

❶ 비판적 ❷ 근거

4 (가), (나)를 듣고 타당성을 판단하여 동아리를 선택한 내용으로 가장 적절한 것은?

① 나는 요리사 유민석을 좋아하니까 '요리 조리 동아리'에 들어야겠어.
② 나는 혼자 운동하면 금방 포기하니까 '체력 쑥쑥 동아리'에 들어야겠어.
③ 나는 몸무게를 많이 줄이고 싶으니까 '체력 쑥쑥 동아리'에 들어야겠어.
④ 나는 함께 영화 보는 것을 좋아하니까 '요리 조리 동아리'에 들어야겠어.
⑤ 나는 한국대학교 스포츠연구소의 체력 향상 프로그램으로 운영하는 '체력 쑥쑥 동아리'에 들어야겠어.

문제 해결 전략
(가), (나)의 동아리 회장의 말에서 주장과 ❶ [   ] 사이에 연관성이 있는지, 근거로부터 주장을 이끌어 내는 과정에 ❷ [   ]는 없는지, 근거로부터 주장을 이끌어 내는 과정에 영향을 미치는 다른 요소는 없는지를 살펴 이를 바탕으로 하여 선택한 내용을 찾아본다.

❶ 근거 ❷ 오류

2주 4일 교과서 대표 전략 ❶

대표 예제 1

㉠을 읽고 「보기」와 같이 예측했을 때, 예측에 활용한 요소와 예측한 내용이 바르게 연결된 것은?

몇 년 전 일이다. 어디론가 가기 위해 바삐 걷던 중 저만치 앞에서 휠체어를 탄 한 장애인이 차도로 내려서는 것을 보았다. (중략) 어쩔 수 없는 상황에서 차도로라도 돌아가려는 그에게 차들은 한 치도 양보하지 않았고, 심지어는 요란하게 경적을 울리는 이들도 있었다.

나는 황급히 그에게 다가가 그의 휠체어 손잡이를 잡으며 도와 드리겠다고 했다. 그러나 나의 도움은 아무런 효과가 없었다. ㉠차들은 여전히 매정하게 우리 앞을 가로지르고 있었고 세워 달라고 내가 손을 흔들 때면 더 빠른 속도로 달려오곤 했다.

– 최재천, 〈고래들의 따뜻한 동료애〉에서

보기

우리나라 운전자들이 보행자를 잘 배려하지 않는다는 뉴스를 본 적이 있어. 글쓴이가 만난 장애인도 양보하지 않는 운전자들 때문에 어려움을 겪은 내용이 이어질 거야.

	예측에 활용한 요소	예측한 내용
①	배경지식	글의 구조
②	배경지식	이어질 내용
③	사회적 상황	글의 구조
④	사회적 상황	글쓴이의 의도
⑤	글에 나타난 정보	이어질 내용

유형 해결 전략

글을 예측하며 읽을 때 ❶ ______ 에 활용한 요소와 예측한 내용을 묻는 문제이다. 〈보기〉에서 '~ 뉴스를 본 적이 있어.'와 관련된 요소를 찾고, 이를 통해 예측한 ❷ ______ 이 무엇인지 파악해 본다.

❶ 예측 ❷ 내용

대표 예제 2

예측하며 읽기의 효과로 알맞은 것은?

- 글을 쉽게 요약할 수 있다. ······ ①
- 글을 빠른 속도로 읽을 수 있다. ······ ②
- 글을 능동적으로 읽는 태도를 기를 수 있다. ··· ③
- 글의 내용을 있는 그대로 받아들일 수 있다. ··· ④
- 글의 내용보다는 글의 구조에 집중하여 읽을 수 있다. ······ ⑤

유형 해결 전략

예측하며 읽기의 ❶ ______ 를 묻는 문제이다. 글의 내용과 구조, 글쓴이의 의도 등을 예측하며 글을 읽었을 때의 ❷ ______ 를 떠올려 본다.

❶ 효과 ❷ 차이

대표 예제 3

요약하며 읽기에 대한 설명으로 알맞지 않은 것은?

① 주장하는 글을 읽을 때에는 주장과 근거를 중심으로 요약해야 한다.

② 이야기 글을 읽을 때에는 사건이 일어나는 순서에 따라 요약할 수 있다.

③ 요약하며 글을 읽으면 글의 내용을 체계적으로 기억하는 데 도움이 된다.

④ 글 전체를 요약할 때에는 문단별로 중심 내용을 요약한 것을 바탕으로 한다.

⑤ 글을 요약할 때에는 주제를 뒷받침하는 세부 내용이 잘 드러나도록 재구성하여 요약해야 한다.

유형 해결 전략

요약하며 읽기의 방법과 효과를 묻는 문제이다. 글을 ❶ ______ 하는 것은 글에서 중요한 내용을 간추리는 것으로 글의 ❷ ______ 과 구조 등을 고려해야 한다는 것에 주목하여 답을 찾아본다.

❶ 요약 ❷ 특성

대표 예제 4

다음 글을 보기 의 방법으로 바르게 요약한 것은?

독도는 땅의 면적이 좁을 뿐만 아니라 흙층이 얇고 경사가 심해서 식물이 자라기 쉽지 않습니다. 하지만 이렇게 좋지 않은 환경에도 독도에는 50~60종의 식물이 자라고 있습니다. 천연기념물로 지정된 독도 사철나무는 현재 독도에서 자라는 대표적인 나무이며, 섬기린초나 섬초롱꽃 같은 희귀 식물도 찾아볼 수 있습니다.

보기

덜 중요하거나 세부적인 내용,
반복되는 내용을 지우는 방법

① 독도 사철나무는 현재 독도에서 자라는 대표적인 나무이다.

② 독도에서는 섬기린초나 섬초롱꽃 같은 희귀 식물도 찾아볼 수 있다.

③ 식물이 자라기 좋지 않은 환경에도 독도에는 50~60종의 식물이 자라고 있다.

④ 독도에는 독도 사철나무와 섬기린초, 섬초롱꽃을 포함한 다양한 식물이 자라고 있다.

⑤ 독도는 땅의 면적이 좁을 뿐만 아니라 흙층이 얇고 경사가 심해서 식물이 자라기 쉽지 않다.

유형 해결 전략

〈보기〉에서 설명하는 요약 방법은 ❶ [ ]로, 글에서 덜 중요하거나 세부적인 내용, 반복되는 내용 등을 지우고 남은 내용이 중심 내용이 된다. 따라서 독도의 환경과 독도에서 자라는 ❷ [ ]에 대한 세부적인 내용을 지우고 남는 부분을 확인해 본다.

❶ 삭제 ❷ 식물

대표 예제 5

통일성 있는 글을 쓰는 과정에 대한 설명이 적절하지 않은 것은?

① 계획하기: 글의 목적, 주제, 예상 독자 정하기

② 내용 선정하기: 다양한 매체에서 글의 주제, 목적에 맞는 내용 선정하기

③ 내용 조직하기: 글의 주제에 맞는 자료 찾기

④ 표현하기: 개요를 바탕으로 하여 주제가 명료하게 드러나도록 글(초고) 쓰기

⑤ 고쳐쓰기: 초고의 내용을 점검하고 고쳐 쓰기

유형 해결 전략

글쓰기의 각 과정에서 해야 할 활동을 묻는 문제이다. ❶ [ ] 있는 글을 쓰기 위해 각 단계에서 해야 할 일을 ❷ [ ]대로 생각해 본다.

❶ 통일성 ❷ 순서

대표 예제 6

다음의 주제로 글을 쓰고자 할 때, 활용할 자료로 가장 거리가 먼 것은?

친구들에게 신문 읽기의 필요성을 알려 주는 글을 써야지.

① 신문 읽기의 장점에 대한 내용이 담긴 책

② 신문을 읽는 방법을 알려 주는 내용의 블로그

③ 신문 읽기로 도움을 받은 사람의 라디오 인터뷰

④ 신문의 역사와 생산 과정을 자세히 소개하는 영상

⑤ 신문이 학습 성적 향상에 도움을 준다는 내용이 담긴 인터넷 기사

유형 해결 전략

제시된 주제의 글에는 신문을 ❶ [ ], 어떻게 읽어야 하는지에 대한 내용과 읽었을 때의 ❷ [ ] 등을 포함할 수 있다. 이를 바탕으로 하여 필요한 자료와 필요하지 않은 자료를 구분해 본다.

❶ 왜 ❷ 효과

교과서 대표 전략 ❶

대표 예제 7

다음에서 면담을 진행하는 지원이에 대한 설명으로 적절한 것은?

> **지원**: 아까 경장님은 경찰 공무원 시험을 거쳐 경찰관이 되었다고 하셨는데요, 그 시험에 관해서 설명해 주세요.
> **경찰관**: 내가 본 경찰 공무원 시험은 필기시험, 신체·체력 검사, 적성 검사, 면접시험 등으로 되어 있었어요.
> **지원**: 시험을 통과하기가 쉽지 않겠군요. 공부도 열심히 하고 체력 단련도 꾸준히 해야겠네요.
> **경찰관**: 그래요. 할 수 있다는 생각으로 열심히 준비하면 경찰관이 될 수 있을 거예요.
> **지원**: 그럼 좋은 경찰관이 되려면 어떤 것들을 갖추어야 할까요?
> **경찰관**: 우선 법과 사회 전반에 관해 폭넓은 지식을 갖추어야 해요. 수사를 해야 하는 경우가 많으니까 판단력과 추리력이 뛰어나면 더 좋겠죠. 그러나 정말 중요한 것은 봉사하려는 마음가짐이라고 생각해요.

① 면담 대상자에게 면담에 응해 준 것에 대한 감사 인사를 전하고 있다.
② 면담 대상자의 대답을 주의 깊게 듣고 그와 관련된 질문을 하고 있다.
③ 면담 대상자에 대해 미리 알아본 정보를 바탕으로 하여 질문하고 있다.
④ 면담 대상자의 개인적인 정보를 묻는 질문을 하여 친근감을 형성하고 있다.
⑤ 면담 주제와 관련한 자신의 생각을 먼저 말하여 면담 분위기를 편안하게 만들고 있다.

유형 해결 전략

면담 과정에서 진행자의 면담 방법과 태도를 묻는 문제이다. 지원이가 면담 대상자에게 어떤 ❶ ______ 을 하고 있는지, 어떤 ❷ ______ 로 듣고 있는지 살펴본다.

❶ 질문 ❷ 태도

대표 예제 8

토의의 장점으로 보기 어려운 것은?

① 협력을 통해 문제를 해결할 수 있다.
② 상대방의 의사를 존중하는 태도를 기를 수 있다.
③ 문제를 한 가지 측면에서 깊이 있게 이해할 수 있다.
④ 여러 사람의 의견을 모아 좋은 해결책을 찾을 수 있다.
⑤ 공동의 문제에 대한 대안을 민주적인 방법으로 찾을 수 있다.

유형 해결 전략

토의의 ❶ ______ 을 묻는 문제이다. 토의는 여러 사람이 다양한 측면에서 방안을 모색하고 의견을 모아 최선의 해결 방안을 찾는 ❷ ______ 인 의사소통이라는 점에 주목하여 살펴본다.

❶ 장점 ❷ 협력적

대표 예제 9

우리 주변의 문제를 해결하기 위해 학급 회의에서 모둠별로 토의를 한다고 할 때, 그 주제로 적절하지 않은 것은?

①  사형 제도를 폐지해야 할까?

②  1학년 급식 순서를 어떻게 정해야 할까?

③  점심 청소 시간이 제대로 운영되려면 어떻게 해야 할까?

④  학급 에어컨 사용 문제를 해결할 수 있는 방안은 무엇일까?

⑤ 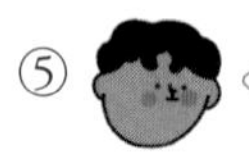 자습 시간을 효율적으로 사용할 수 있는 방법에는 무엇이 있을까?

유형 해결 전략

토의의 뜻과 목적을 바탕으로 하여 학생들이 토의를 하기에 적절한 ❶ ______ 를 묻는 문제이다. 토의 참여자가 학생들이며, 우리 주변의 ❷ ______ 를 해결하기 위해 토의를 한다는 점에 주목하여 이에 맞지 않는 주제를 찾아본다.

❶ 주제 ❷ 문제

대표 예제 10

토의의 절차를 고려하여 (가)~(라)가 ㉠~㉣ 중, 무엇에 해당되는지 순서대로 나열하시오.

가 **사회자:** 안녕하세요. 오늘은 "깨끗한 교실, 어떻게 만들까?"라는 주제로 토의하겠습니다.

나 **김채원(토의자):** 요즘 오후에 교실 바닥을 보면 여기저기 쓰레기가 많습니다. 쓰레기를 쓰레기통에 버리지 않고 교실 바닥에 버리거나 쓰레기통 주변에 대충 던져 버리는 학생이 많기 때문입니다. 그래서 저는 쓰레기를 아무 데나 버리지 말 것을 제안합니다. (중략)

박준영(토의자): 김채원 학생은 쓰레기를 아무 데나 버리지 말자는 의견을 말씀해 주셨는데, 어떻게 하면 좋을지 구체적인 방안을 생각해 보셨나요?

김채원(토의자): 학생들이 쓰레기를 아무 데나 버리는 이유는 쓰레기통까지 가는 것이 귀찮아서라고 생각합니다. 그래서 개인 쓰레기봉투를 책상에 걸어 놓고 거기에 쓰레기를 모아서 가끔 한 번씩 비우는 방법을 생각해 보았습니다.

다 **김우림(청중):** 쓰레기 줍는 시간을 구체적으로 정하지 않으면 제대로 실천이 안 될 것 같습니다. 이 점은 어떻게 생각하시나요?

김채원(토의자): 점심시간 끝나기 5분 전, 5교시 예비 종이 칠 때에는 대부분이 교실에 있으니까 그때 회장이 주도해서 쓰레기를 주우면 될 것입니다.

라 **사회자:** 네, 청중의 질문과 그에 대한 답변까지 들었습니다. (중략) 의견을 내 주신 토의자와 관심을 가지고 참여해 주신 청중 여러분 고맙습니다.

㉠ 토의자끼리 의견 교환하기
㉡ 사회자가 토의 주제 안내하기
㉢ 청중의 질문에 토의자가 답변하기
㉣ 사회자가 토의 내용을 정리하고 마무리하기

유형 해결 전략

토의의 ❶ [ ]를 묻는 문제이다. 사회자와 ❷ [ ], 청중의 말과 ㉠~㉣을 비교하며 토의가 진행되는 순서를 파악해 본다.

❶ 절차(순서) ❷ 토의자

대표 예제 11

㉠~㉤ 중, 이 광고의 주장으로 알맞은 것은?

㉠집중이 잘 안된다고요? 쉽게 공부하고 싶다고요? ㉡'똑똑 학습기'를 사용하면 누구나 성적을 올릴 수 있습니다.
'똑똑 학습기'를 사용한 ㉢열 명 중 일곱 명의 성적이 올랐습니다! ㉣공부의 왕 나으뜸 군도 효과를 본 제품!
㉤올해의 디자인상을 받은 제품! 이제 '똑똑 학습기'가 여러분의 성적을 책임지겠습니다.
이번 기회를 놓치지 마세요!

① ㉠ ② ㉡ ③ ㉢ ④ ㉣ ⑤ ㉤

유형 해결 전략

광고의 ❶ [ ]을 파악하는 문제이다. '❷ [ ]'와 관련하여 광고에서 듣는 사람을 설득하고자 하는 내용이 무엇인지 살펴본다.

❶ 주장 ❷ 똑똑 학습기

대표 예제 12

다음 친구에게 해 줄 수 있는 조언으로 가장 적절한 것은?

○○ 연고를 바르면 여드름이 전부 사라진대. 사용자 중 절반이나 효과를 봤대! 나도 사서 써 봐야지.

① 주장이 명확하지 않은데 뭘 믿고 사겠다는 거야?
② 사용자의 절반은 효과를 못 본 것이니 잘 생각해.
③ 전문가의 추천이 있으니 믿을 만하네. 한번 써 봐.
④ 주장을 뒷받침하는 근거가 전혀 없으니 더 알아봐.
⑤ 여드름이 전부 사라지는 연고라니 참 좋은 제품이네.

유형 해결 전략

내용의 타당성을 판단해 보는 문제이다. 친구가 '○○ 연고'에 대한 광고를 타당성을 판단하여 ❶ [ ]으로 받아들이고 있는지 살펴보고 적절한 ❷ [ ]이 무엇일지 생각해 본다.

❶ 비판적 ❷ 조언

2주 4일 교과서 대표 전략 ❷

[1~3] 다음 글을 읽고 물음에 답하시오.

가 관광 산업은 공장을 짓지 않고도 외화를 벌어들일 수 있으므로 다른 산업보다 환경 오염의 피해가 작고, 자연 자원을 그대로 이용할 수 있으므로 경제력과 상관없이 어느 나라나 투자할 만한 산업이다. (중략) 하지만 현실은 다르다.

나 여행자가 늘어나면 여행지는 무분별하게 개발된다. 경관이 아름다운 곳에는 어김없이 호텔, 상점가, 골프장 등이 빼곡 들어선다. 이 때문에 아름다운 자연이 파괴되고, 현지인들이 삶의 터전을 빼앗기고 밀려나기도 한다.

다 기후 변화 문제가 심각해지면서 여행자를 태우는 비행기도 문제가 되고 있다. (중략) 승객 한 명이 움직일 때 1킬로미터당 배출하는 이산화 탄소량이 철도는 21.7그램, 지하철은 38.1그램인데, 도로는 130.8그램, 항공은 150그램으로 다른 교통수단보다 월등히 높다.

라 그래서 환경을 지키면서 여행을 즐기고 싶은 사람들이 모여서 여행지를 터전으로 살아가는 사람들과 그곳의 환경을 생각하는 여행 방법을 찾기 시작했다. 그들은 여행자들이 일으킬 수 있는 환경 파괴를 최소한으로 줄이고, 여행지에서 쓴 돈이 현지인들에게 돌아가도록 하는 '공정 여행'을 제안했다.

마 공정 여행은 엄청난 양의 이산화 탄소를 배출하는 비행기 이용을 자제한다. 그 대신 버스를 타거나 걸으며 여행지의 아름다운 풍경을 최대한 느낀다.

– 장미정, 〈모두가 즐거운 착한 여행〉

1 (가)~(마)의 중심 내용으로 적절하지 않은 것은?

① (가): 관광 산업은 어느 나라나 투자할 만한 산업이다.
② (나): 여행지가 무분별하게 개발되어 자연이 파괴되고 현지인들이 삶의 터전을 잃기도 한다.
③ (다): 여행자를 태우는 비행기가 환경에 심각한 영향을 미친다.
④ (라): 여행지에 사는 현지인과 그곳의 환경을 생각하는 공정 여행이 대안으로 제시되었다.
⑤ (마): 공정 여행은 비행기를 최소한만 이용하고 대신 버스를 타거나 걷는다.

2 (라)를 읽으며 예측할 내용으로 가장 적절한 것은?

① 공정 여행을 제안한 사람을 소개하겠군.
② 공정 여행의 경제적 효과를 설명하겠군.
③ 공정 여행의 방법과 의의 등이 이어지겠군.
④ 무분별한 여행지 개발의 문제점을 밝히겠군.
⑤ 공정 여행을 했을 때의 피해 사례가 등장하겠군.

3 다음 읽기 목적에 따라 이 글을 「보기」와 같이 요약한다고 할 때, 빈칸에 알맞은 말을 순서대로 쓰시오.

관광 산업의 발달이 우리의 삶에 미칠 수 있는 영향을 조사하여 발표하려고 해. 관광 산업이 성장하면서 생길 수 있는 문제점을 알아봐야겠어.

보기

여행자가 늘어나면 여행지가 무분별하게 개발되어 자연이 파괴되고, 그곳에서 살아가는 (　　　)들이 삶의 터전을 잃게 된다. 또한 여행자를 태우는 (　　　)이/가 환경에 심각한 영향을 미친다.

4 면담에 대한 설명으로 적절하지 않은 것은?

① 면담 질문을 마련할 때에는 면담 목적과 면담 대상을 고려해야 한다.
② 면담 내용을 녹음하려면 면담 대상자에게 미리 동의를 구해야 한다.
③ 면담을 시작하기 전에 면담 대상자에게 면담의 목적을 안내하는 것이 좋다.
④ 면담을 할 때에는 면담 대상자가 편안하게 말할 수 있는 분위기를 만들어야 한다.
⑤ 면담 대상자가 질문에 대해 답변할 때에는 경청하기 위해 내용을 기록하지 않도록 한다.

도움말
면담 ❶ ___ 을 마련하는 과정과 면담을 ❷ ___ 하는 과정에서 주의할 점으로 적절하지 않은 것을 골라 보자.
❶ 질문 ❷ 진행

[5~6] 다음을 읽고 물음에 답하시오.

저는 오늘 여러분께 우리나라의 나이 계산법을 통일해야 한다는 이야기를 하고 싶습니다.

일반적으로 우리나라에서는 태어나면 바로 한 살이 되고 해가 바뀌면 다시 한 살을 더하는 관습적인 나이 계산법을 사용합니다. 하지만 법률과 공문서 등에서는 생일을 맞을 때마다 한 살씩 더하는 만 나이 계산법을 따르고 있습니다. 그러다 보니 공식적인 일을 처리할 때 만 나이를 따로 계산해야 하는 불편함이 있습니다.

만 나이 계산법은 관습적인 나이 계산법보다 합리적인 방법입니다. 관습적으로 세는 나이에 따르면 12월 31일에 태어난 아기는 하루만 지나도 두 살이 되어 버립니다. 반면 1월 1일에 태어난 아기는 일 년을 꼬박 채운 후에 두 살이 되는 것이지요. 만 나이로 계산하면 누구나 자신이 태어난 시점을 기준으로 나이를 계산하므로 좀 더 정확하게 나이를 셀 수 있습니다.

현재 대부분의 나라에서 만 나이 계산법을 사용하고 있습니다. 우리나라와 지리적으로 가까운 일본, 중국뿐만 아니라 대부분의 나라에서 만 나이를 사용하고 있습니다. 이처럼 국제적으로 통용되고 있는 만 나이 계산법으로 나이를 계산하면 나이 계산과 관련하여 나라 간의 오해를 줄일 수 있을 것으로 생각합니다.

통용: 일반적으로 두루 씀.

5 이 발표의 주장으로 알맞은 것은?

① 우리나라만의 나이 계산법이 필요하다.
② 나이를 세는 나이 계산법을 새로 만들어야 한다.
③ 우리나라의 나이 계산법을 만 나이 계산법으로 통일해야 한다.
④ 법률과 공문서를 작성할 때 관습적인 나이 계산법을 따라야 한다.
⑤ 우리나라의 나이 계산법을 관습적인 나이 계산법으로 통일해야 한다.

도움말
발표자는 우리나라에서 관습적인 ❶ ___ 계산법과 만 나이 계산법이 둘 다 사용되고 있는 상황을 지적하고 있다. 이 문제에 대해 발표자가 무엇을 ❷ ___ 하고 있는지 살펴보자.
❶ 나이 ❷ 주장

6 이 발표에서 주장을 뒷받침하는 근거를 모두 고르시오.

㉠ 만 나이 계산법을 사용하면 나이를 더 늦게 먹을 수 있음.
㉡ 만 나이 계산법을 사용하면 나라 간의 오해를 줄일 수 있음.
㉢ 만 나이 계산법은 관습적인 나이 계산법보다 합리적인 방법임.
㉣ 관습적인 나이 계산법을 사용하면 나이를 계산하는 데 더 오래 걸림.
㉤ 관습적인 나이 계산법과 공식적인 일을 처리할 때 사용하는 나이 계산법이 달라 불편함이 있음.

2주 누구나 합격 전략

[1~2] 다음 글을 읽고 물음에 답하시오.

(가) 여름이 되면 냉장고에 있는 얼음에 자꾸 손이 가기 마련이다. 지금은 집집마다 냉장고가 있어서 손쉽게 얼음을 구할 수 있다. 그런데 옛사람들도 더운 여름에 얼음을 사용했다고 한다. 냉장고가 없었는데, 어떻게 얼음을 구했을까? 냉장고가 없었던 옛날, 우리 조상들은 겨울에 채취한 얼음을 석빙고(石氷庫)에 저장했다가 여름에 사용했다. 겨울철에 석빙고에 저장한 얼음을 어떻게 한여름까지 보관할 수 있었는지, 그 비밀을 알아보자.

(나) 석빙고의 얼음 저장 과정은 냉각과 저온 유지의 두 단계로 나뉜다. 얼음을 넣기 전에 내부를 냉각하는 것이 첫 번째 단계이고, 얼음을 넣은 뒤 7~8개월 동안 내부 온도를 낮게 유지하는 것이 두 번째 단계이다. 두 단계 중 어느 하나라도 잘못되면 더운 여름철에 차가운 얼음을 맛볼 수 없다.

냉각: 식어서 차게 됨. 또는 식혀서 차게 함.

(다) 첫 번째 단계는 겨울에 석빙고의 내부를 냉각하는 것이다. (중략) 전문가들이 측정한 바에 따르면 경주 석빙고의 겨울철 내부 온도는 평균 영상 3.9도라고 한다. 일반적으로 건물의 지하실 내부 평균 온도가 영상 15도 안팎이라는 것을 생각하면 석빙고 내부가 얼마나 차가운지 쉽게 알 수 있다.

겨울이라고 해도 건물 내부를 냉각하는 것이 쉽지는 않다. 그런데 우리 조상들은 어떻게 석빙고 내부를 잘 냉각할 수 있었을까? 그 비밀은 석빙고 출입문 옆에 세로로 튀어나온 '날개벽'에 숨어 있다. 겨울에 부는 찬 바람은 날개벽에 부딪히면서 소용돌이로 변한다. 이 소용돌이는 추진력이 있어서 빠르고 힘차게 석빙고 내부 깊은 곳까지 밀고 들어간다. 석빙고 내부는 그렇게 해서 냉각된다.

(라) 석빙고가 한여름에도 저온 상태를 유지할 수 있었던 비밀은 또 있다. 우리 조상들은 얼음 보관에 치명적인 물을 재빨리 밖으로 빼내려고 바닥에 배수로를 만들었다. 또한 빗물이 석빙고 안으로 새어 들어가는 것을 막으려고 석빙고 외부에 석회와 진흙으로 방수층을 만들었다. 얼음과 벽, 얼음과 천장, 얼음과 얼음 사이에는 밀짚, 왕겨, 톱밥 등의 단열재를 채워 넣어 외부 열기를 차단했다. 또 석빙고 외부에 잔디를 심었는데, 이는 햇빛을 흐트러뜨려 열전달을 방해하는 효과가 있었다.

– 이광표, 〈조상의 슬기가 낳은 석빙고의 비밀〉

1 이 글의 내용과 일치하는 것은?

① 옛사람들은 여름에 얼음을 구할 수 없었다.
② 물은 얼음을 보관하는 데 큰 도움이 되었다.
③ 한여름에도 석빙고에 얼음을 얼릴 수 있었다.
④ 석빙고의 외부에는 더운 바람을 소용돌이로 변하게 하는 날개벽이 있었다.
⑤ 석빙고의 겨울철 내부 온도는 일반적인 건물의 지하실 내부 온도보다 낮다.

2 (가)의 중심 내용을 다음과 같이 한 문장으로 요약한다고 할 때, 사용한 요약 방법을 보기에서 고르시오.

> 겨울철에 석빙고에 저장한 얼음을 어떻게 한여름까지 보관할 수 있었는지, 그 비밀을 알아보자.

보기

선택　　삭제　　일반화　　재구성

[3~5] 다음 글을 읽고 물음에 답하시오.

아시아의 세계 문화유산을 찾아 떠나는 여행

(가) 세계 문화유산은 '인류 전체를 위해 보호해야 할 보편적 가치가 있다고 인정한' 세계 유산의 한 형태이다. 유네스코는 1972년 세계 문화 및 자연 유산 보호 협약을 채택하고 이에 따라 세계 유산을 지정하고 보호해 왔다. 우리나라는 동양 건축 기술의 백미로 평가받는 화성 등 여러 세계 문화유산을 보유하고 있다.

백미: 흰 눈썹이라는 뜻으로, 여럿 가운데에서 가장 뛰어난 사람이나 훌륭한 물건을 비유적으로 이르는 말.

(나) 먼저 1995년에 세계 문화유산으로 지정된 우리나라의 대표적인 문화재 종묘로 가 보자. 종묘는 조선 시대에 왕과 왕비의 위패를 모시고 제사를 지내던 공간이다. 조상을 추모하는 장소이므로 화려한 단청 같은 장식은 없지만 모든 건축물이 단순하고 절제된 아름다움을 드러내고 있어서 방문한 사람들도 경건함을 느낄 수 있는 곳이다.

(다) 다음으로 인도의 타지마할로 떠나 보자. 타지마할은 '찬란한 무덤'이라는 뜻으로, 인도 아그라의 남쪽 자무나 강가에 자리 잡은 아름다운 궁전 형식의 묘지이다. 무굴 제국의 황제 샤자한이 죽은 왕비를 위해 22년에 걸쳐 만든 건축물로, 그가 결혼 전 왕비를 만나곤 했던 숲에 지은 것이라는 전설이 전해지고 있다.

(라) 필리핀 코르딜레라스의 계단식 논도 가 볼 만한 곳이다. 그곳에서 대대로 살아온 이푸가오족이 해발 1,000~1,500미터 높이에 만든 이 계단식 논은 그 웅장함과 아름다움 때문에 '천국으로 가는 계단'이라고 불린다. 세계 8대 불가사의라고도 하는 코르딜레라스 계단식 논의 논둑 길이를 합하면 20,000킬로미터나 된다고 한다.

(마) 세계 불가사의에는 어떤 것들이 있는지 궁금할 것이다. 인간이 만든 기적에 가까운 건축물 일곱 가지를 세계 7대 불가사의라고 하는데, 대표적으로 이집트의 피라미드, 바빌론의 공중 정원, 올림피아의 제우스상 등이 있다.

(바) 지금까지 소개한 세계 문화유산 외에도 각국의 다양한 세계 문화유산을 유네스코 누리집에서 확인할 수 있다. 이러한 세계 문화유산 중에는 기후 변화 등 여러 가지 이유로 사라질 위기에 놓인 것도 많다고 한다. 이 글을 읽은 친구들도 인류의 소중한 자산인 세계 문화유산에 관심을 기울이고, 세계 문화유산을 보존해야 하는 필요성을 느꼈으면 좋겠다.

3 이와 같은 글을 쓸 때 통일성을 고려해야 하는 이유로 가장 적절한 것은?

① 독자의 흥미를 유발하기 위해서
② 글을 쓰는 속도를 높이기 위해서
③ 글의 주제를 명확하게 드러내기 위해서
④ 글에 꼭 필요한 자료를 선정하기 위해서
⑤ 독자가 다양한 시각을 갖도록 하기 위해서

4 보기를 참고할 때, 글쓴이가 추가할 수 있는 내용으로 가장 적절한 것은?

> 보기
> • 글의 목적: 세계 문화유산을 알리는 것
> • 글의 주제: 아시아의 세계 문화유산 소개와 세계 문화유산의 가치
> • 예상 독자: 반 친구들

① 북유럽 문화의 특징
② 고려 시대의 건축 문화
③ 베트남의 세계 문화유산
④ 유네스코의 유래와 역사
⑤ 외국 여행을 할 때 유의할 점

5 (가)~(바) 중, 통일성을 고려하여 삭제해야 할 문단을 쓰시오.

[6~8] 다음을 읽고 물음에 답하시오.

가 민서(사회자): 우리 학교 학생회는 지난 대의원 회의에서 빈곤 국가 학교 짓기 후원 활동에 참여하기로 했습니다. 이에 따라 학급별로 구체적인 방안을 마련하기 위해 오늘은 '빈곤 국가 학교 짓기 후원, 어떻게 할까?'라는 논제로 토의하겠습니다. 이 논제에 관심이 있는 네 명의 친구가 패널을(토의에 참여하여 의견을 말하는 사람.) 맡았는데요, 패널들이 논의한 뒤에 청중과 질의응답을 하겠습니다.

지호(패널): 후원 방법에는 여러 가지가 있겠지만, 저는 무엇보다 후원금을 걷는 것이 좋은 방법이라고 생각합니다. 제가 조사해 보니 우리가 보내는 후원금이 빈곤 국가 아이들이 사용할 교실과 운동장을 만들 때 필요한 벽돌, 흙, 물 등을 마련하는 데 쓰인다고 합니다. 그래서 저는 일정한 금액을 정해서 후원금을 걷고 우리 반의 이름으로 전달하는 방법을 제안합니다.

나 예준(패널): 후원금을 걷으면 학생 대부분은 부모님께 돈을 받아서 내야 합니다. (중략) 또한 정해진 금액을 내는 것에 부담을 느끼는 친구들도 있을 것입니다. 그래서 저는 거리 모금을 제안합니다. 순서를 정해 돌아가면서 거리 모금을 한다면 부담도 크지 않고 학교 짓기 후원 활동을 홍보하는 효과도 있을 것입니다.

지호(패널): 거리 모금을 하자고요? (인상을 찌푸리며) 정말 황당한 의견이네요. 거리 모금을 하려면 방과 후 시간이나 주말을 이용해야 하는데 누가 하려고 하겠습니까? 각자의 사정으로 하나둘 빠지기 시작하면 모금은커녕 후원 자체가 흐지부지될 수도 있습니다.

다 민서(사회자): 이 토의의 목적은 다양한 의견을 교환하여 좋은 해결 방안을 찾는 것입니다. 상대방의 감정을 상하게 하는 발언은 삼가기 바랍니다. 지금까지의 내용을 정리해 보면, 후원금을 마련하는 것에는 이의가 없으나 모금 방법에는 의견 차이가 있네요. 우리 모두가 쉽게 참여해서 후원금을 마련할 수 있는 방법을 중심으로 의견을 조정해 보면 좋겠습니다.

다빈(패널): (부드러운 목소리로) 거리 모금도 의미 있는 일이지만 중학생인 우리가 하기에는 현실적으로 무리가 있다고 생각합니다. 제가 이 후원 활동에 참여한 학교들을 조사해 보니 자선 장터나 벼룩 시장을 열어 성공적으로 후원금을 마련한 사례가 있었습니다. 우리 반도 중고 물품을 모아 자선 장터를 열면 어떨까요?

이다빈

6 이 토의의 목적으로 가장 적절한 것은?

① 빈곤 국가 아이들을 돕는 방법을 찾는 것
② 거리 모금으로 후원금을 마련하는 방법을 찾는 것
③ 빈곤 국가 학교 짓기 후원 활동에 참여할지 말지를 결정하는 것
④ 빈곤 국가 학교 짓기 후원 활동에 참여할 구체적인 방법을 찾는 것
⑤ 빈곤 국가 아이들이 사용할 교실과 운동장을 안전하게 만드는 방법을 찾는 것

7 이 토의에서 사회자의 역할로 적절하지 않은 것은?

① 토의 주제를 소개한다.
② 토의 절차를 안내한다.
③ 원만한 분위기로 토의를 이끈다.
④ 토의자들의 의견을 정리하고 조정한다.
⑤ 토의자들의 의견을 모아 절충안을 제시한다.

8 토의 참여자 중, 다음과 같은 태도를 보이는 사람의 이름을 쓰시오.

> 다른 토의자가 제시한 의견에 감정적으로 대응하여 기분을 상하게 함.

[9~11] 다음을 읽고 물음에 답하시오.

윤지: 이제 곧 시험이네. 현철아, 시험공부 많이 했어?

현철: 아니, 자꾸 딴생각만 들어서 공부가 잘 안돼. 윤지야, 쉽게 공부할 수 있는 방법이 없을까?

[A]
집중이 잘 안된다고요? 쉽게 공부하고 싶다고요?
'똑똑 학습기'를 사용하면 누구나 성적을 올릴 수 있습니다.
'똑똑 학습기'를 사용한 열 명 중 일곱 명의 성적이 올랐습니다! 공부의 왕 나으뜸 군도 효과를 본 제품!
올해의 디자인상을 받은 제품! 이제 '똑똑 학습기'가 여러분의 성적을 책임지겠습니다.
이번 기회를 놓치지 마세요!

현철: 우아! 이거 좋은데? 당장 사야겠다.

윤지: 뭐야! 말도 안 되는 내용이잖아. 이걸 왜 사?

현철: 너 방금 못 들었어? 이 학습기를 쓰면 누구나 성적을 올릴 수 있다잖아!

윤지: 누구나 성적을 올릴 수 있다고 하고는 열 명 중 일곱 명만 올랐다고 했잖아. 앞뒤가 맞는다고 생각해?

현철: 공부의 왕 나으뜸도 '똑똑 학습기'의 효과를 봤다는데?

윤지: 그 사람이 공부를 잘하게 된 것이 그 학습기 때문만인지는 알 수 없잖아.

현철: 그래도 올해의 디자인상을 받았으니까 믿을 만한 제품 아니야?

윤지: 아이고, ㉠<u>그건 성적이 오르는 거랑 아무 상관도 없는 거잖아!</u> 광고 내용을 꼼꼼히 따져 보면서 들어야지!

현철: 아, 그렇구나. 광고 내용을 따지며 들어야 하는데, 내가 아무 생각 없이 들었나 봐. 나는 귀가 얇아서 큰일이야.

9 [A]를 듣고 현명한 소비를 하고자 할 때, 고려할 점으로 가장 거리가 <u>먼</u> 것은?

① 주장을 뒷받침할 근거가 있는가?
② 근거와 주장 사이에 연관성이 있는가?
③ 근거로부터 주장을 이끌어 내는 과정에 오류는 없는가?
④ 주장하는 내용이 듣는 사람의 수준을 고려하여 쉬운 표현으로 되어 있는가?
⑤ 근거로부터 주장을 이끌어 내는 과정에 영향을 미치는 다른 정보는 없는가?

10 [A]에서 주장을 뒷받침하기 위해 제시한 근거를 모두 고른 것은?

ⓐ 올해의 디자인상을 받은 제품이다.
ⓑ 제품을 살 수 있는 마지막 기회이다.
ⓒ 공부의 왕 나으뜸 군이 효과를 본 제품이다.
ⓓ 시중에서 파는 학습기 중에서 가장 저렴한 제품이다.
ⓔ '똑똑 학습기'를 사용한 열 명 중 일곱 명의 성적이 올랐다.

① ⓐ, ⓑ, ⓒ　② ⓐ, ⓒ, ⓔ
③ ⓑ, ⓒ, ⓓ　④ ⓑ, ⓓ, ⓔ
⑤ ⓒ, ⓓ, ⓔ

11 윤지가 ㉠과 같이 말한 까닭으로 가장 적절한 것은?

① 주장을 뒷받침하는 근거가 없기 때문에
② 주장과 근거 사이에 연관성이 없기 때문에
③ 주장을 이끌어 내는 과정이 오래 걸리기 때문에
④ 근거를 증명하는 객관적 수치가 제시되지 않았기 때문에
⑤ 근거에서 주장을 이끌어 내는 과정에 영향을 미치는 다른 정보가 많기 때문에

2주 창의·융합·코딩 전략 ①

[1~2] 다음 글을 읽고 물음에 답하시오.

가 다문화 사회가 된 우리나라

길거리에서 또는 지하철 안에서 우리는 자주 외국인을 보게 된다. 10여 년 전만 해도 우리나라 안에서 외국인을 만나는 경우는 드물었는데, 이제 상황이 달라진 것이다.

나 국내 거주 외국인의 현황

국내에 거주하고 있는 외국인은 어떤 사람들일까? 우리나라에 거주하고 있는 외국인은 취업을 목적으로 입국한 외국인 근로자, 유학생, 결혼 이민자 등 매우 다양하다. 이 가운데 외국인 근로자의 수가 가장 많다.

다 이주민들이 겪는 어려움

위에서 살펴보았듯이 현재 우리나라에 거주하는 외국인 중에는 외국인 근로자와 결혼 이민자, 그들이 이룬 가정에서 태어난 자녀가 많다. 그런데 그들 중 대부분은 문화가 다른 낯선 곳에 와서 살아가는 데 많은 어려움을 겪고 있다. 그들이 한국 생활에서 겪는 어려움 가운데 대표적인 것은 언어 문제 때문에 생기는 것이다.

라 앞으로의 다문화 정책 방향

우리 사회에서, 외국인 이주민의 문제는 국가 정책의 차원에서 다루어야만 하는 중대한 일이 되었다. 그렇다면 바람직한 이주민 정책은 어떠해야 할까?

첫째, 한국인들의 의식 변화를 위한 정책이 필요하다. 이주민들이 느끼는 차별이나 소외감을 없애려면 가장 먼저 한국인들이 생각을 바꾸어야 한다. (중략)

둘째, 여성 결혼 이민자들을 위한 다양한 정책을 마련해야 한다. 현재 시행하고 있는 한국어와 한국 문화 교육 프로그램을 확대하는 것, 스스로 자긍심을 가지고 생활해 갈 수 있도록 의미 있는 일자리를 찾아 주는 것 등이 필요하다.

자긍심: 스스로를 떳떳하고 자랑스럽게 여기는 마음.

\- 강현화, 〈더불어 사는 세상, 함께하는 문화〉

1 이 글을 읽으며 「보기」와 같이 예측하였다고 할 때, 예측한 방법으로 가장 적절한 것은?

보기

다문화 가정의 아이들, 외국인 근로자들이 한국인들의 차별 때문에 힘들어한다는 기사를 본 적이 있다. 글쓴이도 외국인 이주민들이 한국인들의 차별 때문에 어려움을 겪고 있다고 이야기할 것 같다.

① 글의 소제목을 보고 글쓴이의 의도를 예측함.
② 글에 제시된 그림을 보고 글의 구조를 예측함.
③ 글의 첫 문장을 보고 글의 전체적인 내용을 예측함.
④ 독자의 배경지식을 활용하여 이어질 내용을 예측함.
⑤ 글의 제목을 보고 글이 독자에게 미칠 영향을 예측함.

2 이 글을 읽은 뒤 이 글이 독자에게 미칠 영향을 예측한 내용으로 가장 적절한 것은?

① ㉠ ② ㉡ ③ ㉢ ④ ㉣ ⑤ ㉤

» 정답과 해설 36쪽

3 |보기|를 참고하여 독도의 가치를 중심으로 다음 글을 요약한다고 할 때, 사용한 방법과 요약한 내용으로 가장 적절한 것은?

독도는 지질학적으로도 매우 중요한 곳입니다. 독도는 해저에서 분출된 용암이 굳어서 만들어진 화산섬으로, 바위들이 바닷물과 바람에 깎이고 부서져서 형성된 독특한 지형을 많이 찾아볼 수 있습니다. 해안가에 생긴 깎아지른 듯이 가파른 낭떠러지인 해식애나 바다 밑의 평탄한 지형인 파식 대지 등은 세계적인 지질 유적이라고 할 수 있습니다.

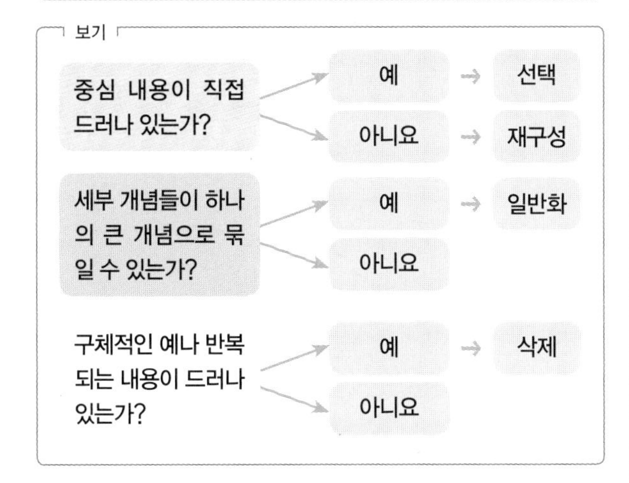

① 선택 – 독도는 지질학적으로도 매우 중요한 곳이다.
② 선택 – 독도는 해저에서 분출된 용암이 굳어서 만들어진 화산섬이다.
③ 일반화 – 독도에는 세계적인 지질 유적이 많다.
④ 삭제 – 독도에서는 독특한 지형을 많이 찾아볼 수 있다.
⑤ 재구성 – 독도에는 독특한 지형과 세계적인 지질 유적이 많다.

도움말
독도의 ❶ ______를 중심으로 하여, 〈보기〉에 제시된 질문과 답을 보고 적절한 ❷ ______ 방법을 찾아보자.
❶ 가치 ❷ 요약

[4~5] 다음을 읽고 물음에 답하시오.

주제	내가 만들고 싶은 로봇
처음	로봇에 관심을 가지게 된 계기
중간	내가 만들고 싶은 여러 가지 로봇들 • ㉠소방 로봇 • ㉡반려동물 로봇 • ㉢노인 도우미 로봇 • ㉣로봇의 위험성
끝	㉤사람들을 행복하게 해 주는 로봇을 만들고 싶음.

4 이와 같은 활동을 하는 글쓰기 단계로 알맞은 것은?

① 계획하기 ② 내용 생성하기
③ 내용 조직하기 ④ 표현하기
⑤ 고쳐쓰기

도움말
제시된 활동은 글의 전체적인 ❶ ______을 짠 것임에 주목하여 글쓰기의 어느 단계에서 이와 같은 ❷ ______를 작성하는지 생각해 보자.
❶ 흐름 ❷ 개요

5 |보기|를 바탕으로 하여 ㉠~㉤을 점검한 내용으로 알맞은 것은?

보기
글의 주제와 관련이 있는가?

	㉠	㉡	㉢	㉣	㉤
①	○	○	×	×	○
②	○	○	○	×	○
③	○	×	×	○	○
④	×	○	○	○	○
⑤	○	○	○	×	×

도움말
작성한 개요에서 흐름에 맞지 않는 내용은 순서를 바꾸고, 글의 주제와 관련이 없는 내용은 ❶ ______해야 한다. ㉠~㉤ 중, 글의 ❷ ______와 관련이 없어 삭제해야 하는 것이 무엇인지 살펴보자.
❶ 삭제 ❷ 주제

[6~7] 다음을 읽고 물음에 답하시오.

(가) 서준: 선생님, 이번 진로 발표회에서 '꿈을 찾아서'라는 주제로 발표하려는데 어떻게 하면 좋을까요?

선생님: 어떤 내용으로 발표할지 구체적으로 생각해 보았니?

서준: 자신의 꿈을 이루기 위해 열심히 노력하고 있는 친구를 찾아서 소개하고 싶어요.

선생님: 그럼 우선 발표 주제에 어울리는 대상을 찾아야겠네. 그리고 그 친구와 면담을 해 보는 것이 좋겠다. 면담을 통해 발표에 필요한 정보를 얻을 수 있을 거야.

(나)

1. 우리 학교 태권도부의 자랑거리는 무엇인가요?
2. 서다현 선수의 꿈은 무엇인가요?
3. 꿈을 갖게 된 계기는 무엇인가요?
4. 태권도를 하며 힘든 점은 없었나요?
   ↳ 힘든 상황을 어떻게 극복했나요?
5. 태권도를 하며 가장 보람을 느낀 순간은 언제인가요?
6. 외국인들 앞에서 태권도 시범 공연을 했을 때 기분이 어땠나요?
7. 이번에 전국 대회에서 개인전 준우승을 차지했을 때 기분이 어땠나요?
8. 꿈을 위해 어떤 노력을 하고 있나요?
   ↳ 미래의 계획을 세우는 과정에서 도움을 준 사람이 있나요?
9. 꿈을 이루기 위해 노력하는 친구들에게 하고 싶은 말이 있나요?

6 (가)와 보기 를 바탕으로 할 때, 서준이가 작성한 질문지인 (나)에서 삭제해야 할 질문을 찾아 쓰시오.

보기

면담 대상: 학교 태권도부 선수 서다현

도움말

면담 질문을 마련할 때에는 면담 ❶ [ ]에 대한 정보를 미리 수집하여 질문을 만들고, 면담 ❷ [ ]에 맞지 않는 질문은 삭제해야 한다. 서준이의 면담 목적을 고려했을 때, 목적에 맞지 않는 질문이 무엇인지 살펴보자.

❶ 대상 ❷ 목적

7 (나)에서 서준이가 추가할 수 있는 질문으로 가장 적절한 것은?

① 태권도 경기 규칙에는 어떤 것들이 있나요?
② 태권도부에 들어가려면 무엇을 준비해야 하나요?
③ 태권도를 하면 건강에는 어떤 영향을 미치게 될까요?
④ 태권도를 배운 뒤 나쁜 사람을 혼내 준 적도 있었나요?
⑤ 꿈과 관련하여 평소 본받고 싶다고 생각한 사람이 있나요?

도움말

면담 질문은 면담 ❶ [ ]에 맞아야 하므로, 서준이의 면담 목적과 서준이가 작성한 ❷ [ ]를 바탕으로 하여 추가하기에 적절한 질문을 찾아보자.

❶ 목적 ❷ 질문지

>> 정답과 해설 36쪽

8 다음 토의의 내용을 보기 와 같이 정리한다고 할 때, ㉠과 ㉡에 들어갈 알맞은 말을 각각 쓰시오.

가 민서(사회자): 학급별로 구체적인 방안을 마련하기 위해 오늘은 '빈곤 국가 학교 짓기 후원, 어떻게 할까?'라는 논제로 토의하겠습니다.

나 지호(패널): 후원 방법에는 여러 가지가 있겠지만, 저는 무엇보다 후원금을 걷는 것이 좋은 방법이라고 생각합니다.

다 예준(패널): 후원금을 걷으면 학생 대부분은 부모님께 돈을 받아서 내야 합니다. 그렇게 되면 우리 힘으로 후원에 참여하려는 활동의 취지에 어긋나고 형식적인 활동으로 그칠 수도 있습니다. (중략) 그래서 저는 거리 모금을 제안합니다.

라 다빈(패널): (부드러운 목소리로) 거리 모금도 의미 있는 일이지만 중학생인 우리가 하기에는 현실적으로 무리가 있다고 생각합니다. (중략) 우리 반도 중고 물품을 모아 자선 장터를 열면 어떨까요?

마 예준(패널): 이다빈 학생이 좋은 의견을 제안해 주었다고 생각합니다. 그런데 판매할 물품을 충분히 모으지 못한다면 자선 장터에서 얻는 수익이 기대에 못 미칠 것 같은데요, 이런 문제도 생각해 봐야 합니다.

다빈(패널): 충분히 예상할 수 있는 문제라고 생각합니다. (중략) 학급 저금통을 만들고 매점에서 쓰고 남은 거스름돈을 자유롭게 내서 평소에 조금씩 용돈을 모으면 어떨까 합니다.

보기

논제: '빈곤 국가 학교 짓기 후원, 어떻게 할까?'

의견	1. 후원금을 걷자. 2. (㉠) 3. 자선 장터를 열어 후원금을 모으자.
절충안	자선 장터와 (㉡)을 통해 후원금을 마련하자.

도움말

(가)에 ❶ [ ], (나)에 의견 1, (다)에 의견 2, (라)에 의견 3, (마)에 ❷ [ ]이 제시되어 있다. 사회자와 토의자들의 말을 바탕으로 하여 의견 2와 절충안이 무엇인지 살펴보자.

❶ 논제 ❷ 절충안

9 다음 광고의 타당성을 판단한다고 할 때, ㉠~㉢의 타당성을 판단하는 기준을 바르게 연결하시오.

진행자: 오늘 소개해 드리는 신제품 '장 튼튼 건강 음료'는 장 건강에 큰 효능이 있는 제품입니다. 이 제품은 무엇보다도 ㉠인기 있는 교수님이 참여하여 개발했다는 점에서 믿을 수 있는 제품이랍니다. 텔레비전에도 많이 출연하시는 교수님이니까 믿을 수 있겠지요? (중략) 다음으로 이 제품을 이용하고 계시는 영화배우 박미남 씨가 나오셨습니다.

박미남: 빠듯한 영화 촬영 일정 때문에 항상 피곤했는데요, ㉡이 제품을 3일 동안 마셨더니 피로가 완전히 풀리더라고요. 마셔 보면 ㉢약간 쓴맛이 나는데, 왠지 건강이 좋아진 것 같은 느낌이 들었어요.

진행자: 여러분, 보셨지요? 이 제품으로 장 건강을 회복해 보시는 것은 어떤가요?

근거		기준		타당성 판단
㉠ •	• ⓐ	근거와 주장 사이에 연관성이 있는가?		
㉡ •	• ⓑ	근거에서 주장을 이끌어 내는 과정에 오류가 없는가?	→	타당하지 않다.
㉢ •	• ⓒ	근거에서 주장을 이끌어 내는 과정에 영향을 미치는 다른 정보는 없는가?		

도움말

이 광고의 ❶ [ ]은 '장 튼튼 건강 음료'가 장 건강에 큰 효능이 있다는 것이다. 따라서 ㉠~㉢이 이 주장을 뒷받침하는 근거로 타당하지 않은 까닭을 ⓐ~ⓒ의 ❷ [ ]을 바탕으로 하여 판단해 보자.

❶ 주장 ❷ 기준

시험 대비 마무리 전략

문법

언어의 본질

종류
- 언어의 자의성: 언어의 의미와 말소리의 관계는 필연적이지 않고, 우연히 결정된 것임.
- 언어의 사회성: 언어는 그 언어를 사용하는 사람들 사이의 사회적 약속임.
- 언어의 역사성: 언어는 ❶ ______ 이 흐르면서 새로 생기기도 하고, 사라지기도 하며, 말소리나 의미가 변하기도 함.
- 언어의 창조성: 인간은 이미 알고 있는 언어를 바탕으로 하여 새로운 단어나 문장을 무한히 만들어 낼 수 있음.

우리말의 어휘 체계와 양상

체계
- 고유어: 우리말에 본디부터 있던 말이나 이것을 바탕으로 하여 만들어진 말
- 한자어: ❷ ______ 를 바탕으로 하여 만들어진 말
- 외래어: 외국에서 들어와 우리말처럼 쓰이는 말

양상
- 지역 방언: 지역에 따라 다르게 쓰는 말
- 사회 방언: 직업, 나이 등 사회적 요인에 따라 다르게 쓰는 말로, 전문어, 은어 등이 있음.

우리말의 품사

품사의 분류

형태	기능	의미	예
가변어 (+ 조사 '이다')	용언	동사	먹다, 뛰다
		형용사	빠르다, 덥다
불변어	체언	명사	책상, 우정
		대명사	그녀, 이것
		수사	하나, 첫째
	수식언	관형사	저, 헌, 옛
		부사	매우, 정말
	관계언	조사	이/가, 에게
	독립언	감탄사	우아, 앗

❶ 시간 ❷ 한자

읽기

예측하며 읽기

방법
- 예측에 활용할 수 있는 요소: 글의 제목, 독자의 배경지식과 경험, 제목, 그림, 목차 등 글에 제시된 정보, 글과 관련된 맥락 등
- 예측할 수 있는 내용: 글의 전체적인 내용 및 구성, 글의 뒤에 이어질 내용, 글쓴이의 의도, 글이 독자에게 미칠 영향 등

요약하며 읽기

방법
- 글의 특성, 글의 구조, 읽기 ❶ ______ 등을 고려하여 요약해야 함.
- 문단의 내용을 요약하는 방법에는 선택, 삭제, 일반화, 재구성이 있음.

쓰기

통일성 있게 글 쓰기

글쓰기 과정: 계획하기 ➡ 내용 선정(생성)하기 ➡ 내용 조직하기 ➡ 표현하기 ➡ 고쳐쓰기

듣기·말하기

면담하기

면담의 준비 과정: 면담 목적에 맞는 면담 대상자를 정함. ➡ 면담 대상 및 주제와 관련된 정보를 수집함. ➡ 면담 목적에 맞는 질문을 만듦.

토의하기

개념과 참여 태도
- 토의: 공동의 문제를 해결하기 위해 여러 사람이 의견을 모으는 ❷ ______ 인 의사소통 과정
- 토의에 참여하는 올바른 태도
  ① 다른 사람의 의견을 경청해야 함.
  ② 적절한 근거를 들어 자신의 의견을 조리 있게 전달해야 함.
  ③ 최선의 해결 방안을 찾기 위해 다른 사람을 존중하고 협력적인 태도로 임해야 함.

타당성 판단하며 듣기

타당성 판단 기준: 근거 — 연관성 ○ — 오류 × — 다른 정보 × → 주장

❶ 목적 ❷ 협력적

신유형·신경향·서술형 전략

1 다음에서 알 수 있는 언어의 본질 두 가지로 알맞은 것은?

> "언제나 똑같은 책상." / 하고 그 남자는 말했다.
> '똑같은 의자, 침대, 사진. 나는 언제나 책상을 책상이라 말하고, 그림을 그림이라 말하고, 침대는 침대라 부르고, 의자는 의자라고 부른다. 도대체 왜 그렇게 불러야만 한단 말인가?'
> 프랑스인들은 침대를 '리', 책상을 '타블'이라 말하고, 그림은 '타블로', 의자는 '셰에즈'라 부른다. 그 말들을 사용하여 그들은 의견을 주고받는다. 중국인들도 그들끼리 역시 이런 식으로 의사소통한다.
> '무엇 때문에 침대를 사진이라고 부르면 안 된단 말인가.' / 이렇게 생각하고 그 남자는 미소를 지었다. 그러고 나서 그는 껄껄 웃었다. 이웃 방 사람들이 벽을 두드리며 / "조용히 하시오."
> 하고 소리 지를 때까지 그는 웃어 댔다.
> "이제는 달라지는 거다." / 하고 그는 외쳤다. 그리고 지금부터 침대를 '사진'이라고 말하기로 했다.
> "나는 피곤해. 사진 속으로 들어갈 테야."
> 라고 그는 말했다. (중략)
> 그러나 이것이 결코 우스운 이야기는 아니다. 이 이야기는 슬프게 시작되어 슬프게 끝났다.
> 회색 외투를 걸친 이 늙은 남자가 사람들을 이해할 수 없게 되었다는 것은 그렇게 나쁘지 않았다. 이보다 훨씬 더 나쁘게 된 것은 사람들이 이제는 그를 이해할 수 없게 된 것이었다.
>
> – 페터 빅셀, 《책상은 책상이다》에서

① 언어의 자의성, 언어의 역사성
② 언어의 자의성, 언어의 사회성
③ 언어의 자의성, 언어의 창조성
④ 언어의 사회성, 언어의 역사성
⑤ 언어의 사회성, 언어의 창조성

도움말
제시된 글에서 남자가 '❶ ____'를 '사진'이라고 부를 수 있는 이유와 그렇게 부름으로써 어떤 일이 벌어졌는지를 통해 언어의 ❷ ____을 알아보자.

❶ 침대 ❷ 본질

2 ㉠~㉣ 중, 언어의 본질과 그 예가 바르게 연결된 것을 모두 고른 것은?

> ㉠ 언어의 자의성: 새로 발견된 소행성에 천문학자가 '통일'이라는 이름을 붙임.
> ㉡ 언어의 역사성: 지금 '꽃'이라고 부르는 대상을 옛날에는 '곶'이라고 불렀음.
> ㉢ 언어의 사회성: '하늘'과 '구름'이라는 단어를 활용하여 여러 개의 문장을 만듦.
> ㉣ 언어의 창조성: '나무'를 '다다'라고 바꾸어 부르면 다른 사람들이 알아듣지 못함.

① ㉠, ㉡ ② ㉠, ㉢ ③ ㉡, ㉢
④ ㉡, ㉣ ⑤ ㉢, ㉣

서술형

3 (가), (나)에서 밑줄 친 어휘들이 공통으로 해당하는 어휘 유형을 조건에 맞게 서술하시오.

* 클로즈업(close-up) 영화나 드라마 등에서, 배경이나 인물의 일부를 화면에 크게 나타내는 일.
* 슛(shoot) 영화 따위의 촬영을 시작하는 일.

조건
- (가), (나)에서 밑줄 친 어휘들의 특징을 각각 쓸 것.
- (가), (나)의 밑줄 친 어휘들의 공통적인 유형을 밝혀 한 문장으로 쓸 것.

4 다음 대화가 원활하게 이루어지지 않는 이유로 가장 적절한 것은?

> **딸**: 엄마, 곧 아빠 생신이신데 아빠 깜놀하시게 생파를 하면 어떨까요?
> **엄마**: 아빠가 뭘 하시게 뭘 한다고?
> **딸**: 깜놀하시게 생파를 하자고요.
> 생선은 이미 생각해 뒀어요.
> **엄마**: 아빠한테 생선을 드리려고?

① 딸이 비속어를 사용하여 엄마의 기분을 상하게 하였기 때문에
② 딸이 외래어를 많이 사용하여 엄마가 이해하지 못하였기 때문에
③ 엄마가 딸이 모르는 지역 방언을 사용하여 딸이 이해하지 못하였기 때문에
④ 딸이 엄마를 고려하지 않고 또래에서 즐겨 사용하는 줄임말을 사용하였기 때문에
⑤ 엄마가 딸이 모르는 어려운 한자어를 많이 사용하여 딸이 이해하지 못하였기 때문에

5 다음 중 밑줄 친 용언의 활용이 적절하지 않은 것은?

① 아기가 타고 있어요.
② 친구야, 우리 행복하자.
③ 옷은 따뜻하게 입었니?
④ 다치지 않게 조심히 걸어라.
⑤ 나는 매운 음식을 잘 먹는다.

도움말
용언에는 동사와 ❶ ____ 가 있다. 동사와 형용사가 활용할 때 어떤 ❷ ____ 이 있는지 떠올리며 적절하지 않은 것을 찾아보자.

❶ 형용사 ❷ 차이점

6 다음 대화에 사용된 감탄사의 개수로 알맞은 것은?

> **남자**: 새 등산화를 샀어. 어때?
> **여자**: 오! 예쁘다.
> **남자**: 모든 준비가 끝났어. 이 산은 내가 꼭 오른다.
> **여자**: 기분이 무척 좋구나?
> **남자**: 나 먼저 간다!
> **여자**: 야, 같이 가!

① 1개　② 2개　③ 3개
④ 4개　⑤ 5개

도움말
감탄사는 문장에서 다른 말과 관계를 맺지 않고 ❶ ____ 으로 쓰이며, 놀람이나 부름, ❷ ____ 등을 나타내는 말이라는 점에 유의하여 제시된 대화에서 이러한 말이 사용된 부분을 찾아보자.

❶ 독립적 ❷ 대답

서술형
7 다음 문장들을 바탕으로 하여 '모두'의 품사 두 가지를 밝히고, 품사에 맞게 ㉠~㉤을 분류하여 서술하시오.

> ㉠ 식구 모두가 여행을 떠났다.
> ㉡ 그 일은 모두에게 책임이 있다.
> ㉢ 그릇에 담긴 소금을 모두 쏟았다.
> ㉣ 인원을 모두 합하여도 백 명이 안 된다.
> ㉤ 누가 새 장관이 되느냐는 모두의 관심이었다.

도움말
'모두'는 ❶ ____ 와 결합하여 문장에서 주체의 역할을 하기도 하고, 조사 없이 쓰여 뒤에 오는 ❷ ____ 을 꾸미는 역할을 하기도 한다. 이러한 '모두'의 기능과 의미에 유의하여 '모두'의 품사를 파악해 보자.

❶ 조사 ❷ 용언

신유형·신경향·서술형 전략

[8~10] 다음 글을 읽고 물음에 답하시오.

가 조선의 제16대 왕 인조는 어느 눈 내리는 겨울날, 서북 변방을 지키는 군사들의 겨울 준비를 어떻게 도와야 할지 고민하느라 잠을 설쳤나 봅니다. 그리고 생각 끝에 방한용(추위를 막음.) 옷을 마련해서 서둘러 보내라 명했던 것이지요. 그런데 그가 보낸다고 했던 옷을 가만히 보니, 전혀 추위에 도움이 되지 않을 것 같은 물건이 하나 있습니다. 솜을 넣어 만든 두툼한 솜옷과 짐승의 가죽으로 만든 갖옷은 겨울을 나는 데 꼭 필요한 물건입니다. 하지만 '종이 옷'이라니요!

나 쉽게 찢어지고 물에도 약한 종이, 그 종이로 옷을 만들 수나 있는 걸까요? 또 종이 옷을 만들어 보내면 군사들의 겨울나기에 과연 도움이 되기는 했을까요? 여기서 우리의 고민도 깊어집니다. 하지만 그리 오래 걱정할 필요는 없습니다. ㉠그 해답이 이제 곧 등장하니까요.

다 인조가 변방의 군사들에게 보내려 한 '종이 옷'이란 우리의 상상처럼 종이를 오려 붙여 만든 옷이 아니라 '종이를 잘 활용한 옷'입니다. 즉, 옷감과 옷감 사이에 종이를 넣어 만든 옷을 말합니다. 그런데 왜 옷감 사이에 종이를 넣느냐고요?

목화를 키우기 어려운 변방에서 군사들이 따뜻하게 겨울을 날 수 있을 만큼 많은 솜을 구하는 것은 결코 쉬운 일이 아니었습니다. (중략) 그런 상황에서 솜을 대신하고, 솜과 함께 썼을 때 그 효과를 최대로 높일 수 있는 재료가 바로 종이였습니다.

라 예전에는 솜만큼이나 귀한 것이 종이였습니다. (중략) 그러니 낙복지(과거 시험에 낙방한 사람의 답안지.)로 만든 종이 옷은 변방을 지키는 군사들에 대한 왕의 마음을 담은 선물이자, 절박한 환경 속에서 추위를 이겨내기 위해 수없이 고민한 결과로 탄생한 지혜의 산물인 셈입니다.

– 조희진, 〈군사들에게 종이 옷을 보낸 인조〉

8 이 글의 내용과 일치하지 않는 것은?

① 과거에는 솜만큼이나 종이가 귀했다.
② 과거에는 많은 솜을 구하는 것이 쉽지 않았다.
③ 종이 옷은 종이를 오려 붙여 만든 옷을 말한다.
④ 솜옷과 갖옷은 겨울을 나는 데 꼭 필요한 물건이었다.
⑤ 인조는 변방의 군사들에게 종이 옷을 보내라고 명하였다.

서술형

9 (나)를 읽으며 독자가 다음과 같이 예측했다고 할 때, 예측에 활용한 요소와 예측한 내용을 한 문장으로 서술하시오.

㉠으로 보아 이후 인조가 군사들에게 종이 옷을 보낸 이유를 제시할 것 같아.

도움말
글의 제목, 그림, 문장, 독자의 ❶ [ ] 등을 활용하여 글의 구조, 주제, 글쓴이의 ❷ [ ], 뒤에 이어질 내용 등을 예측할 수 있다. 〈보기〉에서 독자가 어떤 요소를 활용하여 어떤 내용을 예측하고 있는지 살펴보자.

❶ 배경지식 ❷ 의도

10 이 글을 쓴 글쓴이의 의도를 바르게 예측한 것은?

① 종이 옷을 입었을 때의 문제점을 말하려고 함.
② 종이 옷을 만든 방법을 본받아 자원을 아끼는 일의 중요성을 알리려고 함.
③ 군사들을 걱정한 왕의 따뜻한 마음과 조상들의 지혜를 독자에게 알리려고 함.
④ 추운 변방을 지키는 병사들에게 얇은 종이 옷을 보낸 왕의 행동을 비판하려고 함.
⑤ 종이와 솜을 구하는 것이 어려울 정도로 가난했던 당시 사회의 모습을 알리려고 함.

>> 정답과 해설 37쪽

11 다음 토의 내용을 바탕으로 할 때, ㉠, ㉡에 들어갈 내용으로 알맞은 것은?

> **김채원**: 학생들이 쓰레기를 아무 데나 버리는 이유는 쓰레기통까지 가는 것이 귀찮아서라고 생각합니다. 그래서 [㉠]을 생각해 보았습니다. 그러면 쓰레기가 생길 때마다 쓰레기통까지 가야 하는 번거로움이 없어지니까 교실 바닥에 쓰레기를 버리는 학생도 줄어들 것이라고 생각합니다.
>
> **오유민**: 김채원 학생의 의견대로 하면 바닥에 버려지는 쓰레기는 줄어들겠지만 생활은 좀 불편해질 것 같습니다. 지금도 책상 양옆에 가방이나 신발 주머니 등이 걸려 있어 불편한데, 여기에 쓰레기 봉투까지 건다면 책상 사이를 지나다니는 것이 더 불편해질 것입니다. 그것보다 점심시간에 각자 자기 주변에 있는 쓰레기를 치우는 것은 어떨까요?
>
> **김채원**: 오유민 학생의 말을 듣고 보니 생활이 불편해질 수 있을 것 같습니다. 그러면 오유민 학생의 의견대로 점심시간에 각자 자기 주변 쓰레기를 치우는 것이 좋겠습니다.
>
> **박준영**: 좋은 의견입니다. 그런데 각자 쓰레기를 치울 때 분리배출도 잘 했으면 좋겠습니다. 일반 쓰레기와 재활용 쓰레기 분리가 잘 안 되다 보니 쓰레기통 안도 지저분하고, 쓰레기통이 넘쳐 그 주변이 지저분해지는 일도 많습니다.
>
> **오유민**: 지저분한 쓰레기통 주변이 정리되면 교실이 한결 깨끗해지겠네요.
>
> **김채원**: 재활용품 분리배출을 잘하는 것은 우리 반 교실을 깨끗하게 할 뿐 아니라 환경을 살리는 방법이기도 하니까 저도 찬성합니다.
>
> **사회자**: 네, 김채원 학생의 의견을 실천하기 위한 구체적인 방법을 논의한 결과, 매일 점심시간에 각자 자기 주변에 있는 쓰레기를 줍고 [㉡]는 데 의견을 모았습니다.

① ㉠: 책상 서랍에 쓰레기를 모아 두는 방법
② ㉠: 책상 옆에 각자 개인 쓰레기통을 두는 방법
③ ㉡: 쓰레기를 꾹꾹 눌러서 버리자
④ ㉡: 쓰레기통이 넘치지 않을 만큼만 버리자
⑤ ㉡: 일반 쓰레기와 재활용 쓰레기를 잘 분리해서 버리자

12 다음 중 가장 타당한 말을 하는 사람은?

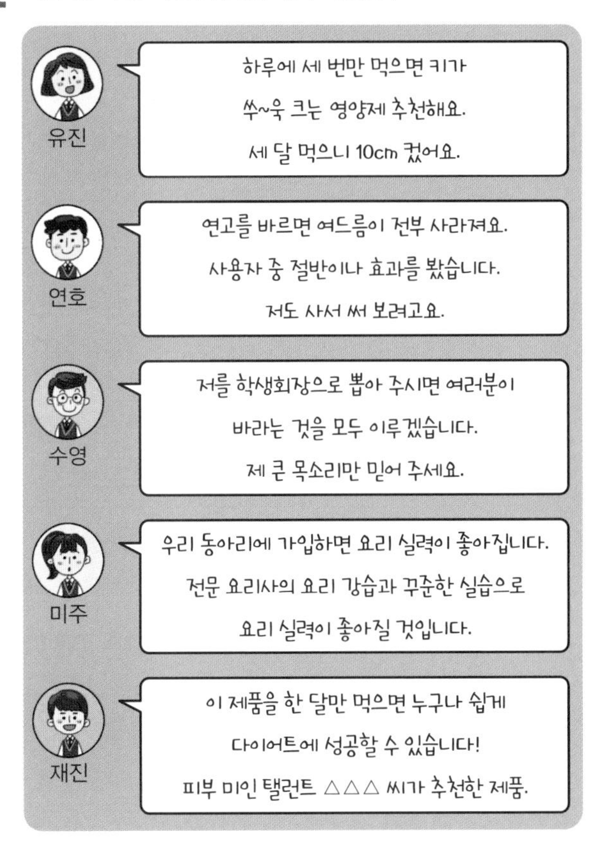

① 유진 ② 연호 ③ 수영 ④ 미주 ⑤ 재진

도움말

말의 타당성을 판단하기 위해 먼저 주장과 ❶ [ ] 를 파악한 후에 근거가 주장과 연관이 있는지, 근거로부터 주장을 이끌어 내는 과정에 ❷ [ ] 는 없는지, 영향을 미치는 다른 요소가 없는지 등을 살펴보자.

❶ 근거 ❷ 오류

적중 예상 전략 | 1회

1 ㉠~㉣과 관계 깊은 언어의 본질과 그 특성을 바르게 설명한 것은?

> 제 이름은 '나무'예요. ㉠외국에서는 '트리'라고 부르기도 해요. ㉡예전에 제 이름은 '나모'였는데 지금은 '나무'로 바뀌었어요. ㉢그렇다고 해서 지금의 제 이름을 마음대로 '수박'이라든가 다른 말로 바꾸어 부르면 안 돼요. ㉣저는 다른 말을 만나서 '생각 나무, 꿈나무'처럼 새로운 말이 되기도 한답니다.

① ㉠: 언어의 자의성, 언어의 내용과 형식 사이에는 필연적인 관계가 있다.
② ㉡: 언어의 자의성, 언어는 시간의 흐름에 따라 변화한다.
③ ㉢: 언어의 사회성, 언어는 개인과 사회가 마음대로 바꿀 수 있다.
④ ㉣: 언어의 창조성, 인간은 이미 있는 단어를 활용하여 무수히 많은 단어와 문장을 만들 수 있다.
⑤ ㉣: 언어의 역사성, 언어의 내용과 형식은 자의적으로 맺어져 있다.

서술형

2 보기 에서 주희가 선비의 말을 알아듣지 못한 까닭을 언어의 본질과 연관 지어 서술하시오.

보기

3 다음 상황에서 남자의 설명을 듣고 여자가 정답을 맞힐 수 있는 것과 관련된 언어의 본질로 알맞은 것은?

① 언어의 자의성　② 언어의 규칙성
③ 언어의 사회성　④ 언어의 역사성
⑤ 언어의 창조성

4 ㉠~㉣ 중, 언어의 자의성과 역사성을 드러내는 사례끼리 바르게 묶은 것은?

> ㉠ '백(百)'을 뜻하는 '온'은 오늘날에 거의 쓰이지 않는다.
> ㉡ '스마트폰'처럼 새로운 사물이 나타나면 그에 맞는 새말이 만들어진다.
> ㉢ 한국어로 '개[개ː]'라고 부르는 것을 프랑스어로는 'Chien[시엥]', 독일어로는 'Hund[훈트]'라고 한다.
> ㉣ 이동이나 운송 수단의 하나인 '배', 사람 신체의 일부인 '배', 배나무의 열매인 '배'와 같이 의미가 다르지만 말소리가 같은 말이 존재한다.

	자의성	역사성
①	㉠, ㉡	㉢, ㉣
②	㉠, ㉢	㉡, ㉣
③	㉠, ㉣	㉡, ㉢
④	㉡, ㉢	㉠, ㉣
⑤	㉢, ㉣	㉠, ㉡

>> 정답과 해설 38쪽

5 ㉠~㉣에 대한 설명으로 알맞지 않은 것은?

> ㉠ 그 소설을 읽고 난 느낌을 친구에게 말했다.
> ㉡ 오늘은 왠지 좋은 일이 생길 것 같은 느낌이 든다.
> ㉢ 친구가 떠나서 슬픈 이 느낌을 말로 표현할 수 없다.
> ㉣ 감상(感想), 감정(感情), 예감(豫感)

① ㉠~㉢의 '느낌'은 고유어이다.
② ㉠~㉢의 '느낌' 대신 ㉣의 어휘들을 쓸 수 있다.
③ ㉣의 어휘들은 ㉠~㉢의 '느낌'을 더 세분화한 의미를 지닌다.
④ ㉠~㉢의 어종과 ㉣의 어종은 서로 보완하는 역할을 한다.
⑤ ㉣은 색이나 촉감 등을 생생하게 나타내는 한자어의 특성을 보여 준다.

6 (가), (나)의 밑줄 친 어휘에 대한 설명으로 적절한 것은?

① (가), (나)의 밑줄 친 어휘들의 어종은 모두 같다.
② (가)의 밑줄 친 어휘들은 고유어이다.
③ (가)는 약을 사용하는 사람이 쉽게 이해할 수 있는 어휘를 사용하고 있다.
④ (나)의 밑줄 친 어휘들은 대체할 수 있는 어휘들이 존재한다.
⑤ (나)는 스포츠 뉴스이므로 시청자를 위해 전문어를 사용하고 있다.

7 ㉠~㉤을 고유어로 바꾼 것으로 적절하지 않은 것은?

> **손님**: 안녕하세요. 모자를 ㉠구매하려고 하는데요. 이 모자 한번 써 봐도 될까요?
> **점원**: 네, 머리에 잘 맞으세요?
> **손님**: 네. 이 컬러로 구매하고 싶은데, 가격을 ㉡디스카운트해 주실 수 있나요?
> **점원**: 죄송하지만 디스카운트는 어렵습니다. 그리고 지금 이 컬러가 ㉢품절되어서 별도로 주문하셔야 합니다.
> **손님**: 네, 그럼 지금 주문하면 제가 상품을 ㉣수령하는 데 며칠이나 ㉤소요될까요?

① ㉠ – 사려고 ② ㉡ – 세일
③ ㉢ – 없어서 ④ ㉣ – 받는
⑤ ㉤ – 걸릴까요

8 ㉠~㉤ 중, 지역적 또는 사회적 요인에 따라 다르게 쓰는 말에 해당하지 않는 것은?

> (가) **손녀**: 할아버지! 학교에서 ㉠문상을 받았어요.
> **할아버지**: 문상? 누가 돌아가셨니?
> (나) **변호사**: 재판장님, ㉡재정 증인을 신청합니다!
> (다) **할머니**: 내일이 벌써 ㉢*동짓달 *초하루네.
> **손자**: 네?
> (라) **동료**: 은수야, ㉣훈련 잘돼 가냐?
> **은수**: 그럼, 근디 연습을 ㉤허벌나게 많이 했더니 뻰치네.
>
> * **동짓달** 음력으로 열한 번째 달.
> * **초하루** 매달 첫째 날.

① ㉠ ② ㉡ ③ ㉢ ④ ㉣ ⑤ ㉤

방언 중 지역에 따라 다르게 쓰는 말은 지역 방언, 직업이나 나이 등 사회적 요인에 따라 다르게 쓰는 말은 사회 방언이라고 해. 이와 같은 지역, 직업, 나이에 따라 다르게 쓰는 말이 아닌 것을 찾아봐.

9 다음 인터넷 게시판 댓글의 ㉠, ㉡에 들어갈 알맞은 말을 각각 쓰시오.

> 여러분이 사는 지역에서는 이것을 무엇이라고 부르나요?
>
> 
>
> ↳하늘 천 따 지 가마솥의 누룽지. 누룽지요!
> ↳전라도에서는 깜밥이라고도 해요.
> ↳우리 집도요. 깜밥이라고 해야 구수한 느낌이 나요.
> ↳충청도에 사시는 우리 할머니는 강개라고 하시던데요?
> ↳함경도 쪽에서는 가매티라고도 한대요.
> ↳(㉠)에 따라 다르게 쓰는 말이 재미있기는 한데, 다른 지역에 사는 사람은 그 말을 못 알아들을 수도 있겠어요.
> ↳전국에서 두루 사용하는 말인 (㉡) '누룽지'가 있으니 괜찮을 거예요.

10 다음 상황에서 보조 요리사가 사용한 어휘들에 대한 설명으로 적절한 것은?

> **보조 요리사:** 쉐프님, 돼지고기는 •쥘리엔, 당근은 •콩카세로 하면 될까요?
> **요리사:** 네, 그렇게 부탁해요.
>
> • **쥘리엔(julienne)** 채소나 고기를 길고 가느다란 성냥개비 모양으로 채 써는 것을 이름.
> • **콩카세(concasser)** 가로, 세로, 5mm씩 정사각형으로 아주 작게 자르거나 다지는 것을 이름.

① 지역 방언과 사회 방언을 함께 쓰고 있다.
② 의료 분야에서 사용하는 전문어를 쓰고 있다.
③ 사회 방언을 사용하여 일의 효율성을 높이고 있다.
④ 지역 방언을 사용하여 유대감과 친근감을 높이고 있다.
⑤ 일반인과의 원활한 의사소통을 위해 은어를 사용하고 있다.

11 우리말의 품사에 대한 설명으로 알맞지 않은 것은?

① 성질이 공통된 것끼리 모아 놓은 단어의 갈래를 품사라고 한다.
② 품사를 분류하는 기준 세 가지는 형태, 기능, 의미이다.
③ 단어는 문장에서 쓰일 때 형태가 변하는 단어와 형태가 변하지 않는 단어로 나눌 수 있다.
④ 단어는 문장에서 어떤 기능을 하느냐에 따라 체언, 용언, 수식언, 관계언, 독립언으로 나눌 수 있다.
⑤ 체언에는 명사, 대명사, 관형사가 있다.

12 |보기|의 문장에 쓰인 단어 중, 형태가 변하는 단어를 모두 고른 것은?

> 보기
>
> 나는 작은 신발을 버리고
> 새 신발을 금방 샀다.
>
> 

① 나는, 버리고, 새
② 작은, 금방, 샀다
③ 작은, 버리고, 금방
④ 작은, 버리고, 샀다
⑤ 버리고, 금방, 샀다

고난도

13 다음 중 체언이 가장 적게 쓰인 문장은?

① 새 자전거가 쌩쌩 지나간다.
② 세홍이가 너무 헌 옷을 버렸다.
③ 너는 어떤 과일을 가장 좋아하니?
④ 그는 그녀에게 예쁜 모자를 주었다.
⑤ 누나가 설거지를 하다가 그릇 하나를 깼다.

14 ㉠~㉤에 들어갈 품사의 특징으로 알맞지 않은 것은?

체언			용언		수식언		관계언	독립언
명사	㉠	수사	㉡	형용사	㉢	부사	㉣	㉤

① ㉠: 사람, 사물, 장소를 대신하여 가리킨다.
② ㉡: 청유의 뜻을 나타내는 어미가 붙을 수 있다.
③ ㉢: 주로 용언을 꾸며 준다.
④ ㉣: 홀로 쓰일 수 없고 다른 단어 뒤에 붙어 쓰인다.
⑤ ㉤: 다른 단어와 관계를 맺지 않고 독립적으로 쓰인다.

㉠의 예로는 '그녀', ㉡의 예로는 '자다', ㉢의 예로는 '헌', ㉣의 예로는 '이/가', ㉤의 예로는 '어머나' 등이 있어. 각 품사에 해당하는 예를 바탕으로 하여 특징을 생각해 봐.

15 문장에 쓰인 품사의 순서가 보기 와 같은 것은?

보기

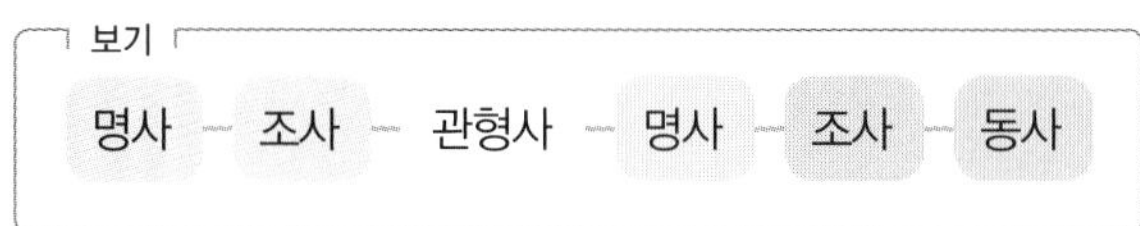

① 와, 하늘이 파랗다.
② 단비가 새 옷을 입었다.
③ 민호가 학교에 일찍 갔다.
④ 형이 집을 열심히 고쳤다.
⑤ 앗, 모든 준비가 다 끝났어.

16 다음 대화의 빈칸에 들어갈 말로 가장 적절한 것은?

지호: '웃다'가 동사인지 형용사인지 모르겠어.

수민: 아래 표처럼 동사는 명령, 청유, 현재의 뜻을 나타낼 수 있지만, 형용사는 불가능해.

지호: 그렇구나. 그럼 '웃다'는 [　　　　]

	먹다	넓다
명령	이것을 먹어라.	공간이 넓어라.*
청유	이것을 먹자.	공간이 넓자.*
현재	이것을 먹는다.	공간이 넓는다.*
의문	이것을 먹니?	공간이 넓니?
과거	이것을 먹었니?	공간이 넓었니?

*표시: 단어의 활용이 자연스럽지 않고 어색함.

① 명령의 뜻인 '웃자'가 가능하므로 형용사네.
② 청유의 뜻인 '웃어라'가 가능하므로 동사네.
③ 현재의 뜻인 '웃는다'가 가능하므로 동사네.
④ 의문의 뜻인 '웃니?'가 가능하므로 형용사네.
⑤ 과거의 뜻인 '웃었다'가 가능하므로 형용사네.

고난도

17 다음 밑줄 친 단어 중 품사가 다른 하나는?

① 그 과일이 가장 맛있다.
② 그녀가 그 신발을 버렸다.
③ 친구들이 말하던 그 바다에 갔다.
④ 내가 알던 그는 그런 사람이 아니다.
⑤ 독일어로 그 짐승은 '훈트'라고 부른다.

'그'는 다른 사람을 대신하여 가리킬 때 사용하는 대명사와 체언을 꾸며 주는 관형사로 사용해.

적중 예상 전략 | 2회

[1~3] 다음 글을 읽고 물음에 답하시오.

(가) 냉장고가 없었던 옛날, 우리 조상들은 겨울에 채취한 얼음을 석빙고(石氷庫)에 저장했다가 여름에 사용했다. 겨울철에 석빙고에 저장한 얼음을 어떻게 한여름까지 보관할 수 있었는지, 그 비밀을 알아보자.

(나) 석빙고의 얼음 저장 과정은 냉각과 저온 유지의 두 단계로 나뉜다. 얼음을 넣기 전에 내부를 냉각하는 것이 첫 번째 단계이고, 얼음을 넣은 뒤 7~8개월 동안 내부 온도를 낮게 유지하는 것이 두 번째 단계이다.

(다) 우리 조상들은 어떻게 석빙고 내부를 잘 냉각할 수 있었을까? 그 비밀은 석빙고 출입문 옆에 세로로 튀어나온 '날개벽'에 숨어 있다. 겨울에 부는 찬 바람은 날개벽에 부딪히면서 소용돌이로 변한다. 이 소용돌이는 추진력이 있어서 빠르고 힘차게 석빙고 내부 깊은 곳까지 밀고 들어간다.

(라) 두 번째 단계는 2월 말 무렵에 얼음을 저장하고 나서 7~8개월 동안 석빙고 내부를 저온 상태로 유지하는 것이다. (중략) 전혀 녹지 않게 할 수는 없겠지만, 석빙고 내부를 저온 상태로 유지해 녹는 속도를 최대한 늦춰야 하는 것이다. 그렇다면 어떻게 한여름에도 저온 상태를 유지할 수 있었을까?

(마) 석빙고의 천장은 아래 사진에서 보듯, 1~2미터 간격을 두고 나란히 배치된 4~5개의 아치형 구조물로 이루어져 있다. 각각의 아치 사이에는 자연히 움푹 들어간 공간이 생기게 된다. 이 공간을 '에어 포켓'이라고 하는데, 여기에 비밀이 숨어 있다. 얼음을 저장하고 나서 시간이 지나면 내부 공기는 조금씩 더워진다. 하지만 더운 공기가 위로 뜨는 순간 그 공기는 에어 포켓에 갇혀 아래로 내려올 수 없게 된다. 에어 포켓에 갇힌 더운 공기는 에어 포켓 위쪽에 설치된 환기구를 통해 밖으로 빠져나간다. 이렇게 해서 석빙고 내부는 한여름에도 저온 상태를 유지할 수 있었다. 실로 놀라운 구조이다.

아치형: 활과 같은 곡선으로 된 형태나 형식.

(바) 우리 조상들은 자연의 원리를 잘 알고 그것을 활용하여 석빙고라는 놀라운 과학적 구조물을 만들었다. (중략) 이와 같이 석빙고에는 과학적 원리를 이용한 우리 조상들의 슬기가 담겨 있다.

– 이광표, 〈조상의 슬기가 낳은 석빙고의 비밀〉

1 (가)~(마)의 중심 내용으로 적절하지 않은 것은?

① (가): 겨울철에 석빙고에 저장한 얼음을 어떻게 한여름까지 보관할 수 있었는지, 그 비밀을 알아보자.
② (나): 석빙고의 얼음 저장 과정은 냉각과 저온 유지의 두 단계로 나뉜다.
③ (다): 석빙고 내부가 냉각이 잘되는 것은 겨울바람을 효과적으로 이용할 수 있게 만든 날개벽 때문이다.
④ (라): 석빙고 내부에 저장한 얼음을 전혀 녹지 않게 할 수는 없다.
⑤ (마): 석빙고가 저온 상태를 유지할 수 있었던 것은 더워진 내부 공기를 에어 포켓에 가두었다가 밖으로 빼내는 천장 구조 때문이다.

서술형

2 |보기|의 방법을 사용하여 (바)의 중심 내용을 요약하시오.

보기
중심 내용이 분명하게 드러난 부분을 선택함.

3 이 글의 구조를 다음과 같이 정리한다고 할 때, 빈칸에 알맞은 문단 기호를 써넣으시오.

처음 (가)	중간	끝
우리 조상들이 얼음을 저장했던 석빙고를 소개함.	석빙고의 얼음 저장 과정과 원리를 설명함.	석빙고에 조상의 슬기가 담겨 있음을 강조함.

[4~6] 다음을 읽고 물음에 답하시오.

가

나는 로봇에 관심이 많아서 로봇에 관한 책을 여러 권 읽었어. 진로도 로봇과 관련된 쪽으로 생각하고 있어. 내가 만들고 싶은 로봇을 소개하는 글을 써 봐야지.

내가 만들고 싶은 로봇은 사람들을 행복하게 해 주는 로봇이야. 이것을 주제로 해야겠다.

내가 만들고 싶은 로봇을 친구들에게 소개하고 싶어. 친구들이 읽을 글이니까 친구들이 이해하기 쉽게 써야지.

나 ㉠ 나는 어릴 때부터 로봇을 좋아했다. 로봇 장난감과 로봇 만화 등 '로봇'이라는 말이 들어가 있으면 눈을 떼지 못할 정도였다. 그러다가 초등학교 6학년 때 한 로봇 공학자의 강연 영상을 보고 로봇을 만드는 사람이 되겠다고 결심하였다. (중략) 그때부터 로봇에 관한 책을 찾아 읽으며 내 나름대로 공부를 하다 보니 새로운 로봇 몇 가지를 만들고 싶은 마음이 들었다. 그 가운데 세 가지를 소개하려고 한다.

다 ㉡ 내가 만들고 싶은 로봇 가운데 하나는 불이 났을 때 활약할 수 있는 소방 로봇이다. 현재에도 화재 현장에서 소방관의 일을 대신하려고 만들어진 '무인 방수 로봇'이나 '화재 정찰 로봇'이 있지만, 실제로는 거의 사용되지 않는다. (중략) 그래서 나는 어떤 환경에서도 빠르고 정확하게 움직여서 불을 끄고 사람을 찾아 구하는 소방 로봇을 만들고 싶다.

라 ㉢ 나는 고양이 털이 피부에 닿으면 너무 가려워서 고양이를 키우고 싶어도 키우지 못한다. 반려동물 로봇을 만들면, 나처럼 반려동물을 키우기 어려운 사람들에게 도움을 줄 수 있을 것이다. 이미 우리나라에서는 강아지 로봇이 만들어졌고, 일본에서는 사람이 쓰다듬어 주면 반응을 하는 물개 로봇도 만들어졌다고 한다. 그러나 나는 이것들보다 실제 반려동물에 훨씬 더 가까운 로봇을 만들고 싶다.

마 ㉣ 지금까지 내가 만들고 싶은 로봇에 관해 써 보았다. (중략) 한 로봇 공학자는 "인류를 위한 따뜻한 기술을 개발하고 사람들에게 행복을 가져다주는 것, 그것이 나의 꿈이다."라고 하였다. 나도 사람들을 기쁘게 만드는 따뜻한 기술로 많은 사람에게 행복을 가져다주는 로봇을 꼭 만들 것이다. ㉤

4 (가)에 해당하는 글쓰기 단계를 쓰시오.

(가)에서 글쓴이는 어떤 글을 쓸지, 누가 글을 읽을 것인지를 생각하고 있어. 이것과 관련된 글쓰기 단계가 무엇일지 생각해 봐.

고난도

5 글쓴이가 글을 쓰기 전에 | 보기 |의 자료를 찾았다고 할 때, 이를 활용한 방법으로 가장 적절한 것은?

> 보기
> **로봇 공학자의 말**
> …… 인류를 위해 따뜻한 기술을 개발하고 사람들에게 행복을 가져다주는 것, 그것이 내 꿈이다. ……
> – 데니스 홍, 《로봇 다빈치, 꿈을 설계하다》

① (나)에서 로봇을 좋아하게 된 계기와 함께 제시함.
② (나)에서 글쓴이가 되고 싶은 로봇 공학자를 소개할 때 활용함.
③ (다)에서 글쓴이가 만들고 싶은 소방 로봇을 소개할 때 활용함.
④ (라)에서 현재 개발되어 있는 반려동물 로봇의 한계를 설명할 때 활용함.
⑤ (마)에서 글쓴이의 다짐과 함께 제시함.

6 글의 흐름을 고려할 때, ㉠~㉤ 중 다음 내용이 들어가기에 가장 적절한 부분은?

> 마지막으로 내가 만들고 싶은 로봇은 노인을 도와주는 노인 도우미 로봇이다. 평소에 우리 할머니처럼 몸이 불편한 어르신을 보면 '항상 그분들 곁에서 건강을 관리해 주는 로봇이 있으면 얼마나 좋을까.' 하는 생각을 했었다. 현재 개발되어 있는 '노인 간호 보조 로봇'보다 훨씬 더 기능이 다양하고 성능이 뛰어난 노인 도우미 로봇을 만들고 싶다.

① ㉠ ② ㉡ ③ ㉢ ④ ㉣ ⑤ ㉤

[7~9] 다음을 읽고 물음에 답하시오.

가 **지원**: 안녕하세요. 저는 ○○중학교 1학년 김지원입니다. 바쁘실 텐데 시간 내 주셔서 감사합니다.

경찰관: 안녕하세요. 나는 ○○파출소에서 근무하는 윤○○ 경장이에요. 만나서 반가워요. (중략)

지원: 저는 드라마와 영화에서 범인을 잡는 경찰관을 보고 멋지다고 생각했어요. 경장님은 언제 경찰관이라는 직업에 관심을 가지게 되셨나요?

경찰관: 지금 돌아보면 어렸을 때에는 경찰관을 조금 무서워했던 것 같아요. 그러다가 지원이만 할 때, 그러니까 중학교 다닐 무렵 제복을 입은 경찰관이 멋져 보여서 관심을 가지게 됐어요.

나 **지원**: 면담을 준비하면서 알아봤더니 범죄 분석 요원(프로파일러)이나 경찰 특공대처럼 제가 잘 모르는 특수한 일을 하는 경찰관도 많더라고요. 이렇게 특수한 일을 하는 경찰관에 대해 알려 주세요.

경찰관: 좋은 질문입니다. 준비를 많이 했네요. 특수한 일을 하는 경찰관은 분야별로 다양한데, 몇 가지만 말해 볼게요. 사이버 범죄를 예방하고 수사하는 사이버 범죄 수사관, 테러 사건 예방과 진압 그리고 인질 사건 진압과 인질 구출 등의 일을 하는 경찰 특공대, 범죄의 유형과 범죄자의 심리와 행동을 분석하는 범죄 분석 요원, 국제 범죄와 관련한 정보를 수집하고 대책을 마련하는 국제 범죄 전문가 등을 꼽을 수 있어요.

다 **지원**: 그럼 좋은 경찰관이 되려면 어떤 것들을 갖추어야 할까요?

경찰관: 우선 법과 사회 전반에 관해 폭넓은 지식을 갖추어야 해요. 수사를 해야 하는 경우가 많으니까 판단력과 추리력이 뛰어나면 더 좋겠죠. 그러나 정말 중요한 것은 봉사하려는 마음가짐이라고 생각해요. 그리고 경찰 일에 관한 사명감과 자부심도 중요합니다. 그래야 힘들어도 견딜 수 있고 즐겁게 일할 수 있어요.

---

7 이 면담을 통해 알 수 있는 내용으로 알맞은 것은?

① 파출소에서 하는 일
② 경찰관에게 필요한 자질
③ 경찰 시험을 준비하는 과정
④ 경찰관으로서 힘들었던 경험
⑤ 사이버 범죄 수사관이 되는 방법

8 |보기|를 바탕으로 할 때, 이 면담에 대한 설명으로 적절하지 않은 것은?

보기
면담 목적: 경찰관이라는 직업에 관한 진로 탐색

① 지원이는 면담 목적에 맞는 질문을 하고 있다.
② 경찰관은 지원이의 질문에 친절하게 답변하고 있다.
③ 지원이는 면담 전에 미리 관련 내용을 조사하여 질문하고 있다.
④ 경찰관은 지원이가 잘못 알고 있는 사실을 바로잡아 주고 있다.
⑤ 지원이는 경찰관이라는 직업에 관심을 갖게 된 계기를 말하며 면담을 본격적으로 시작하고 있다.

고난도

9 지원이가 추가할 수 있는 질문으로 가장 적절한 것은?

① 경찰관들끼리만 쓰는 암호가 있나요?
② 경찰관 마스코트는 어떻게 만들어졌나요?
③ 경찰관보다 형사가 더 어려운 일을 하나요?
④ 경찰관이 되고 싶은 학생들에게 해 주실 말씀이 있으신가요?
⑤ 경찰관이 주인공인 영화 중에 제일 좋아하는 영화는 무엇인가요?

>> 정답과 해설 40쪽

[10~12] 다음을 읽고 물음에 답하시오.

뉴스 진행자: 키와 몸무게로 비만한 정도를 판정하는 지표를 비만 지수라고 하지요. 세계보건기구는 비만 지수 30 이상을 비만으로 보는데, 우리나라와 중국 같은 아시아 국가에서는 비만 지수 25 이상을 비만으로 봅니다. 이 기준에 따르면 우리나라 국민 3명 중 1명은 비만입니다. 그런데 최근 정상 체중인 사람보다 조금 더 비만한 사람의 사망 위험이 오히려 낮다는 연구 결과가 잇따라 나오고 있습니다. 과연 아시아인의 비만 기준이 적정한 것인지 논란이 일고 있습니다. 조○○ 의학 전문 기자입니다.

지표: 방향이나 목적, 기준 따위를 나타내는 표지.

기자: 국적이 다른 40대 한국계 두 여성입니다. 러시아 국적의 여성은 러시아 기준으로는 정상 체중이지만 한국 기준으로는 4킬로그램을 빼야 정상 체중이 됩니다.

러시아 국적의 여성(40세): 러시아 친구들은 저를 정상 체중이라고 생각하는데, 한국 친구들은 제가 약간 살이 쪘다고 생각합니다.

한국 국적의 여성은 한국 기준으로는 정상 체중이지만 러시아 기준으로는 저체중이 됩니다. / 동양인의 비만 지수는 동양인의 식생활 습관과 체형이 서양인과 달라서 살이 조금만 쪄도 성인병에 잘 걸리고 일찍 사망할 위험성이 높아진다는 1980년대의 연구 결과를 토대로 정한 것입니다. 그런데 동양인의 식생활 습관과 체형이 서구적으로 바뀌면서 한국과 중국, 일본에서는 이전과는 다른 연구 결과가 나오고 있습니다. 과체중이거나 가벼운 비만인 사람들이 정상 체중인 사람들보다 질병 조기 사망률이 낮았습니다. 오히려 정상 체중인 사람들이 저체중처럼 근육량이 적어 뼈가 약해진 사례가 더 많았습니다.

성인병: 중년 이후에 문제 되는 병을 통틀어 이르는 말.

조기: 이른 시기.

변△△(□□□대학교병원 내분비내과 교수): 외국의 기준으로 날씬한 외국 사람은 골 밀도도 정상이지만, 우리나라의 기준으로 날씬한 사람은 골 밀도가 좋지 않습니다.

– 에스비에스(SBS) 《8 뉴스》, 2016년 1월 11일 자

서술형

10 이 방송 보도에서 주장하는 내용을 한 문장으로 쓰시오.

11 이 방송 보도에서 활용한 근거로 알맞은 것은?

① 러시아에서는 최근에 비만 기준을 낮추었다.
② 동양인은 살이 조금만 쪄도 성인병에 잘 걸린다.
③ 러시아보다 우리나라의 비만 기준이 느슨하게 적용되고 있다.
④ 우리나라의 비만 기준으로 날씬한 사람은 골 밀도가 좋지 않다.
⑤ 동양인의 비만 기준은 최근의 연구 결과를 바탕으로 하여 가장 정확하다.

고난도

12 이 방송 보도의 타당성을 판단하며 나눈 대화 내용으로 적절하지 <u>않은</u> 것은?

초대 화상 찾기

재민: 이 방송 보도에서는 국적이 다른 두 여성의 사례, 최근의 연구 결과, 교수의 의견을 근거로 제시하고 있어. ㉠
남주: 근거들이 모두 주장과 연관성이 있고 주장을 잘 뒷받침하고 있는 것 같아. ㉡
태영: 맞아. 두 여성의 사례를 보니 우리나라가 서양에 비해 비만 기준을 엄격하게 적용하고 있더라고. ㉢
석준: 동양인의 비만 지수가 과거의 연구 결과를 토대로 한 것이라서 현재 상황과 맞지 않으니 바꾸어야 해. ㉣
윤지: 전 세계적으로 날씬한 사람의 골밀도가 좋지 않다는 교수의 의견을 보니 방송 보도의 주장이 타당한 것 같아. ㉤

① ㉠ ② ㉡ ③ ㉢ ④ ㉣ ⑤ ㉤

MEMO

기초부터 다지는 중학 국어 공부력!

국어 실력이 쑥쑥!

함께해 볼까?

중학

기초 바탕

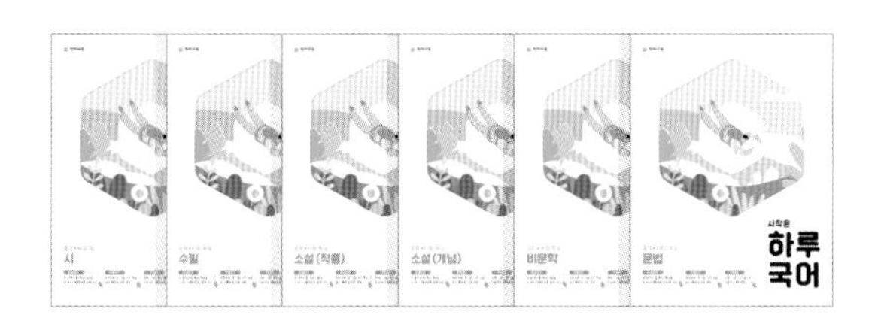

시작은 하루 국어

중1~3 (시/소설(개념)/소설(작품)/문법/비문학/수필)

★⯪☆☆☆

1일 6쪽, 4주 완성으로 국어를 쉽고 재밌게!

내신 기초

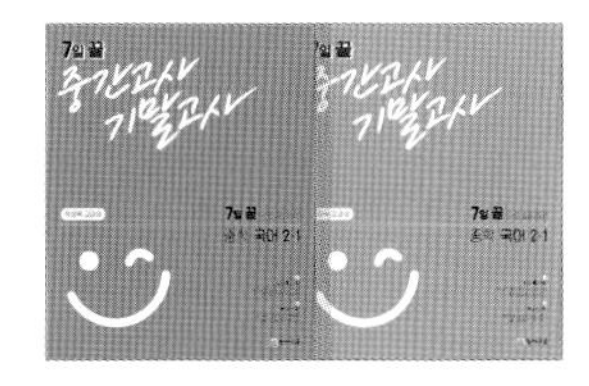

7일 끝 국어

중2~3 (천재 박영목 / 천재 노미숙, 학기별)

★★☆☆☆

7일이면 끝나는 중간·기말 대비서

내신 심화

중학 국어전략

중1~중3 (학년별)

★★★☆☆

9종 교과서 대비 내신 공통서

중학 일등전략 국어

중1~3 (문학①, ②, ③, 문법①, ②, ③)

★★★★☆

영역별 심화 학습이 가능한 내신서

공부력 향상

문학 DNA 깨우기

예비중~중3 (기본 개념 / 감상 원리 / 기출 유형)

★★★⯪☆

교과서 작품을 활용한 문학 독해서

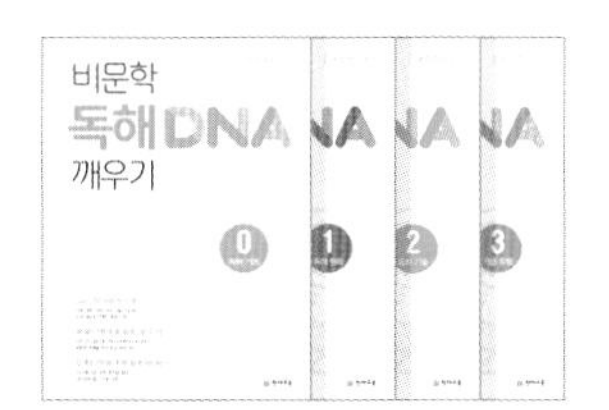

비문학 독해 DNA 깨우기

예비중~중3 (독해 기초 / 독해 원리 / 독해 기술 / 기출 유형)

★★★⯪☆

기초부터 심화까지 단계별 독해 원리

어휘 DNA 깨우기

중1~3 (기본편 / 실력편)

★★⯪☆☆

퀴즈로 익히는 1,347개 중학 필수 어휘

문법 완성

문법 DNA 깨우기

중1~3 (1권)

★★★☆☆

중학 교과서 필수 문법 총정리

재미있는 국어문법

중1~고1 (단행본)

★★★⯪☆

중고등 국어 문법이 한 권에 쏙!

book.chunjae.co.kr

교재 내용 문의 ·························· 교재 홈페이지 ▸ 중학 ▸ 교재상담
교재 내용 외 문의 ······················ 교재 홈페이지 ▸ 고객센터 ▸ 1:1문의
발간 후 발견되는 오류 ················ 교재 홈페이지 ▸ 중학 ▸ 학습지원 ▸ 학습자료실

실력 향상 필수학습!
고득점을 예약하자!

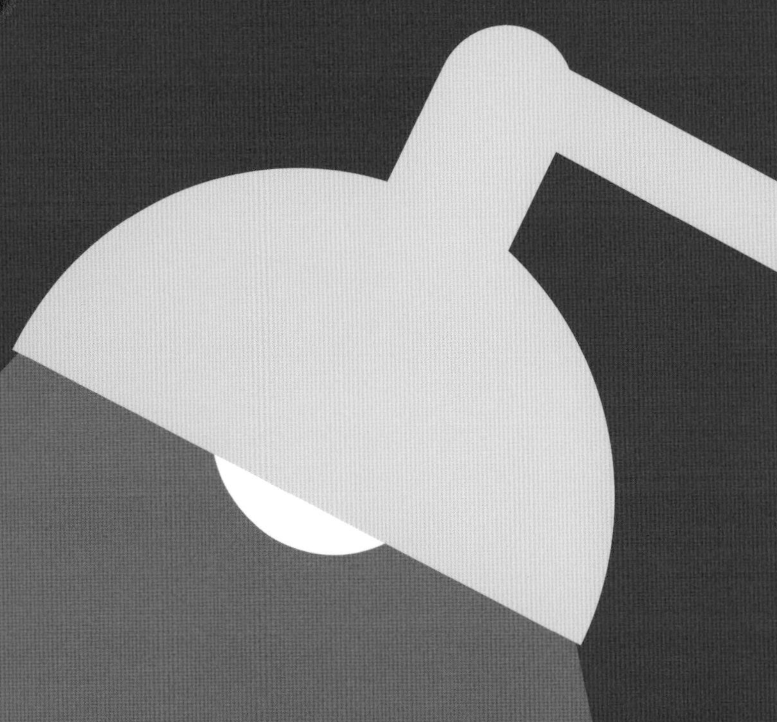

국어전략
중학 1
BOOK 3 정답과 해설

천재교육

국어전략

국어전략

중학 1

BOOK 3

정답과 해설

국어전략 **정답과 해설**

정답과 해설 이렇게 봐요~

- 표 안에 있는 정답을 빠르게 확인해요!
- 틀린 답은 그 이유를 확실하게 짚어 봐요!
- 서술형은 평가 기준을 확인하며 스스로 점검해 봐요!
- 책에 실린 작품들은 작품 설명에서 한눈에 살펴봐요!

정답과 해설 BOOK 1

1주 문학 (1)

1일 개념 돌파 전략 ❶ 9, 11쪽

1-2 ③ 2-2 ① 3-2 ② 4-2 ① 5-2 ③

1-2 ③에는 '교실'을 '별밭'에 암시적으로 빗대는 은유법이 나타난다. ①과 ②에는 비유적 표현이 나타나지 않는다.

2-2 밑줄 친 부분에서는 '처럼', '같이'를 사용하여 아프고 초라한 모습을 각각 '꺾여 버린 꽃'과 '쓰러진 나무'에 직접 빗대어 표현하고 있으므로 직유법이 나타난다.

3-2 제시된 부분에서는 '무엇은 무엇이다.'의 형식으로 '차 창문'을 '물방울 놀이터'에 빗대어 표현하고 있으므로 은유법이 나타난다. ②에서는 '같은'을 사용하여 '발소리'를 '배춧잎'에 직접 빗대어 표현하고 있으므로 직유법이 나타난다.

4-2 ①은 괴로운 감정을 드러내고 있을 뿐 상징이 사용되지 않았다. ②의 '비둘기'는 무너진 도시에 들어온 '평화', '희망' 등을 상징하는 것으로 볼 수 있다. ③의 '카네이션'은 스승에 대한 '감사의 마음'을 상징한다.

보조 관념: 비둘기
원관념: 평화

보조 관념: 카네이션
원관념: 스승의 은혜에 감사하는 마음

5-2 제시된 시조에서 '묏버들'은 시적 화자 스스로를 상징할 수도 있고, 임에 대한 시적 화자의 사랑을 상징할 수도 있다. 임에게 '묏버들(사랑하는 마음)'을 보내며 자신을 잊지 말라고 말하는 것으로 보아 '묏버들'의 의미가 작품의 주제와 밀접한 관련이 있음을 알 수 있다.

1일 개념 돌파 전략 ❷ 12~13쪽

1 ④ 2 ⑤ 3 은유법, 의인법 4 ②
5 ⑤

1 비유는 표현하려는 대상을 직접 설명하지 않고 다른 대상에 빗대어 나타내는 표현 방법이므로 어떤 현상을 직접적, 객관적으로 설명하는 방법이라고 볼 수 없다.

2 상징은 표현하고자 하는 대상이 겉으로 드러나지 않기 때문에 그 의미를 다양하게 해석할 수 있다.

오답 풀이

①, ④ 상징은 표현하려는 추상적인 관념을 직접 드러내지 않고 구체적 대상으로 표현하며, 표현하고자 하는 대상(원관념)이 겉으로 드러나지 않아 그 의미가 다양하게 해석되므로 전달하려는 의미가 직접적으로 드러나지 않는다.
② 원관념과 보조 관념 사이에 유사성이 드러나는 것은 비유이다.
③ 상징은 추상적인 개념을 구체적인 대상으로 표현하는 방법이다.

3 제시된 시의 1, 2행에서는 '밤하늘(원관념)'을 '별들의 운동장(보조 관념)'에 암시적으로 빗대어 표현하였으므로 은유법이, 3행에서는 '별들'이 반짝이는 모습을 마치 사람이 부산하게 움직이는 것처럼 표현하고 있으므로 의인법이 사용되었다.

4 제시된 시에서 화자가 '민들레', '까치' 등 다양한 존재를 만나며 이제도 가고 오늘도 가는 '길'은 '인생', '삶'을 상징한다.

5 상징은 표현하고자 하는 원관념을 숨기고 보조 관념만 드러내기 때문에 그 의미가 명확하게 드러나지 않는다. 따라서 그 의미를 다양하고 풍부하게 해석할 수 있다.

2일 필수 체크 전략 ❶ 14~17쪽

1 ⑤　2 ②　3 ⑤　4 ④

1 ㉠에서는 사람이 아닌 '해'에 '-님'을 붙여 사람처럼 즐거워 웃는다고 표현하고 있으므로 의인법이 사용되었다. ⓒ에서는 사람이 아닌 '꽃'이 사람처럼 수줍게 웃는다고 표현하고 있으며, ⓓ에서는 무생물인 '봄'이 사람처럼 은밀하게 눈짓한다고 표현하고 있으므로 의인법이 사용되었다.

오답 풀이

ⓐ에서는 빛난다는 유사성을 바탕으로 하여 '별'을 '불꽃'에 직접 빗대어 표현하는 직유법이 사용되었다.

ⓑ에서는 '무엇은 무엇이다.'의 형식으로 '나'를 '작은 짐승'에 빗대어 표현하는 은유법이 사용되었다.

작품 설명 윤동주, 〈햇비〉

갈래	현대시, 자유시
제재	햇비(여우비)
주제	햇비(여우비)를 맞으며 밝게 자라는 아이들의 모습
특징	① 다양한 비유법을 사용하여 주제를 전달함. ② 동일하거나 유사한 문장과 '-자'를 반복하여 운율을 형성함. ③ 순우리말(고유어)로만 이루어짐.

2 ⓐ에서는 무료한 생활에 즐거움을 주는 엿장수를 기다리며 기대하는 아이들의 모습을 '개선장군'을 맞이하는 모습에 빗대어 상황을 생생하고 인상적으로 드러내며, 기쁜 아이들의 심리를 구체적으로 표현한다. ⓐ에서 아이들의 가난한 형편이 드러나지는 않는다.

작품 설명 오영수, 〈고무신〉

갈래	현대 소설, 단편 소설
제재	고무신
주제	젊은 남녀의 애틋한 사랑
특징	① 비유적인 표현과 상징적인 소재를 사용함. ② 사투리를 사용하여 향토적인 정감을 불러일으킴. ③ 봄을 배경으로 하여 젊은 남녀의 사랑을 서정적으로 그려 냄.

3 선생님은 낙담한 어린 시절의 글쓴이를 위로하기 위해 자연 현상에 빗대어 빠른 성공보다 준비하고 노력하는 것이 중요하다는 교훈을 전했다. 이로 보아 제목의 '희망등'은 현재 소설가가 된 글쓴이가 선생님에 대한 고마운 마음을 담아 선생님을 '희망등'에 빗댄 것으로 볼 수 있다.

작품 설명 이순원, 〈내 마음의 희망등〉

갈래	현대 수필
제재	초등학생 시절 선생님과의 일화
주제	자신을 믿어 주고 격려해 주신 선생님에 대한 추억
특징	① 자연 현상에 빗대어 인생의 교훈을 전함. ② 글쓴이의 경험을 바탕으로 하여 독자에게 감동과 교훈을 줌.

4 ㉠에서 '누에 속에 감춰진 너'는 겉으로 드러나지 않는 무한한 가능성을 지닌 '너'를 빗대고 있다. ㉡의 '꺾여 버린 꽃'과 ㉢의 '쓰러진 나무'는 시련을 겪으며 아프고 초라한 '너'를 빗댄 대상이다. ㉤에서는 빛나는 '너'를 '태양'에 빗대고 있다. ㉣에서는 '나'와 '너'가 서로 믿고 있다고 말하고 있을 뿐, 비유가 사용되지 않았다.

작품 설명 강현민·이재학 작사, 이재학 작곡, 〈버터플라이〉

갈래	노랫말
제재	나비
주제	어려운 상황을 극복하고 마음속에 품은 뜻을 펼치기를 응원하는 마음
특징	① 비유를 사용하여 시적 대상의 상황을 드러냄. ② 말을 건네는 어조를 통해 친근감을 형성함.

2일 필수 체크 전략 ❷ 18~19쪽

1 ④　　2 ㉠, ㉣　　3 ②　　4 ④

1 이 시의 화자는 '공'의 속성을 닮아 '공'처럼 살아 보겠다는 의지를 표현하고 있지만, '공'이나 다른 사물의 시각에서 상황을 바라보고 있지는 않다.

오답 풀이

① 이 시에서는 전체적으로 공의 속성을 바탕으로 하여 공처럼 쓰러지는 법이 없이 살고 싶은 삶의 자세를 노래하고 있다.
② '공'은 떨어져도 튀고, 쓰러지는 법이 없고, 곧 움직일 준비가 되어 있는 모습으로 나타나고 있다.
③ '살아 봐야지', '공이 되어' 등을 반복하여 운율을 형성하고 있다.
⑤ 화자는 떨어져도 쓰러지는 법이 없이 튀어 오르는 공처럼 어려움 속에서도 절망하지 않고 씩씩하게 이겨 내며 살고자 하는 의지를 드러내고 있다.

2 이 시의 1~3연에서 1행과 2~3행의 순서를 바꾸어 표현하고 있으며(㉠), 2연에서 '처럼'을 사용하여 어려운 일을 겪어도 이겨 내며 살고 싶은 삶의 모습을 쓰러지는 법이 없이 둥글고 탄력 있는 '공'에 직접 빗대는 직유법이 사용되었다(㉣). 두 대상의 공통점과 차이점을 비교하는 대조법이나, 누구나 다 아는 사실을 질문의 형식으로 제시하여 내용을 강조하는 설의법은 사용되지 않았다.

작품 설명 정현종, 〈떨어져도 튀는 공처럼〉

갈래	현대시, 자유시
제재	공
주제	어려움에 처해도 이겨 내는 긍정적인 삶의 자세
특징	① '-지', '-되어'를 반복하여 운율을 형성함. ② 공의 속성을 통해 긍정적인 삶의 자세를 노래함.

3 ㉡에서는 미용실 누나가 가위로 머리를 자르는 모습을 나비가 머리 주위에서 날아다니는 모습에 빗대어 표현하고 있다. 따라서 사람이 아닌 것을 사람처럼 표현하는 의인법이 아니라 생물이 아닌 것을 생물인 것처럼 표현하는 활유법이 사용되었다.

4 이 시는 미용실에서 머리를 자르는 일상적인 경험을 비유를 활용하여 참신하게 표현하고 있다. 이 시에서는 가위와 날리는 머리카락, 머리를 다듬은 '나'를 각각 '나비', '꽃가루', '꽃'에 빗대고 있지만 미용실 누나를 비유적으로 표현하고 있지는 않다.

작품 설명 이장근, 〈나는 지금 꽃이다〉

갈래	현대시, 자유시
제재	미용실에서 머리는 자르는 상황
주제	꽃 같은 존재로 피어나는 모습
특징	① 일상생활에서 흔히 접할 수 있는 일을 소재로 함. ② 비유를 활용하여 표현함. ③ 의성어와 의태어를 사용하여 경쾌하고 밝은 분위기를 조성함.

3일 필수 체크 전략 ❶ 20~23쪽

1 ②　　2 ②　　3 ⑤　　4 ④

1 이 시의 화자는 마음속 푸른 바다에 고래를 키워야 하며, 고래가 있어 푸른 바다가 의미 있다고 말하고 있다. 푸른 바다는 청춘, 젊음을 의미하므로, 시인은 이 시를 통해 청년이라면 꿈과 이상을 추구해야 한다는 내용을 전하고 있다고 볼 수 있다.

작품 설명 정호승, 〈고래를 위하여〉

갈래	현대시, 자유시
제재	고래
주제	청년들에게 사랑하면서 꿈을 추구하기를 당부함.
특징	① 유사한 문장 형식을 반복하여 운율을 형성함. ② 상징적 표현을 사용하여 시어를 다양한 의미로 이해할 수 있음.

2 ㉠은 어른들이 이해한 '나'의 그림으로 눈에 보이는 대로만 보는 어른의 세계, 현실적 가치, 물질적 가치를 상징한다. 반면 ㉡은 동심의 세계, 눈에 보이지 않는 세계, 이상적 가치, 정신적 가치를 상징한다.

작품 설명 생텍쥐페리, 〈어린 왕자〉

갈래	현대 소설
제재	코끼리를 삼키고서 소화하는 보아 구렁이 그림
주제	어른들과 '나'의 가치관 차이로 본 삶의 의미
특징	상징적인 그림을 제시하여 내용을 시각적으로 전달함.

3 ㉤은 겉과 속이 다른 '백로'를 의미하며, 화자는 까마귀가 검다고 비웃는 백로야말로 겉과 속이 다른 위선적 존재라고 비판하고 있다. ㉠은 조선의 개국 공신을, ㉡은 고려의 충신을 상징하며, ㉢에는 화자를 비난하는 고려의 충신들을 비판하려는 의도가 담겨 있다. ㉣은 까마귀의 겉이 검어도 속은 검지 않다는 말로, 겉모습과 달리 내면은 깨끗하다는 의미이다.

작품 설명 ㉮ 영천 이씨, 〈까마귀 싸우는 골에〉
㉯ 이직, 〈까마귀 검다 하고〉

갈래	시조
제재	까마귀와 백로
주제	㉮ 나쁜 무리와 어울리는 것에 대한 경계 ㉯ 겉과 속이 다름에 대한 비판
특징	① 대조적 소재를 통해 주제를 드러냄. ② 대상을 의인화하여 화자의 정서와 주제를 드러냄.

4 '사막'은 고독하고 외롭고, 고난이 가득한 인생을 의미하므로, '사막을 같이 가는 벗'은 험난한 인생을 함께하는 진정한 벗을 의미한다.

작품 설명 양귀자, 〈사막을 같이 가는 벗〉

갈래	현대 수필
제재	우정
주제	진정한 벗의 필요성과 진정한 벗이 되기 위해 먼저 노력하는 자세의 필요성
특징	① 세상살이의 어려움을 학창 시절의 외로움과 비교하여 드러냄. ② 문학적 표현을 사용하여 주제를 효과적으로 표현함.

3일 필수 체크 전략 ❷

24~25쪽

1 ② **2** ④ **3** ⑤

1 (가)에서 연이 하늘에 떠 있을 때 어머니는 연을 날리는 아들의 존재를 확인하고 안도감을 느끼지만, (나)에서 연이 하늘 끝까지 닿을 듯이 높이 떠 있을 때는 아들이 떠나지 않을까 하는 불안감을 느낀다.

2 (다)의 '어머니는 방금 전에 ~ 거동이었다.'에서 어머니의 담담한 태도를 볼 수 있다. 이는 어머니가 연이 끊어져 날아가는 것을 보고 아들이 고향을 떠났다는 것을 이미 짐작했기 때문이다.

3 '연'은 높이 떠오르는 동시에 묶여 있다는 특성을 가진다는 점에서 떠나고 싶지만 떠나지 못하다가 결국 고향을 떠난 아들을 상징한다고 할 수 있다.

작품 설명 이청준, 〈연〉

갈래	현대 소설, 단편 소설
제재	연
주제	연을 날리다가 고향을 떠나는 아들과 아들에 대한 어머니의 마음
특징	① 상징적 소재를 바탕으로 하여 내용을 전개함. ② 향토적인 배경과 소재를 이용하여 토속적인 느낌을 줌.

4일 교과서 대표 전략 ❶

26~29쪽

1 ⑤ **2** ③ **3** ㉠, ㉡에서는 직유법을 사용하여 '고양이의 털'과 '고양이의 눈'의 느낌을 생동감 있고 참신하게 전달하고 있다. **4** ② **5** ④ **6** ⑤ **7** ② **8** ② **9** ③ **10** 님이와 엿장수의 애정과 추억, 이별

1 이 시는 고양이에서 연상되는 봄의 느낌과 이미지를 감각적으로 표현한 시로, 1연에서 고양이의 털에 어린 고운 봄의 향기를, 2연에서 고양이의 눈에 흐르는 미친 봄의 불길을, 3연에서 고양이의 입술에 떠도는 포근한 봄의 졸음을, 4연에서 고양이의 수염에 뛰노는 푸른 봄의 생기를 나타내고 있다.

2 이 시의 제목인 '봄은 고양이로다'에서는 '봄'을 '고양이'에 암시적으로 빗대는 은유법을 사용하고 있다. ③에서도 은유법을 사용하여 '수필'을 '여인'에 빗대고 있다.

오답 풀이

① '같이'를 활용하여 '꽃'을 '누님'에 빗대고 있으므로 직유법이 나타난다.
② '산맥'이 사람처럼 '바다'를 연모한다고 표현하고 있으므로 의인법이 나타난다.
④ 무생물인 '어둠'을 알이나 새끼를 낳는 동물처럼 표현하는 활유법이 나타난다.
⑤ '꽃잎'이 마치 사람처럼 손길을 흔든다고 표현하고 있으므로 의인법이 나타난다.

3 ㉠에서는 '고양이의 털'을 부드러운 '꽃가루'에, ㉡에서는 '고양이의 눈'을 호동그란 '금방울'에 직접 빗대어 표현하고 있다. 이렇게 직유법을 사용하면 표현하고자 하는 대상을 더 구체적이고 생생하게 표현할 수 있다.

평가 기준	확인 ☑
㉠, ㉡에 공통으로 사용된 표현 방법으로 '직유법'을 씀.	
표현 방법의 효과를 포함하여 한 문장으로 적절하게 서술함.	

작품 설명 이장희, 〈봄은 고양이로다〉

갈래	현대시, 자유시
제재	봄, 고양이
주제	봄의 모습과 분위기
특징	① 고양이의 모습을 통해 감각적이고 생동감 있게 봄의 분위기를 표현함. ② 정적인 분위기(1, 3연)와 동적인 분위기(2, 4연)를 대칭시켜 표현함. ③ 유사한 문장 구조를 사용하고 같은 위치에 같은 말을 반복함으로써 운율을 형성함.

4 이 시의 화자인 '나'는 '내'와 '고개'를 건너고 넘어, 다양한 존재들을 만나며 '숲'과 '마을'을 향해 어제도 오늘도 계속 길을 걸어가고 있다.

5 이 시의 화자는 자신의 생각을 직접적으로 나타내기보다는 '인생', '삶'을 '길'이라는 구체적인 대상으로 나타내는 상징을 사용하여 늘 새로운 마음으로 인생을 살아가겠다는 주제를 드러내고 있다.

오답 풀이

① 4연의 2행에서 '오늘도'와 '내일도'의 뒤에 이어지는 시어를 생략하고 말줄임표를 사용하여 여운을 주고 있다.
②, ③ 이 시에서는 1연의 내용을 5연에서 반복하고 있으며, '오늘도', '길' 등의 시어를 반복하여 운율을 형성하고 있다.
⑤ 3연을 중심으로 하여 1연과 5연에서 같은 내용을 반복하고, 2연에서는 과거에서 현재로 이어지는 길, 4연에서는 현재에서 미래로 이어지는 길을 표현하며 의미상 대칭을 이루어 안정감을 주고 있다.

6 ㉠은 '인생', '삶'이라는 추상적인 개념을 구체적 대상인 '길'로 나타낸 상징적 표현으로, 상징을 사용하면 추상적인 개념을 구체적으로 머릿속에 떠올릴 수 있다. 또 전달하려는 추상적인 개념이 직접 드러나지 않아 그 의미를 다양하게 해석할 수 있어 시의 의미를 풍부하게 만든다.

작품 설명 윤동주, 〈새로운 길〉

갈래	현대시, 자유시
제재	길
주제	언제나 새로운 마음으로 인생을 살고자 하는 의지
특징	① 상징적 소재를 사용하여 주제를 드러냄. ② 3연을 기준으로 하여 앞뒤의 내용이 대칭을 이룸. ③ 수미상관의 구조와 유사한 문장을 반복하여 운율을 형성함.

7 (나)에서 '구름'과 '바람'은 각각 빛깔이 깨끗하고, 소리가 맑지만 색이 바뀌거나 멈출 때가 많다. 그에 반해 '물'은 깨끗하면서도 그치지 않는 속성을 지닌 존재이다.

오답 풀이

① (가)의 다섯 자연물은 화자가 아끼는 벗을 의미한다.
③ (다)의 '꽃'과 '풀'은 외부 상황에 쉽게 흔들리는 존재, '바위'는 변하지 않는 굳건하고 변치 않는 태도를 지닌 존재를 의미한다.
④ (마)의 '그'는 곧고 속이 비었으면서도, 언제나 푸르른 '대나무'를 의미한다.
⑤ (바)의 '만물'은 '달'이 비추는 대상으로, '달'은 과묵하고 포용력 있는 태도를 지닌 존재를 의미한다.

8 (라)에서는 ㉠이 눈서리 속에서도 흔들리지 않는 것을 보고 그 뿌리가 깊은 것을 알겠다고 말하고 있다. 즉 외부의 환경이나 시련에도 변치 않고 흔들리지 않는 솔의 특

성을 예찬하고 있으므로 이와 가장 가까운 인물 유형은 '힘든 상황을 꿋꿋이 이겨 내는 사람'이다.

작품 설명 윤선도, 〈오우가〉

갈래	연시조
제재	오우(다섯 친구)
주제	다섯 자연물의 덕 예찬
특징	① 대조를 통해 대상의 특성을 강조함. ② 자연물에 빗대어 자신이 지향하는 바를 나타냄. ③ 자연물의 특성에서 인간의 품성을 이끌어 내어 예찬함.

9 ㉢은 의인법을 사용하여 활짝 핀 민들레의 모습을 깜짝 놀란 사람에 빗대어 표현한 것이다.

10 이 글에서는 철수의 아이들이 남이의 고무신을 엿과 바꾼 일을 계기로 엿장수와 남이가 만나게 된다. 그리고 남이가 떠날 때 새 옥색 고무신을 신은 것으로 보아, 이는 엿장수가 남이에게 선물해 준 것이라고 짐작할 수 있다. 따라서 '고무신'은 남이와 엿장수의 애정과 추억이 담긴 물건이다.

4일 교과서 대표 전략 ❷ (30~31쪽)

1 ① **2** ㉠에서는 원관념인 '온 산'을 보조 관념인 '공중목욕탕'에 직접 빗대는 직유법이 사용되었다. **3** ③
4 꿩 **5** ③ **6** ③

1 이 시에서는 봄에 씨앗을 마중하려고 색색의 꽃을 피우는 나무들과 그런 나무들이 가득한 산의 풍경을 그리고 있다. 따라서 꽃을 피우는 것은 '온 산'이 아니라 '나무들'이다.

2 ㉠에서는 색색의 꽃을 피운 나무들로 가득한 '온 산(원관념)'을 '처럼'을 사용하여 '공중목욕탕(보조 관념)'에 직접 빗대어 참신하게 표현하고 있다.

평가 기준	확인 ☑
㉠에 사용된 표현 방법으로 '직유법'을 씀.	
원관념으로 '온 산'을, 보조 관념으로 '공중목욕탕'을 밝힘.	

3 이 시는 다양한 비유를 사용하여 색색의 꽃을 피우는 나무들이 가득한 봄 산의 풍경을 그리고 있는데, 4연에서 나무들이 꽃을 피우는 이유가 씨앗을 마중하기 위해서라고 말하고 있다. 이로 보아 나무들이 꽃을 피우는 것은 그 자리에 씨앗을 맞이하기 위한 중요한 일임을 알 수 있다.

작품 설명 정현정, 〈나무들의 목욕〉

갈래	현대시, 자유시
제재	꽃을 피우는 나무들
주제	새로운 생명을 맞이하기 위해 나무들이 꽃을 피우는 일의 중요성
특징	① 다양한 비유를 사용하여 봄 산의 풍경을 생동감 있게 표현함. ② 말을 건네듯이 친근한 말투를 사용함.

4 (가)에서 다른 아이들의 책 보퉁이를 날라 주는 것 때문에 화가 났던 용이는 날아오르는 꿩을 본 후 아이들의 책 보퉁이를 던지고 가슴이 시원해지는 것을 느낀다.

5 용이는 (가)에서 꿩을 본 후 다른 아이들의 책 보퉁이를 모두 던져 버리고 후련함을 느끼며 학교로 향하고 있다. 이를 통해 용이가 다른 아이들의 책 보퉁이를 대신 나르는 일을 그만두기로 결심했을 것이라고 짐작할 수 있다.

6 ⓐ에서는 아이들의 부당한 요구를 거부하고 달려 내려가는 용이의 자신감 있고 당당한 모습을 상징적 소재인 '꿩'에 빗대어 인상적으로 표현하고 있다. 꿩을 보기 전과 꿩을 본 후 용이의 태도 변화로 보아 '꿩'은 '용기, 자신감, 자유로움' 등을 상징한다.

작품 설명 이오덕, 〈꿩〉

갈래	현대 소설, 성장 소설
제재	꿩
주제	부당한 일에 당당하게 맞서는 용기
특징	① 주인공의 두드러진 태도 변화를 통해 주제를 강조함. ② 비유적 표현과 상징적 소재를 사용하여 주제를 인상 깊게 드러냄.

정답과 해설 BOOK 1

누구나 합격 전략 32~33쪽

1 ③	2 반짝임.	3 ④	4 ⑤
5 ⑤	6 맑고 푸른 별	7 ④	

1 [A]에서는 '~은 ~이다.'를 반복하고 있으며, '사파이어, 에메랄드'와 같은 보석의 이름을 나열하고 있다. 또 5연에서 '너희들'에 대한 감탄의 감정을 드러내고, '교실'을 '보석밭'에, '너희들'을 '별밭, 꽃밭'에 암시적으로 빗대고 있다. 소리를 흉내 낸 의성어나 모양을 흉내 낸 의태어를 사용한 부분은 나타나지 않는다.

2 교실에 있는 학생들의 '눈'과 '별'은 반짝인다는 유사성이 있기 때문에 ㉠에서 눈을 반짝이는 학생들이 가득한 '교실'을 반짝이는 별이 가득한 '별밭'에 빗댄 것이다.

3 ⓐ에서는 'Ⓐ는 Ⓑ이다.'의 형식으로 '교실'을 '사과밭'에 빗대는 은유법이 사용되었다. ④에서도 같은 형식으로 '구름'을 '장미'에 빗대고 있다. ①, ⑤는 직유법, ②, ③은 의인법을 사용하고 있다.

4 이 시에는 대상을 직접적으로 설명하지 않고 다른 대상에 빗대어 표현하는 비유가 사용되었다. 따라서 대상의 모습을 직접적으로 표현했다고 보기 어렵다.

작품 설명 오세영, 〈별처럼 꽃처럼〉

갈래	현대시, 자유시
제재	교실의 학생들
주제	교실을 환하게 밝히는 순수한 학생들의 모습
특징	① 다양한 비유적 표현을 사용하여 학생들의 모습을 나타냄. ② 같은 문장 구조를 반복하여 운율을 형성함. 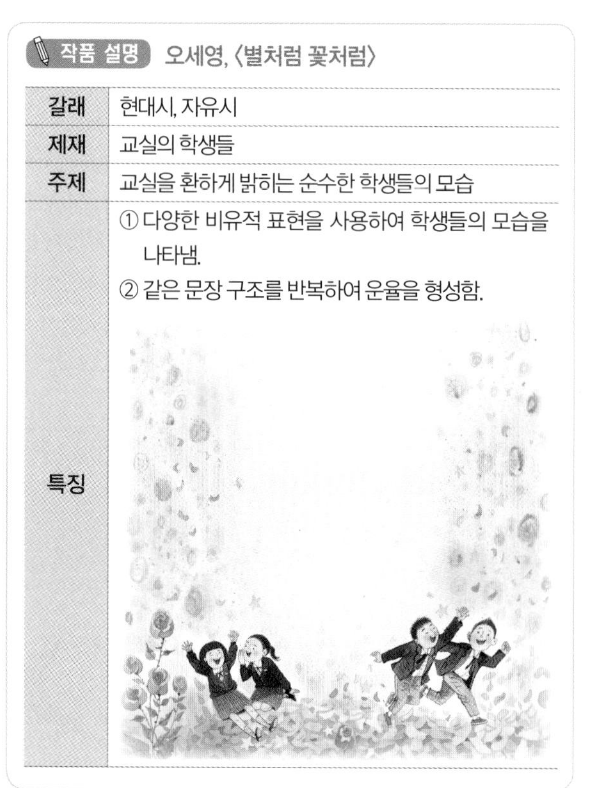

5 이 글에서는 담임 선생님이 안 계셔서 뿔뿔이 헤어지게 된 막내의 반 아이들(㉢)의 처지를 나라를 잃은 백성(㉤)에 빗대어 표현하고 있다.

오답 풀이
㉠은 막내의 반 아이들이 흩어져 가게 된 반의 아이들을 가리키며, ㉣은 글쓴이를 가리킨다.

6 글의 마지막 문단에서는 '맑고 푸른 별'을 막내와 막내네 반 아이들의 '초롱초롱한 눈'에 빗대고 있으며, 글쓴이가 본 가장 '맑고 푸른 별'은 야구 대회에서 우승하기 위해 열심히 노력하는 아이들의 순수한 동심을 상징한다.

7 막내의 방망이는 야구 시합에서 이겨서 반 아이들이 받은 설움을 극복하려는 아이들의 의지이자 노력, 단결심 등을 상징한다. 이 글에서는 공부만을 중요하게 생각하는 어른이 나타나지 않으므로 막내의 방망이가 그러한 어른들에 대한 저항 정신을 상징한다고 보기 어렵다.

작품 설명 정진권, 〈막내의 야구 방망이〉

갈래	현대 수필
제재	막내의 야구 방망이
주제	야구 시합을 통해 단결심을 배우는 막내와 아이들의 순수한 마음
특징	① 비유적 표현을 사용하여 학생들의 모습을 나타냄. ② 상징적 소재를 사용하여 주제를 드러냄. ③ 아이들의 순수한 마음과 이를 이해하고 받아 주는 아버지의 따뜻한 마음이 드러남.

창의 · 융합 · 코딩 전략 ❶ 34~35쪽

1 ② 2 ③ 3 ③ 4 ②

1 2연에서는 호동그란 모양이라는 유사성을 바탕으로 하여 '고양이의 눈'을 '금방울'에 직접 빗대어 표현하고 있다.

2 이 시에서는 〈보기〉와 같이 '교실'을 '꽃망울', '청춘의 닫히지 않은 성장판', '빅뱅 이전의 숨죽인 우주'에 빗대고 있다. '꽃망울'은 안에 무언가를 품고 있다는 점에서, '청춘의 닫히지 않은 성장판'은 성장 가능성을 지니고 있다는 점에서, '빅뱅 이전의 숨죽인 우주'는 긴장감이 느껴지는 공간으로 잠재력이 응축되어 있다는 점에서 '교실'과 유사하다. '꽃의 속살'인 학생들은 겉으로 드러나지 않고 '움츠린 시간'처럼 고요히 자라나고 있다.

작품 설명 이삼남, 〈교실〉

갈래	현대시, 자유시
제재	교실
주제	다양한 학생들이 잠재력을 품고 성장해 나가고 있는 교실
특징	① 간결한 비유로 독자의 상상력을 자극함. ② 비유적 표현을 사용하여 주제를 드러냄.

3 제시된 시에서는 은유법을 사용하여 고래들이 꼬리로 치는 '바다'와 천둥이 치는 '하늘', 심장이 뛰는 '가슴'을 각각 '북'에 빗대고 있다. 따라서 대상을 직접적으로 설명하고 있지 않으며, 원관념과 보조 관념이 나타나 있고, 그 사이에 유사성이 있다. 또 '같이'나 '처럼'과 같은 말을 사용하지 않고 암시적으로 빗대고 있다.

작품 설명 최승호, 〈북〉

갈래	현대시, 자유시
제재	북
주제	여러 가지 소리의 역동성과 경쾌함.
특징	① 비유적 표현을 통해 이미지를 선명하게 드러냄. ② 의성어를 사용하여 생동감을 줌.

4 선생님은 인생을 매화나무에 빗대어 당장 성공하는 것보다 준비하고 노력하는 것이 중요하다는 교훈을 어린 시절의 글쓴이에게 전하고 있다. 그리고 선생님의 말처럼 후에 글쓴이가 소설가가 된 것으로 보아, '희망등'의 원관념은 어린 시절 낙담한 글쓴이를 격려해 준 '선생님'이다.

창의 · 융합 · 코딩 전략 ❷ 36~37쪽

5 ③ 6 ⑤ 7 ㉣ 8 묏버들, 애정(사랑)

5 제시된 시에서는 땅속에 뿌리가 곧아 눈서리에도 변하지 않는 '솔'의 특성이 드러나 있으므로, 〈보기〉에서 설명한 군자의 훌륭한 덕성과 연관 지어 이해하면 '솔'의 상징적 의미는 지조와 절개이다.

6 제시된 글에서 어른들은 '나'가 코끼리를 삼키고서 소화하는 보아 구렁이를 그린 그림 제1호를 이해하지 못하고 '모자'로 보고 있다. 또 '나'에게 '지리, 역사, 산수, 문법'을 공부하고 그림을 그만두라고 말하고 있다. 따라서 어른들은 현실적이고 물질적인 가치를 중시하므로, 이상적, 정신적 가치인 '보아 구렁이'나 '원시림', '별'에 관한 이야기를 하고 싶어 하지 않는다.

7 (가)의 화자는 '백로'를 결백한 존재로 보고, 싸움을 일삼는 '까마귀'의 곁에 가지 말라고 하고 있으므로 '까마귀'를 부정적, '백로'를 긍정적으로 평가하고 있다.
(나)의 화자는 '백로'에게 겉이 검은 '까마귀'를 비웃지 말라고 하며, 흰 겉과 달리 속은 검은 '백로'를 비판하고 있으므로, '까마귀'를 긍정적, '백로'를 부정적으로 평가하고 있다. 즉, (나)의 화자가 '백로'를 부정적으로 평가한 것은 '백로'의 겉이 검기 때문이 아니라, '백로'의 겉과 속이 다른 이중적인 태도 때문이므로 ㉣은 적절하지 않다.

8 제시된 글에서 '옥색 고무신'은 엿장수가 남이에게 준 것으로 짐작되는 소재로, 남이에 대한 엿장수의 애정을 의미한다. 〈보기〉에서 대상에 대한 애정을 의미하는 소재는 임의 손에 보내어 임이 '나'로 여겨 주기를 바라는 '묏버들'이다.

작품 설명 홍랑, 〈묏버들 가려 꺾어〉

갈래	평시조
제재	묏버들
주제	임에게 보내는 사랑
특징	① 자연물을 활용하여 화자의 마음을 표현함. ② 상징적 소재를 사용하여 주제를 강조함. 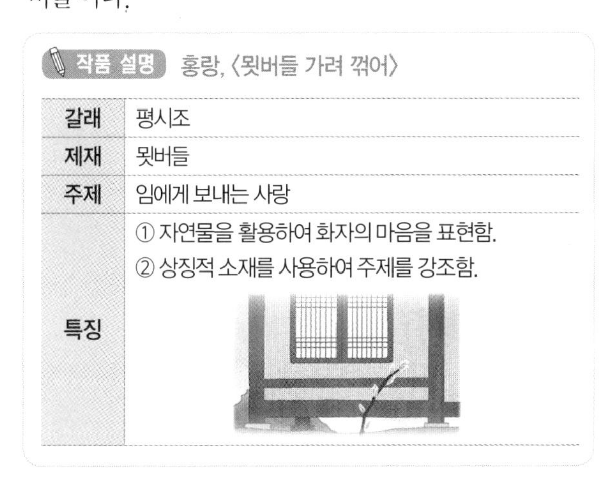

2주 문학 (2)

1일 개념 돌파 전략 ❶ 41, 43쪽

1-2 ① 2-2 ① 3-2 ② 4-2 ②

1-2 문학 작품에서 갈등은 한 인물의 마음속에서 반대되는 감정이 동시에 일어나거나 인물과 다른 인물, 인물과 인물을 둘러싼 외부 환경 사이에서 서로 다른 가치관과 이해관계 때문에 대립과 충돌이 일어나 복잡하게 얽혀 있는 상태를 말한다.

2-2 제시된 상황에서는 민재가 소라의 노트를 잃어버린 사건 때문에 일어난 민재와 소라의 외적 갈등이 나타난다.

3-2 '연'은 아들의 상황을 짐작하게 하는 소재로, ㉢에서 하늘 높이 떠 있는 연은 어머니를 불안하게 만들어 위기감과 긴장감을 높이고 있다. 따라서 ㉢은 갈등이 고조되고, 위기감과 긴장감이 조성되는 위기 단계에 해당한다.

4-2 ②는 신문 기사의 내용을 사실과 의견으로 구분 지어 이해하는 데 중점을 둔 활동이므로 자신의 마음을 반성하고 살피는 성찰의 태도가 드러난다고 보기 어렵다.

1일 개념 돌파 전략 ❷ 44~45쪽

1 ④ 2 ② 3 ① 4 ① 5 ④

1 내적 갈등은 인물의 마음속에서 서로 다른 생각이나 감정이 대립하여 얽혀 있을 때 발생한다.

2 제시된 글에서는 '닭'을 두고 '나'와 '계집애(점순)'가 갈등을 겪고 있으므로, 인물과 인물의 갈등이 두드러지게 나타난다.

3 소설에서 갈등은 작품의 긴장감을 높여 독자의 흥미를 불러일으키며, 사건 전개에 있어 우연성이 아니라 필연성을 높여 준다. 또 갈등이 있다고 해서 갈등이 작품의 결말을 미리 알려 주는 것은 아니다.

4 제시된 글에서는 산기슭 마을이라는 배경과 철수 내외, 엿장수와 같은 인물이 제시되고 있으므로 소설의 구성 단계상 발단에 해당한다.

5 문학 작품을 통해 성찰한다는 것은 단순히 작품의 내용을 이해하는 데 그치는 것이 아니라 그 내용을 자신의 삶과 연결 지어 생각해 보는 것이므로, ④와 같이 작품 속 인물의 상황에서 자신이 어떻게 행동했을지를 스스로 질문하며 자신의 삶을 살펴볼 수 있다.

2일 필수 체크 전략 ❶ 46~49쪽

1 ③ 2 ① 3 ④ 4 ⑤

1 (가)에서 길동은 당시의 신분 제도 아래서 서얼이라는 이유로 차별을 당하여 괴로워하고 있으므로, 인물과 사회의 갈등이 나타난다. ③은 일제 강점기라는 시대적 현실 때문에 조선의 지식인들이 갈등을 겪는 상황이므로 인물과 사회의 갈등에 해당한다.

오답 풀이

①, ④, ⑤ 홍수와 높은 파도, 지구 온난화는 모두 거대한 힘을 가진 자연환경에 해당하므로, 인물과 자연의 갈등이 나타난다.

② 승객들 간의 다툼이 일어난 것이므로 인물과 인물의 갈등이 나타난다.

2 이 글에서 길동은 활빈당의 우두머리가 되어 탐관오리의 재물을 훔치고, 임금(조정)은 도둑질을 하는 길동을 잡기 위해 군사들을 보내며 서로 외적 갈등을 겪고 있다.

작품 설명 허균, 〈홍길동전〉

갈래	고전 소설, 한글 소설, 영웅 소설
제재	홍길동의 삶
주제	불합리한 현실 비판과 이상 세계의 실현
특징	① 우리나라 최초의 한글 소설임. ② 영웅 소설의 일대기적 구성을 따름.

3 이 글에는 수남이의 자전거가 쓰러져 신사의 자동차에 흠집을 낸 일로 수리비를 요구하는 신사와 수남이 사이의 갈등이 나타난다. (나)에서 수남이는 자전거를 가지고 도망가라는 구경꾼들의 말에 유혹을 느껴 자물쇠가 채워진 자전거를 들고 도망가는 것으로 신사와의 갈등을 해결하였다.

4 이 글에서는 도시의 이기적이고 야박한 사람들 사이에서 도덕성과 관련하여 갈등을 겪던 수남이가 고향으로 돌아가는 결말을 통해 물질적 이익만을 중시하는 당대의 사회 현실을 비판하고 있다.

작품 설명 박완서, 〈자전거 도둑〉

갈래	현대 소설, 단편 소설, 성장 소설
제재	자전거
주제	물질적 이익만을 추구하는 도시 사람들에 대한 비판
특징	① 순진한 소년의 눈으로 도시 어른들의 부도덕성을 고발함. ② 시간의 흐름에 따른 사건의 전개 과정과 심리 변화가 잘 나타나 있음.

2일 필수 체크 전략 ❷ 50~51쪽

1 ③ 2 ② 3 ⑤

1 (나)의 나흘 전 감자 사건을 계기로 하여 (가)에서와 같이 점순이가 '나'의 수탉과 자신의 닭을 싸움을 붙이며 '나'를 괴롭힌다. 그리고 (다)에서 '나'가 점순이네 닭을 때려 죽이고 얼결에 울음을 터뜨린 후 둘이 화해하고 동백꽃 속으로 파묻힌다.

2 이 글에서는 나흘 전 점순이가 준 감자를 '나'가 거절한 일을 계기로 하여, '나'를 향한 분풀이로 닭싸움을 붙이며 괴롭히는 점순이와 이유를 알지 못한 채 그에 대항하는 '나'의 외적 갈등이 드러난다.

3 ⓜ에서 점순이는 다음부터 그러지 않겠다는 '나'의 말에 마음이 누그러져 닭을 죽인 것을 용서하겠다고 말하고 있으므로 '나'에게 화를 내고 있지 않다.

작품 설명 김유정, 〈동백꽃〉

갈래	현대 소설, 농촌 소설
제재	동백꽃
주제	산골 마을 남녀의 순박한 사랑
특징	① '닭싸움'을 중심으로 한 사건의 흐름을 '현재-과거-현재'의 역순행적 구성으로 제시함. ② 순박하고 어수룩한 '나'가 사건을 서술하여 웃음을 유발함. ③ 산골 마을을 배경으로 하여 서정적이고 향토적인 분위기를 드러냄. ④ 비속어와 사투리의 사용으로 토속적인 분위기를 형성함.

3일 필수 체크 전략 ❶ 52~55쪽

1 ⑤ 2 ④ 3 ④ 4 ④

1 (나)에서 삼촌의 꾸중을 듣고 죄책감을 느끼며 내적 갈등을 겪던 문기는 (다)에서 쓰고 남은 거스름돈을 고깃간 집 안마당을 향해 던진 뒤 후련함을 느끼고 있다.

2 (다)에서 문기는 자신의 잘못 때문에 누명을 쓰고 쫓겨난 점순이의 울음소리를 들으며 점순이에 대한 미안함과 죄책감에 내적 갈등을 겪고 있다.

3 문기는 삼촌에게 모든 잘못을 고백함으로써 갈등을 해결하였다. 따라서 폭력적인 방법으로 문제를 해결한 것이 아니므로 ④와 같이 문기의 행동을 평가하는 것은 적절하지 않다.

작품 설명 현덕, 〈하늘은 맑건만〉

갈래	현대 소설, 성장 소설
제재	거스름돈을 잘못 받고 나서 생긴 일
주제	양심을 속이지 않고 정직하게 사는 삶의 중요성
특징	① 갈등을 겪으며 성장하는 인물의 모습이 나타남. ② 사건의 진행에 따른 인물의 심리 변화가 잘 드러남.

4 이 시의 말하는 이는 아버지의 말씀대로 무릎의 딱지를 떼어 내지 않고 그냥 두었을 때 상처가 아물고 새살이 났던 어린 시절의 경험을 떠올리며 마음의 딱지도 그러한 과정을 거쳐 회복할 수 있다는 깨달음을 얻고 있다. 따라서 이를 통해 상처를 입더라도 그 상처가 아물고 새살이 돋기를 기다리는 과정에서 인간이 성숙해지고, 성장할 수 있다는 보편적인 삶의 가치를 얻을 수 있다.

작품 설명 이준관, 〈딱지〉

갈래	현대시, 자유시
제재	딱지
주제	인생의 시련과 고난을 이겨 내는 과정에 대한 깨달음
특징	① 말하는 이가 어린 시절 경험을 회상하며 깨달음을 전함. ② 상처가 회복되는 과정을 인생의 과정에 빗대어 표현함. ③ 일상에서 쉽게 접할 수 있는 '딱지'라는 소재를 활용하여 삶의 깨달음을 전함.

3일 필수 체크 전략 ❷ 56~57쪽

1 ⑤ 2 ② 3 ⑤ 4 ⑤

1 병을 낫게 할 약으로는 약초보다 어패류가 나을 것이라고 한 꼴뚜기의 말에 용왕은 '너희를 먹으라고?'라며 놀라 구역질을 한다. 즉 용왕은 물고기를 먹으라는 제안에 거부감을 드러내고 있으며 신하들을 먹을지 말지 고민하는 모습은 보이지 않고 있다.

2 이 글에는 용왕의 병을 낫게 할 약으로 어패류가 좋다는 꼴뚜기의 말에 서로 다른 물고기를 먹으라고 제안하는 신하들 사이의 외적 갈등이 나타나 있다. ②도 행인과 자전거 운전자가 서로의 잘못이라고 주장하며 다투는 상황이므로 인물 간의 외적 갈등이 나타난다.

오답 풀이
①에서는 인물과 자연환경의 갈등, ③에서는 인물과 사회의 갈등, ④에서는 인물의 내적 갈등, ⑤에서는 인물과 운명의 갈등이 나타난다.

작품 설명 엄인희, 〈토끼와 자라〉

갈래	희곡
제재	용왕의 병과 토끼의 간
주제	용왕의 헛된 욕심과 토끼의 지혜
특징	① 인간을 동물에 빗대어 인간 사회를 풍자하며, 교훈을 전달하고 있음. ② 등장인물의 말과 행동을 과장되게 표현하여 재미를 줌.

3 (가)에는 공작나방을 갖고 싶어 도둑질을 한 자신의 행위에 대해 부끄러움을 느끼는 '나'의 내적 갈등이, (나)에는 자신의 잘못을 고백하고 용서를 구하는 '나'와 '나'를 경멸하고 비웃는 에밀의 외적 갈등이 나타나 있다. (다)에는 잘못된 행동을 한 자신을 반성하고 자책하는 '나'의 행동이 나타나 있을 뿐, 에밀과 '나'의 갈등이 해소되고 있지는 않다.

4 '나'는 공작나방을 훔친 것에 대해 에밀에게 용서를 구했지만 '나'를 경멸하고 비웃는 에밀의 태도를 통해 한번 저지른 일은 어떻게 해도 바로잡을 도리가 없다는 것을 깨달았다. 이러한 깨달음을 얻은 '나'는 자책감을 가지고 반성하는 마음으로 ㉠과 같은 행동을 하는 것이므로, ⑤와 같이 판단하는 것은 적절하지 않다.

✎ 작품 설명 헤르만 헤세, 〈공작나방〉

갈래	단편 소설, 성장 소설
제재	공작나방
주제	어린 시절 나비 수집과 관련된 경험을 통한 정신적인 성장
특징	① 주인공 하인리히가 경험을 통해 깨달음을 얻고 정신적으로 성숙해지는 과정이 나타남. ② 인물의 깨달음을 바탕으로 보편적인 삶의 가치를 드러냄. 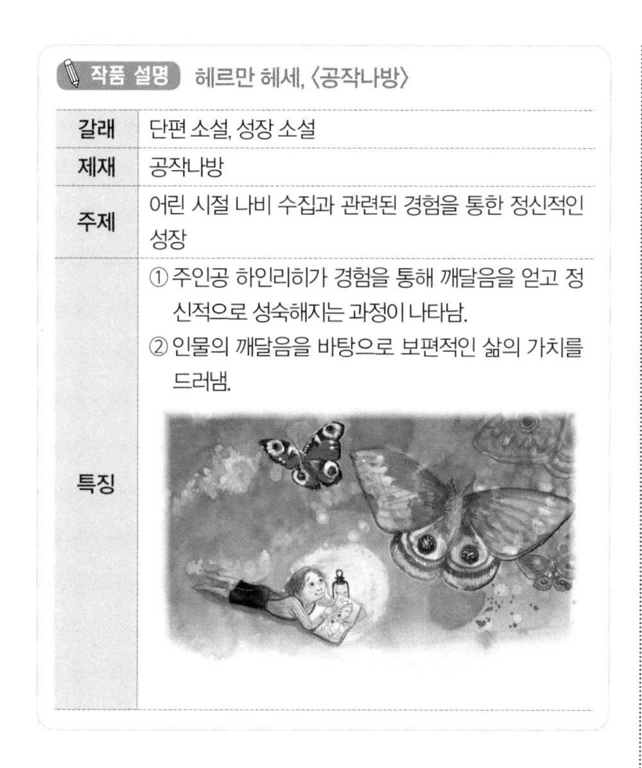

4일 교과서 대표 전략 ❶ 58~61쪽

1 ②	2 ②	3 ⑤	4 ③	5 동해 바다
6 ④	7 ④	8 ③		

1 아버지는 파르한이 돈을 많이 벌 수 있는 공학자가 되기를 바란 것이지 자신의 직업을 이어받기를 원한 것은 아니다.

2 이 글에서 파르한은 돈은 적게 벌더라도 자신의 행복을 위해 사진작가가 되기를 원하고, 아버지는 파르한이 돈을 많이 벌 수 있는 공학자가 되기를 원해서 서로 갈등을 겪고 있다. 파르한과 아버지가 대화를 하며 갈등이 고조되다가 아버지가 파르한의 말을 듣고 노트북을 환불해 그 돈으로 카메라를 사라고 말하며 갈등이 해소되고 있다.

✎ 작품 설명 라지쿠마르 히라니 외, 〈세 얼간이〉

갈래	시나리오
제재	파르한의 진로
주제	세 친구의 우정과 사랑, 갈등
특징	현재에서 과거로 돌아갔다가 다시 현재로 돌아오는 역순행적 구성을 따름.

3 (가)에서는 염색을 하고 매니큐어를 바르고, 엄마의 허리띠를 하는 등 멋을 부리고 싶은 '나'와 멋을 부리느라 공부를 하지 않는 딸을 혼내는 엄마의 외적 갈등이 두드러지게 나타난다.

4 ㉢에서 '나'는 엄마도 누군가의 딸이라는 것을 깨달으면서 엄마를 이해하게 된다. (라)에서 엄마와 '나'가 들꽃 공원을 돌며 껌을 씹는 모습에서 두 사람이 화해했음이 드러나므로 ㉢이 새로운 갈등이 일어날 것을 암시한다고 보는 것은 적절하지 않다.

오답 풀이

① 엄마는 염색을 하고 매니큐어를 바르고, 자신의 허리띠를 하며 멋을 내는 '나'의 행동을 엉뚱한 짓이라고 생각하며 못마땅하게 여기고 있다.

② 엄마가 할머니에게 어리광을 부리는 모습을 보며 '나'는 엄마도 누군가의 딸임을 깨달으며 엄마를 이해하게 된다.

④ 다툼 이후 어색했던 분위기에서 엄마가 '나'가 좋아하는 껌을 내미는 것은 화해를 청하는 행동이라고 볼 수 있다.

⑤ 엄마와 '나'가 함께 공원을 돌며 껌을 씹는 소리가 이중창처럼 경쾌하게 울려 퍼졌다는 것에서 둘 사이의 갈등이 해소되었음이 드러난다.

✎ 작품 설명 김옥, 〈야, 춘기야〉

갈래	현대 소설, 성장 소설
제재	사춘기 소녀와 엄마의 일상
주제	갈등을 통한 사춘기 소녀의 내적 성장
특징	① 갈등의 진행과 해결 과정을 통해 성장하는 인물의 모습이 드러남. ② 청소년의 일상과 심리가 잘 드러나 있음.

5 1연에서 화자는 남의 잘못을 크게 보고, 남에게는 엄격하고 스스로에게는 너그러웠던 삶을 반성하고 있다. 그리고 2연에서 동해 바다를 바라보며 바다처럼 너그럽고, 감싸고, 끌어안고 받아들이는 삶의 태도를 희망하고 있다.

6 화자는 2연에서 너그럽고 포용력 있으면서도 스스로는 억센 파도로 다스리고 매로 채찍질하는 동해 바다처럼 남에게는 너그럽고 자신의 잘못은 엄격하게 다스리는 삶의 태도를 갖기를 바라고 있다.

작품 설명 신경림, 〈동해 바다-후포에서〉

갈래	현대시, 자유시
제재	동해 바다
주제	남에게는 너그럽고 자신에게는 엄격한 삶의 태도를 갖기를 바라는 마음
특징	① 시어를 대조하여 주제를 강조함. ② 화자가 자연물을 통해 자신의 삶을 성찰하고 있음. ③ 자기반성과 앞으로의 바람을 독백조로 드러내고 있음.

7 (다)에서 성태는 자신의 요리 실력을 믿지 못하는 부모님께 일단 먹어 보라고 하며 자신이 한 요리가 맛있을 것이라는 자신감을 드러내고 있다.

8 이 글에서 뚜렷한 목표 없이 무기력하게 지내던 성태는 할머니의 조리법이 담긴 일기장을 보고 요리사의 꿈을 키우게 되면서 자신감을 찾는다. 따라서 아직 자신이 좋아하거나 잘하는 것이 무엇인지 몰라 고민하고 있거나, 목표가 없어 무기력하게 지내는 학생에게 추천하기 적절하다.

작품 설명 민예지·김태희, 〈슴슴한 그대〉

갈래	드라마 대본
제재	청소년기의 진로 선택
주제	자신의 꿈을 찾는 과정을 통한 성장
특징	① 진로에 대해 고민하는 십 대의 모습이 생생하게 나타남. ② 인물이 진로를 결정하고 달라진 모습이 잘 묘사되어 있음.

4일 교과서 대표 전략 ❷ 62~63쪽

1 ②　2 ④　3 ③　4 호리병박을 빼앗은 완의 행동이 자신을 속인 것이 아니라 자신이 수영을 할 수 있다는 것을 알려 주기 위한 것이었음을 깨달았다.　5 ⑤

1 이 글은 아버지의 반대를 무릅쓰고 꿈을 이룬 빌리의 모습을 통해 한 소년이 꿈을 이루는 성장 과정을 보여 주고 있다.

2 (가)에는 남자는 발레를 배우면 안 된다는 편견을 가진 아버지와 발레를 배우고 싶은 빌리의 외적 갈등이 두드러지게 나타난다.

3 작품 속 인물의 경험과 깨달음을 보고 자신의 삶과 관련짓는 질문을 해 봄으로써 자신의 삶을 성찰할 수 있다. ③은 글의 내용을 파악하기 위한 질문이므로 자신의 삶을 성찰하는 질문으로 보기 어렵다.

작품 설명 리 홀, 〈빌리 엘리엇〉

갈래	시나리오
제재	발레 무용수가 되고 싶은 소년
주제	갈등과 역경을 극복하고 이룬 소년의 꿈
특징	① 한 소년이 어려움을 이겨 내고 꿈을 이루어 나가는 과정을 담고 있음. ② 시간 순서에 따라 사건이 진행됨. ③ 대사와 행동을 통해 인물의 심리와 갈등 양상이 나타남.

4 (다)에서 뉴뉴는 자신과 비슷한 경험을 한 외할머니의 이야기를 듣는데, 이를 듣고 뉴뉴는 호리병박을 빼앗은 완의 행동이 자신을 속인 것이 아니라 자신이 호리병박 없이도 수영을 할 수 있다는 걸 알려 주기 위한 행동이었다는 것을 깨닫는다.

평가 기준	확인 ☑
뉴뉴가 깨달은 내용으로 완의 행동에 담긴 의미를 적절하게 서술함.	
'나무 대야'와 같은 역할을 하는 소재로 '(빨간) 호리병박'을 씀.	

5 완과의 추억이 담긴 호리병박을 풀어 주는 뉴뉴의 행동은 완과의 추억을 떠나보내는 것이라고 할 수 있으며, 이는 뉴뉴가 한층 성장했다는 것을 의미하기도 한다. 뉴뉴는 외할머니의 말을 듣고 완이 한 행동의 이유를 깨닫고 호리병박 없이 헤엄쳐 완의 집에 찾아갔으므로 이때 뉴뉴가 완에게 서운함과 분노를 느끼고 있다고 보기 어렵다.

작품 설명 차오원쉬엔, 〈빨간 호리병박〉

갈래	현대 소설, 성장 소설
제재	빨간 호리병박
주제	소년과 소녀의 맑고 순수한 우정과 사랑, 아픈 경험을 통한 소녀의 깨달음과 성장
특징	① 사춘기 아이들의 아픔과 성장을 따뜻한 시선으로 그려 냄. ② 서정적인 문체로 배경과 인물의 심리를 묘사함.

누구나 합격 전략 (64~65쪽)

1 ③ 2 ④ 3 신문 4 ④ 5 ③, ④
6 ④

1 (나)에서는 반 친구들이 수택이와 '나'가 사귄다는 소문을 떠들며 '나'를 놀려 '나'와 갈등을 겪고 있다. '나'는 이 갈등 상황에서 벗어나기 위해 수택이가 준 신문을 난로에 던져 버렸다.

2 '나'는 신문을 볼 때마다 수택이에게 상처를 준 일을 떠올리며 수택이가 그날의 상처를 잊고 잘 지내기를 바라고 있으므로, '동경'은 빈칸에 들어가기에 적절하지 않다.

3 (가)에서 수택이는 깍두기를 준 '나'에 대한 고마움을 신문을 주는 것으로 표현하고 있다. 그러나 이 행동 때문에 반 친구들이 '나'와 수택이가 사귄다는 소문을 내게 되고, 이에 '나'는 신문을 난로에 던져 버린다. 이후 '나'는 성인이 되어서도 신문을 보면 수택이에 대한 미안함과 죄책감을 떠올리게 된다.

작품 설명 유은실, 〈보리 방구 조수택〉

갈래	현대 소설, 단편 소설
제재	어린 시절 놀림 때문에 친구에게 마음의 상처를 준 기억
주제	어린 시절 친구에게 마음의 상처를 준 것에 대한 미안함, 친구에 대한 배려의 소중함
특징	① 어른이 된 '나'가 어린 시절의 이야기를 들려주는 형식임. ② 인물의 심리와 행동에 관한 묘사가 두드러짐.

4 이 글에는 많은 시행착오 끝에 자전거 타기에 성공한 글쓴이의 경험과 깨달음이 나타나 있다.

5 자전거 타기에 성공한 글쓴이는 (마)에서 이 경험을 통해 일단 일을 시작하고 나면 중간에 멈출 수 없다는 것과 노력해도 잘 되지 않을 때에는 본능에 맡겨야 한다는 세상의 비밀을 얻게 되었다고 말하고 있다.

6 이 글에서 글쓴이는 자전거를 배운 경험을 통해 깨달음을 얻고 있으므로 독자는 이와 관련하여 자신도 비슷한 경험이 있는지, 자신이라면 어떻게 했을지 등을 생각하며 삶을 성찰할 수 있다. 따라서 ④와 같이 글쓴이와 비슷한 경험을 떠올릴 수 있다.

작품 설명 성석제, 〈어느 날 자전거가 내 삶 속으로 들어왔다〉

갈래	현대 수필
제재	자전거를 배우는 과정
주제	자전거 타기에 처음 성공한 경험을 통해 깨달은 삶의 진리
특징	① 자전거 타기에 성공하기까지의 과정이 시간의 흐름에 따라 나타남. ② 상황에 따른 글쓴이의 심리 변화가 잘 드러남. ③ 일상적인 경험을 통해 얻은 깨달음을 진솔하게 표현함.

창의 · 융합 · 코딩 전략 ❶

66~67쪽

1 ② 2 ⑤ 3 ③ 4 ④

1 (가)에서 점순이의 애정이 담긴 '감자'를 거부하고, (나)에서 점순이가 닭싸움을 붙이는 까닭을 이해하지 못하는 모습 등으로 보아, '나'는 순진하고 눈치가 없는 성격이라는 것을 알 수 있다.

2 점순이는 (가)에서 자신이 준 감자를 '나'가 거부하자 (나)에서 닭싸움을 붙여 '나'의 수탉을 괴롭힌다. 이에 '나'는 닭싸움에서 이기기 위해 자신의 수탉에게 고추장을 먹인다.

3 (나)에서 용이 엄마는 용이에게 한 해만 참으라며 용이를 설득(㉠)하고 있으며, (다)에서 아이들에게 맞서는 용이의 모습을 통해 아이들과 용이가 외적 갈등(㉡)을 겪고 있다는 것을 알 수 있다. 그리고 (가)에서 순이는 아이들의 괴롭힘에 학교를 그만둔 것으로 보아 용이와 비슷한 처지(㉢)임을 알 수 있다.

4 이 글에서 할머니는 아파트에서 전통 방식으로 메주를 만들려고 하고, 엄마는 옛날 방식을 고집하는 할머니를 말리면서 둘 사이에 외적 갈등이 일어나고 있다. ④의 파르한의 진로 문제로 갈등을 겪는 파르한과 아버지의 상황에서도 이와 같은 인물과 인물 사이의 갈등이 나타난다.

작품 설명 오승희, 〈할머니를 따라간 메주〉

갈래	현대 소설
제재	메주
주제	세대 간의 갈등과 해결
특징	① 어린아이의 시각에서 어른들의 갈등을 관찰하여 전달함. ② 대조적인 삶의 방식이 드러남.

창의 · 융합 · 코딩 전략 ❷

68~69쪽

5 ③ 6 ② 7 ③ 8 ①

5 삼촌의 꾸중을 들은 문기는 (다)에서 잘못을 바로잡기 위해 쓰고 남은 돈을 고깃간 집 앞마당에 던진 후 어깨가 거뜬해짐을 느끼고 있으므로, 후련함을 느끼고 있다.

6 문기는 순간의 욕심 때문에 양심을 저버리고 잘못을 저지른다. 하지만 이 잘못 때문에 죄책감을 느끼다가 잘못을 고백한 후 후련함을 느끼고 있다. 이를 통해 양심을 지키는 일이 중요하다는 것을 깨달았을 것이다.

7 (가)는 공작나방과 관련하여 에밀과 갈등을 겪은 후 자신이 수집한 나비를 가루로 만드는 모습에서, (나)는 친구의 행동을 오해한 일을 겪은 후 친구와의 추억이 담긴 물건을 물에 풀어 주는 모습에서 인물이 한층 성장한 모습을 보여 주고 있다.

8 화자는 1, 2행에서 하늘을 우러러 부끄러움 없이 사는 삶에 대한 바람을 드러내고 있으므로, '하늘'은 화자가 스스로를 비추어 보고 성찰하는 매개체이다.

작품 설명 윤동주, 〈서시〉

갈래	현대시, 자유시
제재	부끄러움이 없는 삶
주제	부끄러움이 없는 삶에 대한 소망과 의지
특징	① '과거 → 미래 → 현재'의 순서에 따라 시상을 전개함. ② 이미지의 대립('별' ↔ '바람')을 통해 시의 상황과 주제를 제시함.

신유형 · 신경향 · 서술형 전략

72~75쪽

1 ⑤ **2** ㉠에서는 '밤하늘'을 '별들의 운동장'에 암시적으로 빗대어 표현하는 은유법이 사용되었으며, '빗나간 야구공 하나'에서도 은유법이 사용되었다. **3** ②
4 이 시의 밑줄 친 '길'과 ㉣의 '길'은 '인생', '삶'을 상징한다.
5 ③ **6** '솔'은 눈서리를 모르고, 구천에 뿌리가 곧은 속성이 있는데, 이는 시련과 고난에도 지조와 절개를 지킨다는 것을 의미한다. **7** ② **8** ③ **9** ④
10 ⑤

1 2연에서 '무지개'를 '하늘 다리'에 빗댄 것은 '무지개'와 '하늘 다리'가 모두 하늘에 떠 있으며, 이쪽과 저쪽을 연결한다는 유사성이 있기 때문이다. 여러 빛깔을 지닌 것은 '무지개'에만 해당하는 특성이다.

오답 풀이

㉠, ㉡ 잠깐 나타났다가 금방 사라진다는 유사성을 바탕으로 하여 '햇비'를 '아씨'에 직접 빗대어 표현하고 있다.
㉢ 햇비를 맞으며 무럭무럭 자란다는 유사성을 바탕으로 하여 아이들을 '옥수숫대'에 직접 빗대어 표현하고 있다.

2 ㉠은 은유법을 사용하여 '밤하늘'을 '별들의 운동장'에 암시적으로 빗대어 표현하고 있다. 7행의 '빗나간 야구공 하나'도 '유성'을 암시적으로 빗댄 표현이다.

평가 기준	확인 ☑
㉠의 표현 방법으로 은유법을 밝혀 쓰고, 원관념과 보조 관념을 알맞게 씀.	
㉠과 같은 표현 방법이 나타난 시행으로 '빗나간 야구공 하나'를 찾아 씀.	

3 ㉡에서는 사람이 아닌 '별들'이 사람처럼 부산하게 돌아다닌다고 표현하고 있으므로 의인법이 사용되었다. ②에서도 사람이 아닌 '시계'가 쉴 틈 없이 일하고 부지런하다고 표현하고 있으므로 의인법이 사용되었다.

오답 풀이

① 문장의 순서를 바꾸는 도치법이 사용되었다.
③ '처럼'을 사용하여 '댓글'을 '초콜릿'에 빗대어 표현한 직유법이 사용되었다.
④ '같이'를 사용하여 '고양이의 털'을 '꽃가루'에 빗대어 표현한 직유법이 사용되었다.
⑤ 도치법이 사용되었으며, '바다'를 '보물'에 암시적으로 빗대어 표현한 은유법이 사용되었다.

작품 설명 오세영, 〈유성〉

갈래	현대시, 자유시
제재	밤하늘의 별과 유성
주제	밤하늘의 아름다운 모습과 유성의 생동감
특징	① 은유법과 의인법을 활용하여 대상을 감각적으로 표현함. ② 시각적, 청각적 심상을 활용하여 대상의 모습을 생생하게 표현함.

4 이 시의 화자는 '어제도', '오늘도' 그리고 '내일도' '언제나 새로운' 마음으로 '길'을 걸어갈 것을 다짐하고 있으므로, '길'은 화자가 살아가는 '인생', '삶'을 의미한다. ㉣에서도 자신이 살아온 길을 되돌아보며 성찰하고 있으므로 여기에서의 '길'도 '인생', '삶'을 의미한다.

평가 기준	확인 ☑
이 시의 '길'과 의미가 같은 것으로 ㉣의 '길'을 밝힘.	
'길'의 의미를 '인생', '삶'이라고 씀.	

5 쉽게 변하는 속성을 지닌 '구름, 바람, 꽃, 풀'과 달리 '물'은 깨끗하면서도 그치지 않는 변함없는 속성을 지녀 화자가 예찬하는 긍정적 존재이다.

6 '솔'은 더우면 피는 꽃과 추우면 지는 잎과 달리 눈서리를 모르고, 뿌리가 곧아 변치 않는 모습을 보인다. '눈서리'는 시련과 고난을 의미하므로, 뿌리가 곧아 시련과 고난도 이겨 내는 솔의 속성을 알 수 있다.

평가 기준	확인 ☑
'솔'의 특성이 나타난 두 부분을 바르게 밝혀 씀.	
'솔'의 두 가지 속성의 의미를 적절하게 씀.	

7 ㉠은 내적 갈등으로, (라)에서 수남이는 낮에 신사에게 돈을 주지 않고 자전거를 들고 도망친 일이 도둑질이었는지에 대해 고민하며 내적 갈등을 겪고 있다. ㉡은 외적 갈등으로, (나)에서 용서해 달라는 수남이와 돈을 주지 않으면 자전거를 돌려주지 않겠다는 신사의 외적 갈등이 최고조에 이르고 있다.

8 토끼는 자라에게 속아 간을 내어 주게 된 상황에서 간을 배 밖에 두고 산다는 거짓말을 쳐 위기를 벗어나려고 하고 있고, 신하들은 토끼의 말을 믿지 말고 배를 갈라 보자고 하고 있다. 따라서 토끼와 용왕(신하들)은 인물과 인물의 갈등을 겪고 있다.

9 화자는 친구가 원수보다 미워지고, 티끌만 한 작은 잘못도 맷방석처럼 크게 보이는 날을 떠올리고 있다. 또 남에게는 엄격해지고 내게는 너그러워지며 돌처럼 잘아지고 굳어진 자신의 모습을 성찰하고 있으므로 ④와 같이 같은 잘못을 저지르고도 친구의 잘못만 나무라는 모습을 부정적으로 바라볼 것이라고 추측할 수 있다.

10 '어린 강물'과 헤어진 '엄마 강물'은 시린 몸을 뒤채고 조용히 원래 살던 산골로 돌아온다. 아들과 헤어지고도 슬픔에 빠지기보다는 의연하게 대처하는 '엄마 강물'의 모습에서 아들과의 이별이 '엄마 강물'의 냉정함을 보여 주기보다는 '엄마 강물'에게도 성장의 계기가 된다는 것을 알 수 있다.

작품 설명 이시영, 〈성장〉

갈래	현대시, 산문시
제재	바다에 도달하는 강물
주제	성장에 대한 두려움과 기대
특징	① '강물'을 의인화하여 표현함. ② '어린 강물'과 '엄마 강물'의 성장을 함께 그려 냄. ③ 성장의 과정을 '바다로 흘러가는 것'에 비유함.

적중 예상 전략 | 1회

76~79쪽

1 ③ 2 ⑤ 3 ⓐ: 봄눈 ⓑ: 포근함, 부드러움. / 포근하고 부드러운 눈이 내리는 봄날의 아름다운 풍경
4 ③ 5 ⑤ 6 ③ 7 ② 8 ⑤
9 ③ 10 ② 11 우정 12 ④

1 이 시에서는 '(봄)눈'이라는 시어와 '~에 쌓이는 봄눈'이라는 동일한 문장 구조를 반복하여 운율을 형성하고 있다.

2 ㉠에서는 '처럼'을 사용하여 '눈'을 '봄빛'에 직접 빗대고 있고, 〈보기〉에서도 '그대'를 '태양'에 직접 빗대는 직유법이 사용되었다. ⑤에서는 '같은'을 사용하여 '친구'를 '풀잎'에 직접 빗대어 표현하고 있다. ①에는 영탄법, ②에는 의인법, ③에는 은유법, ④에는 도치법이 사용되었다.

3 1연에서는 '봄눈'을 '봄빛'에 비유하여 봄에 내리는 눈이 주는 포근한 느낌을 참신하게 표현했고, 4연에서는 '봄눈'을 '새끼 고양이의 눈'에 비유하여 봄눈의 부드러운 느낌을 생생하게 표현했다.

평가 기준	확인 ☑
ⓐ에 표현하려는 대상인 '봄눈'을 바르게 씀.	
ⓑ에 두 대상의 유사성인 '포근함, 부드러움'을 알맞게 씀.	
시인이 말하고자 하는 바(주제)를 25자 이내로 적절하게 서술함.	

작품 설명 오규원, 〈포근한 봄〉

갈래	현대시, 자유시
제재	봄눈이 내리는 모습
주제	포근하고 부드럽게 눈이 내리는 봄날의 아름다운 풍경
특징	① 비유적 표현을 통해 봄눈이 내리는 날의 정취를 구체적으로 표현함. ② 같은 시어와 비슷한 문장 구조를 반복하여 운율을 형성하고 의미를 강조함.

4 비유는 표현하려는 대상을 직접 설명하지 않고 다른 대상에 빗대어 나타내는 방법이므로, 말하려는 바를 직접적으로 전달한다고 볼 수 없다.

5 상징은 원관념을 겉으로 드러내지 않고 숨긴다는 점에서 비유와 다르다. 상징이 사용된 ㉠에는 원관념이 제시되지 않고 보조 관념만 나타나 있다.

오답 풀이

① ㉠은 추상적 개념을 구체적 대상으로 나타낸 상징이 사용되었으므로 〈보기〉보다 쉽게 이미지를 떠올릴 수 있다.
② ㉠에서 '푸른 바다'나 '고래'는 독자에 따라 그 의미가 다양하게 해석될 수 있다.
③ ㉠은 상징이 사용된 시적 표현으로 문학적 아름다움을 느낄 수 있다.
④ 〈보기〉에서는 '인생', '꿈', '의미 있는 삶' 등의 추상적 개념을 사용하여 글쓴이의 생각을 직접적으로 나타내고 있다.

6 이 시에서 '바다'는 '청춘', '인생'을 의미하고, '별'은 '꿈', '이상' 등을 의미하며, '별'을 바라보는 '고래'는 '꿈과 희망, 목표를 추구하는 존재'라고 할 수 있다. 화자는 3~5행에서 청년이라면 마음속 푸른 바다에 고래를 키워야 한다고 말하고 있으므로, 이 시의 주제는 청년들에게 꿈과 이상을 추구하며 살기를 당부하는 것이다. 따라서 ③과 같이 꿈 없이 무기력하게 지내는 사람에게 추천하기에 적절하다.

7 ⓐ '푸른 바다'는 희망을 가지고 살아가는 세상을 의미하고, ⓑ '고래'는 그 세상에서 꿈과 목표를 추구하는 존재이다. ⓓ '별'은 '고래'와 '나'가 추구하는 '꿈', '목표', '희망', '이상' 등을 상징한다.

8 (마)에서 어머니는 아들이 떠난 상황을 담담하게 받아들이며, 아들이 부디 몸이라도 건강하기를 바라고 있으므로 아들에 대한 원망스러운 마음을 표현한다고 보기 어렵다.

9 ㉠에서는 비유와 상징이 사용되었는데, 하루 종일 마을 위를 맴돈다는 유사성을 바탕으로 하여 '연'을 여행을 꿈꾸는 작은 '새'에 빗대어 표현하고 있다. 동시에 '연'은 마을을 떠나 더 넓은 세상으로 나가고 싶은 '아들'을 상징하며, '새'는 '연'을 빗댄 대상이면서 '연'과 같은 의미를 지니는 대상이다.

10 (가)의 내용을 바탕으로 할 때 망망대해를 헤매는 것은 홀로 파도를 헤치며 고난과 어려움을 겪게 되는 것을 의미하므로, [A]는 고난과 어려움이 가득한 인생을 의미한다.

11 (나)에서는 인생에서 참된 우정을 나눌 진정한 벗이 꼭 필요하다고 말하며, 우정은 일방적인 행위가 아니라 자신이 먼저 노력해서 쌓고, 맺어야 할 탑과 열매라고 말하고 있다. 따라서 탑과 열매는 모두 '우정'을 의미한다.

12 글쓴이는 (가)에서 험난한 인생을 살기 위해서는 어려움을 함께해 줄 진정한 친구가 있어야 한다고 말하고 있으며, (나)에서는 그런 진정한 벗을 얻기 위해서는 탑을 쌓고 밭을 경작하듯이 먼저 노력하여 자신이 참된 벗이 되어 주어야 한다고 말하고 있다.

오답 풀이

ⓐ (나)에서 '친구 없이 사는 것은 증인 없이 죽는 일'이라고 하였으나 진정한 친구임을 증명하기 위해 증인이 필요하다는 내용은 나타나지 않는다.
ⓑ 험난한 인생을 살아갈 때 영혼을 나눌 친구, 따뜻한 동반자가 되어 줄 친구가 필요하다고 했을 뿐, 많은 친구가 필요하다고 하지는 않았다.
ⓔ (나)의 마지막 부분에서 우정은 상호 간의 교류라고 하였다. '먼저 쌓아야 할 탑'과 '밭을 경작해서 맺어야 할 열매'는 모두 우정을 빗댄 비유적 표현일 뿐 진정한 친구의 조건은 아니다.

적중 예상 전략 | 2회 80~83쪽

1 ⑤ 2 근본적인 갈등의 원인이 사라지지 않았기 때문에 조선을 떠나 새 나라를 세웠다. 3 ⑤ 4 ②
5 ④ 6 ③ 7 성장(성숙) 8 ③
9 ④ 10 ④

1 (나)에서 길동은 홍 판서의 꾸짖음에 자신이 활빈당의 우두머리가 되어 도적질을 한 이유를 설명하고 다시 사라진다. 따라서 홍 판서의 설득으로 조정과 길동의 갈등이 해결된다고 볼 수 없다.

2 스스로가 원했던 것처럼 임금이 병조 판서 벼슬을 내렸음에도 공중으로 사라져 이상적인 나라를 세운 것으로 보아, 길동은 서얼을 차별하는 조선의 신분 제도라는 갈등의 원인이 근본적으로 해결될 수 없다고 생각하였음을 알 수 있다.

평가 기준	확인 ☑
갈등의 원인이 해결되지 않았다는 내용을 포함함.	
제시된 문장 형식에 맞게 서술함.	

3 성태가 동아리에 주는 지원금이 사라지자 은하를 내보내기 위해 댄스 오디션을 여는 것으로 보아, 성태는 은하를 축제에 이용하려고 한 것이 아니라 지원금 때문에 은하가 동아리에 들어오는 것에 찬성했다는 것을 알 수 있다.

오답 풀이
① 앞부분 줄거리에서 유성이가 힙합 댄스를 좋아하는 은하에게 자신이 속한 힙합 댄스 동아리에 들어오라고 제안했음을 알 수 있다.
② 성태를 비롯한 동아리 친구들은 지원금을 받을 수 없게 되자 은하가 춤을 잘 못 출 것이라고 생각하여 은하를 내보내기 위해 댄스 오디션을 열자고 하였다.
③ (가)에 나타난 예진이의 말에서 알 수 있다.
④ 앞부분 줄거리와 (가)의 대화에서 장애 학생이 동아리에 들어오면 지원금 오십만 원을 주었었다는 것을 알 수 있다.

4 (가)에서는 지원금 때문에 청각 장애가 있는 은하를 동아리에 들어오게 했다는 사실을 안 유성이가 동아리 친구들에게 화를 내며 외적 갈등을 겪고 있다.

5 (나)에서 은하를 내보내기 위한 오디션에서 은하가 박자에 맞춰 춤을 잘 추는 모습을 본 동아리 친구들이 은하의 실력을 인정해 주면서 동아리 친구들과 유성이가 겪은 갈등이 해소되고 있다.

작품 설명 극본 박범수, 연출 홍경철, 〈그대로도 괜찮아〉

갈래	드라마 극본
제재	힙합 댄스(춤)
주제	장애인을 있는 그대로의 모습으로 인정해 줄 것을 바람.
특징	① 청각 장애를 가진 인물이 춤을 좋아하면서 겪는 갈등이 생생하게 드러남. ② 장애인을 있는 그대로의 모습으로 인정해 줄 것을 바라는 작가의 의도가 드러나 있음.

6 (가)는 '풀잎들이 손을 흔든다'라는 부분에서 '풀잎'을 의인화하여 상처받은 이들이 보내는 위로와 격려를 표현하고 있을 뿐, 사회에 대한 비판을 드러내고 있지는 않다.

오답 풀이
① (가)에서는 '~가 있다', '~면' 등의 문장 구조를 반복하여 운율을 형성하고 있다.
② (가)에서는 '저녁놀'에서 시각적 심상, '향기롭다'에서 후각적 심상을 사용하여 꽃잎과 풀잎의 모습을 감각적으로 표현하고 있다.
④ (나)에서는 '딱지'라는 일상적인 소재를 활용하여 사람은 상처가 회복되는 과정을 통해 성장한다는 깨달음을 전달하고 있다.
⑤ (나)의 12행에서 '지금도 칠칠치 못한 나'라는 부분을 통해 현재의 '나'가 과거를 회상하는 형식으로 시상이 전개되는 것을 알 수 있다.

7 (가)의 '상처'는 '아픔', '시련' 등을 의미하지만 그것을 극복하면 더욱 향기로워진다는 점에서 성장에 필요한 대상이다. (나)의 '딱지'도 떼어 내지 않고 그대로 두면 새살을 키운다는 점에서 성장과 성숙에 필요한 대상이라고 할 수 있다.

8 ⓐ는 상처받은 존재들이 다른 이들에게 보내는 위로와 격려를 의미하므로 이를 통해 서로의 상처를 위로하며 더불어 사는 삶이라는 주제가 드러난다.

작품 설명 정호승, 〈풀잎에도 상처가 있다〉

갈래	현대시, 자유시
제재	상처 많은 풀잎과 꽃잎
주제	상처를 극복한 내면의 아름다움, 서로 상처를 위로하며 더불어 사는 삶
특징	① 의인법을 사용하여 주제를 구체적으로 드러냄. ② 비슷한 문장 구조를 반복하여 운율을 형성함.

9 (라)에서 '나'는 시간이 많이 흐른 지금도 신문을 볼 때면 수택이를 생각하며, 수택이가 그날 일을 잊고 상처받지 않기를 바라고 있으므로 ㉣과 같은 내용은 적절하지 않다.

오답 풀이

㉠ (라)에서 '나'는 시간이 많이 흐른 지금도 신문지를 볼 때마다 수택이 생각에 잠기며, 수택이가 어떻게 살지 궁금해 하고 있으므로 연락이 되어 반가워할 것이라고 예측할 수 있다.

㉡, ㉢ (다)에서 신문을 난로에 던져 버린 뒤 수택이에 대한 미안함에 수택이 얼굴을 똑바로 보지 못했다고 했으므로 그 일에 대한 미안함과 죄책감으로 후회하고 있을 것이라고 예측할 수 있다.

㉤ (라)에서 수택이가 그 일 때문에 더 이상 아프지 않기를 바라는 것으로 보아 '나'가 수택이에게 편지를 쓰는 이유가 사과를 하기 위해서일 것이라고 예측할 수 있다.

10 (다)에서 '나'는 수택이와 사귄다는 소문에 속이 상해 수택이가 준 신문을 난로 속에 던져 버린다. 하지만 그 후 '수택이 얼굴을 똑바로 보지 못했어.'라는 부분과 시간이 흐른 뒤에도 수택이를 생각하는 모습으로 보아 수택이에게 상처를 준 자신의 행동을 후회하고 있다. 따라서 작가는 이와 같은 '나'의 성찰을 통해 다른 사람에게 상처를 주지 말아야 한다는 내용을 전달하고자 했음을 알 수 있다.

정답과 해설 BOOK 2

1주 문법

1일 개념 돌파 전략 ❶ 7, 9쪽

1-2 ③ **2-2** ① **3-2** ③ **4-2** ③ **5-2** ①

1-2 제시된 설명에서 아이가 이미 배운 문장을 활용하여 새로운 문장을 만들어 내고 있으므로, 이는 인간이 이미 알고 있는 언어를 바탕으로 하여 새로운 단어를 만들어 내거나 같은 단어가 들어간 문장을 여러 개 만들어 내는 언어의 창조성과 관계 깊다.

2-2 제시된 어휘들은 외국에서 들어온 말이지만 우리말처럼 쓰이고 있는 외래어이다.

3-2 제시된 어휘들은 모두 '옥수수'를 나타내는 지역 방언이다.

지역마다 '옥수수'를 일컫는 말이 다 달라.
대표적인 예시 몇 개만 알려 주자면,
함경도에서는 '당쉬, 수꾸',
평안도에서는 '강능써울',
경기도에서는 '옥수수, 옥수꾸',
강원도에서는 '옥시기, 옥시끼',
충청도에서는 '옥수깨이, 옥수깽이',
경상도에서는 '강내이, 강냉수꾸',
전라도에서는 '옥수시, 옥소시',
제주에서는 '강낭대죽, 강냥대죽'이라고 한대.

4-2 '예쁘다'는 '예쁘네', '예뻤다' 등 문장에서 쓰일 때 형태가 변하며, 주체인 '꽃'의 상태를 설명하는 역할을 하는 용언(형용사)이다.

5-2 '와'는 놀람을 나타내는 감탄사이다. ②는 형용사, ③은 대명사가 나타내는 공통적인 의미이다.

1일 개념 돌파 전략 ❷ 10~11쪽

1 ④ **2** ⑤ **3** ③ **4** ⑤ **5** ③

1 ④는 같은 대상을 가리키는 말소리가 언어마다 다르다는 것을 보여 주는 사례이므로, 언어의 의미와 말소리가 우연히 맺어진다는 언어의 자의성을 알 수 있다. ①은 언어의 사회성, ②, ⑤는 역사성, ③은 창조성을 보여 주는 사례이다.

2 외래어는 외국 문화와의 접촉을 통해 들어왔지만 우리말처럼 쓰이는 말이다. 어휘를 고유어, 한자어, 외래어로 나누는 것은 기원(어종)에 따른 분류로, ②는 한자어, ③과 ④는 고유어에 대한 설명에 해당한다.

3 제시된 상황은 법정에서 판사가 전문어인 ㉠, ㉡을 사용하여 말하는 상황이다. 전문어는 직업, 나이와 같은 사회적 요인에 따라 다르게 쓰이는 말인 사회 방언의 한 종류로, 업무를 효율적으로 하기 위해 사용된다. ③은 지역 방언에 대한 설명이다.

4 단어가 나타내는 공통적인 의미에 따라 품사를 분류하면 명사, 대명사, 수사, 동사, 형용사, 관형사, 부사, 조사, 감탄사의 총 9개의 품사로 분류할 수 있다.

5 〈보기〉에서는 불변어이면서 체언인 대명사에 대해 설명하고 있다. ③의 '이것'은 문장에서 쓰일 때 형태가 변하지 않으며, 조사 '을'과 결합하여 '가지다'라는 동작의 대상이 되고 있으며, 특정 사물을 대신하여 가리키고 있다.

오답 풀이

①의 '철수'는 명사로, 문장에서 쓰일 때 형태가 변하지 않고 동작의 주체가 되지만 사람의 이름을 나타낸다.
②의 '저'와 ④의 '모든'은 관형사로, 문장에서 쓰일 때 형태가 변하지 않지만 조사와 결합하지 않고 체언을 꾸며 주는 역할을 한다.
⑤의 '하나'는 수사로, 문장에서 쓰일 때 형태가 변하지 않고 동작의 대상이 되지만 사물의 수량을 나타낸다.

2일 필수 체크 전략 ❶ (12~15쪽)

1 ⑤ 2 ③ 3 ② 4 ④

1 밑줄 친 내용은 그 언어를 사용하는 사람들이 그렇게 부르기로 약속하고 언어생활에서 많이 사용하여 사전에 올라간 말을 의미하므로, 언어의 사회성과 관련 있다. (라)는 '눈'을 '눈'으로 부르기로 한 사회적 약속을 지키지 않을 경우 의사소통이 어려움을 보여 주는 예로 언어의 사회성이 드러난다.

오답 풀이

① (가)는 과거에 '여름'이라고 불리었던 것이 현재 '열매'로 불리는 상황을 보여 주므로, '여름'에서 '열매'로 언어가 시간의 흐름에 따라 변했다는 점에서 언어의 역사성과 관련 있다.

② (나)는 '고맙다'라는 의미를 나타내는 말이 한국어, 영어, 중국어로 모두 다른 상황을 보여 주므로, 언어의 의미와 말소리의 관계가 필연적이지 않다는 점에서 언어의 자의성과 관련 있다.

③ (다)는 '사람', '나무', '집'이라는 세 개의 단어로 많은 문장을 새롭게 만들어 내는 상황을 보여 주므로, 인간이 이미 알고 있는 단어를 활용하여 새로운 문장을 만들 수 있다는 점에서 언어의 창조성과 관련 있다.

2 〈보기〉의 어휘들 중 '마음, 새파랗다'는 고유어, '심정, 의향, 호감'은 한자어, '버스, 컴퓨터'는 외래어로 분류할 수 있다.

3 은수는 친밀한 사람과 사적인 대화를 나누는 상황인 (나)에서는 지역 방언을, 기자 회견을 하는 공식적인 상황인 (다)에서는 표준어를 사용하고 있다. 표준어는 모든 사람과 원활한 의사소통을 하기에 적합하며, 지역 방언은 같은 방언을 사용하는 사람들 사이에 친밀감을 형성한다.

4 '먹주', '대', '삼패'는 청과물 상인들이 집단의 비밀을 유지하기 위해 손님들이 알아듣지 못하게 하려고 사용하는 은어이다. 업무의 효율성을 높이는 데 도움이 되는 것은 전문어로, 청과물 상인들이 '먹주', '대', '삼패'와 같은 은어를 사용한다고 해서 과일의 수를 세는 데 더 효과적이라는 내용은 확인할 수 없다.

2일 필수 체크 전략 ❷ (16~17쪽)

1 ④, ⑤ 2 ④ 3 ④ 4 ①

1 표준어는 한 나라에서 공통으로 쓰기로 사회적 약속을 맺은 말이므로, '짜장면'을 표준어로 인정하고 이를 사전에 반영한 것은 언어의 사회성을 보여 준다. 또한 과거에 표준어가 아니었던 '짜장면'이 표준어가 되었다는 것은 시간의 흐름에 따라 언어가 변화한다는 점을 고려한 것이므로 언어의 역사성을 드러낸다.

2 어종에 따라 분류하면 ㉠은 우리말에 본디부터 있던 말이나 이를 바탕으로 하여 만들어진 고유어, ㉡은 한자를 바탕으로 하여 만들어진 한자어에 속한다. ㉠의 '고치다'와 ㉡의 어휘들이 나타내는 뜻은 비슷하지만 한자어인 ㉡의 어휘들이 고유어인 '고치다'보다 더 분화된 의미를 지니고 있다.

3 ㉠, ㉢은 외래어, ㉡은 한자어로, 대체할 수 있는 말이 있는 경우 많은 사람들이 보다 쉽게 이해하도록 다듬어서 사용하는 것이 적절하다. ㉠은 '행사', ㉡은 '드립니다', ㉢은 '길 안내기/길 도우미' 등으로 다듬을 수 있다.

어려운 한자어나 외래어를 다듬을 때는 고유어로 다듬는 것이 좋지만, 고유어로 바꾸기 어려운 것은 쉬운 한자어나 고유어를 결합하여 다듬을 수도 있어.

4 의사는 (가)에서는 환자에게 쉬운 말로 상태를 설명한 데 비해, (나)에서는 간호사에게 같은 내용을 전달하면서 '럽처', '엔세이드' 등의 전문어를 사용하여 말하고 있다.

오답 풀이

② 의사가 업무를 효율적으로 수행하려고 전문어를 사용하는 상황은 (나)이다.

③ (가)에서 의사는 누구나 이해할 수 있는 표준어를 사용하고 있으므로 다른 지역에 사는 사람과 대화할 때 사용해도 상대에게 소외감을 주지 않는다.

④ (나)에서 의사가 전문어를 사용한 것은 업무의 효율성을 높이려는 목적이지, 집단의 비밀을 지키려는 목적이 아니다.

⑤ (나)에서 의사는 같은 의료 분야에서 일하는 간호사에게 전문어를 사용하여 말하고 있을 뿐, 간호사가 사는 지역을 고려한 지역 방언을 사용하고 있지 않다.

3일 필수 체크 전략 ❶ 18~21쪽

1 ③ 2 ④ 3 ④ 4 ③

1 '둘'은 '지우'와 '윤서' 두 명이라는 사람의 수를 나타내고, '셋'은 '지우', '윤서', '민호' 세 명이라는 사람의 수를 나타내는 수사이다. '우리'가 '지우'와 '윤서'를 대신 나타내는 대명사이다.

오답 풀이

① '너'는 '있다'라는 상태의 주체가 되는 체언(대명사)이다.
② '영화'는 '영화 볼래?', '어떤 영화를 볼까?', '재미있는 영화' 등 어느 문장에서 쓰여도 형태가 변하지 않는 불변어이다.
④ '우정'은 추상적인 대상을 가리키는 명사, '극장'은 구체적인 대상을 가리키는 명사이다.
⑤ '나 여기 알아'에서 '여기'는 '나'가 아는 동작의 대상이 되는 체언(대명사)이다.

2 '나는 손 씻을게.'에서 '씻을게'는 '나'의 동작을 나타내는 동사이다. ④에서 '멈춘'은 '버스'의 동작을 나타내는 동사이다. ① '방긋'은 부사, ② '셋'은 수사, ③, ⑤ '청결한', '건조하다'는 형용사이다.

3 '정말'과 '드디어'는 각각 동사인 '원하다'와 '사다'를 꾸며 주는 부사, '그'는 명사인 '모자'를 꾸며 주는 관형사이다. '검은'은 '모자'의 의미를 구체적으로 만들어 주지만, '검으면, 검고'와 같이 활용하는 형용사이다.

4 '아이고머니나', '어머', '으악', '야', '그래'는 모두 문장에서 사용될 때 형태가 변하지 않고, 다른 단어와 관계를 맺지 않는 독립언이다. '아이고머니나', '어머', '으악'은 놀람의 감정을 나타내며, '야'는 부름, '그래'는 대답을 나타내는 감탄사이다.

3일 필수 체크 전략 ❷ 22~23쪽

1 ② 2 ④ 3 ④ 4 ⑤ 5 ③

1 '희망', '나', '둘'은 체언, '읽다', '친절하다'는 용언, '온갖', '늘'은 수식언, '을/를', '도'는 관계언, '앗', '응'은 독립언에 속한다. 즉 이와 같은 분류는 문장에서의 기능에 따른 것이다.

2 '가', '에서', '는'은 모두 조사로, 체언 뒤에 붙어서 문법적 관계를 나타내고 있다. ① '본'과 '재미있었다'는 기본형이 '보다', '재미있다'인 동사와 형용사로, 가변어이다. ② '정말'은 용언인 '재미있었다'를 꾸며 주는 수식언(부사)이다. ③ '우리'와 '극장'은 모두 체언이지만, 의미에 따라 분류하면 '우리'는 대명사, '극장'은 명사이다. ⑤ '모든'은 사물의 수량을 나타내는 품사인 수사가 아니라, 체언인 '영화'를 꾸며 주는 관형사이다.

3 ㉣ '어머나'와 ④의 '네'는 모두 감탄사이다. ㉠ '첫째'는 수사, ①의 '나'는 대명사이고, ㉡ '씻다'는 동사, ②의 '좋다'는 형용사이다. ㉢ '무척'은 부사, ③의 '옛'은 관형사이고, ㉤ '따뜻하다'는 형용사, ⑤의 '달리다'는 동사이다.

4 '맑다'는 '-는다'가 붙은 '맑는다', '-아라'가 붙은 '맑아라', '-자'가 붙은 '맑자'로 활용할 수 없으므로 형용사이다. '맑아라'는 명령이 아니라 감탄의 뜻을 나타낼 때 쓰인다.

5 '도', '만'과 같은 조사는 문장에서 쓰일 때 형태가 변하지 않는 불변어이다. ① ㉠에는 '에서', '도', '를', ㉡에는 '에서', '만', '를'로 조사가 각각 3개씩 사용되었다. ② 조사는 독립적으로 쓰이지 못하고 다른 단어에 붙어서만 사용된다. ④ 반에서 노래를 잘 부르는 사람을 '소희'로 한정함을 나타내는 것은 ㉡에 쓰인 조사 '만'이다. ⑤ 어떤 것이 포함되고 그 위에 더함의 뜻을 나타내는 것은 ㉠에 쓰인 조사 '도'이다.

4일 교과서 대표 전략 ❶ 24~27쪽

1 ①	2 ⑤	3 ⑤	4 ⑤	5 ④
6 ③	7 ③	8 ⑤	9 ③	10 ①
11 ④	12 ②	13 ⑤		

1 '나비'라는 같은 대상을 가리키는 말소리가 한국어, 중국어, 일본어 등 언어마다 다른 것은 의미와 말소리가 필연적으로 결합되지 않고 우연적으로 결합되기 때문이다. 이와 관련된 언어의 본질을 언어의 자의성이라고 한다.

2 언어의 사회성을 바탕으로 할 때, '수박'을 '수박'으로 부르는 것은 우리나라 사람들 간의 사회적 약속이다. 이 약속을 지키지 않으면 서로 의사소통을 하기가 어려워지기 때문에 '수박'을 '시과'라고 부르면 안 되는 것이다.

3 '토마토'와 '열리다' 등 몇 개의 단어를 활용하여 다양한 문장을 만들어 내는 상황을 통해 인간은 이미 알고 있는 언어를 바탕으로 하여 무수히 많은 문장을 만들어 낼 수 있다는 언어의 창조성이 드러난다.

4 제시된 설명은 언어의 역사성에 대한 것이다. ⑤의 예는 몇 개의 단어로 새로운 문장을 만들 수 있다는 언어의 창조성을 보여 준다.

5 제시된 설명은 '고유어'의 개념이다. ④의 '바지', '목도리', '강아지', '지우개'는 모두 고유어이다. ①의 '밤'은 고유어, '식물'은 한자어, '아파트'는 외래어이고, ②의 '별'은 고유어, '원피스'는 외래어, '자동차'는 한자어이다. ③은 모두 한자어, ⑤는 모두 외래어이다.

6 제시된 어휘들은 모두 외국에서 들어온 말이지만 우리말처럼 쓰이는 외래어이다. 외래어는 외국 문물이나 문화와 접촉할 때 함께 들어오는데, 점점 그 수가 늘어나고 있다. 이러한 외래어는 적절하게 사용하면 우리말을 보완해 주지만, 과도하게 사용하면 오히려 우리말을 해칠 수 있으므로 가능하면 고유어로 다듬어서 사용하는 것이 좋다.

오답 풀이

① 외래어는 우리나라에 없는 물건이나 제도 등이 들어오면서 같이 들어오기도 하므로, 고유어로 바꾸기 어려운 경우도 있다.

② 한자를 바탕으로 하여 만들어진 말은 한자어이다.

④ 우리말로 바꿀 수 없는 외래어는 그대로 써야 하지만 과하게 사용하면 오히려 의사소통에 방해가 될 수 있다.

⑤ 외래어는 외국 문화나 문물과의 접촉으로 들어오는데, 최근에는 그 수가 늘어나고 있다.

7 지역 방언은 표준어로 나타내기 힘든 향토적인 정서를 전달할 수 있으며, 같은 방언을 쓰는 사람끼리 친근감을 형성한다. 또한 표준어와 지역 방언은 둘 중 하나가 더 우월하거나 열등한 관계, 대립적인 관계가 아니라 서로를 보완해 주는 관계이다. ㉡, ㉢은 표준어에 대한 설명이다.

8 전문어는 전문 분야에서 업무를 효율적으로 수행하기 위해 사용하는 말이다. ⑤는 일반 대중을 대상으로 한 방송이므로, 건축 분야에 대해 잘 모르는 일반 대중이 이해하기 쉬운 언어로 설명해야 한다.

9 세대에 따라 사용하는 어휘가 다를 수 있는데, 제시된 상황에서 손자가 사용한 '본방 사수'라는 말은 할머니의 세대에서 쓰는 말이 아니기 때문에 손자와 할머니가 의사소통에 어려움을 겪고 있다.

10 단어가 공통으로 나타내는 의미에 따라 나눈 품사 중 '이/가', '을/를'과 같은 조사는 홀로 쓰일 수 없고, 반드시 다른 단어에 붙어 쓰인다.

11 〈보기〉의 문장에서 '우리'는 대명사, '는'은 조사, '모두'는 부사, '성실하다'는 형용사, '학생'은 명사, '이다'는 조사로, 관형사는 쓰이지 않았다.

12 ①의 '달리는', ⑤의 '먹는'은 각각 동사인 '달리다'와 '먹다'의 활용형이고, ③의 '새로운', ④의 '맛있는'은 각각 형용사인 '새롭다'와 '맛있다'의 활용형이다. 동사와 형용사는 모두 주체를 설명하는 역할을 하는 용언으로 수식언이 아니다. ②의 '새'는 형태가 변하지 않으면서 명사인 '차'를 꾸며 주는 관형사이다.

13 ㉠ '그'는 말하거나 듣는 사람이 아닌 다른 사람을 대신하여 가리키는 대명사, ㉡ '그'는 '일'을 꾸며 주는 관형사, ㉢ '일'은 명사, ㉣ '드디어'는 '해내다'를 꾸며 주는 부사, ㉤ '해내다'는 '그'의 동작을 설명하는 동사이다.

4일 교과서 대표 전략 ❷ (28~29쪽)

1 ② 2 언어의 사회성을 바탕으로 할 때, 성호가 '수박'을 '수박'으로 부르기로 한 사회적 약속을 어기고 마음대로 바꾸어 불렀기 때문이다. 3 ④ 4 ③ 5 ④ 6 ⑤

1 (가)에는 닉이 어린 시절 '음악'을 '과갈라'라는 단어로 마음대로 바꾸어 불렀던 상황이 나타날 뿐 '음악'이라는 단어가 사라진 것은 아니다. (나)에는 '스타일리스트'라는 외래어를 우리말로 다듬은 '맵시가꿈이'를 쓰자는 새로운 사회적 약속을 맺는 상황이 나타날 뿐, '스타일리스트'라는 말이 사라진 것은 아니다.

2 우리나라에서는 '수박'을 '수박'으로 부르는 것으로 사회적 약속을 맺고 있으므로 성호처럼 '수박'을 마음대로 '몽미'라고 부르면 의사소통이 어려워진다.

평가 기준	확인 ☑
성호가 사회적 약속을 어긴 행동을 서술함.	
언어의 사회성을 바탕으로 하여 까닭을 적절하게 서술함.	

3 ④의 '고치다'는 법의 내용을 고치는 것이므로 '주로 문서의 내용 따위를 고쳐 바르게 하다.'라는 의미의 '개정하다'로 바꿔 쓸 수 있다.

오답 풀이

①의 '고치다'는 '낡거나 헌 물건을 고치다.'라는 의미의 '수선하다'로 바꾸어 쓰는 것이 적절하다.
②의 '고치다'는 '글이나 글자의 잘못된 점을 고치다.'라는 의미의 '수정하다'로 바꾸어 쓰는 것이 적절하다.
③의 '고치다'는 '병이나 상처 따위를 잘 다스려 낫게 하다.'라는 의미의 '치료하다'로 바꾸어 쓰는 것이 적절하다.
⑤의 '고치다'는 '잘못된 것이나 부족한 것, 나쁜 것 따위를 고쳐 더 좋게 만들다.'라는 의미의 '개선하다'로 바꾸어 쓰는 것이 적절하다.

4 전문어는 특정 분야에서 전문적인 개념을 표현하기 위해 사용하는 말로, 해당 분야의 사람들과 업무할 때 사용하면 일의 효율성을 높이는 데 도움이 된다.

오답 풀이

① 향토적이고 정겨운 감성을 전달하는 것은 지역 방언을 사용했을 때의 효과에 해당한다.
② 전문어는 특정 분야에서만 사용하는 말이므로, 그 의미를 모르는 일반 사람들에게 사용하면 의사소통에 어려움이 생길 수 있다.
④ 다른 사람들로부터 집단의 비밀을 지키기 위해 사용하는 것은 은어이다.

5 ④의 '이다'는 문장에서 사용될 때 '이니, 이고' 등으로 활용하지만 체언인 '당번'의 뒤에 붙어 문법적 관계를 나타내는 조사이다. ①의 '업고'는 '할머니'의 동작을 나타내는 동사, ②의 '나'는 자신을 대신하여 가리키는 대명사, ③의 '따뜻한'은 '말'의 성질을 나타내는 형용사, ⑤의 '와'는 체언인 '철수' 뒤에 붙어 문법적 관계를 나타내는 조사이다.

6 민호의 두 번째 말에서 '도'는 이미 어떤 것이 포함되고 그 위에 더함의 뜻을 나타내므로, 자장면을 먹는 친구에 지우가 이미 포함되고 거기에 민호도 더해짐을 알 수 있다. 또 윤서의 말에서 '만'은 다른 것으로부터 제한하여 어느 것을 한정함을 나타내므로, 볶음밥을 먹는 친구가 윤서에 한정됨을 알 수 있다.

누구나 합격 전략 (30~31쪽)

1 ④ 2 언어의 자의성 3 ② 4 ④ 5 ⑤ 6 ㉠: 품사 ㉡: 의미 ㉢: 9 7 ② 8 ② 9 ③

1 ④는 언어의 창조성에 관한 설명으로, 인간은 이미 알고 있는 언어를 조합하여 새로운 단어를 만들거나 문장을 무한히 만들어 낼 수 있다.

오답 풀이

① 언어의 의미와 말소리는 필연적이 아니라 우연히 그렇게 맺어진 것이며, 이는 언어의 자의성을 보여 준다.
② 언어는 그 언어를 사용하는 사람들 사이의 사회적 약속이므로, 개인이 마음대로 바꾸어 쓰면 의사소통에 어려움이 생길 수 있다. 이는 언어의 사회성을 보여 준다.
③ 언어는 시간의 흐름에 따라 있던 말이 사라지기도 하고, 의미나 말소리가 변하기도 하고, 새로운 말이 생겨나기도 하는데, 이는 언어의 역사성을 보여 준다.

2 '개'라는 같은 대상을 가리키는 말이 언어마다 다른 이유는 의미와 말소리 사이의 결합이 필연적이지 않고 우연히 결정되기 때문이다. 이는 언어의 자의성과 관련이 있다.

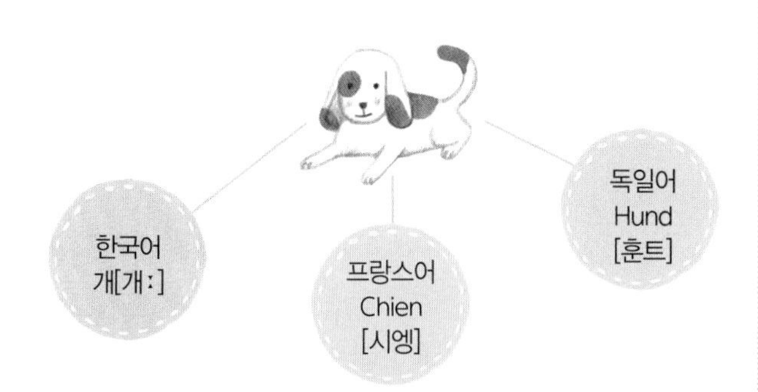

3 ⓒ은 '개'를 부르는 이름에 대해 다른 사람들과 새로운 약속을 맺으면 사전에 그 단어가 올라간다는 점에서 언어의 사회성이 드러난다. ②는 '밤하늘에 구름 띠 모양으로 길게 펼쳐진 수많은 별의 무리'를 '은하수'라고 부르기로 한 사회적 약속을 어기고 개인이 마음대로 '사랑강'이라고 바꾸어 말하면 의사소통이 어려워진다는 점에서 언어의 사회성을 보여 준다.

오답 풀이

① 과거에 쓰이던 말이 사라져 더 이상 쓰이지 않는 것은 시간에 따라 언어가 변한다는 언어의 역사성을 보여 준다.
③ 같은 대상을 부르는 말이 언어마다 다른 것은 언어의 의미와 말소리가 우연히 맺어진 것이라는 언어의 자의성을 보여 준다.
④ 이미 알고 있는 세 개의 단어를 조합하여 새로운 단어를 만들었으므로 언어의 창조성을 보여 준다.
⑤ 기존에 없던 물건이 생겨나면서 그것을 가리키는 말이 새롭게 생겨났으므로 언어의 역사성을 보여 준다.

4 제시된 어휘들은 유사한 감각을 나타내는 고유어이다. 우리말에 본디부터 있던 말을 바탕으로 한 고유어는 우리 민족의 정서와 감정, 감각들을 생생하게 전달한다.

오답 풀이

① 특정 지역만의 향토적인 느낌을 전달하는 것은 지역 방언의 특징이다.
② 한자어나 외래어는 우리말을 보충해 주지만 지나치게 사용하면 오히려 의사소통에 방해가 된다.
③ 전문 분야의 일을 효율적으로 수행하기 위해 사용하는 말은 전문어이다.
⑤ 외국 문화와의 접촉을 통해 들어와 우리말을 보충해 주는 것은 외래어이다.

5 (가)의 '속았수다'는 '수고하다'의 제주도 방언이므로 지역 방언, (나)의 '까까'는 '과자'를 이르는 어린아이의 말이므로 나이에 따라 다르게 쓰이는 사회 방언이다.

6 우리말 품사는 형태, 기능, 의미를 기준으로 분류할 수 있으며, 의미에 따라 분류하면 명사, 대명사, 수사, 형용사, 동사, 관형사, 부사, 조사, 감탄사의 9개로 나뉜다.

7 '씻었다'는 동사, '넓다'는 형용사이다. 동사와 형용사는 모두 문장에서 사용될 때 형태가 변하는 가변어이며, 주체를 설명하는 용언이다. ⓑ는 형용사에만, ⓓ는 동사에만 해당하는 설명이다.

8 <보기>의 밑줄 친 단어들은 모두 조사이다. ②는 수식언(관형사, 부사)에 대한 설명이다.

9 '와'는 놀람을 나타내는 감탄사, '날씨'는 명사, '가'는 조사, '정말'은 '춥다'를 꾸며 주는 부사, '춥다'는 '날씨'의 상태를 나타내는 형용사이다.

창의·융합·코딩 전략 ❶

32~33쪽

1 ② 2 6점 3 ㉠: ⓓ ㉡: ⓐ ㉢: ⓕ 4 ③

1 언어는 시간의 흐름에 따라 새로 만들어지거나, 변하고, 사라지기도 하므로 첫 번째 질문의 답은 '예'이며(㉠) 이와 관련된 언어의 본질은 언어의 역사성이다.
언어의 의미와 말소리의 관계는 필연적인 것이 아니라 우연히 결정되므로 두 번째 질문의 답은 '아니요'이며 이와 관련된 언어의 본질은 언어의 자의성이다(㉡).
인간은 이미 알고 있는 언어를 바탕으로 하여 새로운 단어를 만들거나 다양한 문장을 만들어 낼 수 있으므로 세 번째 질문의 답은 '예'이며 이와 관련된 언어의 본질은 언어의 창조성이다(㉢).
언어는 그 언어를 사용하는 사람들 간의 사회적 약속으

로 개인이 마음대로 바꾸어 쓰면 의사소통이 어려워지므로 네 번째 질문의 답은 '아니요'이며(㉣) 이와 관련된 언어의 본질은 언어의 사회성이다.

2 한국어로 '나무'라고 부르는 것을 영어로는 'tree[트리]'라고 부르는 것은 언어의 의미와 말소리가 반드시 그렇게 되어야만 하는 필연적인 관계가 아니라 우연히 그렇게 맺어진 것이라는 언어의 자의성을 보여 준다.

3 한자어는 고유어보다 분화된 의미를 지니는 경우가 많아 고유어를 보완해 주는 역할을 한다(ⓓ). 예를 들어 고유어의 '느낌'이라는 표현을 한자어로는 '감정', '감상', '예감' 등으로 다양하게 표현할 수 있다.
고유어에는 우리 민족 고유의 문화를 표현하는 말이 많은데, '그네, 씨름, 강강술래'와 같은 것들이 그 예에 해당한다(ⓐ).
지역에 따라 다르게 쓰이는 지역 방언과 직업, 나이 등 사회적 요인에 따라 다르게 쓰이는 말인 사회 방언은 이를 쓰는 사람들끼리 유대감과 소속감을 느끼게 해 준다는 공통적인 특성이 있다(ⓕ).

4 우리말 어휘를 어종에 따라 분류하면 고유어, 한자어, 외래어로 분류할 수 있고, 지역적, 사회적 요인에 따라 분류하면 지역 방언과 사회 방언으로 분류할 수 있다. 즉 ㉠은 한자어, ㉡은 사회 방언이므로, 이 두 유형에 모두 해당하는 어휘를 찾아야 한다. ③의 '변론', '변호', '재정 증인'은 모두 한자어이면서, 사회 방언 중 법률 분야에서 사용하는 전문어이다. ①은 세대에 따라 다르게 쓰이는 사회 방언의 예, ②는 고유어, ④는 지역 방언, ⑤는 외래어이면서 전문어의 예이다.

오답 풀이

① '깜놀', '본방'은 청소년층이 주로 사용하는 어휘, '영애'는 장년층이나 노년층이 주로 사용하는 어휘이다.
② '목도리', '바지', '별'은 모두 본래부터 우리말에 있던 말이나 그 말을 바탕으로 하여 만들어진 고유어에 해당한다.
④ '옥수시'는 '옥수수'를 나타내는 전라도의 방언, '강내이'는 경상도의 방언, '옥시끼'는 강원도의 방언이다.
⑤ '레가토', '싱커페이션', '세뇨'는 모두 외국에서 들어온 외래어로, 음악 관련 분야에서 전문적인 개념을 나타내기 위해 사용하는 전문어이다.

창의 · 융합 · 코딩 전략 ❷

34~35쪽

5 ② **6** ② **7** 저 우산을 사자. **8** ⑤ **9** ④

5 ㉠은 문장에서 쓰일 때 형태가 변하면서, 대상의 움직임이나 동작을 나타내는 동사, ㉡은 체언이면서 대상의 이름을 나타내는 명사이다. ㉢은 문장에서 주로 다른 단어를 꾸며 주는 역할을 하는 수식언이므로 관형사와 부사가 이에 해당한다.

6 (나)의 왼쪽에 있는 단어들은 (가)의 단어 중 문장에서 사용될 때 형태가 변하지 않는 불변어이며, 오른쪽에 있는 단어들은 형태가 변하는 가변어이다. 따라서 (나)는 문장에서 쓰일 때 형태가 변하는지, 변하지 않는지에 따라 (가)의 단어들을 나눈 것이다.

7 ㉠은 관형사로, (가)에서 관형사는 '저'이다. ㉡은 명사로, (가)에서 명사는 '우산'이다. ㉢은 조사로, (가)에서 조사는 '을/를'이다. ㉣은 동사로, (가)에서 동사는 '사다'이다. 따라서 '저', '우산', '을/를', '사다'를 활용하여 청유의 뜻을 나타내는 문장을 만들면 '저 우산을 사자.'가 된다.

8 '먹다', '걷다', '해내다'는 모두 사람이나 사물의 동작, 움직임을 나타내는 동사이다. ①에서 '가다'는 동사로, 형태가 변하는 단어이다. ②에서 '매우'는 부사로, 다른 단어를 꾸며 주는 수식언이다. ③에서 '이것'은 대명사로, 문장의 주체가 되는 역할을 하는 체언이다. ④에서 '두'는 관형사로, 체언을 꾸며 준다.

9 대상의 이름을 나타내는 품사는 명사, 대상의 동작이나 움직임을 나타내는 품사는 동사, 문장에서 단어 간의 문법적 관계를 나타내거나 특별한 뜻을 더해 주는 품사는 조사이다. 제시된 그림은 사자가 개미를 물고 있는 상황을 나타내므로, 명사인 '사자', '개미', 동사인 '물다', 조사인 '가', '는', '를', '에게'를 활용하여 묘사할 수 있다. ④는 '를'과 '가'의 위치가 바뀌면서 문장의 의미가 반대가 되었으므로 그림을 묘사한 문장으로 적절하지 않다.

2주 읽기/쓰기/듣기·말하기

1일 개념 돌파 전략 ❶ 39, 41쪽

1-2 ③ 2-2 ③ 3-2 ③ 4-2 ③ 5-2 ①
6-2 ③

1-2 글이 독자에게 미칠 영향은 글을 읽으며 예측할 수 있는 내용이지 글의 내용을 예측할 때 활용할 수 있는 요소가 아니다.

2-2 글에 중심 내용이 분명하게 드러나 있지 않을 경우, 글에 제시된 내용을 바탕으로 하여 중심 내용을 만드는 재구성의 방법으로 글을 요약할 수 있다.

3-2 초고를 쓴 이후에는 고쳐쓰기 단계에서 주제에서 벗어난 내용이 없는지 살펴보며 글을 고쳐 써야 한다.

4-2 면담 목적에 맞게 면담한 내용을 정리하는 것은 면담을 준비하는 과정이 아니라 면담 후에 해야 할 활동이다.

5-2 토의는 여러 사람이 모여 공동의 문제를 해결하기 위하여 의견을 모으는 말하기 활동이다.

6-2 말의 내용이 타당성을 갖추려면 근거로부터 주장을 이끌어 내는 과정에 영향을 미치는 다른 정보가 없어야 한다.

1일 개념 돌파 전략 ❷ 42~43쪽

1 ④ 2 ③ 3 ㉠-㉣-㉤-㉢-㉡ 4 ③
5 ⑤ 6 ①

1 글을 예측하며 읽으면 글의 내용을 깊이 있게 이해하는 데 도움이 되지만, 글을 빠르게 읽을 수 있는 것은 아니다.

2 중심 문장이 뚜렷하게 나타나 있지 않을 때에는 제시된 내용을 바탕으로 하여 중심 내용을 만들어 재구성하는 방법을 활용할 수 있다.

오답 풀이

① 덜 중요한 내용, 세부적인 내용이나 반복되는 내용을 지우는 것은 삭제의 방법이다.
④ 글에서 중심 내용이 직접 드러난 부분을 선택하는 것은 선택의 방법이다.
⑤ 구체적이고 개별적인 내용을 그것을 포괄하는 말로 묶는 것은 일반화의 방법이다.

3 글쓰기는 글의 주제와 목적 등을 정하며 전체적인 글쓰기 과정을 계획하고, 그에 맞는 내용을 선정하는 과정, 선정한 내용을 글의 흐름에 맞게 조직하는 과정, 글로 표현하고 고쳐 쓰는 과정을 거쳐 이루어진다.

4 ㉢은 요리 예술사라는 직업에 대한 정보를 얻으려는 면담 목적에 적합하지 않은 질문이다.

5 토의는 참여자들이 서로 의견을 나누며 최선의 해결 방법을 찾아 가는 의사소통 과정이다. 따라서 다른 사람의 의견에 문제가 있다면 논리적인 근거를 들어 반박하고, 더 나은 해결 방법을 찾기 위해 의견을 나누고 조정해야 한다.

6 내용의 타당성을 판단하며 들을 때에는 주장과 근거가 연관성이 있는지, 이치에 맞는지를 중점적으로 고려해야 한다. 주장과 근거가 흥미 있는 것인지는 타당성을 판단하는 기준이 아니다.

2일 필수 체크 전략 ❶ 44~46쪽

1 ④　　2 해양 생물, 다양한 새　　3 ④

1 소제목은 글의 각 부분의 핵심 내용을 드러내어 글의 구조와 내용을 예측할 수 있게 해 주는 요소로, 이를 통해 이 글에서 전자 폐기물의 문제점과 그 해결 방법에 대해 다룰 것을 예측할 수 있다.

2 글을 읽는 목적이 독도의 자연환경을 소개하는 데 필요한 정보를 찾는 것이므로, (나)~(라)에서 독도의 자연환경과 관련된 내용만 간추리면 독도 주변의 바다에 다양한 해양 생물이 산다는 내용과 독도에서 다양한 새를 찾아볼 수 있다는 내용으로 요약할 수 있다.

3 개요의 처음 부분에서는 글에서 다룰 주요 용어의 개념과 글의 목적을 제시하고, 끝부분에서는 세계 문화유산 보존의 필요성을 강조하며 글을 마무리하고 있으므로, 중간 부분에 아시아의 세계 문화유산을 소개하는 글의 핵심 내용이 들어가야 한다. 따라서 ㉣을 중간 부분으로 옮기는 것이 적절하다.

오답 풀이

① ㉠은 글에서 다룰 주요 용어의 의미를 설명하는 것이므로 글을 시작하는 부분에 제시하는 것이 적절하다.
② ㉡은 글의 목적을 제시하는 부분이므로, 글의 중간 부분에 앞서 처음 부분에서 제시할 수 있다.
③ 글의 중간 부분에서는 아시아의 여러 세계 문화유산을 소개하고 있으므로, 인도의 세계 문화유산인 ㉢도 중간 부분에서 다루는 것이 적절하다.
⑤ 민지가 쓰려는 글의 주제가 아시아의 세계 문화유산을 소개하고 세계 문화유산의 가치를 알리는 것이므로, ㉤도 주제에 맞는 내용이므로 삭제해서는 안 된다.

2일 필수 체크 전략 ❷ 47~49쪽

1 ③　　2 글의 제목　　3 ②　　4 ①
5 (나)　　6 ①

1 독자는 〈보기〉에서 우리 사회의 모습을 생각하며 이 글을 읽은 사람들이 어떤 생각을 하게 될지 예측하고 있다. 따라서 우리 사회의 모습과 관련하여 글이 독자에게 어떤 영향을 미칠지를 예측하고 있다.

2 '따뜻한 동료애'라는 표현은 이 글의 제목에 쓰인 것으로, 제시된 내용은 글의 제목을 보고 예측한 것임을 알 수 있다.

3 이 글과 같이 다른 사람을 설득하기 위해 글쓴이가 자신의 의견을 내세우는 글을 읽을 때에는, 글쓴이의 주장과 주장을 뒷받침하는 근거를 중심으로 요약하는 것이 적절하다.

오답 풀이

③, ⑤ 소설을 읽을 때 요약하는 방법으로 적절하다.

4 ㉡~㉣은 아침밥을 먹었을 때의 좋은 점을 드러내는 문장, ㉤은 아침밥을 먹자는 글쓴이의 주장이 담긴 문장으로 글의 내용을 요약할 때 꼭 필요한 문장이다. ㉠은 아침밥이라는 화제를 이끌어 내기 위해 현재 상황을 설명하는 문장으로, 문단의 중심 내용을 담고 있는 문장이라고 볼 수 없다.

5 제시된 자료는 '소방 로봇'이 있지만 성능이 좋지 않다는 사실을 보여 주고 있으므로 (나)에서 소방관의 일을 대신하려고 만들어진 '무인 방수 로봇'이나 '화재 정찰 로봇'이 실제로 거의 사용되지 않는다는 내용을 뒷받침하기에 적절한 자료이다.

6 ㉠은 반려동물 로봇을 만들고 싶다는 (다)의 중심 내용과 만들고 싶은 로봇을 소개하는 글의 주제와도 맞지 않으므로 통일성을 고려하여 삭제하는 것이 적절하다.

3일 필수 체크 전략 ❶ 50~53쪽

1 다현 2 ⑤ 3 ④ 4 ⑤

1 서준이의 면담 목적은 꿈을 이루기 위해 노력하고 있는 친구를 소개하는 데 필요한 정보를 수집하는 것이므로, 착한 마음씨를 지닌 현서보다는 전 세계에 태권도를 알리겠다는 꿈을 위해 노력하는 다현이가 면담 대상으로 적절하다.

2 (나)에서 서준이는 다현이에게 외국인들 앞에서 태권도 시범 공연을 하는 사진을 보았다고 말하며, 그때의 기분을 물어보고 있다. 따라서 서준이가 면담 전에 태권도부의 시범 공연에 대한 정보를 미리 수집하여 질문을 준비했다는 것을 알 수 있다.

3 토의에서 박준영 학생은 흙 묻은 신발을 교실까지 신고 들어오면 교실 바닥이 더러워지기 때문에 실내화와 실외화를 구별해서 신을 것을 제안하고 있다(ⓒ). 또 김채원 학생은 쓰레기를 바닥에 버리거나 쓰레기통 주변에 던져서 교실 바닥에 쓰레기가 많으므로, 쓰레기를 아무 데나 버리지 말 것을 제안하고 있다(ⓛ).

오답 풀이

㉠ 박준영 학생은 실내화를 깨끗하게 신자는 것이 아니라 교실에서 신는 신발과 밖에서 신는 신발을 구분하자는 의견을 제시하고 있다.
㉣ 박준영 학생은 쉬는 시간에 운동장에 나가는 것 자체가 문제라기보다는 운동장에서 놀다가 흙이 묻은 신발을 교실에 신고 들어오는 것이 문제라고 말하고 있다.
㉤ 김채원 학생은 쓰레기를 아무 데나 버리지 말자는 의견을 제시하고 있을 뿐, 분리배출을 잘 해야 한다는 의견을 제시하지 않았다.

4 교수가 근거로 제시한 실험 결과는 제품이 장 건강에 탁월한 효과가 있다는 것을 뒷받침하는 근거이므로, 교수의 말이 타당하다고 판단할 수 있다.

3일 필수 체크 전략 ❷ 54~55쪽

1 청소 인원은 늘리지 않되 실내화와 실외화를 구별해서 신지 않는 사람은 청소 당번과 함께 청소를 하게 하자 2 ⑤ 3 ④ 4 ②

1 박준영 학생은 자신의 의견과 오유민 학생의 의견을 모두 받아들이자고 했지만, 김채원 학생은 청소 인원을 늘리는 데 문제가 있다고 지적하고 있다. 이에 따라 오유민 학생이 실내화와 실외화를 구별해서 신지 않는 학생이 청소 당번과 함께 청소를 하게 하자는 의견을 내고 있다.

평가 기준	확인 ☑
청소 인원을 늘리는 것의 문제점을 지적한 김채원 학생의 말과 실내화와 실외화를 구별해서 신지 않는 사람이 청소를 하게 하자는 오유민 학생의 두 번째 말을 바탕으로 하여 서술함.	
제시된 형식에 맞게 서술함.	

2 토의에서는 최선의 해결 방안을 찾기 위해 각자가 의견을 내야 하므로, 한쪽에 치우치지 않았는지를 기준으로 평가하는 것은 적절하지 않다. 어느 한쪽에 치우치지 않고 의견을 정리하며 중립적인 태도를 지켜야 하는 사람은 토의자가 아니라 사회자이다.

3 (가)와 (나)는 연설로, 근거를 제시하며 동아리에 가입하도록 주장하는 것이므로 주장과 근거 사이에 연관성이 있는지, 근거로부터 주장을 이끌어 내는 데 오류가 없는지 등을 고려하여 타당성을 판단하며 들어야 한다.

4 (가)에서 '체력 쑥쑥 동아리' 회장이 제시한 한국대학교 스포츠연구소의 연구 결과는 동아리에 가입하여 다른 사람과 함께 운동할 때의 효과를 적절하게 뒷받침하므로, 이 근거를 바탕으로 하여 올바른 선택을 한 것은 ②이다.

4일 교과서 대표 전략 ❶ 56~59쪽

1 ②	2 ③	3 ⑤	4 ③	5 ③
6 ④	7 ②	8 ③	9 ①	
10 ㉡-㉠-㉢-㉣	11 ②	12 ②		

1 〈보기〉에서 독자는 우리나라 운전자들의 운전 습관이나 태도를 다룬 뉴스를 본 배경지식을 활용하여 ㉠의 뒤에 글쓴이가 만난 장애인이 이것과 관련하여 어려움을 겪은 내용이 이어질 것이라고 예측하고 있다.

2 독자의 배경지식과 글에 나타난 정보 등을 활용하여 글을 예측하며 읽으면 글의 내용을 깊이 있게 읽을 수 있고, 글을 능동적으로 읽는 태도를 기를 수 있다.

3 요약은 글에서 중요한 내용을 간추려 정리하는 것이므로, 세부적인 내용보다 핵심적인 내용을 중심으로 하여 요약해야 한다.

4 제시된 글의 첫 번째 문장에서는 식물이 자라기 쉽지 않은 독도의 환경에 대한 세부적인 내용을 설명하고 있으므로 삭제할 수 있다. 또 마지막 문장도 독도에서 자라는 다양한 식물에 대한 세부적인 예에 해당하므로 이를 삭제하면, 독도는 식물이 자라기 쉽지 않은 환경에도 50~60종의 식물이 자라고 있다는 내용으로 요약할 수 있다.

5 내용 조직하기 단계에서는 찾은 자료를 바탕으로 하여 개요를 작성하고 내용을 흐름에 맞게 배열해야 한다. 글의 주제에 맞는 자료를 찾는 것은 내용 선정하기 단계에서 해야 할 일이다.

6 신문의 역사와 생산 과정에 대한 자세한 정보는 글의 주제와 관련이 적으므로 활용하기에 적절하지 않다.

7 제시된 면담의 첫 부분에서 지원이는 면담 대상자가 경찰 공무원 시험을 거쳐 경찰관이 되었다는 말을 기억해 두었다가 그 시험에 관해 질문하고 있다.

8 토의는 여러 사람의 의견을 모으는 것이므로, 한 가지 측면이 아니라 다양한 측면에서 문제 상황을 살펴보고 방법을 생각해 볼 수 있다.

9 학급 회의에서 학생들이 주변의 문제를 해결할 수 있는 최선의 방안을 찾으려고 토의를 한다고 할 때, ①과 같은 주제는 학생들이 논의할 만한 주변의 문제라고 보기 어려우며, 최선의 해결 방안을 찾을 수 있는 주제도 아니다.

10 제시된 토의는 (가)에서 사회자가 주제를 안내하고 (나)에서 토의자끼리 의견을 교환하고 있다. 그리고 (다)에서 청중과 질의응답을 하고 (라)에서 사회자가 토의를 마무리하는 순서로 진행되고 있다.

11 ㉠은 듣는 사람의 흥미를 끄는 말, ㉡은 광고의 목적이 드러난 부분으로, 광고의 주장에 해당한다. ㉢~㉤은 주장을 뒷받침하기 위해 사용된 근거이다.

12 사용자 중 절반이 연고의 효과를 봤다는 것은 절반은 효과를 보지 못했다는 것이므로 근거로부터 주장을 이끌어 내는 데 오류가 있다. 따라서 ②와 같이 친구에게 그 점을 지적하는 내용으로 조언할 수 있다.

4일 교과서 대표 전략 ❷ 60~61쪽

1 ①	2 ③	3 현지인, 비행기	4 ⑤
5 ③	6 ㉡, ㉢, ㉤		

1 (가)의 중심 내용은 관광 산업이 다른 산업보다 환경 오염의 피해가 작은 산업으로 생각되지만 현실은 다르다는 것이다.

2 (라)에서는 앞에서 이야기한 기존 관광 산업의 문제, 즉 무분별하게 개발되는 여행지의 문제를 해결할 수 있는 대안으로 '공정 여행'이 제시되었다는 내용을 다루고 있다. 환경 파괴를 줄이고 여행지의 현지인들에게 이익이 돌아가게 하는 공정 여행의 의미를 설명하고 있으므로, 다음에서는 공정 여행을 하는 방법과 의의 등이 이어질 것이라고 예측할 수 있다.

3 제시된 읽기 목적에 따라 글을 요약하려면 관광 산업 때문에 생긴 문제 상황이 드러난 (나)와 (다)의 내용을 활용할 수 있다. 따라서 (나)에서 여행지의 무분별한 개발로 자연이 파괴되고 현지인들이 삶의 터전을 잃게 된다는 내용과 (다)에서 비행기가 배출하는 이산화 탄소가 환경에 안 좋은 영향을 미친다는 내용을 중심으로 하여 요약할 수 있다.

4 면담 대상자가 답변할 때에는 경청하며 적극적으로 들어야 하지만, 면담의 내용을 정확하게 남기기 위해 면담을 할 때에는 녹음을 하거나 내용을 기록해야 한다.

5 이 발표에서는 법률과 공문서 등에서 사용하는 나이 계산법과 관습적인 나이 계산법이 달라 불편하고, 대부분의 나라에서 만 나이 계산법을 사용한다는 점 등을 근거로 하여 우리나라의 나이 계산법을 만 나이 계산법으로 통일해야 한다고 주장하고 있다.

6 두 번째 문단에서 관습적인 나이 계산법과 법률과 공문서 등에서 사용하는 계산법이 달라 불편하다는 점(㉤), 세 번째 문단에서 만 나이 계산법이 관습적인 나이 계산법보다 합리적인 방법이라는 점(㉢), 네 번째 문단에서 대부분의 나라에서 만 나이 계산법을 사용하고 있으므로 만 나이 계산법을 사용하면 나라 간의 오해를 줄일 수 있다는 점(㉡)을 근거로 들고 있다.

누구나 합격 전략 (62~65쪽)

1 ⑤	2 선택	3 ③	4 ③	5 (마)
6 ④	7 ⑤	8 지호	9 ④	10 ②
11 ②				

1 (다)에서 경주 석빙고의 겨울철 내부 온도는 평균 영상 3.9도로, 일반적인 건물의 지하실 내부 평균 온도인 영상 15도보다 낮다고 말하고 있다.

오답 풀이

① (가)에서 냉장고가 없었는데도 옛사람들이 더운 여름에 얼음을 사용했다며 그 비밀을 알아보자고 말하고 있다.

② (라)에서 우리 조상들은 물이 얼음 보관에 치명적이었기 때문에 물을 밖으로 빼내려고 배수로를 만들었다고 말하고 있다.

③ (가)에서 우리 조상들은 겨울에 채취한 얼음을 석빙고에 저장했다가 여름에 사용했다고 말하고 있으므로, 여름에 석빙고에 얼음을 얼린 것은 아니다.

④ (다)의 내용으로 보아, 석빙고 출입문 옆에 세로로 튀어나온 날개벽은 더운 바람이 아니라 겨울에 부는 찬 바람을 소용돌이로 변하게 하는 역할을 하였다.

2 (가)에서는 옛사람들도 석빙고에 얼음을 저장하여 더운 여름에 사용했다는 사실을 밝히며 문단의 마지막 문장에서 무엇을 설명할 것인지를 밝히고 있다. 따라서 제시된 요약 내용은 중심 내용이 나타난 문장을 골라 뽑는 선택의 방법으로 요약한 것이다.

3 통일성은 글의 세부 내용이 하나의 주제와 밀접하게 연관되는 것이므로, 주제를 명확하게 드러내기 위해 통일성을 고려하여 글을 써야 한다.

4 글의 목적과 주제를 고려할 때, 아시아의 세계 문화유산에 대한 정보를 추가할 수 있으므로 글에 제시된 우리나라와 인도, 필리핀의 세계 문화유산 외에 아시아 국가인 베트남의 세계 문화유산에 대한 내용을 추가할 수 있다.

5 이 글은 아시아의 세계 문화유산을 소개하는 글이다. 따라서 통일성을 고려하여 아시아의 세계 문화유산이라는 주제와 관련이 없는 세계 불가사의에 대한 내용을 담고 있는 (마)를 삭제해야 한다.

6 (가)의 토의를 시작하는 사회자의 말에서 이 토의의 목적이 빈곤 국가 학교 짓기 후원을 어떻게 할지 그 방법을 찾는 것임을 알 수 있다.

7 이 토의에서 사회자인 민서는 처음에 토의 주제와 토의 절차를 안내한 후에, (다)에서 토의자들이 제안한 의견을 정리하고 토의자들의 의견 교환을 이끄는 역할을 하고 있다. 사회자는 토의를 원만하게 진행하는 역할이므로,

토의에서 직접 절충안을 제시하지는 않는다.

8 (나)에서 지호는 거리 모금을 하자는 예준이의 의견에 인상을 찌푸리고 '황당한 의견이네요.'라는 말을 하며 감정적으로 대응하여 예준이의 기분을 상하게 하고 있다.

9 [A]는 '똑똑 학습기'를 홍보하는 내용의 광고이므로, 현명한 소비를 하려면 광고에서 주장하는 내용이 무엇인지, 근거가 주장을 적절하게 뒷받침하는지 등을 살펴야 한다. 주장하는 내용이 청중의 수준을 고려했는지는 현명한 소비와 관련이 없다.

10 [A]의 주장은 '똑똑 학습기'를 사용하면 누구나 성적을 올릴 수 있다는 것이다. 이를 뒷받침하기 위해 학습기를 사용한 열 명 중 일곱 명의 성적이 올랐다는 점(ⓔ), 공부의 왕 나으뜸 군이 효과를 봤다는 점(ⓒ), 올해의 디자인상을 받은 제품이라는 점(ⓐ)을 제시하고 있다. ⓑ, ⓓ는 광고에 제시되지 않은 내용이다.

11 제품이 성적을 올릴 수 있다는 주장과 올해의 디자인상을 받았다는 근거 사이에 연관성이 없기 때문에 윤지는 ㉠과 같이 말하였다.

창의 · 융합 · 코딩 전략 ① 66~67쪽

1 ④ 2 ④ 3 ① 4 ③ 5 ②

1 〈보기〉에서 독자는 다문화 가정의 아이들과 외국인 근로자들과 관련된 기사를 바탕으로 하여 예측하고 있으므로 배경지식을 활용한 것이다. 그리고 이를 바탕으로 하여 글쓴이가 뒤에서 이야기할 내용을 예측하고 있다.

2 이 글에서는 이주민과 관련한 우리나라의 상황과 문제점을 밝힌 후 앞으로의 정책 방향을 제시하고 있으므로, 글을 읽은 독자들은 이주민들과 함께 살아갈 방법에 대해 관심을 가지고 생각해 볼 것이라고 예측할 수 있다.

3 제시된 글은 독도에서 볼 수 있는 독특한 지형에 대해 설명하고 있으므로, 읽기 목적에 주목했을 때, 중심 내용은 첫 부분에 제시된 '독도는 지질학적으로 매우 중요한 곳입니다.'이다. 따라서 중심 내용이 직접 드러나 있으므로, 선택의 방법으로 요약할 수 있다.

4 제시된 내용은 글을 짜임새 있게 쓰기 위해 글을 쓰기 전 찾은 자료를 활용하여 글의 전체적인 흐름을 작성한 개요이다. 따라서 내용 조직하기 단계에 해당한다.

5 글의 주제와 관련이 있는지를 기준으로 점검했을 때 ㉣은 주제와 관련이 없으므로 삭제해야 한다.

창의 · 융합 · 코딩 전략 ② 68~69쪽

6 1. 우리 학교 태권도부의 자랑거리는 무엇인가요?
7 ⑤ 8 ㉠: 거리 모금을 하자. ㉡: 학급 저금통
9 ㉠-ⓐ, ㉡-ⓒ, ㉢-ⓑ

6 (가)에 나타난 면담 목적과 〈보기〉의 면담 대상을 고려할 때, 면담 질문은 학교 태권도부 선수 다현이가 꿈을 위해 노력하는 모습과 관련된 것이어야 한다. 따라서 '학교 태권도부의 자랑거리'는 면담 목적과 맞지 않으므로 삭제하는 것이 적절하다.

7 서준이의 면담 목적과 이미 작성한 질문지를 바탕으로 할 때, 꿈과 관련하여 본받고 싶은 사람이 누구인지를 추가로 물어볼 수 있다. ①~④는 면담 목적에 맞지 않는 질문이므로 추가할 질문으로 적절하지 않다.

8 (다)에서 예준이는 후원금을 걷자는 지호 의견의 문제점을 지적하며 거리 모금을 제안하고 있다. 그리고 (마)에서 다빈이는 학급 저금통을 만들어 돈을 모으자고 제안하였다.

9 ㉠은 음료의 효능과 관련이 없는 근거이므로 ⓐ를 기준으로 할 때 타당하지 않다. ㉡은 피로가 풀리는 데에 다른 요소가 영향을 미칠 수도 있으므로 ⓒ를 기준으로 할 때 타당하지 않다. ㉢은 쓴맛이 난다고 해서 건강이 좋아지는 것은 아니므로 ⓑ를 기준으로 할 때 타당하지 않다.

신유형 · 신경향 · 서술형 전략 (72~75쪽)

1 ②　2 ①　3 '클로즈업', '숏'과 같이 특정 분야에서 전문적인 개념을 표현하기 위해 사용하는 전문어나 '대', '삼패'와 같이 특정 집단 안에서 내부의 비밀을 유지하기 위해 사용하는 은어는 사회 방언에 속한다.　4 ④　5 ②　6 ②　7 '모두'는 ㉠, ㉡, ㉤에서는 명사로 사용되었고, ㉢, ㉣에서는 부사로 사용되었다.　8 ③　9 글에 제시된 내용을 활용하여 뒤에 이어질 내용을 예측하고 있다.　10 ③　11 ⑤　12 ④

1 언어의 자의성을 바탕으로 할 때, 언어의 의미와 말소리는 필연적인 관계가 아니므로, 제시된 글에서 남자는 '침대'를 '사진'으로 부른다. 하지만 같은 언어를 사용하는 사람들끼리 '침대'를 '침대'로 부르기로 한 약속을 지키지 않고 남자는 마음대로 '침대'를 '사진'으로 불렀기 때문에 사람들과 소통하지 못하게 되었다. 이를 통해 언어의 사회성이 드러난다.

2 새로 발견된 소행성에 '통일'이라는 이름을 붙인 것은 의미와 말소리가 필연적이지 않기 때문에 가능한 일이므로, 언어의 자의성의 예에 해당한다(㉠). 예전에 '곶'이라고 불렀던 대상을 지금 '꽃'으로 부르는 것은 언어가 시간의 흐름에 따라 변했음을 보여 주므로, 언어의 역사성의 예에 해당한다(㉡).

오답 풀이

㉢ '하늘', '구름'이라는 단어를 활용하여 여러 개의 문장을 만들어 내는 것은 이미 알고 있는 언어를 바탕으로 하여 새로운 문장을 만들어 낼 수 있다는 언어의 창조성의 예에 해당한다.

㉣ '나무'를 '다다'로 바꾸어 부르면 다른 사람이 알아듣지 못하는 것은 '나무'를 '나무'로 부르기로 한 사회적 약속을 지키지 않았기 때문이므로 언어의 사회성의 예에 해당한다.

3 (가)의 '클로즈업', '숏'은 방송 분야의 전문어, (나)의 '대', '삼패'는 은어로 둘 다 사회적 요인에 따라 다르게 쓰는 말인 사회 방언에 속한다.

평가 기준	확인 ☑
(가)의 전문어와 (나)의 은어의 특징을 각각 서술함.	
(가), (나)의 공통적인 유형으로 사회 방언을 밝혀 한 문장으로 서술함.	

4 제시된 대화에서 딸은 엄마를 고려하지 않고 '깜짝 놀라다'를 줄여 쓴 '깜놀', '생일 파티'를 줄여 쓴 '생파', '생일 선물'을 줄여 쓴 '생선' 등 또래에서 쓰는 어휘를 사용하여 엄마가 이해하지 못하고 있다.

5 '행복하다'는 형용사이기 때문에, 청유의 뜻을 나타내는 '-자'가 붙어 활용할 수 없으므로, '행복하게 지내자' 또는 '행복하게 살자' 등으로 써야 한다.

6 감탄사는 놀람, 부름, 대답 등을 나타내는 말로, 제시된 대화에서는 놀람, 감탄을 나타내는 '오', 부름을 나타내는 '야' 두 개가 사용되었다.

7 '모두'는 '전체'를 의미하는 명사로 쓰일 수도 있고, '일정한 수효나 양을 빠짐없이 다'라는 뜻의 부사로 쓰일 수도 있다. ㉠, ㉡, ㉤의 '모두'는 조사와 결합하여 체언의 역할을 하는 명사이고, ㉢, ㉣의 '모두'는 뒤에 오는 동사를 꾸며 주는 부사이다.

평가 기준	확인 ☑
'모두'의 품사를 명사와 부사로 밝힘.	
㉠~㉤ 중, '모두'가 명사로 쓰인 예와 부사로 쓰인 예를 적절히 분류하여 서술함.	

8 (다)에서 종이 옷은 종이를 오려 붙여 만든 옷이 아니라 옷감과 옷감 사이에 종이를 넣어 만든 옷이라고 설명하고 있다.

오답 풀이

① (라)에서 예전에는 솜만큼이나 귀한 것이 종이였다고 설명하고 있다.

② (다)에서 변방에서는 목화를 키우기 어려웠기 때문에 솜을 구하는 것이 쉽지 않았다고 설명하고 있다.

④ (가)에서 솜을 넣어 만든 두툼한 솜옷과 짐승의 가죽으로 만든 갖옷은 겨울을 나는 데 꼭 필요한 물건이라고 설명하고 있다.

⑤ (가)에서 인조가 서북 변방을 지키는 군사들에게 보낸 방한용 옷에 솜옷과 갖옷 외에 '종이 옷'이 포함되어 있었다고 말하고 있다.

9 ㉠은 글의 문장이며 독자는 이후에 나올 내용을 예측하고 있으므로, 글에 제시된 내용을 활용하여 뒤에 이어질 내용을 예측하고 있다.

평가 기준	확인 ☑
예측에 활용한 요소로 글의 내용을 씀.	
예측한 내용으로 뒤에 이어질 내용을 씀.	

10 (라)의 내용을 바탕으로 할 때, 글쓴이는 솜을 구하기 어려운 환경에서 종이를 활용하여 옷을 만든 조상들의 지혜와 귀한 종이로 옷을 만들어 군사들을 따뜻하게 해 주고자 한 왕의 따뜻한 마음을 알리려고 글을 썼을 것이라고 예측할 수 있다.

11 김채원 학생의 첫 번째 의견에 대해 오유민 학생이 쓰레기봉투까지 걸면 책상 사이를 지나다니는 것이 더 불편해질 것이라고 하는 것으로 보아, ㉠에는 책상 옆에 쓰레기봉투를 거는 방법이 들어가야 한다. 또 쓰레기통이 지저분하니 분리배출을 잘 하자는 박준영 학생의 의견에 오유민 학생과 김채원 학생이 모두 동의하고 있으므로 사회자가 정리한 ㉡에는 일반 쓰레기와 재활용 쓰레기를 분리해서 버리자는 내용이 들어가야 한다.

12 유진이의 말은 근거에서 주장을 이끌어 내는 과정에 영향을 미치는 다른 요소가 있을 수 있으며, 연호의 말은 근거로부터 주장을 이끌어 내는 과정에 오류가 있다. 수영이, 재진이의 말은 근거가 주장과 연관성이 없으므로 유진이, 연호, 수영이, 재진이의 말은 타당하지 않다. 미주의 말은 유명 요리사의 요리 강습과 꾸준한 실습이라는 근거가 동아리에 가입하면 요리 실력이 좋아진다는 주장을 뒷받침하고 있으므로 타당하다.

적중 예상 전략 | 1회

76~79쪽

1 ④ 2 시간의 흐름에 따라 언어(같은 대상을 가리키는 말)가 변하는 언어의 역사성 때문이다. 3 ③
4 ⑤ 5 ⑤ 6 ④ 7 ② 8 ④
9 ㉠: 지역 ㉡: 표준어 10 ③ 11 ⑤
12 ④ 13 ① 14 ③ 15 ② 16 ③
17 ④

1 ㉠은 '나무'라는 말소리와 의미 사이에 필연적인 관계가 없다는 것에서 언어의 자의성을 보여 주는 사례이다. ㉡은 시간의 흐름에 따라 '나모'가 '나무'로 변한 것에서 언어의 역사성을 보여 준다. ㉢은 언어는 사회적 약속이므로 개인이 마음대로 '나무'를 '수박'으로 부를 수 없다는 것에서 언어의 사회성을 보여 준다. ㉣은 '나무'라는 말을 활용하여 새로운 단어를 만드는 것에서 언어의 창조성을 보여 준다.

2 〈보기〉에서 주희는 '우산'을 '슈룹'이라고 하는 선비에게 '슈룹'이 무엇이냐고 묻고 있다. 이는 시간의 흐름에 따라 '우산'을 가리키는 말이 '슈룹'에서 '우산'으로 변했기 때문이므로 언어의 역사성과 관계 깊다.

평가 기준	확인 ☑
관련된 언어의 본질로 언어의 역사성을 제시함.	
언어의 본질과 관련하여 주희가 '슈룹'이라는 말을 알아듣지 못한 까닭을 적절하게 서술함.	

3 '발로 밟은 자리에 남은 모양'을 '발자국'으로, '바다에 이는 물결'을 '파도'로 부르기로 한 사회적 약속에 따라 여자가 남자의 설명을 듣고 정답을 맞히고 있으므로, 언어의 사회성과 관련이 있다.

4 ㉠, ㉡에서는 시간의 흐름에 따라 언어가 사라지기도 하고 새로 생기기도 한다는 언어의 역사성이 나타난다. ㉢, ㉣에서는 같은 의미를 나타내는 말소리가 언어마다 다르거나 같은 말소리가 여러 의미를 나타내는 것을 통해 말소리와 의미의 관계가 필연적이지 않다는 언어의 자의성을 알 수 있다.

5 '새파랗다, 시퍼렇다, 파릇파릇하다'에서 알 수 있듯이 색깔, 촉감, 맛 등을 생생하게 나타내는 것은 고유어의 특성이다.

6 (나)의 '파워', '밸런스', '스피드'와 같은 외래어는 '힘', '균형', '속도'와 같은 어휘로 바꿔 쓸 수 있다.

오답 풀이

①, ② (가)의 밑줄 친 어휘들은 한자어이고, (나)의 밑줄 친 어휘들은 외래어이다.

③ (가)에서는 뜻을 알기 어려운 한자어가 지나치게 많이 쓰여 모든 사람들이 그 의미를 쉽게 이해하기 어렵다.

⑤ (나)에서는 고유어나 쉬운 한자어로 표현할 수 있는데도 '파워', '밸런스', '스피드' 등의 외래어를 사용하여 표현하고 있는데, 이 어휘들은 스포츠 분야에서 사용하는 전문어가 아니다.

7 ㉡은 대체할 수 있는 고유어가 있으므로 '에누리'로 바꾸어 사용할 수 있다.

8 ㉠ '문상'과 ㉢ '동짓달 초하루'는 세대에 따라 다르게 쓰는 말, ㉡ '재정 증인'은 직업에 따라 다르게 쓰는 말, ㉤ '허벌나게'는 지역에 따라 다르게 쓰는 말이다. ㉣ '훈련'은 지역이나 사회적 요인에 따라 다르게 쓰는 말이 아니다.

9 인터넷 게시판 댓글에는 전라도, 충청도, 함경도 등 여러 지역에서 '누룽지'를 가리키는 말이 나타나 있는데, 이는 각 지역에 따라 다르게 쓰이는 지역 방언에 해당한다. 이처럼 각 지역마다 '누룽지'를 가리키는 말이 달라 생기는 의사소통의 불편을 덜기 위해 전국에서 두루 사용하는 말인 표준어가 있다.

10 '쥘리엔', '콩카세'는 요리 분야에서 활용하는 전문어로 사회 방언에 해당한다. 요리 분야의 전문가들끼리 소통할 때는 전문어를 사용하여 대화와 일의 효율성을 높일 수 있지만 이러한 전문어의 의미를 잘 모르는 일반인들과 대화할 때 사용하면 의사소통에 방해가 될 수 있다.

11 문장에서 상태의 주체, 동작의 대상 등의 역할을 하는 체언에는 명사, 대명사, 수사가 있다. 관형사는 다른 단어를 꾸며 주는 수식언에 속한다.

12 문장에서 쓰일 때 형태가 변하는 품사는 동사와 형용사이다. '작은'은 형용사인 '작다'의 활용형, '버리고'는 동사인 '버리다'의 활용형, '샀다'는 동사인 '사다'의 활용형이다.

13 체언에는 명사, 대명사, 수사가 있는데 ①에는 명사인 '자전거' 1개만 쓰였다. ②에는 '세홍', '옷' 2개, ③에는 '너', '과일' 2개, ④에는 '그', '그녀', '모자' 3개, ⑤에는 '누나', '설거지', '그릇', '하나' 4개가 쓰였다.

14 ㉠은 대명사, ㉡은 동사, ㉢은 관형사, ㉣은 조사, ㉤은 감탄사이다. 관형사는 체언을 꾸며 주는 역할을 한다.

15 ②의 '단비'는 명사, '가'는 조사, '새'는 관형사, '옷'은 명사, '을'은 조사, '입었다'는 동사이다.

오답 풀이

① '와'는 감탄사, '하늘'은 명사, '이'는 조사, '파랗다'는 형용사이다.

③ '민호'는 명사, '가'는 조사, '학교'는 명사, '에'는 조사, '일찍'은 부사, '갔다'는 동사이다.

④ '형'은 명사, '이'는 조사, '집'은 명사, '을'은 조사, '열심히'는 부사, '고쳤다'는 동사이다.

⑤ '앗'은 감탄사, '모든'은 관형사, '준비'는 명사, '가'는 조사, '다'는 부사, '끝났어'는 동사이다.

16 '웃다'는 명령의 뜻인 '웃어라', 청유의 뜻인 '웃자', 현재의 뜻인 '웃는다'로 모두 활용할 수 있으므로 동사이다.

17 ④의 '그'는 조사 '는'이 붙어 체언의 역할을 하는 대명사이고 나머지는 모두 뒤에 오는 체언을 수식하는 관형사이다.

'그'처럼 하나의 단어가 두 개의 품사로 쓰이는 다른 예에는 '모두가 잠들었다.'와 '모두 떠났다.'에서처럼 명사와 부사로 쓰이는 '모두', '다섯이 하나다.'와 '다섯 사람이었다.'에서처럼 수사와 관형사로 쓰이는 '다섯'도 있어.

적중 예상 전략 | 2회

80~83쪽

1 ④ 2 석빙고에는 과학적 원리를 이용한 우리 조상들의 슬기가 담겨 있다. 3 중간: (나), (다), (라), (마) 끝: (바)
4 계획하기 5 ⑤ 6 ④ 7 ②
8 ④ 9 ④ 10 우리나라의 비만 기준을 올려야 한다.
11 ④ 12 ⑤

1 (라)는 석빙고 내부를 저온 상태로 유지하는 것에 대한 내용을 담고 있으므로, 첫 번째 문장에서 '저온 상태 유지'에 대한 내용 외에 덜 중요한 부분을 삭제하여 요약할 수 있다. 따라서 '두 번째 단계는 석빙고 내부를 저온 상태로 유지하는 것이다.'가 (라)의 중심 내용이다.

2 〈보기〉는 요약 방법 중 선택에 대한 설명으로, (바)에는 마지막 부분에 문단의 중심 내용이 분명하게 드러나 있으므로 이 부분을 선택하여 요약할 수 있다.

평가 기준	확인 ☑
선택의 방법을 사용하여 (바)의 중심 내용을 요약함.	
(바)의 마지막 문장을 선택하여 요약함.	

3 (나)는 석빙고의 얼음 저장 과정이 두 단계로 나뉜다는 내용, (다)는 석빙고 내부를 냉각하는 방법, (라), (마)는 석빙고 내부를 저온 상태로 유지하는 방법에 대한 내용을 담고 있으므로, (나)~(마)는 석빙고의 얼음 저장 과정과 원리를 설명하는 중간 부분에 들어갈 수 있다. (바)에서는 석빙고에 조상의 슬기가 담겨 있음을 강조하고 있으므로 끝부분에 들어갈 수 있다.

4 (가)에서는 글의 목적, 주제, 예상 독자를 고려하며 글쓰기 계획을 세우고 있으므로, 계획하기 단계에 해당한다.

5 글쓴이는 (마)에서 〈보기〉의 로봇 공학자의 말을 인용한 후에 자신의 다짐을 표현하고 있다.

6 제시된 내용은 글쓴이가 만들고 싶은 세 번째 로봇에 대한 것이므로, 글쓴이가 만들고 싶은 두 번째 로봇인 반려동물 로봇에 대한 내용에 뒤이어 나오는 것이 자연스럽다. 따라서 ㉣에 들어가는 것이 가장 적절하다.

7 (다)에서 '경찰관이 되려면 어떤 것들을 갖추어야 할까요?'라는 지원이의 질문에 경찰관이 사회에 관한 폭넓은 지식, 판단력과 추리력, 봉사하려는 마음가짐과 경찰 일에 관한 사명감과 자부심이 필요하다고 답하고 있다.

8 이 면담에서 경찰관은 지원이의 질문에 친절하게 답변해 주고 있을 뿐, 잘못 알고 있는 사실을 바로잡고 있지는 않다.

9 지원이의 면담 목적은 경찰관이 되고 싶어 그에 관한 정보를 얻는 것이므로, ④와 같은 추가 질문을 할 수 있다. 면담 질문은 면담 목적에 맞아야 하고, 면담 대상자가 대답하기 곤란하거나 면담 대상자의 기분을 상하게 하는 내용이 담겨 있지 않아야 한다.

10 이 방송 보도에서는 우리나라의 비만 기준이 서양보다 엄격함을 증명하는 사례, 과체중이거나 가벼운 비만인 사람이 정상 체중인 사람보다 질병 조기 사망률이 낮다는 최근의 연구 결과, 우리나라의 기준으로 날씬한 사람의 골 밀도가 좋지 않다는 교수의 의견을 근거로 하여 우리나라의 비만 기준을 올려야 한다고 주장하고 있다.

평가 기준	확인 ☑
방송 보도의 주장으로 비만 기준을 올려야 한다는 내용을 서술함.	
주장을 한 문장으로 서술함.	

11 이 방송 보도의 끝부분에서 우리나라의 기준으로 날씬한 사람은 골 밀도가 좋지 않다는 교수의 의견을 근거로 들어 우리나라의 비만 기준을 올려야 한다는 주장을 뒷받침하고 있다.

12 마지막 교수의 말에 따르면 외국의 기준으로 날씬한 사람의 골 밀도는 정상이지만 우리나라의 기준으로 날씬한 사람의 골 밀도가 좋지 않음을 알 수 있다.

필수 어휘 체크 전략 이렇게 봐요~

- 필수 개념어와 어휘를 뜻과 예로 익혀 봐요!
- 여러 유형의 문제를 쉽고 빠르게 풀어 봐요!
- 필수 어휘 테스트에서 틀린 문제가 있다면 필수 어휘 모음에서 뜻을 확인하여 완벽하게 마무리해요!

필수 어휘 체크 전략

필수 어휘 모음

비유

표현하려는 대상(원관념)을 직접 설명하지 않고 그와 비슷한 다른 대상(보조 관념)에 ❶ [ ] 표현하는 방법.

예 그는 생동감 넘치는 설명을 위해 적절한 비유를 활용하였다.

직유법

유사한 두 대상을 '같이', '처럼', '-듯(이)'과 같은 표현으로 연결하여 직접 빗대어 표현하는 방법.

예 직유법을 사용하여 표현하니 친구의 동그란 얼굴이 생생하게 그려졌다.

은유법

'무엇은 무엇이다.'와 같은 형식으로 한 대상을 다른 대상에 암시적으로 빗대어 표현하는 방법.

예 '너'를 '나의 태양'으로 빗댄 은유법을 사용한 노래의 제목이 인상 깊었다.

의인법

사람이 아닌 것을 ❷ [ ]에 빗대어 사람이 행동하는 것처럼 표현하는 방법.

예 의인법을 사용하여 '꽃'을 사람처럼 표현하니 친근감이 느껴졌다.

상징

인간의 ❸ [ ], 사상과 같은 추상적인 내용을 구체적인 대상으로 나타내는 표현 방법.

예 이 작품에서 주인공이 입고 있는 옷은 주인공의 심정을 상징하고 있습니다.

추상적

어떤 사물이 직접 경험하거나 지각할 수 있는 일정한 형태와 성질을 갖추고 있지 않은 것.

예 그 친구의 주장은 대체로 추상적이고 애매하다.

❹ [ ]

사물이 직접 경험하거나 지각할 수 있도록 일정한 형태와 성질을 갖추고 있는 것.

예 약속을 자주 어기는 것은 그의 이기적인 성격을 ❹ [ ]으로 보여 주는 예이다.

답 | ❶ 빗대어 ❷ 사람 ❸ 감정 ❹ 구체적

무료

❶ [ ] 있는 일이 없어 심심하고 지루함.

예 우리는 무료하게 집에서 시간을 보내느니 일단 밖으로 나가기로 했다.

단조하다

사물이 단순하고 변화가 없어 새로운 느낌이 없다.

예 이 공간은 벽을 한 가지 색으로만 칠해서 단조해 보인다.

❷ [ ]

불만을 길게 늘어놓으며 하소연하는 말.

예 친구는 한숨을 쉬며 어제 간 모임에 대해 ❷ [ ]를 했다.

개선장군

적과의 싸움에서 이기고 돌아온 장군.

예 달리기 시합에서 일등으로 들어온 친구는 개선장군처럼 뿌듯해했다.

소양

평소 닦아 놓은 학문이나 ❸ [ ].

예 독서 토론으로 인문학과 관련된 소양을 키울 수 있다.

낙담하다

바라던 일이 뜻대로 되지 않아 마음이 몹시 상하다.

예 믿었던 막내까지 제비뽑기에서 꽝이 나와서 우리는 모두 크게 낙담했다.

수평선

물과 ❹ [ ]이 맞닿아 경계를 이루는 선.

예 우리는 손을 잡고 수평선 너머로 해가 지는 모습을 바라보았다.

답 | ❶ 흥미 ❷ 넋두리 ❸ 지식 ❹ 하늘

필수 어휘 체크 전략

개국 공신

❶ [　　] 를 새로 세울 때 큰 공로가 있는 신하.

예 개국 공신의 자손에게는 대대로 벼슬을 주는 경우가 있었다.

변절자

절개나 지조를 지키지 않고 그 마음을 바꾼 사람.

예 변절자의 배신으로 그동안 준비한 일이 실패로 돌아갔다.

망망대해

한없이 크고 넓은 ❷ [　　].

예 육지와 섬 사이 망망대해에 작은 배 하나가 떠 있었다.

절실하다

느낌이나 생각이 뼈저리게 강렬한 상태에 있다.

예 엄마가 가지 않기를 바라는 마음으로 아이는 엄마를 절실하게 바라보았다.

불현듯

불을 켜서 불이 일어나는 것과 같다는 뜻으로, ❸ [　　] 어떠한 생각이 걷잡을 수 없이 일어나는 모양.

예 그 책을 읽자 불현듯 나의 어린 시절이 떠올랐다.

적막

고요하고 쓸쓸함.

예 모두 돌아가고 난 들판에는 적막만이 가득 차 있었다.

무심하다

아무런 생각이나 ❹ [　　] 따위가 없다.

예 이미 지쳐 버린 나는 친구의 질문에 무심한 표정으로 대답했다.

답 | ❶ 나라 ❷ 바다 ❸ 갑자기 ❹ 감정

허망스럽다

❶ [ ] 없고 허무한 데가 있다.

예 모든 걸 잃은 나의 처지를 생각하니 허망스러운 느낌이 들었다.

앙감질

한 발은 들고 한 발로만 뛰는 짓.

예 아이가 오른발을 들고 앙감질을 하면서 해맑게 웃었다.

괄시

업신여겨 하찮게 대함.

예 가난하다고 사람을 괄시해서는 안 된다.

팽배하다

어떤 ❷ [ ] 나 사조 따위가 매우 거세게 일어나다.

예 요즘 우리 사회에 이기주의가 팽배하다.

사명

맡겨진 임무.

예 그녀는 경찰로서 사명에 최선을 다하였다.

망국민

망하여 없어진 나라의 ❸ [ ].

예 이 시는 망국민의 설움을 담고 있다.

미덥다

❹ [ ] 이 가는 데가 있다.

예 그 친구는 미더워서 무슨 일이든 맡길 수 있다.

답 | ❶ 어이 ❷ 기세 ❸ 백성 ❹ 믿음

필수 어휘 체크 전략

필수 어휘 테스트

01 다음 빈칸에 알맞은 단어를 쓰시오.

상징은 인간의 감정이나 사상과 같은 추상적인 내용을 구체적인 대상으로 나타내는 표현 방법이다. ______ 와 상징을 사용하면 표현하려는 내용을 인상 깊게 나타낼 수 있다. 표현하려는 대상을 직접 설명하지 않고 그와 비슷한 다른 대상에 빗대어 표현하는 방법.

02 다음 단어와 뜻을 바르게 연결하시오.

(1) 직유법 •

(2) 은유법 •

(3) 의인법 •

• ㉠ 사람이 아닌 것을 사람에 빗대어 사람이 행동하는 것처럼 표현하는 방법

• ㉡ 유사한 두 대상을 '같이', '처럼'으로 연결하여 직접 빗대어 표현하는 방법

• ㉢ '㉮는 ㉯이다.'와 같은 형식으로 한 대상을 다른 대상에 암시적으로 빗대어 표현하는 방법

03 다음 빈칸에 알맞은 단어를 쓰시오.

(1) 누군가는 말했다. 친구 없이 사는 것은 증인 없이 죽는 일이라고. 그 말들을 새기고 있으면 ______ 마음이 찡해 온다.
불을 켜서 불이 일어나는 것과 같다는 뜻으로, 갑자기 어떠한 생각이 걷잡을 수 없이 일어나는 모양.

(2) 그때도 역시나 군 대회에 나가 아무 상도 받지 못하고 빈손으로 돌아온 다음이어서 어린 마음에도 나는 참으로 크게 ______ 했다.
바라던 일이 뜻대로 되지 않아 마음이 몹시 상함.

04 다음 문장의 괄호 안에 들어갈 알맞은 단어를 보기 에서 고르시오.

엿장수가 마을 앞까지 채 오기도 전에 아이들은 벌써 길목에 쭉 모여 서서 (　　　)(이)나 맞이하듯 기다리고 섰다.

보기

망국민　　변절자　　개선장군

답 | 01 비유 02 (1) ㉡ (2) ㉢ (3) ㉠
03 (1) 불현듯 (2) 낙담 04 개선장군

05 다음 문장의 괄호 안에서 알맞은 단어를 고르시오.

(1) 어머니는 다만 그 무심한 하늘을 향해 다시 한번 가는 한숨을 삼키며 (미덥게 , 허망스럽게) 중얼거리고 있었다.

(2) 사람들은 지금 내가 소설을 쓰고 있으니까 어린 시절부터 문학적 (괄시 , 소양) 같은 것이 반짝반짝했을 거로 생각하는 것 같다.

06 다음 단어와 뜻을 바르게 연결하시오.

(1)	사명 •	• ㉠	맡겨진 임무
(2)	넋두리 •	• ㉡	한없이 크고 넓은 바다
(3)	망망대해 •	• ㉢	불만을 길게 늘어놓으며 하소연하는 말

07 다음 문장의 괄호 안에 공통으로 들어갈 알맞은 단어를 | 보기 |에서 고르시오.

어린아이들만이 마을 앞 양지바른 담 밑에 모여 윤선이 오고 가는 바다를 바라보고, 윤선도 보이지 않는 날은 (　　　　)에 지쳐 버린다.

그러나 이 단조한 마을, (　　　　)한 아이들에게도 단 하나의 즐거움은 있었다.

| 보기 |

무료　　　무심　　　무정

08 다음 빈칸에 알맞은 단어를 쓰시오.

(1) 들에서나 산에서나 어머니는 이따금 자신도 모르게 그 연을 찾아 일손을 멈추곤 했다. 그리고 그 (　　　　)스런 봄 하늘을 바라보며 허기진 한숨을 삼키곤 했다.
고요하고 쓸쓸함.

(2) 아이들은 선생님이 다 나으셔서 오실 때까지 우리 기죽지 말자 하며 서로서로 격려하게 되었고, 이러한 기운이 (　　　　)해지자 이른바 간부였던 아이들은 자기네의 사명을 깨닫게 되었다. 어떤 기세나 사조 따위가 매우 거세게 일어남.

답 | 05 (1) 허망스럽게 (2) 소양
06 (1) ㉠ (2) ㉢ (3) ㉡ 07 무료
08 (1) 적막 (2) 팽배

필수 어휘 체크 전략

필수 어휘 모음

❶ [ ] 갈등

한 인물의 마음속에서 서로 다른 감정이나 욕구가 일어나서 생기는 갈등.

예 이 소설에는 인생의 의미에 대한 인물의 ❶ [ ] 갈등이 잘 드러나 있다.

외적 갈등

인물과 인물을 둘러싼 외부 요소 사이에서 대립과 충돌이 일어나서 생기는 갈등.

예 주인공과 주인공 부모님의 외적 갈등으로 드라마의 내용이 흥미진진해지고 있다.

성찰

자신의 삶과 경험을 되돌아보고 ❷ [ ] 하며 사고하는 과정.

예 어느 순간 자신의 주변에 사람이 없다면 자신의 삶을 한번 성찰해 보세요.

기박하다

팔자, 운수 따위가 사납고 ❸ [ ] 이 없다.

예 그는 팔자가 기박하여 외로운 처지가 되었다.

통곡하다

소리를 높여 슬피 울다.

예 그녀는 어머니가 남긴 편지를 읽으며 통곡하였다.

입신양명

출세하여 ❹ [ ] 을 세상에 떨침.

예 과거에는 입신양명을 큰 효로 여겼다.

천대

업신여기어 천하게 대우하거나 푸대접함.

예 과거에 소나 돼지를 잡는 일을 하는 사람들은 천대받았다.

답 | ❶ 내적 ❷ 반성 ❸ 복 ❹ 이름

영욕

영예와 ❶ [ ] 을 아울러 이르는 말.

예 그는 드디어 삶의 영욕을 함께 나눌 짝을 맞이했다.

흉계

흉악한 ❷ [ ].

예 저들이 모여 있는 것을 보니 흉계를 꾸미는 것이 틀림없다.

비범하다

보통 수준보다 훨씬 뛰어나다.

예 많은 인원을 이끌어 가는 면에서 그의 비범한 능력이 돋보였다.

종적

없어지거나 떠난 뒤에 남은 흔적.

예 그녀는 그 사건 뒤로 종적을 감추었다.

생채기

손톱 따위로 할퀴이거나 긁히어서 생긴 작은 상처.

예 아이들끼리 다투다가 얼굴에 생채기가 났다.

질풍

몹시 빠르고 거세게 부는 ❸ [ ].

예 질풍처럼 밀어닥치는 군사를 막아 내기는 어려웠다.

쾌감

상쾌하고 즐거운 ❹ [ ].

예 우리는 농구 시합을 한 뒤 시원한 음료수를 마시며 쾌감을 느꼈다.

답 | ❶ 치욕 ❷ 계략 ❸ 바람 ❹ 느낌

필수 어휘 체크 전략

간악하다

마음이 바르지 않고 흉하고 독하다.

예 기사에 나타난 간악한 범인의 행동에 모두들 손가락질하였다.

견제하다

일정한 작용을 가함으로써 상대편이 지나치게 세력을 펴거나 자유롭게 행동하지 못하게 억누르다.

예 나는 시합 내내 옆에서 뛰는 친구를 견제하며 달렸다.

허물

잘못 저지른 ❶ .

예 그가 그녀의 허물을 들추어내어 그녀의 얼굴이 달아올랐다.

가뜬하다

몸과 ❷ 이 가벼워 기분이 좋다.

예 아침에 운동을 하니 몸이 가뜬하다.

흉물

모양이 흉하게 생긴 ❸ 이나 동물.

예 잘 열리지 않는 문을 억지로 열자 처음 보는 흉물이 기어 나왔다.

고약

주로 헐거나 곪은 데에 붙이는 끈끈한 ❹ .

예 종기가 난 자리에 고약을 붙였다.

묘수

묘한 기술이나 수.

예 아무리 생각해도 이 문제를 해결할 묘수가 떠오르지 않는다.

답 | ❶ 실수 ❷ 마음 ❸ 사람 ❹ 약

❶

효험이 좋아 이름난 약.

예 인삼은 예로부터 대표적인 ❶ 이다.

소행

이미 해 놓은 일이나 짓.

예 어느 녀석의 소행인지 반드시 밝히고 말겠다.

냉담하다

태도나 마음씨가 ❷ 없이 차갑다.

예 친구는 내가 한 일이 아니라는 말을 듣고도 냉담한 반응을 보였다.

보수

일한 대가로 주는 ❸ 이나 물품.

예 그는 높은 보수를 주는 일보다 행복을 주는 일을 원했다.

잘다

알곡이나 과일, 모래 따위의 둥근 물건이나 글씨 따위의 크기가 작다.

예 밤알이 잘아서 껍질을 까기가 힘들다.

승계

어떤 직무나 임무를 먼저 맡아 하던 사람(선임자)의 뒤를 이어받음.

예 그는 결국 50년 전통의 국밥집이라는 가업을 승계하기로 했다.

삽시간

매우 짧은 ❹ .

예 둑이 터지자 들판이 삽시간에 물바다가 되었다.

답 | ❶ 명약 ❷ 동정심 ❸ 돈 ❹ 시간

필수 어휘 체크 전략

필수 어휘 테스트

01 다음 단어와 뜻을 바르게 연결하시오.

(1) 성찰 •		• ㉠ 자신의 삶과 경험을 되돌아보고 반성하며 사고하는 과정
(2) 내적 갈등 •		• ㉡ 한 인물의 마음속에서 서로 다른 감정이나 욕구가 일어나서 생기는 갈등
(3) 외적 갈등 •		• ㉢ 인물과 인물을 둘러싼 외부 요소 사이에서 대립과 충돌이 일어나서 생기는 갈등

02 다음 문장의 괄호 안에서 알맞은 단어를 고르시오.

(1) "내 병이 깔끔히 나을 (묘수 , 보수)를 말하란 말이다."

(2) 하지만 그는 듣지 않고 (가뜬하게 , 냉담하게) 앉아, 여전히 나를 비웃는 눈으로 지켜보고만 있었으므로, 이번에는 내가 수집한 나비를 전부 주겠다고 했지.

03 다음 문장의 괄호 안에 공통으로 들어갈 알맞은 단어를 보기에서 고르시오.

- 그야 자기는 수만이가 시켜서 한 일이니까 잘못이 없다는 것이지만 당초에 그것은 제 (   )을 남에게 밀려는 얄미운 구실이 아니고 뭐냐.
- 하나하나 숨김없이 자백을 하자 이때까지 겹겹으로 몸을 싸고 있던 (   )이 한 꺼풀 한 꺼풀 벗어지면서 따라 마음속의 어둠도 차차 사라지며 맑아지는 것을, 문기는 확실히 깨달을 수 있었다.

보기

영욕　　허물　　흉계

04 다음 빈칸에 알맞은 단어를 쓰시오.

(1) "내 차는 인마, 여자들 손톱만 살짝 닿아도 (   )가 나는 고급 차야."
손톱 따위로 할퀴이거나 긁히어서 생긴 작은 상처.

(2) 달리면서 마치 오래 참았던 오줌을 시원스레 내깔기는 듯한 (   )까지 느꼈다.
상쾌하고 즐거운 느낌.

답 | 01 (1) ㉠ (2) ㉡ (3) ㉢
02 (1) 묘수 (2) 냉담하게 03 허물
04 (1) 생채기 (2) 쾌감

05 다음 단어와 뜻을 바르게 연결하시오.

(1) 천대 •　　　　• ㉠ 효험이 좋아 이름난 약

(2) 소행 •　　　　• ㉡ 이미 해 놓은 일이나 짓

(3) 명약 •　　　　• ㉢ 업신여기어 천하게 대우하거나 푸대접함.

06 다음 문장의 괄호 안에 공통으로 들어갈 알맞은 단어를 보기 에서 고르시오.

- "야, 너 보리 방구랑 사귀냐? 너는 반찬 주고, 걔는 신문 주고 그런다며?" 소문은 (　　　　)에 퍼졌어.
- 자전거는 도랑과 똥통 옆을 지나고 있었다. 나는 (　　　　)에 어른이 된 기분으로 읍내로 가는 길을 내달렸다.

보기

종적　　질풍　　삽시간

07 다음 빈칸에 알맞은 단어를 순서대로 쓰시오.

그 　　　　 같은 딱지가 보기 싫어 / 손톱으로 득득 긁어 떼어 내려고 하면
모양이 흉하게 생긴 사람이나 동물.
아버지는 그때마다 말씀하셨다. / 딱지를 떼어 내지 말아라 그래야 낫는다.

아버지 말씀대로 그대로 놓아두면

까만 　　　　 같은 딱지가 떨어지고
주로 헐거나 곪은 데에 붙이는 끈끈한 약.
딱정벌레 날개처럼 하얀 새살이 / 돋아나 있었다.

08 다음 문장의 괄호 안에서 알맞은 단어를 고르시오.

(1) 그래서 세상이 어지러워질수록 / 남에게는 엄격해지고 내게는 너그러워지나 보다 돌처럼 (간악하고 , 잘아지고) 굳어지나 보다

(2) "아무리 하찮은 사람도 아버지를 아버지라 부르고 형을 형이라고 부르는데, 나만 홀로 그리하지 못하는구나. 내 인생은 어찌하여 이리도 (기박한가 , 비범한가)?"

답 | 05 (1) ㉢ (2) ㉡ (3) ㉠
06 삽시간 07 흉물, 고약
08 (1) 잘아지고 (2) 기박한가

필수 어휘 체크 전략

필수 어휘 모음

언어의 자의성

언어의 ❶ [   ] 와 말소리의 관계는 필연적이지 않고, 우연히 결정된 것임.

예 같은 대상이라도 한국어나 영어로 다르게 부르는 것은 언어의 자의성과 관계가 있다.

언어의 사회성

언어는 그 언어를 사용하는 사람들 사이의 ❷ [   ] 이므로, 약속한 이후에는 어느 한 개인이 마음대로 바꿀 수 없음.

예 어떤 사물을 혼자 다르게 불렀을 때 다른 사람들이 이해하지 못하는 이유는 언어의 사회성 때문이다.

언어의 ❸ [   ]

언어는 시간이 흐르면서 새로 생기기도 하고, 사라지기도 하며, 소리나 의미가 변하기도 함.

예 언어가 시간의 흐름에 따라 변화하는 특성을 언어의 ❸ [   ] 이라고 한다.

언어의 창조성

인간은 이미 알고 있는 언어를 바탕으로 하여 새로운 단어나 문장을 무한히 만들어 낼 수 있음.

예 언어의 창조성 때문에 참치와 마요네즈를 합하여 '참치마요'라는 새로운 이름을 만들어 낼 수 있었다.

고유어

우리말에 본디부터 있던 말이나 이것을 바탕으로 하여 만들어진 말.

예 외래어가 많이 들어오면서 많은 고유어들이 위협받고 있다.

한자어

❹ [   ] 를 바탕으로 하여 만들어진 말.

예 우리말에는 한자어가 많은 편이다.

외래어

❺ [   ] 에서 들어와 우리말처럼 쓰이는 말.

예 외래어를 과하게 사용하면 국어 발전에 해가 될 수 있다.

답 | ❶ 의미 ❷ 약속 ❸ 역사성 ❹ 한자 ❺ 외국

지역 방언

지역에 따라 다르게 쓰는 말.

예 나는 서울에서 자라서 다른 지역의 지역 방언을 이해하기 힘들 때가 종종 있다.

사회 방언

직업, 나이 등 ❶ [   ] 요인에 따라 다르게 쓰는 말.

예 사회 방언은 대화 상대와 상황에 맞게 사용해야 한다.

전문어

특정 분야에서 ❷ [   ]적인 개념을 표현하기 위해 사용하는 말.

예 일을 시작한 지 얼마 안 되어 전문어를 이해하지 못한 점이 힘들었다.

은어

다른 사람들이 알아듣지 못하도록 특정 집단 안에서 사용하는 말.

예 요즘 청소년들이 쓰는 은어 중에는 다른 세대가 이해하기 어려운 것이 많다.

품사

공통된 성질에 따라 묶은 ❸ [   ]의 갈래.

예 우리말의 품사는 단어가 공통으로 나타내는 의미에 따라 9개로 나눌 수 있다.

가변어

❹ [   ]가 변하는 단어.

예 우리말에서 동사와 형용사는 가변어이다.

불변어

형태가 변하지 않는 단어.

예 동사와 형용사, 조사 '이다'를 제외한 단어는 불변어이다.

답 | ❶ 사회적 ❷ 전문 ❸ 단어 ❹ 형태

필수 어휘 체크 전략

용언

문장에서 주로 주체의 움직임, 상태, 성질 등을 ❶ [ ] 하는 역할을 하는 단어.

예) 동사, 형용사를 묶어서 용언이라고 한다.

체언

문장에서 주로 ❷ [ ] 가 되는 역할을 하는 단어.

예) 명사, 대명사, 수사를 묶어서 체언이라고 한다.

수식언

문장에서 주로 다른 말을 꾸며 주는 역할을 하는 단어.

예) 수식언에는 관형사, 부사가 있다.

관계언

문장에서 홀로 쓰일 수 없고, 주로 다른 단어 간의 문법적 ❸ [ ] 를 나타내거나 특별한 뜻을 더해 주는 단어.

예) 관계언에는 조사가 있다.

독립언

문장에서 다른 말과 관계를 맺지 않고 독립적으로 쓰이는 단어.

예) 독립언은 문장에서 생략해도 문장이 이루어진다.

동사

사람이나 사물의 ❹ [ ], 작용을 나타내는 품사.

예) 동사는 문장에서 쓰일 때 형태를 바꾸는 활용을 한다.

형용사

사람이나 사물의 ❺ [ ] 나 성질을 나타내는 품사.

예) 형용사는 명령이나 청유의 뜻을 나타내는 어미가 붙어 활용할 수 없다.

답 | ❶ 설명 ❷ 주체 ❸ 관계 ❹ 움직임 ❺ 상태

명사

구체적, 추상적인 대상의 ❶ [　　] 을 나타내는 품사.

예 명사에는 '철수', '책상', '우정' 등이 있다.

대명사

사람이나 사물, 장소의 이름을 ❷ [　　] 나타내는 품사.

예 대명사에는 '그녀', '이것', '저기' 등이 있다.

수사

사람이나 사물의 수량이나 ❸ [　　] 를 나타내는 품사.

예 수사에는 '하나', '둘째' 등이 있다.

관형사

체언 앞에 놓여 그 체언의 내용을 자세히 꾸며 주는 품사.

예 '새 책을 읽었다.'에서 '새'는 체언인 '책'을 꾸며 주는 관형사이다.

부사

❹ [　　] 또는 다른 부사, 문장 전체 등을 꾸며 주는 품사.

예 '밥을 빨리 먹었다.'에서 '빨리'는 용언인 '먹었다'를 꾸며 주는 부사이다.

조사

다른 말에 붙어서 문법적 관계를 나타내거나 특별한 뜻을 더해 주는 품사.

예 조사에는 '이/가', '을/를', '에게' 등이 있다.

감탄사

놀람, 느낌, 부름, 대답 등을 나타내는 품사.

예 감탄사에는 '어머', '야', '그래' 등이 있다.

답 | ❶ 이름 ❷ 대신 ❸ 순서 ❹ 용언

필수 어휘 체크 전략

필수 어휘 테스트

01 다음 문장의 괄호 안에서 알맞은 단어를 고르시오.

(1) 언어의 의미와 말소리의 관계는 필연적이지 않고, 우연히 결정된다는 것은 언어의 (사회성 , 자의성)과 관련이 있다.

(2) 언어는 시간이 흐르면서 새로 생기기도 하고, 사라지기도 하며, 소리나 의미가 변하기도 한다는 것은 언어의 (역사성 , 창조성)과 관련이 있다.

02 다음에서 설명하는 특징을 가진 어휘를 ｜보기｜에서 고르시오.

- '버스', '라디오', '컴퓨터'처럼 외국에서 들어와 우리말처럼 쓰이는 말임.
- 외국 문물과의 접촉을 통해 들어와 우리말 어휘를 보완해 주는 역할을 함.

｜보기｜
고유어 외래어 한자어

03 다음 빈칸에 알맞은 단어를 쓰시오.

한자어와 외래어는 우리말 어휘를 풍부하게 해 주지만, 과도하게 사용하면 오히려 우리말을 해칠 수 있다. 따라서 너무 어려운 한자어나 불필요한 외래어는 쉬운 한자어나 ______ 로 다듬어서 사용하는 것이 좋다.

우리말에 본디부터 있던 말이나 이것을 바탕으로 하여 만들어진 말.

04 다음 문장의 괄호 안에 공통으로 들어갈 알맞은 단어를 ｜보기｜에서 고르시오.

- 한 언어에서 지역에 따라 다르게 쓰이는 각 지방의 말을 (   )이라고 한다.
- 표준어와 (   )은 둘 중 하나가 더 우월하거나 열등한 관계, 대립적인 관계가 아니라 서로를 보완해 주는 관계이다.

｜보기｜
사회 방언 지역 방언

답 | 01 (1) 자의성 (2) 역사성 02 외래어 03 고유어 04 지역 방언

05 다음 빈칸에 알맞은 단어를 쓰시오.

(1) '심리(審理)'는 법률 분야에서 사용되는 　　　　 이다.
특정 분야에서 전문적인 개념을 표현하기 위해 사용하는 말.

(2) '대', '삼패' 등은 청과물 상인들이 사용하는 　　　　 이다.
다른 사람들이 알아듣지 못하도록 특정 집단 안에서 사용하는 말.

06 다음 빈칸에 알맞은 단어를 쓰시오.

우리말 단어를 분류하는 기준에는 형태, 기능, 의미가 있으며, 의미를 기준으로 분류하면 명사, 대명사, 수사, 동사, 형용사, 관형사, 부사, 조사, 감탄사 총 아홉 개의 　　　 로 나누어진다.
공통된 성질에 따라 묶은 단어의 갈래.

07 다음 문장의 괄호 안에서 알맞은 단어를 고르시오.

(1) 문장에서 주로 주체가 되는 역할을 하는 단어를 (체언 , 용언)이라고 하는데, 이는 (가변어 , 불변어)에 속한다.

(2) (동사 , 형용사)는 어간에 '-는다/-ㄴ다'가 붙어 현재, '-아라/-어라'가 붙어 명령, '-자'가 붙어 청유의 뜻을 나타낼 수 있지만, (동사 , 형용사)는 그렇지 않다.

(3) 체언 앞에 놓여서 그 체언의 내용을 자세히 꾸며 주는 품사를 (부사 , 관형사)라고 한다.

08 다음에서 설명하는 특징을 가진 품사를 보기 에서 고르시오.

- 홀로 쓰일 수 없고 다른 말에 붙어 쓰임.
- 문장에 쓰인 단어들의 문법적 관계를 나타내거나 특별한 뜻을 더해 주는 역할을 함.

보기

부사　　　조사　　　감탄사

답 | 05 (1) 전문어 (2) 은어 06 품사
07 (1) 체언, 불변어 (2) 동사, 형용사
(3) 관형사 08 조사

필수 어휘 체크 전략

필수 어휘 모음

배경지식

어떤 일을 하거나 연구할 때, 이미 머릿속에 들어 있거나 기본적으로 필요한 ❶ [ ].

예 이번 수업은 역사에 대한 배경지식 없이는 이해하기 힘들 것이다.

일반화

구체적이고 ❷ [ ]적인 내용은 그것을 포괄하는 말로 묶는 요약 방법.

예 글에서 개별적인 내용은 일반화하여 요약할 수 있다.

포괄하다

일정한 대상이나 현상 따위를 어떤 범위나 한계 안에 모두 끌어 넣다.

예 한국어는 우리말과 우리글을 모두 포괄하는 말이다.

재구성

제시된 내용을 바탕으로 하여 중심 내용을 만드는 요약 방법.

예 중심 내용이 분명하게 드러나 있지 않으면 재구성의 방법을 활용하여 요약할 수 있다.

통일성

글의 ❸ [ ]와 세부 내용이 서로 밀접한 관련을 맺고 있는 것.

예 글을 쓸 때 통일성을 고려해야 글의 주제가 명료하게 드러난다.

타당성

주장과 근거가 ❹ [ ]에 맞고 합리적인 성질.

예 광고를 들을 때에는 내용의 타당성을 판단하며 들어야 한다.

폐기

못 쓰게 된 것은 버림.

예 전자 제품을 폐기할 때에는 폐기물 딱지를 붙여서 버려야 한다.

답 | ❶ 지식 ❷ 개별 ❸ 주제 ❹ 이치

매정하다

얄미울 정도로 쌀쌀맞고 ❶ [ ]이 없다.

예) 그녀는 그의 고백을 매정하게 거절했다.

구호

집회나 시위 등에서 어떤 요구나 주장 따위를 간결한 형식으로 표현한 문구.

예) '무고한 시민을 풀어 주어라.'라는 구호를 외치며 시민 단체들이 거리 시위에 나섰다.

공복감

❷ [ ] 속이 빈 듯한 느낌.

예) 점심을 먹은 지 얼마 지나지 않았는데 나는 갑자기 공복감을 느꼈다.

억제하다

정도나 한도를 넘어서 나아가려는 것을 억눌러 그치게 하다.

예) 과거에 우리나라도 인구가 늘어나는 것을 억제하는 정책을 추진하기도 했다.

절충

서로 ❸ [ ] 사물이나 의견, 관점 따위를 알맞게 조절하여 서로 잘 어울리게 함.

예) 지금까지 제시된 의견을 절충하여 최선의 방법을 찾아봅시다.

❹ [ ]

실력, 수준, 기술 따위가 나아짐. 또는 나아지게 함.

예) 과거에 비해 생활 수준이 많이 ❹ [ ]되었다.

백미

흰 눈썹이라는 뜻으로, 여럿 가운데에서 가장 뛰어난 사람이나 훌륭한 물건을 비유적으로 이르는 말.

예) 이번 음악회의 백미는 피아노 연주였다.

답 | ❶ 인정 ❷ 배 ❸ 다른 ❹ 향상

필수 어휘 체크 전략

필수 어휘 테스트

01 다음 문장의 괄호 안에서 알맞은 단어를 고르시오.

글의 제목이나 차례, 독자의 (배경지식 , 전문 지식)을 활용하여 글을 예측하며 읽거나, 글의 특성과 구조 등을 고려하고 선택, 삭제, (일반화 , 특수화), 재구성 등의 요약 방법을 활용하여 글을 요약하며 읽으면 글을 깊이 있게 읽는 데 도움이 된다.

02 다음 단어와 뜻을 바르게 연결하시오.

(1) 일반화 •　　　　• ㉠ 제시된 내용을 바탕으로 하여 중심 내용을 만드는 요약 방법

(2) 재구성 •　　　　• ㉡ 구체적이고 개별적인 내용은 그것을 포괄하는 말로 묶는 요약 방법

03 다음 문장의 괄호 안에 공통으로 들어갈 알맞은 단어를 보기에서 고르시오.

아침밥은 체중 조절에도 도움을 준다. 아침밥을 거르면 전날 밤부터 위장이 오랫동안 비어 있어 (　　　　)을 느끼게 된다. (중략) 그런데 아침밥을 먹으면 (　　　　)이 해소되어 과식과 폭식을 막는 데 도움이 되고, 간식을 먹는 일도 줄일 수 있다.

보기

공복감　　자신감　　피로감

04 다음 빈칸에 알맞은 단어를 쓰시오.

글을 쓸 때에는 '계획하기－내용 선정(생성)하기－내용 조직하기－표현하기－고쳐 쓰기'의 과정을 거친다. 이때 글의 주제를 명료하게 드러내기 위해서는 글쓰기의 모든 과정에서 (　　　　)을 고려해야 한다.

글의 주제와 세부 내용이 서로 밀접한 관련을 맺고 있는 것.

답 | 01 배경지식, 일반화 02 (1) ㉡ (2) ㉠ 03 공복감 04 통일성

05 다음 문장의 괄호 안에 들어갈 알맞은 단어를 보기 에서 고르시오.

차들은 여전히 (   ) 우리 앞을 가로지르고 있었고 세워 달라고 내가 손을 흔들 때면 더 빠른 속도로 달려오곤 했다.

보기
가뜬하게   매정하게   절실하게

06 다음 단어와 뜻을 바르게 연결하시오.

(1) 구호 •   • ㉠ 주장과 근거가 이치에 맞고 합리적인 성질

(2) 타당성 •   • ㉡ 집회나 시위 등에서 어떤 요구나 주장 따위를 간결한 형식으로 표현한 문구

(3) 배경 지식 •   • ㉢ 어떤 일을 하거나 연구할 때, 이미 머릿속에 들어 있거나 기본적으로 필요한 지식

07 다음 문장의 괄호 안에서 알맞은 단어를 고르시오.

(1) 우리 동아리에서는 일주일에 한 번 요리 강사에게 요리를 배웁니다. 꾸준히 배우다 보면 자연스럽게 요리 실력이 (폐기 , 향상)될 것입니다.

(2) 동물과 사람을 대상으로 실험한 결과 이 제품의 이로운 성분이 장까지 잘 전달되어 병원균을 (억제하는 , 포괄하는) 것으로 밝혀졌습니다.

08 다음 빈칸에 알맞은 단어를 쓰시오.

(1) 우리나라는 동양 건축 기술의   로 평가받는 화성 등 여러 세계 문화유산을 보유하고 있다. 흰 눈썹이라는 뜻으로, 여럿 가운데에서 가장 뛰어난 사람이나 훌륭한 물건을 비유적으로 이르는 말.

(2) 청소 인원은 늘리지 않되 실내화와 실외화를 구별해서 신지 않는 사람에게 청소 당번과 함께 청소를 하게 하자는   안이 나왔습니다.
서로 다른 사물이나 의견, 관점 따위를 알맞게 조절하여 서로 잘 어울리게 함.

답 | 05 매정하게 06 (1) ㉡ (2) ㉠ (3) ㉢
07 (1) 향상 (2) 억제하는
08 (1) 백미 (2) 절충

MEMO

내신 고득점을 위한 필수 심화 학습서

중학 일등전략

전과목 시리즈

체계적인 시험대비

주 3일, 하루 6쪽 구성
총 2~3주의 분량으로
빠르고 완벽하게 시험 대비!

1등을 위한 공부법

탄탄한 중학 개념 기본기에
실전 문제풀이의 감각을 더해
어떠한 상황에도 자신감 UP!

문제유형 완전 정복

기출문제 분석을 통해
개념 확인 유형부터 서술형,
고난도 유형까지 다양하게 마스터!

완벽한 1등 만들기! 전과목 내신 대비서

국어: 예비중~중3(문학1~3/문법1~3)
영어: 중2~3
수학: 중1~3(학기용)
사회: 중1~3(사회①, 사회②, 역사①, 역사②)
과학: 중1~3(학기용)

정답은
이안에
있어!

배움으로 행복한 내일을 꿈꾸는
천재교육 커뮤니티 안내

교재 안내부터 구매까지 한 번에!
천재교육 홈페이지

천재교육 홈페이지에서는 자사가 발행하는 참고서,
교과서에 대한 소개는 물론 도서 구매도 할 수 있습니다.
회원에게 지급되는 별을 모아 다양한 상품 응모에도
도전해 보세요.

구독, 좋아요는 필수! 핵유용 정보 가득한
천재교육 유튜브 <천재TV>

신간에 대한 자세한 정보가 궁금하세요?
참고서를 어떻게 활용해야 할지 고민인가요?
공부 외 다양한 고민을 해결해 줄 채널이 필요한가요?
학생들에게 꼭 필요한 콘텐츠로 가득한 천재TV로 놀러 오세요!

다양한 교육 꿀팁에 깜짝 이벤트는 덤!
천재교육 인스타그램

천재교육의 새롭고 중요한 소식을 가장 먼저 접하고 싶다면?
천재교육 인스타그램 팔로우가 필수!
누구보다 빠르고 재미있게 천재교육의 소식을 전달합니다.
깜짝 이벤트도 수시로 진행되니 놓치지 마세요!

book.chunjae.co.kr

교재 내용 문의 ·· 교재 홈페이지 ▸ 중학 ▸ 교재상담
교재 내용 외 문의 ······································· 교재 홈페이지 ▸ 고객센터 ▸ 1:1문의
발간 후 발견되는 오류 ································ 교재 홈페이지 ▸ 중학 ▸ 학습지원 ▸ 학습자료실

ISBN 979-11-259-6690-6

정가 15,000원

고득점을 예약하는 내신 대비서

국어전략

중학 1

시험에 잘 나오는

개념BOOK 2

천재교육

국어전략

시험에 잘 나오는

개념BOOK 2

개념BOOK 하나면
국어 공부 **끝!**

문법

차례

1 언어의 자의성

뜻 언어의 의미와 말소리가 필연적이 아니라, 우연히 맺어진 관계라는 특성.

특징

- 어떤 대상을 나타내는 ❶ ______ 가 나라마다 다름.
- 한 언어 안에서도 의미는 비슷하지만 말소리가 다르거나, 말소리는 같지만 ❷ ______ 가 다른 말이 있음.

예

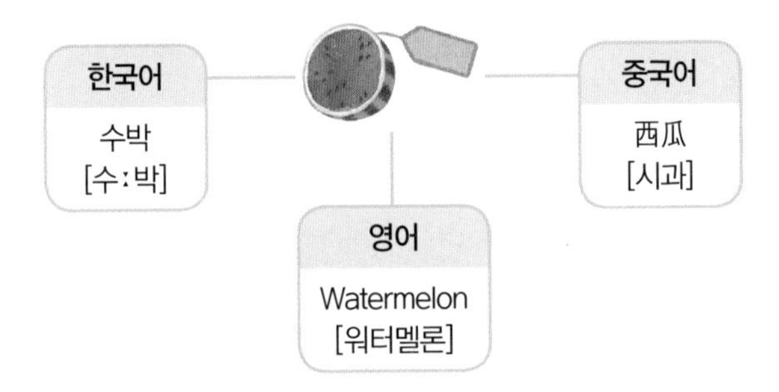

❶ 말소리 ❷ 의미

바로 확인

다음에서 나타나는 언어의 본질을 아래와 같이 정리할 때, 빈칸에 알맞은 말을 쓰시오.

한국어: 딸기[딸ː기]
중국어: 草莓[차오메이]
영어: Strawberry[스트로베리]

→ '딸기'라는 같은 대상을 가리키는 말이 언어마다 다르다는 점에서 언어의 (   ) 이 나타난다.

답 | 자의성

2 언어의 사회성

뜻 언어는 같은 언어를 사용하는 사람들 사이의 약속이므로, 어느 한 개인이 마음대로 바꿀 수 없다는 특성.

특징
- 같은 언어를 사용하는 사람들이 사회적 ❶ [ ]을 맺은 후에는 개인이 그것을 마음대로 바꿀 수 없음.
- 한 ❷ [ ]이 언어를 마음대로 바꾸면 의사소통을 원활하게 할 수 없음.

예 국립국어원은 국민 실생활에서 많이 사용하지만 표준어 대접을 받지 못한 '짜장면'과 '먹거리'를 비롯한 서른아홉 개 단어를 표준어로 인정하고 이를 인터넷 '표준국어대사전'에 반영했다고 31일 밝혔다.

→ 사람들이 실생활에서 많이 사용하는 '짜장면'을 표준어로 삼기로 약속했다는 점에서 언어의 사회성이 드러남.

❶ 약속 ❷ 개인

바로 확인

다음 상황의 결과를 아래와 같이 정리할 때, 빈칸에 알맞은 말을 순서대로 쓰시오.

> 그는 이제부터 침대를 '사진'이라고 부르기로 했다.
> "피곤하군, 사진 속으로 들어가야겠어." / 그는 이렇게 말했다.

→ '그'가 언어의 (   )을 무시하고 계속해서 단어를 바꿔 쓰면 다른 사람과의 (   )에 문제가 생길 것이다.

답 | 사회성, 의사소통

3 언어의 창조성

뜻 인간은 이미 알고 있는 언어를 바탕으로 하여 새로운 단어나 문장을 무한히 만들어 낼 수 있다는 특성.

특징
- 새로운 물건이나 개념이 생기면 그것을 표현하는 ❶ ______ 말을 만들어 낼 수 있음.
- 한정된 단어를 가지고 그것을 결합하여 상황에 맞는 새로운 ❷ ______ 나 문장을 무한히 만들어 낼 수 있음.

예

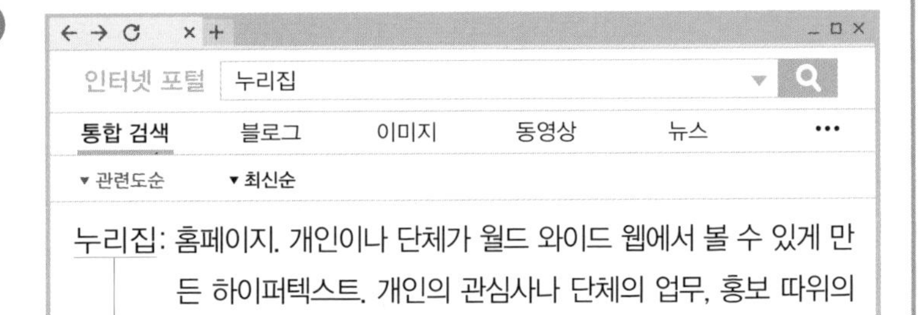

❶ 새로운 ❷ 단어

바로 확인

다음을 통해 알 수 있는 언어의 본질로 알맞은 것은?

> '우유 마시자.'와 '수박 먹고 싶어요.'라는 각각의 문장을 배운 아이가 '우유 먹고 싶어요.'와 같이 배운 적이 없는 문장을 만들어 낸다.

① 언어의 자의성　② 언어의 사회성　③ 언어의 창조성

답 | ③

4 언어의 역사성

뜻 언어가 ❶ ______의 흐름에 따라 끊임없이 변화한다는 특성.

특징
- 쓰이던 말이 쓰이지 않게 되거나 사물이나 개념이 없어지면 그것을 표현하던 말이 사라짐.
- 시간의 흐름에 따라 말소리나 ❷ ______가 변하기도 함.
- 새로운 물건이나 개념이 생기면 그것을 나타내는 말이 생겨남.

예

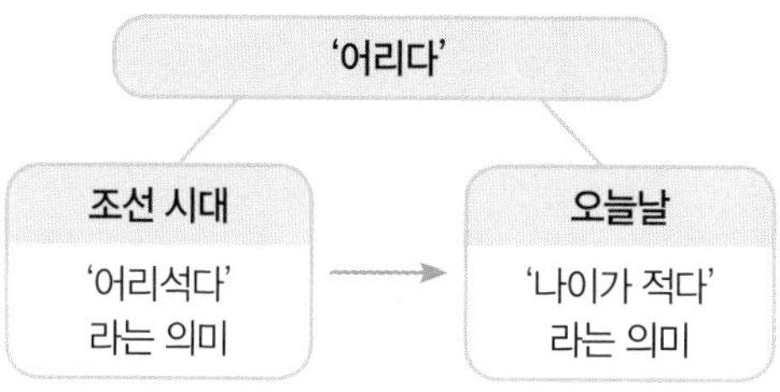

→ '어리다'의 의미가 시간의 흐름에 따라 변했다는 점에서 언어의 역사성이 드러남.

❶ 시간 ❷ 의미

바로 확인

다음 언어의 역사성을 보여 주는 양상과 그 예를 바르게 연결하시오.

(1) 새로 생긴 말 •   • ㉠ 가람, 미르
(2) 지금은 쓰이지 않는 말 •   • ㉡ 불휘 → 뿌리
(3) 말소리나 의미가 변한 말 •   • ㉢ 인공지능, 블로그

답 | (1)㉢ (2)㉠ (3)㉡

5 품사

뜻 공통된 성질에 따라 묶은 단어의 갈래.

특징
- 단어를 일정한 기준(형태, 기능, 의미)에 따라 나누어 놓은 갈래임.
- 국어의 품사로는 명사, 대명사, 수사, 동사, 형용사, 관형사, 부사, 조사, 감탄사의 아홉 가지가 있음.

기준
- 문장에서 쓰일 때 ❶ [ ] 변화 여부
- 문장에서의 ❷ [ ]
- 공통으로 나타내는 의미

예

사과 그녀 첫째 우정 뛰다 너무 헌 맛있다

→ 형태 변화 여부에 따라 '사과, 그녀, 첫째, 우정, 너무, 헌' / '뛰다, 맛있다'로 나눌 수 있음.
→ 문장에서의 기능에 따라 '사과, 그녀, 첫째, 우정' / '너무, 헌' / '뛰다, 맛있다'로 나눌 수 있음.
→ 공통으로 나타내는 의미에 따라 '사과, 우정' / '그녀' / '첫째' / '너무' / '헌' / '뛰다' / '맛있다'로 나눌 수 있음.

❶ 형태 ❷ 기능

바로 확인

다음과 같이 단어를 나눈 기준을 「보기」에서 골라 쓰시오.

(1) 가다, 푸르다 / 매우, 너, 지리산, 맙소사, 옛 ( )

(2) 너, 지리산 / 매우, 옛 / 맙소사 / 가다, 푸르다 ( )

(3) 너 / 지리산 / 매우 / 옛 / 맙소사 / 가다 / 푸르다 ( )

보기

기능 의미 형태

답 | (1) 형태 (2) 기능 (3) 의미

6 가변어

뜻 문장에서 쓰일 때 ❶ [　　　] 가 변하는 단어.

특징
- 문장에서 쓰이는 위치나 상황에 따라 형태가 변함.
- ❷ [　　　] (동사, 형용사)과 조사 '이다'가 이에 해당함.

예
- 하늘이 매우 맑다.
  맑고 푸른 하늘.
  맑은 하늘이다.
  내일도 하늘이 맑을까?
- 나는 학생이다.
  나는 학생일까?
  나는 학생이었다.
  나는 학생입니다.

조사는 문장에서 쓰일 때 형태가 변하지 않는 품사이지만, '이다'만 예외적으로 형태가 변하는 가변어에 속해.

❶ 형태 ❷ 용언

바로 확인

다음 문장에 쓰인 단어 중 가변어를 모두 고른 것은?

이슬비 내리는 이른 아침에 우산 셋이 나란히 걸어갑니다.

① 이슬비, 아침, 셋
② 에, 우산, 나란히
③ 내리는, 이른, 걸어갑니다

답 | ③

7 불변어

뜻 문장에서 쓰일 때 형태가 변하지 ❶ [ ] 단어.

특징
- 문장에서 어느 위치에 쓰이든 형태가 변하지 않음.
- 체언, 수식언, 관계언(조사 '❷ [ ]' 제외), 독립언이 이에 해당함.

예

와, 정말 잘 달리네.
와, 비가 많이 온다.

하늘을 나는 비행사.
매우 맑고 푸른 하늘.

와, 하늘이 매우 맑다.

우산이 예쁘다.
가방이 어디 있지?

비가 매우 자주 온다.
한글은 매우 독창적인 문자이다.

❶ 않는 ❷ 이다

바로 확인

다음 밑줄 친 단어 중 문장에서 쓰일 때 형태가 변하지 않는 것의 개수는?

> 이때 난데없이 굵다란 벌 한 마리가 날아와 남이의 얼굴 주위를 잉잉 날아 돈다.

① 4개　② 5개　③ 6개

답 | ①

8 체언

뜻 문장에서 주로 주체가 되는 역할을 하는 단어.

특징
- 명사, 대명사, 수사를 묶어서 체언이라고 함.
- 문장에서 주로 동작이나 상태의 ❶ [ ](누가/무엇이), 동작의 대상(누구를/무엇을)을 나타내거나, '되다/아니다' 앞에서 문장을 보충하는 역할을 함.
- 문장에서 주로 ❷ [ ]와 결합하여 쓰이며 형태가 변하지 않음.

예
- 코끼리가 먹이를 먹는다.
  → 동작('먹다')의 주체임.
- 나는 사과를 씻었다.
  → 동작('씻다')의 대상임.
- 둘에 셋을 더하면 다섯이 된다.
  → '되다' 앞에서 문장을 보충함.
- 철수는 이제 당번이 아니다.
  → '아니다' 앞에서 문장을 보충함.

❶ 주체 ❷ 조사

바로 확인

다음 단어들의 공통된 특징이 맞으면 ◯, 틀리면 X 표 하시오.

너 둘 나무 행복 여기 첫째

(1) 문장에서 쓰일 때 형태가 변한다. .... (　　)

(2) 문장에서 쓰일 때 주로 조사와 결합하여 쓰인다. .... (　　)

(3) 문장에서 주로 동작이나 상태를 나타내는 역할을 한다. .... (　　)

답 | (1) X (2) ◯ (3) X

9 용언

뜻 문장에서 주로 사물이나 사람의 ❶ ______, 상태, 성질을 설명하는 역할을 하는 단어.

특징
- 동사, 형용사를 묶어서 용언이라고 함.
- 문장에서 '(누가/무엇이) 어찌하다', '(누가/무엇이) 어떠하다'와 같이 사람이나 사물의 움직임, 상태, 성질을 설명함.
- 문장에서 쓰일 때 형태가 다양하게 변하는 ❷ ______을 함.

예
- 나는 비행기에 탔다. (탄다, 타겠다, 타요)
  → '나'의 움직임을 설명함.
- 비행기가 빠르다. (빠르니?, 빨랐다, 빨라요)
  → '비행기'의 성질을 설명함.

용언은 형태가 다양하게 변하기 때문에 단어의 기본이 되는 '기본형'이 사전에 실려. 예를 들면, '빠르니, 빠르고'에서 변하지 않는 '빠르-'라는 어간에 '-다'를 붙인 '빠르다'가 기본형이 되지.

❶ 움직임 ❷ 활용

바로 확인

다음에 쓰인 용언을 모두 찾아 그 기본형을 쓰시오.

> "나야 닭 타고 가면 되지."
> 김 선생의 대답에 주인은 크게 웃었다.

답 | 타다, 가다, 되다, 크다, 웃다

10 수식언

뜻 문장에서 다른 단어를 꾸며 주는 역할을 하는 단어.

특징
- 관형사, ❶ [　　] 를 묶어서 수식언이라고 함.
- 관형사는 '어떤'의 의미를 가지고 주로 ❷ [　　] 을 꾸며 주고, 부사는 '어떻게'의 의미를 가지고 주로 용언을 꾸며 줌.
- 문장에서 쓰일 때 형태가 변하지 않음.

예
- 너는 어떤 색을 가장 좋아하니?
  → 체언('색')을 꾸며 줌. → 용언('좋아하다')을 꾸며 줌.
- 거북이가 온 힘을 다해 엉금엉금 기어간다.
  → 체언('힘')을 꾸며 줌. → 용언('기어가다')을 꾸며 줌.

부사는 주로 용언을 꾸며 주지만, '너무 일찍 일어났다.'의 '너무', '역시 철수가 빠르네.'의 '역시'처럼 다른 부사나 문장 전체 등을 꾸며 주기도 해.

❶ 부사 ❷ 체언

바로 확인

다음 문장에서 수식언을 모두 고른 것은?

나는 저번부터 새 신발을 너무 사고 싶었다.

① 저번, 너무 ② 새, 너무 ③ 새, 사고

답 | ②

11 관계언(조사)

뜻 다른 말에 붙어서 단어들 간의 문법적 관계를 나타내거나 특별한 뜻을 더해 주는 단어.

특징

- 조사는 문장에서 다른 단어 사이의 문법적 ❶ ______ 를 나타내는 역할을 하므로 관계언에 속함.
- 조사는 홀로 쓰일 수 없고 반드시 다른 단어(주로 체언)에 붙어 쓰임.
- 문장에서 쓰일 때 형태가 변하지 않으나, '❷ ______'는 예외적으로 '이고, 이니, 이라서, 이군'과 같이 활용함.

예

- 그녀가 나에게 꽃을 주었다.
  → 단어 간의 문법적 관계를 나타내는 조사
- 철수도 떡볶이만 먹었다.
  → 앞말에 특별한 뜻을 더해 주는 조사

❶ 관계 ❷ 이다

바로 확인

조사에 대한 다음 설명의 괄호 안에서 알맞은 말을 고르시오.

(1) 조사는 문장에서 홀로 쓰일 수 (있다 , 없다).

(2) 조사는 문장에서의 기능에 따라 분류하면 (관계언 , 수식언)에 속한다.

(3) '이다'를 제외한 조사는 문장에서 쓰일 때 형태가 (변한다 , 변하지 않는다).

답 | (1) 없다 (2) 관계언 (3) 변하지 않는다

12 독립언(감탄사)

뜻 놀람이나 느낌, 부름, 대답 등을 나타내는 단어.

특징

- 감탄사는 문장에서 다른 말들과 관계를 맺지 않고 ❶ ______ 으로 쓰이므로 독립언에 속함.
- 감탄사를 ❷ ______ 해도 문장이 성립하며, 감탄사만으로 하나의 문장이 성립하기도 함.
- 문장에서 쓰일 때 형태가 변하지 않음.

예

- 앗, 비가 오네.
  → 놀람을 나타냄.
- 야, 이쪽으로 와.
  → 부름을 나타냄.
- 그래, 가자.
  → 대답을 나타냄.

놀람을 나타내는 감탄사에는 '와, 어머나', 부름을 나타내는 감탄사에는 '여보게, 이봐', 대답을 나타내는 감탄사에는 '응, 아니요' 등이 있어.

❶ 독립적 ❷ 생략

바로 **확인**

다음 밑줄 친 감탄사가 나타내는 의미를 바르게 연결하시오.

(1) 우아, 키가 정말 크다. • • ㉠ 대답을 나타냄.

(2) 여보세요, 누구 없어요? • • ㉡ 부름을 나타냄.

(3) 아니요, 저는 안 갑니다. • • ㉢ 놀람을 나타냄.

답 | (1) ㉢ (2) ㉡ (3) ㉠

13 명사

뜻 구체적인 대상이나 추상적인 대상의 이름을 나타내는 단어.

특징
- 사람이나 사물, 개념 등 어떤 대상의 ❶ ______ 을 나타냄.
- 문장에서 행동의 주체나 동작의 ❷ ______ 역할을 함(체언).
- 문장에서 사용될 때 형태가 변하지 않으며(불변어), 조사와 결합하여 쓰이거나 홀로 쓰임.

예
- 풍선, 손, 소년, 종로, 이순신, 제주도
  → 구체적인 대상을 나타내는 단어
- 희망, 우정, 자유, 사랑, 노력, 걱정
  → 추상적인 대상을 나타내는 단어

구체적인 대상과 추상적인 대상은 어떻게 구분하지?

보거나, 듣거나, 냄새를 맡거나, 맛보거나, 만질 수 있는 것은 구체적인 대상이고, 그럴 수 없는 것은 추상적인 대상이야.

❶ 이름 ❷ 대상

바로 확인

㉠~㉤ 중, 명사에 해당하는 것을 모두 고르시오.

구름(㉠)같이 흰(㉡) 솜사탕(㉢)을 친구(㉣)와 함께(㉤) 먹었다.

답 | ㉠, ㉢, ㉣

14 대명사

뜻 사람이나 사물, 장소의 이름을 ❶ ______ 하여 나타내는 단어.

특징
- 문장에서 행동의 주체나 동작의 대상 역할을 함(체언).
- 문장에서 사용될 때 형태가 변하지 않으며(불변어), ❷ ______ 와 결합하여 쓰이거나 홀로 쓰임.

예
- 나는 그를 좋아한다.
  → 사람의 이름을 대신 나타냄.
- 이것은 무엇에 쓰는 물건일까?
  → 사물의 이름을 대신 나타냄.
- 여기에서 거기까지 가려면 하루가 걸린다.
  → 장소의 이름을 대신 나타냄.

사람의 이름을 대신하여 나타내는 대명사에는 '우리, 저희, 누구', 사물의 이름을 대신 나타내는 대명사에는 '그것, 저것', 장소의 이름을 대신 나타내는 대명사에는 '저기, 그곳' 등이 있어.

❶ 대신 ❷ 조사

바로 확인

다음 단어들이 대신하여 나타내는 의미를 바르게 연결하시오.

(1) 그것, 저것 •　　• ㉠ 장소의 이름

(2) 여기, 저기 •　　• ㉡ 사람의 이름

(3) 우리, 그녀, 이분 •　　• ㉢ 사물의 이름

답 | (1) ㉢ (2) ㉠ (3) ㉡

15 수사

뜻 사람이나 사물 등의 수량이나 ❶ [   ]를 나타내는 단어.

특징
- 문장에서 행동의 주체나 동작의 대상 역할을 함(체언).
- 문장에서 사용될 때 형태가 변하지 않으며(불변어), 조사와 결합하여 쓰이거나 홀로 쓰임.
- ❷ [   ]을 나타내는 단어와 순서를 나타내는 단어가 있음.

예

하나는 뭐니? 하나는 해이지.
둘은 뭐니? 둘은 콧구멍.
셋은 뭐니? 셋은 지게 다리.
넷은 뭐니? 넷은 밥상 다리.

→ 사물의 수량을 나타냄.

밤에 자기 전에 할 일
첫째, 잠옷으로 갈아입기
둘째, 깨끗하게 양치질하기
셋째, 조명 꼭 끄기

→ 순서를 나타냄.

❶ 순서 ❷ 수량

바로 확인

다음 밑줄 친 수사가 나타내는 의미를 보기 에서 골라 그 기호를 쓰시오.

(1) 우리 셋이 같이 가자. ( )

(2) 잘 들어 봐. 첫째, 김밥. 둘째, 떡볶이. ( )

보기
㉠ 수량을 나타냄. ㉡ 순서를 나타냄.

답 | (1) ㉠ (2) ㉡

16 동사

뜻 사람이나 사물 등의 움직임을 나타내는 단어.

특징
- '먹다, 받다, 입다'와 같이 '(누가/무엇이) 어찌하다'에 해당하는 말로, 주체나 대상의 ❶ [   ], 작용을 나타냄.
- 활용을 할 때 어간에 '-는다/-ㄴ다', '-아라/-어라', '-자'를 붙여 현재, ❷ [   ], 청유의 뜻을 나타낼 수 있음.

예 높이 나는 새가 멀리 본다.
→ 기본형: 날다
난다
날아라
날자

→ 기본형: 보다
본다
보아라
보자

❶ 움직임 ❷ 명령

바로 확인

다음 설명에 모두 해당하는 단어로 알맞지 않은 것은?

- 문장에서 쓰일 때 형태가 변한다.
- 사물이나 사람의 움직임을 나타낸다.
- 문장에서 주로 주체를 설명하는 역할을 한다.

① 웃다 ② 즐겁다 ③ 달리다

답 | ②

17 형용사

뜻 사람이나 사물 등의 ❶ [　　] 나 성질을 나타내는 단어.

특징
- '빠르다, 맛있다, 푸르다'와 같이 '(누가/무엇이) ❷ [　　]'에 해당하는 말임.
- 활용할 때 어간에 '-는다/-ㄴ다', '-아라/-어라', '-자'를 붙여 현재, 명령, 청유의 뜻을 나타낼 수 없음.

예 높은 하늘에 떠 있는 멋진 비행기

→ 기본형: 높다
높은다(X)
높아라(X)
높자(X)

→ 기본형: 멋지다
멋진다(X)
멋져라(X)
멋지자(X)

❶ 상태 ❷ 어떠하다

바로 확인

다음에 사용된 단어 중 형용사가 아닌 것은?

> 멀리 동해 바다를 내려다보며 생각한다
> 널따란 바다처럼 너그러워질 수는 없을까
> 깊고 짙푸른 바다처럼

① 내려다보며　② 널따란　③ 짙푸른

답 | ①

18 관형사

뜻 주로 체언 앞에서 체언을 꾸며 주는 단어.

특징
- 문장에서 쓰일 때 형태가 변하지 않음(불변어).
- '어떤'의 의미를 지니고 뒤에 오는 ❶ ______의 내용을 구체적이고 분명하게 해 줌.
- 상태나 성질, ❷ ______, 지시 등을 나타냄.

예
- 옛 사진을 보며 추억을 떠올렸다.
  → '사진'의 상태를 나타냄.
- 곰 세 마리가 한 집에 있어.
  → '곰'의 수량을 나타냄.
- 너, 저 산 너머에 가 본 일 있니?
  → '산'을 가리킴.

❶ 체언 ❷ 수량

바로 확인

다음 밑줄 친 단어 중 '모든'과 품사가 다른 것은?

> <u>모든</u> 순간이 꽃봉오리인 것을

① <u>새</u> 신발을 신고 갔다.
② <u>그</u> 사람은 누구입니까?
③ <u>이리</u> 오너라. 아무도 없느냐?

답 | ③

19 부사

뜻 주로 용언 앞에서 용언을 꾸며 주거나 다른 부사, 문장 전체 등을 꾸며 주는 단어.

특징
- 문장에서 쓰일 때 형태가 변하지 않으며(불변어), 조사와 결합하기도 함.
- '❶ ___'의 의미를 지니고 다른 말의 뜻을 구체적이고 분명하게 해 줌.
- 주로 용언을 꾸며 주지만 관형사, 다른 부사, 또는 ❷ ___ 전체를 꾸미기도 함.

예
- 열이 매우 높네.
  → 용언을 꾸며 줌.
- 너무 헌 옷은 버리자.
  → 관형사를 꾸며 줌.
- 토끼는 아주 빨리 달렸다.
  → 부사를 꾸며 줌.
- 과연 내가 해낼 수 있을까?
  → 문장 전체를 꾸며 줌.

❶ 어떻게 ❷ 문장

바로 확인

다음 밑줄 친 단어에 대한 설명이 맞으면 ○, 틀리면 X 표 하시오.

발표를 앞두자 입이 바짝 말랐다.

(1) 용언을 꾸며 준다. ( )
(2) 문장에서 쓰일 때 형태가 변한다. ( )
(3) 입이 '어떻게' 말랐는지 분명하게 해 준다. ( )

답 | (1) ○ (2) X (3) ○

우리말의 어휘 체계

체계 국어의 어휘는 그 기원(어종)에 따라 고유어, 한자어, 외래어로 나눌 수 있음.

유형
- 고유어: 우리말에 원래 있던 말이나 그것을 바탕으로 하여 새로 만들어진 말.
- 한자어: ❶ ______ 를 바탕으로 하여 만들어진 말.
- 외래어: ❷ ______ 에서 들어와 우리말처럼 쓰이는 말.

예

고유어	한자어	외래어
그네, 살랑살랑, 불그스름하다	우유, 호감, 소설	피자, 티셔츠, 인터넷
→ 우리 민족의 문화나 모양, 색 등을 생생하게 표현함.	→ 고유어보다 분화된 의미를 지니는 경우가 많음.	→ 외국 문물과의 접촉으로 들어와 우리말을 보충함.

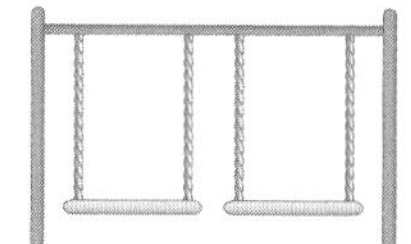

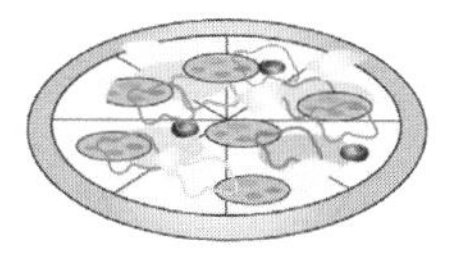

❶ 한자 ❷ 외국(다른 나라)

바로 **확인**

다음 우리말 어휘의 유형과 그 예를 알맞게 연결하시오.

(1) 고유어 •   • ㉠ 재킷, 볼펜, 버스

(2) 한자어 •   • ㉡ 친구, 감정, 모자

(3) 외래어 •   • ㉢ 목도리, 별, 부슬부슬

답 | (1) ㉢ (2) ㉡ (3) ㉠

21 지역 방언

뜻 한 언어에서 지역에 따라 다르게 쓰는 각 지방의 말.

특징
- 공용어로 쓰도록 규범으로 정한 ❶ ( ) 와 보완 관계임.
- 같은 지역 방언을 사용하는 사람들 사이에 ❷ ( ) 과 친밀감을 형성함.
- 같은 지역에 속하지 않는 사람과 대화할 때 사용하면 의사소통에 어려움을 가져올 수 있음.

예

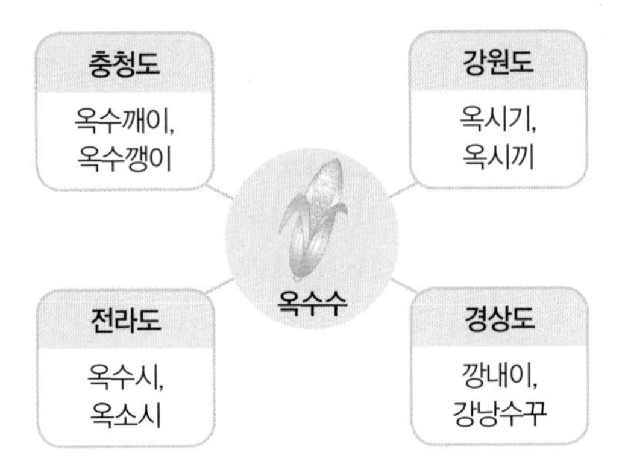

❶ 표준어 ❷ 유대감

바로 확인

지역 방언에 대한 다음 설명이 맞으면 ○, 틀리면 X 표 하시오.

(1) 한 언어가 지역적 요인에 따라 달라진 말이다. ………………………… (　　)

(2) 같은 방언을 사용하는 사람들끼리 원활하게 의사소통할 수 있다. ………… (　　)

(3) 방송과 같은 공식적인 의사소통 상황에서 사용하는 것이 효과적이다. … (　　)

답 | (1) ○ (2) ○ (3) X

22 사회 방언

뜻 한 언어에서 사회적 요인에 따라 다르게 쓰는 말.

특징
- 세대, 나이, 직업 등의 ❶ [ ] 요인에 영향을 받아 형성됨.
- 집단 구성원들의 소속감을 높이거나 의사소통의 효율성을 높임.

유형
- 전문어: 특정 분야에서 전문적인 개념을 표현하기 위해 사용하는 말.
- ❷ [ ]: 특정 집단 안에서 내부의 비밀을 유지하기 위해 그 집단 밖의 사람들은 알아듣지 못하도록 만들어 쓰는 말.

예
- 생선으로 문상 샀어. → 청소년층의 어휘
  '문화 상품권'을 줄여 쓰는 말.
- 그간 평안하셨는지요? → 장년층, 노년층의 어휘
  걱정이나 탈이 없음. 또는 무사히 잘 있음.
- 변호인 최후 변론 해 주세요. → 법률 분야의 전문어
  소송 당사자나 변호인이 법정에서 주장하거나 진술함. 또는 그런 주장이나 진술.
- 대, 삼패 → 청과물 상인들의 은어
  청과물 시장 상인들이 숫자를 대신하여 쓰던 말. '대'는 '이(2)'를 '삼패'는 '삼(3)'을 뜻하는데, 상황에 따라 '이천 원', '삼천 원' 등 단위가 바뀌어 쓰이기도 함.

❶ 사회적 ❷ 은어

바로 확인

다음 대화 상황에 영향을 미친 사회적 요인으로 알맞은 것은?

> **손녀**: 할머니, 저 오늘 문상을 받았어요!
> **할머니**: 응? 문상? 누가 돌아가셨니?

① 직업 ② 성별 ③ 세대

답 | ③

23 예측하며 읽기

뜻

독자의 배경지식, 읽기 맥락, 글에 나타난 정보 등을 활용하여 글의 내용과 주제, 구조, 글쓴이의 의도 등을 추측하며 읽는 것.

방법

예측에 활용할 수 있는 요소	➡	예측할 수 있는 내용
• 독자의 ❶ ______ 과 경험 • 글에 나타난 정보나 읽기 맥락 • 제목, 표지, 차례의 정보	➡	• 글의 내용과 구조 • 뒤에 이어질 내용 • 글쓴이의 ❷ ______ • 글이 독자, 사회에 미칠 영향

효과

❶ 배경지식 ❷ 의도

바로 확인

예측하며 읽기에 대한 다음 설명이 맞으면 ○, 틀리면 X 표 하시오.

(1) 독자의 경험을 통해서는 글쓴이의 의도를 예측할 수 없다. ························ (　　)

(2) 글의 내용을 활용하여 글이 독자에게 미칠 영향을 예측할 수 있다. ········· (　　)

(3) 읽기 맥락을 활용하여 예측하며 읽으면 내용을 더 잘 이해할 수 있다. ···· (　　)

답 | (1) X (2) ○ (3) ○

요약하며 읽기

뜻 글의 중심 내용을 간추려 정리하며 읽는 것.

방법
- 읽기 ❶ [   ]이나 글의 구조, 글의 특성을 고려하여 요약함.
- 문단을 요약하는 네 가지 방법을 활용하여 문단의 내용을 요약할 수 있음.

유형
- 선택: 중심 내용이 분명하게 드러난 문장을 골라 뽑음.
- 삭제: 덜 중요하거나 ❷ [   ]되는 내용을 삭제함.
- 일반화: 개별적, 구체적 내용은 이를 포괄할 수 있는 상위 개념으로 묶음.
- 재구성: 제시된 내용을 바탕으로 하여 중심 문장을 만듦.

길고 복잡한 글도 문단별로 중심 내용을 찾고, 글의 구조나 전개 방식을 고려하여 관련된 내용을 묶은 뒤 이를 종합하여 전체 내용을 정리하면 중심 내용을 한눈에 볼 수 있어.

❶ 목적 ❷ 반복

바로 확인

다음 글의 중심 내용을 아래와 같이 요약한다고 할 때, 사용한 요약 방법을 쓰시오.

> 수업 종이 울리기 전, 우리는 국어 교과서를 꺼내서 책상 위에 올려놓았다. 공책을 펼쳤다. 필통에서 연필과 지우개를 꺼냈다. 그리고 선생님을 기다렸다.

→ 중심 내용: 우리는 국어 수업을 받을 준비를 했다.

답 | 재구성

25 글쓰기 과정

뜻 하나의 주제로 글쓰기를 계획하고 완성하는 과정.

과정

방법

- 계획하기: 글의 목적, 주제, 예상 ❶ ______ 를 정함.
- 내용 선정(생성)하기: 다양한 매체에서 주제와 관련된 자료를 찾아 내용을 마련하고, 글의 주제와 목적, 자신의 수준과 흥미, 예상 독자 등을 고려하여 적절한 내용을 선정함.
- 내용 조직하기: 선정한 내용을 글의 흐름에 맞게 배열하여 ❷ ______ 를 작성하고, 통일성을 고려하여 조정함.
- 표현하기: 글의 목적, 주제, 예상 독자를 고려하여 글(초고)을 씀.
- 고쳐쓰기: 주제와 관련하여 글의 내용, 구성, 표현 등을 평가하고 고쳐 씀.

❶ 독자 ❷ 개요

바로 확인

글쓰기 과정 중 다음과 같은 활동을 하는 단계를 쓰시오.

글에 어떤 내용을 담을까? 내가 로봇에 관심을 가지게 된 계기, 로봇이 사람들에게 미칠 영향, 내가 만들고 싶은 로봇의 종류 등을 다루면 좋겠다. 이제 관련 자료를 찾아볼까?

답 | 내용 선정(생성)하기

통일성

뜻 글의 세부 내용이 하나의 주제를 중심으로 하여 밀접하게 연관되는 것.

특징
- 한 편의 글에서 다루는 주제는 ❶ ______ 여야 함.
- 뒷받침 내용 하나하나가 주제에서 벗어나지 않아야 함.
- 각 문단의 내용이 글 전체의 ❷ ______ 와 밀접하게 관련되고, 각 문단을 구성하는 문장들은 문단의 중심 내용을 뒷받침해야 함.

기준
- 글의 주제가 분명하게 드러나는가?
- 다양한 매체에서 주제와 관련된 내용을 적절히 선정했는가?
- 글의 구조나 전개 방식이 자연스러운가?
- 문장과 문단이 글의 주제와 긴밀하게 연결되었는가?

→ 글쓰기의 모든 과정에서 세부 내용이 주제를 뒷받침하는지 점검해야 함.

❶ 하나 ❷ 주제

바로 확인

통일성 있는 글을 쓰기 위해 고려할 사항으로 맞으면 ○, 틀리면 X 표 하시오.

(1) 자신의 흥미와 수준에 맞는 다양한 비유적 표현을 활용한다. ………………… (　　)
(2) 글을 쓴 뒤 이동하거나 삭제해야 하는 문장이 없는지 검토한다. ………… (　　)
(3) 다양한 매체에서 선정한 내용을 주제가 잘 드러나도록 조직한다. ……… (　　)
(4) 다양한 주제를 전달하도록 생성한 자료를 짜임새 있게 배열한다. ……… (　　)

답 | (1) X (2) ○ (3) ○ (4) X

27 면담하기

뜻 정보 수집, 상담, 평가, 설득 등의 일정한 목적을 위해 면담 대상자와 면담자가 대화를 주고받는 것.

과정

면담 준비 과정

- 면담의 ❶ ______ 과 그에 적합한 면담 대상을 정함.
- 면담 목적을 밝히고 면담이 가능한지 확인한 뒤 면담 시간과 장소를 정함.
- 면담 대상자에 대한 정보를 수집하여 목적에 맞는 질문과 추가 질문을 마련함.

면담 진행 과정

- 녹음, 녹화가 필요할 때는 미리 허락을 구해야 함.
- 언어 예절을 지키고 답변을 경청하며 적절한 반응을 보여야 함.
- 더 알고 싶은 점, 이해가 잘 안 되는 점은 추가 ❷ ______ 을 함.

❶ 목적 ❷ 질문

바로 확인

다음 중 면담을 하는 과정으로 알맞지 않은 것은?

① 면담 대상자에게 면담의 목적을 미리 알린다.
② 면담 대상자의 답변을 들으며 필요한 내용을 기록한다.
③ 면담 도중 궁금한 내용이 생기더라도 추가 질문은 하지 않는다.

답 | ③

28 토의하기

뜻 공동의 문제를 해결하기 위해 여러 사람이 의견을 모으는 ❶ [ ]인 의사 소통 과정.

참여자 사회자, 토의자, 청중 등

방법
- 타당한 근거를 들어 의견을 조리 있게 제시함.
- 다른 사람의 의견을 ❷ [ ]하고 열린 자세로 받아들여야 함.
- 다른 사람을 존중하고 배려하는 태도를 지녀야 함.
- 다른 사람의 감정을 상하게 하는 말을 하지 않아야 함.

❶ 협력적 ❷ 경청

바로 확인

다음 중 토의에 참여하는 태도로 적절하지 않은 사람은?

① 다른 토의자의 의견에 논리적인 근거를 들어 반박한 기태
② 토의가 진행되는 중에 끼어들어 궁금한 점에 대해 질문한 은수
③ 주제와 관련된 내용을 미리 조사하여 적절한 방안을 제시한 세영

답 | ②

29 타당성 판단하며 듣기

뜻 말의 주장과 근거가 이치에 맞는지를 판단하며 듣는 것.

특징
- 연설, 광고, 방송 보도 등 다양한 듣기 상황에서는 주장과 근거를 명확히 파악하고 주장이 타당하며 근거가 적절한지 판단해야 함.
- 타당성을 판단하지 않고 잘못된 정보나 주장을 그대로 받아들이면 비합리적인 결과로 이어질 수 있음.

기준
- 근거와 주장 사이에 ❶ [ ]이 있는가?
- 근거로부터 주장을 이끌어 내는 과정에 ❷ [ ]는 없는가?
- 근거로부터 주장을 이끌어 내는 과정에 영향을 미치는 다른 정보는 없는가?

❶ 연관성 ❷ 오류

바로 확인

타당성 판단하며 듣기에 대한 다음 설명이 맞으면 ○, 틀리면 X 표 하시오.

(1) 타당성을 판단하려면 말의 주장과 근거를 먼저 파악해야 한다. …………… (　　)

(2) 말의 주장과 근거 사이에는 연관성이 있어야 한다. …………………………… (　　)

(3) 근거로부터 주장을 이끌어 낼 때에는 다른 다양한 정보가 관련되어야 한다. …………………………… (　　)

답 | (1)○ (2)○ (3)X

30 우리말 다듬기

뜻 지나치게 어려운 말이나 규범에 어긋나는 말, ❶ ______ 를 알기 쉽고 쓰기 쉬운 말로 바꾸는 것.

특징
- 우리말로 바꿀 수 없는 외래어가 아니라면 고유어를 살려 사용하는 것이 좋음.
- 어려운 ❷ ______ 를 잘 모르는 사람이 많아서 의사소통에 문제가 생길 수 있기 때문에 어려운 한자어를 쉬운 말로 바꾸어 쓰는 것이 좋음.
- 고유어로 바꾸기 어려운 것은 쉬운 한자어나 고유어를 합쳐 만들 수도 있음.

예

→ '파워', '밸런스', '스피드'는 각각 '힘', '균형', '속도'로 바꾸어 쓸 수 있음.

❶ 외래어 ❷ 한자어

바로 확인

우리말 다듬기에 대한 다음 설명이 맞으면 ○, 틀리면 X 표 하시오.

(1) 외래어는 고유어로 바꿀 수 없으므로 다듬지 않아도 된다. ························ (　　)

(2) 외래어는 많이 사용할수록 다른 사람과의 의사소통에 도움이 된다.. ······ (　　)

(3) 어려운 한자어의 뜻을 몰라 의사소통에 문제가 생길 수 있기 때문에 말을 다듬어서 사용해야 한다. ·· (　　)

답 | (1) X (2) X (3) ○

예로 개념 확인

'ㄱ'으로 시작하는 말

말

- 가십(gossip): 신문, 잡지 등에서 개인의 사생활에 대하여 소문이나 험담 따위를 흥미 본위로 다룬 기사. → 소문, 뒷공론
- 갈라 쇼(gala show): 큰 경기나 공연이 끝나고 나서 축하하여 벌이는 큰 규모의 오락 행사. → 뒤풀이 공연
- 경품(景品): 특정한 기간 동안 많은 상품을 팔고 손님의 호감을 얻기 위해, 일정한 액수 이상의 상품을 사는 손님에게 곁들여 주는 물품. → 덤상품
- 고충(苦衷): 괴로운 심정이나 사정. → 어려움

예

바로 확인

다음 밑줄 친 말을 다듬어서 쓴다고 할 때, 알맞은 다듬은 말을 쓰시오.

(1) 사실인지도 모를 가십에 너무 휘둘리지 않아야 한다. ································ (　　　)

(2) 오늘 행사에 와 주신 분들께는 경품으로 수건을 드리고 있습니다. ·········· (　　　)

(3) 학생 여러분, 공부하는 데 많은 고충이 있으실 것이라고 생각합니다. ····· (　　　)

답 | (1) 소문 (2) 덤상품 (3) 어려움

예로 개념 확인

'ㄴ'으로 시작하는 말

말

- 넘버원(number one): 첫째나 으뜸. 또는 그런 사람이나 물건. → 으뜸
- 네일 케어(nail care): 손톱을 건강하고 아름답게 유지하기 위해 화장품이나 약품 따위를 써서 피부를 가꾸는 일. → 손톱 관리
- 노 개런티(no guarantee): 아무런 대가나 보수가 없음. → 무보수
- 뉘앙스(nuance): 음색, 명도, 채도, 색상, 어감 따위의 미묘한 차이. 또는 그런 차이에서 오는 느낌이나 인상. → 어감, 말맛, 느낌

예

바로 확인

다음 문장에 들어갈 알맞은 다듬은 말을 괄호 안에서 고르시오.

(1) ○○○ 작가, 새 소설 나오자마자 1위! 역시 (으뜸 , 넘버원) 작가!
(2) 그는 가겠다고 말했지만, (어감 , 뉘앙스)으로 보아 가고 싶지 않은 것 같았다.
(3) 많은 가수들이 기부에 함께하기 위해 (무보수 , 노 개런티)로 이번 무대에 올랐다.

답 | (1) 으뜸 (2) 어감 (3) 무보수

예로 개념 확인

'ㄷ'으로 시작하는 말

말

- 다운로드(download): 컴퓨터 통신망을 통하여 파일이나 자료를 받아 오는 것. → 내려받기
- 드라마틱하다(dramatic하다): 사건이나 상황이 매우 극적인 데가 있다. → 극적이다
- 등한시하다(等閑視하다): 소홀하게 보아 넘기다. → 소홀히 하다
- 디스카운트하다(discount하다): 물건값의 얼마 또는 몇 퍼센트를 낮추다. → 에누리하다, 깎다

예

영웅이 아기를 구하는 장면이 아주 극적이었어.

바로 확인

다음 외래어, 한자어와 그것을 다듬은 말을 바르게 연결하시오.

(1) 다운로드 • • ㉠ 내려받기

(2) 등한시하다 • • ㉡ 에누리하다

(3) 디스카운트하다 • • ㉢ 소홀히 하다

답 | (1) ㉠ (2) ㉢ (3) ㉡

예로 개념 확인

'ㄹ'로 시작하는 말

말

- 럭셔리하다(luxury하다): 보기에 고급스럽고 호화롭다. → 고급스럽다, 호사스럽다
- 로케이션(location): 촬영소 밖의 실제 경치를 배경으로 하는 촬영. → 현지 촬영
- 리사이틀(recital): 한 사람이 독창하거나 독주하는 음악회. → 연주회, 발표회
- 리유저블 컵(reusable cup): 외관은 포장 구매용 종이컵과 같지만 재질이 특수하여 반영구적으로 사용할 수 있는 컵. → 다회용 컵

예

바로 **확인**

다음 밑줄 친 말을 바르게 다듬은 말을 보기 에서 골라 그 기호를 쓰시오.

(1) 한강의 밤 풍경을 보며 럭셔리하게 저녁을 즐기세요. ································ (　　)

(2) 이번 작품은 제주 로케이션으로 아름다운 경치를 담았습니다. ··············· (　　)

보기

㉠ 현지 촬영　　　㉡ 고급스럽게

답 | (1) ㉡ (2) ㉠

예로 개념 확인

'ㅁ'으로 시작하는 말

말

- 마인드맵(mind map): 마음속에 지도를 그리듯이 줄거리를 이해하며 정리하는 방법. → 생각그물
- 메뉴(menu): 식당이나 음식점 따위에서 파는 음식의 종류와 가격을 적은 판. → 차림, 차림표, 식단
- 메이크업(makeup): 기초화장을 한 다음에 하는 색조 화장. → 화장
- 명명하다(命名하다): 사람, 사물, 사건 따위의 대상에 이름을 지어 붙이다. → 이름 붙이다

예

바로 **확인**

다음 밑줄 친 말을 다듬어서 쓴다고 할 때, 알맞은 다듬은 말을 쓰시오.

(1) 우리는 함께 심은 이 나무를 '꿈나무'라고 명명하였다. .... (　　　)

(2) 음식을 더 시키려고 하는데요, 메뉴 좀 볼 수 있을까요? .... (　　　)

(3) 메이크업을 깨끗이 지우지 않으면 피부가 안 좋아집니다. .... (　　　)

답 | (1) 이름 붙였다 (2) 차림표 (3) 화장

예로 개념 확인

'ㅂ'으로 시작하는 말

말

- 바캉스(vacance): 주로 피서나 휴양을 위한 휴가. → 여름휴가
- 버킷 리스트(bucket list): 죽음을 앞둔 사람이 죽기 전에 하고 싶은 일을 적은 목록. → 소망 목록
- 베스트셀러(best seller): 어떤 기간에 가장 많이 팔린 물건. → 인기 상품
- 베이비시터(babysitter): 아기를 일정 시간 동안 맡아서 돌보아 주는 일을 하는 사람. → 아이 돌보미

예

바로 **확인**

다음 문장에 들어갈 알맞은 다듬은 말을 괄호 안에서 고르시오.

(1) 이번 한 주의 (인기 상품 , 베스트셀러)만을 모아 두었습니다.
(2) 그의 (소망 목록 , 버킷 리스트) 제일 첫 줄에는 세계 여행이 있다.
(3) 요즘은 과거보다 더 많은 (베이비시터 , 아이 돌보미)가 필요하게 되었다.

답 | (1) 인기 상품 (2) 소망 목록 (3) 아이 돌보미

예로 개념 확인

'ㅅ'으로 시작하는 말

말

- 서스펜스(suspense): 영화, 드라마, 소설 따위에서, 줄거리의 전개가 관객이나 독자에게 주는 불안감과 긴박감. → 긴장감
- 소셜 미디어(social media): 생각이나 의견 따위를 표현하거나 공유하기 위하여 사용하는, 개방화된 온라인상의 콘텐츠나 플랫폼. → 누리 소통 매체
- 스타덤(stardom): 스타의 지위 또는 신분. → 인기 대열
- 스트레칭(stretching): 몸통과 팔다리를 쭉 펴거나 굽혀서 근육을 늘이는 동작 또는 그런 일. → 몸풀기, 몸풀기 동작, 몸펴기, 몸펴기 동작

예

바로 확인

다음 외래어와 그것을 다듬은 말을 바르게 연결하시오.

(1) 스타덤 •		• ㉠ 몸풀기
(2) 스트레칭 •		• ㉡ 인기 대열
(3) 소셜 미디어 •		• ㉢ 누리 소통 매체

답 | (1) ㉡ (2) ㉠ (3) ㉢

예로 개념 확인

'ㅇ'으로 시작하는 말

말

- 아웃도어 룩(outdoor look): 외출, 등산, 운동 따위와 같이 밖에서 활동할 때 입는 옷. 또는 그런 옷차림. → 야외 활동 차림
- 안전벨트(安全belt): 자동차·비행기 따위에서, 사고 시 충격으로부터 보호하기 위하여 사람을 좌석에 고정하는 띠. → 안전띠
- 안티에이징(anti-aging): 피부 조직 따위가 노화되는 것을 막음. → 노화 방지
- 앙케트(enquête): 사람들의 의견을 조사하기 위하여 같은 질문을 여러 사람에게 물어 회답을 구함. 또는 그런 조사 방법. → 설문 조사

예

바로 확인

다음 밑줄 친 말을 바르게 다듬은 말을 「보기」에서 골라 그 기호를 쓰시오.

(1) 자동차에 탈 때는 꼭 안전벨트를 매야 한다. ………………………………………… (   )

(2) 봄이 다가오고 있는데요, 이제 아웃도어 룩 준비하셔야죠. …………………… (   )

보기

㉠ 안전띠 ㉡ 야외 활동 차림

답 | (1) ㉠ (2) ㉡

예로 개념 확인

'ㅈ'으로 시작하는 말

말

- 장녀(長女): 둘 이상의 딸 가운데 맏이가 되는 딸을 이르는 말. → 맏딸
- 장르(genre): 문예 양식의 갈래. 특히 문학에서는 서정, 서사, 극 또는 시, 소설, 희곡, 수필, 평론 따위로 나눈 기본형을 이른다. → 분야, 갈래
- 절호의(絕好의): 무엇을 하기에 기회나 시기 따위가 더할 수 없이 좋은. → 좋은, 매우 좋은
- 진면목(眞面目): 본디부터 지니고 있는 그대로의 상태. → 참모습

예

바로 **확인**

다음 밑줄 친 말을 다듬어서 쓴다고 할 때, 알맞은 다듬은 말을 쓰시오.

(1) 그녀는 장녀로서 항상 책임감을 가지고 있었다. ………………………… (　　)

(2) 이번 판소리 공연에서 판소리의 진면목을 볼 수 있었다. ………………… (　　)

(3) 이 작가는 시, 소설, 희곡 등 다양한 장르의 작품을 선보이고 있다. ……… (　　)

답 | (1) 맏딸 (2) 참모습 (3) 갈래

예로 개념 확인

'ㅊ'으로 시작하는 말

말

- 차후(此後): 지금부터 이후. → 앞으로
- 찰과상(擦過傷): 무엇에 스치거나 문질려서 살갗이 벗어진 상처. → 긁힌 상처
- 추리닝(트레이닝 training): 운동이나 야외 활동을 할 때 편하게 입는 옷.
  → 운동복
- 추첨(抽籤): 제비를 뽑음. → 제비뽑기

예

바로 **확인**

다음 문장에 들어갈 알맞은 다듬은 말을 괄호 안에서 고르시오.

(1) 아이가 넘어져서 (찰과상 , 긁힌 상처)가 생겼다.

(2) 오래 걸어야 하니까 (운동복 , 추리닝)으로 갈아입고 가자.

(3) 같은 실수를 되풀이하지 않도록 (차후 , 앞으로) 조심하겠습니다.

답 | (1) 긁힌 상처 (2) 운동복 (3) 앞으로

예로 개념 확인 ‘ㅋ’으로 시작하는 말

말

- 카 셰어링(car sharing): 한 대의 차를 여러 사람이 나누어 빌려 쓰는 일. → 자동차 공유, 자동차 공유 서비스
- 칼라(collar): 양복이나 와이셔츠 따위의 목둘레에 길게 덧붙여진 부분. → 깃, 옷깃
- 컬래버레이션(collaboration): 일정한 목표를 달성하기 위하여 일시적으로 팀을 이루어 함께 작업하는 일. → 합작, 협업, 공동 작업
- 컬러풀하다(colorful하다): 여러 가지 색채나 형태, 종류 따위가 한데 어울리어 호화스럽다. → 다채롭다

예

바로 확인

다음 외래어와 그것을 다듬은 말을 바르게 연결하시오.

(1) 칼라 •　　　　• ㉠ 옷깃
(2) 카 셰어링 •　　　　• ㉡ 다채롭다
(3) 컬러풀하다 •　　　　• ㉢ 자동차 공유

답 | (1) ㉠ (2) ㉢ (3) ㉡

예로 개념 확인

'ㅌ'으로 시작하는 말

말

- 탈취제(脫臭劑): 냄새를 없애는 데에 쓰는 약제. 숯, 활성탄 따위가 있다. → 냄새 제거약
- 테크닉(technic): 악기 연주, 노래, 운동 따위를 훌륭하게 해내는 기술이나 능력. → 기교, 기술, 솜씨
- 톤(tone): ① 전체적으로 느껴지는 분위기나 어조 따위. → 어조, 말씨
  ② 색깔이 강하거나 약한 정도나 상태. 또는 짙거나 옅은 정도나 상태. → 색조
  ③ 일정한 높이의 악음. → 음조
- 트릭 아트(trick art): 빛의 반사와 굴절, 음영과 원근 따위를 이용하여 그림을 입체적이고 실감 나게 표현하는 미술 기법. 또는 그런 작품. → 착시 예술, 착시 그림, 눈속임 예술, 눈속임 그림

예

바로 확인

다음 밑줄 친 말을 바르게 다듬은 말을 보기 에서 골라 그 기호를 쓰시오.

(1) 고객님은 밝은 톤의 옷이 잘 어울리시네요. ………………………… (　　)

(2) 이번 참가자는 놀라운 가창력과 테크닉을 선보였습니다. ……………… (　　)

보기

㉠ 기교　　　㉡ 색조

답 | (1) ㉡ (2) ㉠

예로 개념 확인

'ㅍ'으로 시작하는 말

말

- 패션 리더(fashion leader): 남다른 패션 감각으로 최신 유행을 선보이며 대중의 패션 경향에 영향을 주는 사람. → 유행 선도자
- 팸플릿(pamphlet): 설명이나 광고, 선전 따위를 위하여 얄팍하게 맨 작은 책자. → 소책자, 작은 책자
- 퍼레이드(parade): 축제나 축하 또는 시위 행사 따위로 많은 사람이 시가를 화려하게 행진하는 일. 또는 그런 행렬. → 행진, 행렬
- 프릴(frill): 주름을 잡아 물결 모양으로 만든 가장자리 장식. 여성복이나 아동복의 소매나 깃에 붙인다. → 주름 장식

예

바로 **확인**

다음 밑줄 친 말을 다듬어서 쓴다고 할 때, 알맞은 다듬은 말을 쓰시오.

(1) 소매에 프릴을 달아 우아함을 강조하였습니다. ·································· ( )

(2) 이따가 밤에는 퍼레이드도 한다니까 꼭 보고 가자. ·································· ( )

(3) 진정한 패션 리더는 계절을 앞서간다고 하니, 여름을 준비해야지. ·········· ( )

답 | (1) 주름 장식 (2) 행진 (3) 유행 선도자

예로 개념 확인

'ㅎ'으로 시작하는 말

말

- 하이힐(high heeled shoes): 굽이 높은 여자용 구두. → 뾰족구두
- 핫라인(hotline): 긴급 비상용으로 쓰는 직통 전화. → 직통 전화, 비상 직통 전화
- 핸드메이드(handmade): 손으로 만든 물건. → 수제, 수제품
- 홈스쿨링(homeschooling): 자녀를 학교에 보내지 않고 부모가 집에서 자식에게 직접 행하는 교육. → 재택 교육

예

바로 확인

다음 문장에 들어갈 알맞은 다듬은 말을 괄호 안에서 고르시오.

(1) 높은 (하이힐 , 뾰족구두)를 신고도 잘 걸어 다니네.

(2) 밤사이에 무슨 일이 생기면 (핫라인 , 비상 직통 전화)로 연락 주세요.

(3) 옆집 아이는 (홈스쿨링 , 재택 교육)으로 3개 국어를 배우고 있다고 한다.

답 | (1) 뾰족구두 (2) 비상 직통 전화 (3) 재택 교육

MEMO

국어전략

고득점을 예약하는 내신 대비서

국어전략

중학 1

시험에 잘 나오는

개념BOOK 1

천재교육

국어전략

시험에 잘 나오는

개념BOOK 1

개념BOOK 하나면
국어 공부 끝!

문학

차례

1 비유

뜻 표현하려는 대상을 직접 설명하지 않고 그와 ❶ [　　　] 다른 대상에 빗대어 표현하는 방법.

특징
- 표현하려는 대상을 원관념, 빗댄 대상을 보조 관념이라고 함.
- 원관념과 보조 관념 사이에 유사성이 있음.

종류
- 직유법: 유사한 두 대상을 '같이', '처럼', '-듯(이)'과 같은 표현으로 연결하여 직접 빗대어 표현하는 방법.
- 은유법: '무엇은 무엇이다.'와 같은 형식으로 한 대상을 다른 대상에 암시적으로 빗대어 표현하는 방법.
- 의인법: 사람이 아닌 것을 ❷ [　　　]에 빗대어 사람이 행동하는 것처럼 표현하는 방법.

효과

비유를 사용하면 대상을 직접 설명하는 것보다 생생하고 참신한 느낌을 주지. 그리고 전달하고자 하는 내용을 인상 깊게 전달하기도 해.

❶ 비슷한 ❷ 사람

바로 확인

다음에 나타난 표현 방법으로 적절한 것을 고르시오.

(1) 나비는 너훌너훌 춤을 춥니다. (직유법 , 은유법 , 의인법)

(2) 구름에 달 가듯이 / 가는 나그네 (직유법 , 은유법 , 의인법)

(3) 내 마음은 호수요, 그대 노 저어 오오. (직유법 , 은유법 , 의인법)

답 | (1) 의인법 (2) 직유법 (3) 은유법

작품으로 개념 확인 **교실** | 이삼남 (금성)

꽃망울이다
무언가를 품고 있는 '교실'을 빗댐(은유법).
청춘의

닫히지 않은 성장판이다
성장 가능성을 지닌 학생들이 있는 '교실'을 빗댐(은유법).

꽃의 속살은 / 움츠린 시간처럼
교실 안의 학생들을 빗댐(은유법).
고요히 / 제각각 / 자라나고 있다
저마다 가능성을 키워 나가는 모습

빅뱅 이전의 숨죽인 우주다
학생들의 무한한 잠재력이 응축된 '교실'을 빗댐(은유법).

» 이 시는 '교실'을 '꽃망울, 청춘의 닫히지 않은 성장판'에 빗대어 교실이 꽃 피울 무언가를 품고 있고, 성장 가능성을 지닌 공간임을 표현하고 있다. '꽃의 속살'은 교실 안의 학생들을 빗댄 표현으로, 학생들이 움츠린 시간처럼 고요히 자라나고 있기에 '교실'은 학생들의 무한한 잠재력과 가능성이 응축된 '빅뱅 이전의 숨죽인 우주'인 것이다.

'교실'을 거대한 폭발인
'빅뱅 이전의 숨죽인 우주'라고
빗대어 표현한 부분에서 엄청난
긴장감과 잠재력이 느껴져.

바로 확인

이 시에 대한 다음 설명이 맞으면 ○, 틀리면 X 표 하시오.

(1) '청춘의 / 닫히지 않은 성장판'은 '교실'을 빗댄 표현이다. .... (   )
(2) '꽃망울'은 '교실', '꽃의 속살'은 '선생님'을 빗댄 표현이다. .... (   )
(3) '숨죽인 우주'와 '교실'의 유사성은 무한한 가능성이 있다는 것이다. .... (   )

답 | (1) ○ (2) X (3) ○

작품으로 개념 확인 나는 지금 꽃이다 | 이장근

(창비)

팔랑팔랑

나비가 날아다니는 것 같다
은빛 가위가 움직이는 모습을 빗댐.

사각사각

미용실 누나 손에 들린 은빛 가위

붙었다 떨어졌다

내 머리 주위를 날아다닌다
가위의 움직임을 나비의 움직임으로 표현함.

폴폴 날리는 꽃가루
잘린 머리카락을 빗댐(은유법).

살랑살랑 나는 은빛 나비
'은빛 가위'를 빗댐(은유법).

나는 / 지금

꽃이다
'나'를 빗댐(은유법).

» 이 시는 미용실에서 머리를 자르는 순간을 비유를 활용하여 표현하고 있다. 미용실 누나의 손에 들린 '은빛 가위'를 '은빛 나비'에 빗대어 머리카락을 자르는 가위의 움직임을 머리 주위에 나비가 날아다니는 것으로 표현하였다. 또한 머리를 자르고 있는 '나'를 '꽃'에 빗대고 머리카락이 잘려 나간 것을 '꽃가루'가 날리는 것으로 표현하여 상황을 참신하게 나타내었다.

바로 확인

이 시에 대한 다음 설명이 맞으면 ○, 틀리면 X 표 하시오.

(1) 꽃 주위에 팔랑팔랑 날아다니는 나비를 묘사하고 있다. .... (   )

(2) '나'를 '꽃'에, '미용실 누나'를 '은빛 나비'에 빗대어 표현하고 있다. .... (   )

(3) 표현하려는 대상을 다른 대상에 암시적으로 빗대어 표현하고 있다. .... (   )

답 | (1) X (2) X (3) ○

작품으로 개념 확인 나무들의 목욕 | 정현정

(천재(박))

나무들이 / 샤워하고 있다
'나무들'을 사람처럼 표현함(의인법).

저것 봐 / 저것 봐

[ ]: 나무들이 색색의 꽃을 피우는 모습을 거품이 이는 것에 빗댐(은유법).

[진달래는 분홍 거품이

조팝나무는 하얀 거품이

영산홍은 빨강 거품이

보글보글 일고 있잖아]

깨끗이 씻은 자리
꽃이 핀 자리

씨앗 마중하려고

부지런히 목욕 중이야
나무들이 꽃을 피우는 모습을 빗댐.

[온 산이 공중목욕탕처럼
[ ]: '온 산'을 '공중목욕탕'에 빗댐(직유법).

색색의 거품으로 부글거리고 있어.]

› 이 시는 온 산의 나무들이 꽃을 피우는 것을 나무들이 샤워를 하는 것에 빗대어 표현하고 있다. 나무들이 피우는 분홍색, 하얀색, 빨간색 꽃은 '분홍 거품, 하얀 거품, 빨강 거품'에 빗대고, 꽃을 피우는 나무들로 가득한 '온 산'은 색색의 거품이 부글거리는 '공중목욕탕'에 빗대어 참신하게 표현하고 있다.

바로 확인

이 시의 다음 시구에 나타난 표현 방법으로 적절한 것을 고르시오.

(1) 나무들이 샤워하고 있다 (은유법 , 의인법)

(2) 영산홍은 빨강 거품이 / 보글보글 일고 있잖아 (직유법 , 은유법)

(3) 온 산이 공중목욕탕처럼 / 색색의 거품으로 부글거리고 있어. (의인법 , 직유법)

답 | (1) 의인법 (2) 은유법 (3) 직유법

작품으로 개념 확인

떨어져도 튀는 공처럼 | 정현종

금성

그래 살아 봐야지

너도나도 공이 되어

떨어져도 튀는 공이 되어
공의 속성 ①

살아 봐야지

쓰러지는 법이 없는 둥근
공의 속성 ②

공처럼, 탄력의 나라의

왕자처럼

가볍게 떠올라야지

곧 움직일 준비되어 있는 꼴
공의 속성 ③

둥근 공이 되어

옳지 최선의 꼴

지금의 네 모습처럼

[떨어져도 튀어 오르는 공
[ ]: 화자가 바라는 삶의 자세를 빗댐.
쓰러지는 법이 없는 공이 되어.]

» 이 시는 '공'의 속성을 바탕으로 하여 화자가 바라는 삶의 자세를 빗대어 표현하고 있다. '공'은 떨어져도 튀어 오르고, 쓰러지는 법이 없으며, 둥글고, 곧 움직일 준비가 되어 있는 속성을 지니고 있는 것으로 그려져 있다. 화자는 그러한 '공'처럼 살아 보겠다고 함으로써 힘든 상황에서도 좌절하지 않고, 활기차고 역동적인 모습으로 살고자 하는 다짐을 드러내고 있다.

바로 확인

'공'의 속성을 바탕으로 할 때, 이 시의 화자가 바라는 삶의 모습으로 적절하지 않은 것은?

① 바닥에 떨어져도 다시 튀어 오르는 모습

② 금방이라도 움직일 준비가 되어 있는 모습

③ 장애물이 있어도 멈추지 않고 끊임없이 굴러가는 모습

답 | ③

작품으로 개념 확인

버터플라이 | 강현민·이재학 작사, 이재학 작곡

(천재(노))

1절

[어리석은 세상은 너를 몰라
[ ]: '너'에 대한 세상의 태도
누에 속에 감춰진 너를 못 봐]
가능성을 지닌 존재인 '너'를 빗댐.
나는 알아 내겐 보여

그토록 찬란한 너의 날개

겁내지 마 할 수 있어
'너'를 향한 응원
뜨겁게 꿈틀거리는

날개를 펴 날아올라 세상 위로

2절

[꺾여 버린 꽃처럼 아플 때도
[ ]: 시련을 겪는 '너'의 모습을 빗댐(직유법).
쓰러진 나무처럼 초라해도]

너를 믿어 나를 믿어

우리는 서로를 믿고 있어

심장에 손을 움켜 봐

힘겹게 접어 놓았던

날개를 펴 날아올라 세상 위로

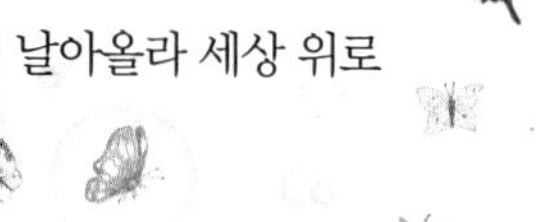

» 이 노랫말은 무한한 가능성을 지닌 '너'를 '나비'에 빗대어 '너'를 향한 위로와 응원을 표현하고 있다. 화자인 '나'는 '너'가 세상이 알아보지 못하는 가능성을 지닌 것을 '누에 속에 감춰진' 것에, '너'가 시련을 겪는 모습을 '꺾여 버린 꽃', '쓰러진 나무'에 빗대어 표현하고 있다.

바로 확인

이 노랫말에 나타난 비유적 표현의 의미를 보기 에서 골라 그 기호를 쓰시오.

(1) 누에 속에 감춰진 너 ( )

(2) 꺾여 버린 꽃 ( )

보기

㉠ 시련을 겪는 모습 ㉡ 가능성을 지닌 존재

답 | (1) ㉡ (2) ㉠

작품으로 개념 확인

별처럼 꽃처럼 | 오세영

(천재(노), 교학사)

교실은 온통 별밭이다.
교실을 빗댄 대상(은유법) ①
초롱초롱 반짝이는 너희들의 눈
별처럼 반짝이는 아이들의 눈빛
별 하나의 꿈,

별 하나의 희망,

별 하나의 이상.

교실은 흐드러진 장미밭이다.
교실을 빗댄 대상(은유법) ②
까르르 웃는 너희들의 웃음
장미 같은 아이들의 모습
장미 한 송이의 사랑,

장미 한 송이의 열정,

장미 한 송이의 순결.

교실은 향긋한 사과밭이다.
교실을 빗댄 대상(은유법) ③
수줍게 피어나는 너희들의 볼
사과 같은 아이들의 모습
사과 한 알의 보람,

사과 한 알의 결실,

사과 한 알의 믿음.

교실은 찬란한 보석밭이다.
교실을 빗댄 대상(은유법) ④
너희들의 빛나는 이마
보석처럼 빛나는 아이들의 모습
이름을 부르면 하나씩 깨어나는

사파이어, / 에메랄드,

다이아몬드.

» 이 시의 화자는 선생님으로, '교실'을 '별밭, 장미밭, 사과밭, 보석밭'에 빗대어 표현하고 있다. 교실에 앉아 있는 아이들의 눈빛이 별과 같고, 아이들의 웃음이 장미처럼 흐드러지고, 아이들의 볼이 사과처럼 수줍게 피어나, 아이들의 이마가 보석처럼 빛나기 때문이다.

바로 확인

이 시를 읽고 표현하고자 한 대상과 빗댄 대상을 바르게 연결하시오.

(1) 반짝이는 너희들의 눈 • • ㉠ 별
(2) 까르르 웃는 너희들의 웃음 • • ㉡ 보석
(3) 수줍게 피어나는 너희들의 볼 • • ㉢ 장미
(4) 너희들의 빛나는 이마 • • ㉣ 사과

답 | (1)㉠ (2)㉢ (3)㉣ (4)㉡

작품으로 개념 확인

봄은 고양이로다 | 이장희

(동아, 비상)

꽃가루와 같이 부드러운 고양이의 털에
'고양이의 털'을 '꽃가루'에 빗댐(직유법).
고운 봄의 향기가 어리우도다.
고양이의 털에서 느끼는 봄의 향기

금방울과 같이 호동그란 고양이의 눈에
'고양이의 눈'을 '금방울'에 빗댐(직유법).
미친 봄의 불길이 흐르도다.
고양이의 눈에서 느끼는 봄의 생명력

고요히 다물은 고양이의 입술에

포근한 봄의 졸음이 떠돌아라.
고양이의 입술에서 느끼는 봄의 포근함

날카롭게 쭉 뻗은 고양이의 수염에

푸른 봄의 생기가 뛰놀아라.
고양이의 수염에서 느끼는 봄의 생기

≫ 이 시에서는 '봄'을 '고양이'에 빗대어 '고양이의 털, 눈, 입술, 수염'에서 느껴지는 봄의 느낌을 효과적으로 표현하고 있다. 또한 '고양이의 털'과 '고양이의 눈'을 각각 '꽃가루', '금방울'에 직접 빗댐으로써 부드럽고 동그란 느낌을 생생하게 전달하고 있다.

바로 확인

이 시에 나타난 비유적 표현에 대한 설명이다. 괄호 안에서 알맞은 말을 고르시오.

(1) 곱고 포근하다는 점에서 '고양이'를 '(봄 , 불길)'에 빗대고 있다.

(2) '고양이의 털'과 '꽃가루'는 (부드럽다 , 향기롭다)는 유사성이 있다.

(3) 호동그랗다는 점에서 '(고양이의 눈 , 고양이의 수염)'을 '금방울'에 빗대고 있다.

답 | (1) 봄 (2) 부드럽다 (3) 고양이의 눈

작품으로 개념 확인 유성 | 오세영

(비상)

[밤하늘은

[ ]: '밤하늘'을 '운동장'에 빗댐(은유법).

별들의 운동장]

오늘따라 별들 부산하게 바자닌다.

'별들'을 사람처럼 표현함(의인법).

운동회를 벌였나

아득히 들리는 함성,

먼 곳에서 아슴푸레 빈 우레 소리 들리더니

빗나간 야구공 하나

'유성'을 '빗나간 야구공'에 빗댐(은유법).

쨍그랑

유리창을 깨고

또르르 지구로 떨어져 구른다.

» 이 시는 별들이 가득한 밤하늘과 별의 모습을 여러 대상에 빗대어 감각적으로 그리고 있다. 밤하늘에서 반짝이는 '별들'을 '부산하게 바자닌다'와 같이 사람이 움직이는 것처럼 나타내고, '유성'을 '빗나간 야구공 하나'에 빗대어 유리창을 깨고 지구로 떨어지는 것으로 표현하고 있다. 이를 통해 밤하늘의 아름다운 모습과 유성이 떨어지는 순간의 생동감을 잘 느낄 수 있다.

바로 확인

이 시의 다음 시구에 나타난 표현 방법으로 적절한 것을 고르시오.

(1) 밤하늘은 / 별들의 운동장 (직유법 , 은유법 , 의인법)

(2) 오늘따라 별들 부산하게 바자닌다. (직유법 , 은유법 , 의인법)

(3) 빗나간 야구공 하나 (직유법 , 은유법 , 의인법)

답 | (1) 은유법 (2) 의인법 (3) 은유법

작품으로 개념 확인 **포근한 봄** | 오규원 (천재(노), 지학사)

눈이 내린다

봄이라서

봄빛처럼 포근한 눈
'눈'을 '봄빛'에 빗댐(직유법).

[담장 위에 쌓이는 봄눈
[ ]: 여기저기 쌓이는 봄눈
나무 위에 쌓이는 봄눈

마당 위에 쌓이는 봄눈]

그리고 / 마루에서 졸다가 깬

눈을 하고 앉은

새끼 고양이의 눈 속에도
새끼 고양이의 눈에 봄눈이 비침.
내리는 봄눈

감았다 떴다 하는

[새끼 고양이의 눈처럼

보드라운 [ ]: '봄눈'을 '새끼 고양이의 눈'에 빗댐(직유법).

봄

봄 하늘

봄 하늘의 봄눈]

» 이 시는 봄눈이 내리는 모습과 그 분위기를 비유를 사용하여 표현하고 있다. 1연에서는 '포근한 눈'을 '봄빛'에 빗대었고, 4연에서는 보드라운 봄과 봄눈의 느낌을 '새끼 고양이의 눈'에 빗대어 표현하고 있다. 이를 통해 봄눈의 포근하고 부드러운 느낌이 구체적으로 드러나면서 평화로운 분위기가 나타나고 있다.

바로 **확인**

이 시에 대한 다음 설명의 괄호 안에서 알맞은 말을 고르시오.

(1) '봄빛처럼 포근한 눈'에는 (직유법 , 의인법)이 나타나 있다.

(2) 이 시에는 봄날의 (활기찬 , 평화로운) 분위기가 드러나 있다.

(3) '새끼 고양이의 눈'과 '봄눈'은 (포근하다 , 보드랍다)는 유사성이 있다.

답 | (1) 직유법 (2) 평화로운 (3) 보드랍다

작품으로 개념 확인 햇비 | 윤동주

미래엔

아씨처럼 나린다
잠깐 내리다가 그치는 '햇비'의 모습을 빗댐(직유법).
보슬보슬 햇비

맞아 주자 다 같이

옥수숫대처럼 크게
햇비를 맞으며 자라나는 아이들의 모습을 빗댐(직유법).
닷 자 엿 자 자라게

해님이 웃는다
해가 밝게 떠 있는 모습을 빗댐(의인법).
나 보고 웃는다.

하늘 다리 놓였다
'무지개'를 빗댐(은유법).
알롱알롱 무지개

노래하자 즐겁게

동무들아 이리 오나

다 같이 춤을 추자

해님이 웃는다

즐거워 웃는다.

» 이 시에서는 잠깐 드러났다가 사라지는 '햇비'의 모습과 즐겁게 햇비를 맞으며 자라나는 아이들의 모습을 각각 '아씨'와 '옥수숫대'에 빗대어 표현하고 있다. 또한 밝게 떠 있는 '해'가 사람처럼 웃는다고 표현하여 햇비를 맞는 아이들의 모습을 바라보며 즐거워하는 화자의 마음을 드러내고 있다. 이를 통해 밝고 희망찬 분위기를 만들고, 주제를 효과적으로 전달하고 있다.

바로 확인

이 시에 나타난 대상의 특성과 빗댄 대상을 바르게 연결하시오.

(1) 밝게 떠 있음. •   • ㉠ 해님
(2) 무럭무럭 자라남. •   • ㉡ 아씨
(3) 잠깐 나타났다가 사라짐. •   • ㉢ 옥수숫대

답 | (1) ㉠ (2) ㉢ (3) ㉡

2 상징

뜻 인간의 감정, 사상과 같은 추상적인 내용을 ❶ ______ 인 대상으로 나타내는 표현 방법.

특징

- 오랜 세월 동안 사람들이 되풀이하여 사용하여 그 의미가 굳어진 것들도 있고, 글쓴이가 개인적으로 새로운 의미를 부여하여 독창적이고 참신한 느낌을 주는 것들도 있음.
- 원관념이 겉으로 드러나지 않고 ❷ ______ 관념만 나타남.
- 대상이 나타내는 의미를 다양하고 풍부하게 해석할 수 있음.

예 별을 노래하는 마음으로
보조 관념
모든 죽어 가는 것을 사랑해야지.

→ '별'의 원관념이 드러나지 않음. 순수한 소망, 이상적 세계 등을 상징함.

❶ 구체적 ❷ 보조

바로 확인

상징의 특징을 다음과 같이 정리한다고 할 때, 괄호 안에서 알맞은 말을 고르시오.

> 표현하고자 하는 대상이 겉으로 (드러나서 , 드러나지 않아서) 시어의 의미를 (다양하게 , 정확하게) 해석할 수 있다.

답 | 드러나지 않아서, 다양하게

작품으로 개념 확인

고래를 위하여 | 정호승

미래엔

푸른 바다에 고래가 없으면 / 푸른 바다가 아니지
'고래'가 있어야 푸른 바다임.
[마음속에 푸른 바다의 / 고래 한 마리 키우지 않으면
[ ]: 청년이라면 마음속에 '고래'를 키워야 함.
청년이 아니지]

푸른 바다가 고래를 위하여
청춘, 젊음
푸르다는 걸 아직 모르는 사람은

아직 사랑을 모르지

고래도 가끔 수평선 위로 치솟아 올라 / 별을 바라본다
꿈을 추구하는 존재를 상징함. 꿈, 이상, 희망 등을 상징함.
나도 가끔 내 마음속의 고래를 위하여

밤하늘 별들을 바라본다

» 이 시에서는 '푸른 바다', '고래', '별' 등의 상징적 시어를 통해 꿈과 이상을 지닌 삶의 자세를 노래하고 있다. '푸른 바다'는 '고래'가 있는 곳이자 고래를 위하여 푸른 곳이고, '고래'는 마음속에 살며 가끔 '별'을 바라보는 존재이다. 그러므로 '푸른 바다'는 꿈과 희망을 지니고 살아가는 삶을, '고래'는 꿈과 희망 또는 꿈을 품고 살아가는 청년을 상징한다.

바로 **확인**

이 시에서 다음 설명에 해당하는 시어로 알맞은 것은?

> '나'가 마음속의 고래를 위해 바라보는 대상으로,
> '꿈, 이상, 희망' 등을 상징함.

① 푸른 바다 ② 청년 ③ 별

답 | ③

작품으로 개념 확인 **고무신** | 오영수 (천재(박))

가 남이는 곁눈으로 영이와 윤이를 한 번 흘겨보고는, / "오늘 뒤 개울에 빨래를 간 새, 영이와 윤이가 제 고무신을 들어다 엿을 바꿔 먹었어요."
남이가 아끼는 고무신을 엿과 바꿔 먹음.

나 "내 봐요, 빨리!"
엿장수에게 고무신을 돌려 달라고 따지는 남이
엿장수는 손짓으로 어르듯 달래듯,

"가만있소. 도가에 가 보고 신이 있으면야 갖다
엿장수가 팔 엿을 받아 오는 곳을 뜻함.
주고말고. 만일 신이 없으면 새 신이라도 사다
엿장수가 남이에게 옥색 고무신을 사 줄 것임을 암시함.
줄게요. 염려 마소!"

다 보리밭 사이 조그만 언덕길로 옥색 고무신을
남이에 대한 엿장수의 마음이 담겨 있음.
신은 남이는 갔다. 자천 골짜기로 꽃놀이를 가는 줄만 알았던 남이가 난데없는 영감 하나를 따라가고 있는 광경을 엿장수는 울음
남이와 엿장수의 안타까운 이별
고개 위에서 멀거니 바라보고 있는 것을 남이 자신이야 알 리도 없었다.

» 이 소설은 '고무신'을 소재로 하여 남이와 엿장수의 만남과 이별을 그리고 있다. 아이들이 남이가 아끼던 고무신을 엿과 바꿔 먹은 일을 계기로 만난 남이와 엿장수는, 남이가 뜻하지 않게 떠나면서 안타까운 이별을 맞는다. 떠나는 남이가 신고 있던 새 '옥색 고무신'은 남이와 엿장수의 서로에 대한 마음, 두 사람의 애틋한 인연을 상징한다.

바로 확인

이 글에 나타난 '고무신'에 대한 설명이다. 괄호 안에서 알맞은 말을 고르시오.

> 남이가 떠나면서 신고 있는 '고무신'은 엿장수가 선물한 것으로 짐작할 수 있다. 이로 보아 '고무신'은 남이와 엿장수의 (희망찬 미래 , 시련의 극복 , 애틋한 사랑)을 상징한다.

답 | 애틋한 사랑

작품으로 개념 확인 까마귀 검다 하고 | 이직

(교학사, 금성)

까마귀 검다 하고 백로야 웃지 마라.
(까마귀: 긍정적 존재 / 백로: 부정적 존재)

겉이 검은들 속조차 검을쏘냐.

겉 희고 속 검은 것은 너뿐인가 하노라.
(겉 희고 속 검은 것은: 겉과 속이 다름. / 너: 백로)

» 이 시조는 '까마귀'와 '백로'의 대비를 통해 겉과 속이 다른 태도에 대한 비판과 경계를 드러내고 있다. 화자는 '까마귀'가 검다고 비웃는 '백로'에게 '겉 희고 속 검은 것은 너뿐'일 것이라고 말한다. 따라서 '까마귀'는 검은 겉모습과 달리 속은 결백한 긍정적인 대상을, '백로'는 겉과 속이 다른 부정적인 대상을 상징한다.

이 시조의 작가인 이직은 고려의 신하였지만 조선의 개국 공신이 되었어. 이러한 맥락을 고려하여 시어의 상징적 의미를 해석할 수 있어.

그러면 '까마귀'는 작가인 이직을, '까마귀'를 비웃는 '백로'는 이직을 변절자라고 비난했던 고려의 충신들을 상징한다고 할 수 있겠네.

바로 확인

이 시조에 대한 다음 설명이 맞으면 ○, 틀리면 X 표 하시오.

(1) 겉과 속이 다른 존재인 '너'는 '백로'이다. ( )

(2) 화자는 '까마귀'를 부정적으로 평가하고 있다. ( )

(3) '까마귀'와 '백로'의 상징적 의미는 서로 반대된다. ( )

답 | (1)○ (2)X (3)○

작품으로 개념 확인

까마귀 싸우는 골에 | 영천 이씨

(금성)

까마귀 싸우는 골에 백로야 가지 마라.
부정적 존재 / 긍정적 존재
성난 까마귀 흰빛을 시샘할세라.
백로의 속성(결백)
청강(淸江)에 기껏 씻은 몸을 더럽힐까 하노라.
백로에게 까마귀와 어울리지 말라고 한 이유

» 이 시조는 '까마귀'와 '백로'의 대비를 통해 '까마귀'와 같은 존재와 어울리는 것에 대한 경계를 표현하고 있다. 화자는 '백로'에게 '기껏 씻은 몸'을 더럽힐 수 있으니 '까마귀'와 어울리지 말라고 말하고 있는데, '까마귀'는 싸움을 일삼고 남을 시기하는 사람, '백로'는 순수하고 깨끗한 사람을 의미한다.

바로 확인

이 시조에 나타난 자연물과 그 상징적 의미를 바르게 연결하시오.

(1) 까마귀 • • ㉠ 싸움을 일삼는 존재
(2) 백로 • • ㉡ 깨끗하고 순수한 속성
(3) 흰빛 • • ㉢ 더러움에 물들지 않은 존재

답 | (1) ㉠ (2) ㉢ (3) ㉡

작품으로 개념 확인 **꿩** | 이오덕

천재(노)

가 "헤헤, 4학년이나 됐다는 아이가 남의 책 보퉁이나 메다 주고……."
남의 책 보퉁이를 날라 주는 용이의 처지

"참 못난 아이제." / 모두 이런 말로 수군거리는 것 같았습니다.

'뭐, 못난 아이라고?' / 용이는 화가 났습니다.

나 '야, 참 멋지다!' / 날개를 쫙 펴고 꽁지를 쭉 뻗고 아침 햇빛에 눈부신 모습으로 산을 넘어가는 꿩을 쳐다보는 용이의 온몸에 갑자기 어떤 힘이 마구 솟구쳤습니다. 용이는 그 자리에서 한번 훌쩍 뛰어올라 보았습니다. 하늘에라도 날아오를 듯합니다. 용이는 발에 채는 책 보퉁이 하나를 집어 들었습니다. 그리고 그것을 하늘 위로 던졌습니다.
용기, 자신감
꿩을 보고 용기를 얻어 책 보퉁이를 던져 버림.

다 "됐다!" / 용이는 이제 하늘이 탁 트이고 가슴이 시원해져서, 저 건너 산을 보고 "하하하." 웃었습니다.
다른 아이들의 책 보퉁이를 던져 버리고 후련해함.

떠가는 구름을 따라 마구 날아갈 것 같았습니다.

'내가 정말 못난이였구나! 이제 다시는 그런 짓 안 한다!'
남의 책 보퉁이를 날라 주는 일을 그만두기로 결심함.

» 이 소설은 아버지가 머슴이라는 이유로 다른 친구들의 책 보퉁이를 대신 메 주던 용이가 '꿩'을 본 뒤 용기를 얻어 아이들과 맞서는 모습을 담고 있다. 용이의 태도 변화를 가져온 '꿩'은 '용기', '자신감', '자유로움' 등을 상징하는 소재이다.

바로 **확인**

이 글에서 다음 설명에 해당하는 소재로 알맞은 것은?

용기와 자신감을 상징하며, 용이의 태도 변화를 가져옴.

① 산 ② 꿩 ③ 하늘

답 | ②

작품으로 개념 확인 막내의 야구 방망이 | 정진권

(금성)

가 아이들은 선생님이 다 나으셔서 오실 때까지 우리 기죽지 말자 하며 서로서로 격려하게 되었고, 이러한 기운이 팽배해지자 이른바 간부였던 아이들은 자기네의 사명을 깨닫게 되었다. 그래서 몇 아이들이 우리 집에 모였던 것이고, 그 기죽지 않을 방법으로 채택된 것이 야구 대회를 주최하여 우승을 차지하는 것이었다. /[연습은 참으로 피나는 것이었다. 배 속에서 꼬르륵거리는 소리가 나도 누구 하나 배고프다는 말을 하지 않았다.]

담임 선생님의 병으로 아이들이 흩어져 지내게 된 상황과 아이들의 반응

막내의 반 아이들이 기죽지 않기 위해 선택한 방법

[ ]: 우승하려고 열심히 연습하는 아이들

나 "아빠, 우린 해야 돼. 다음번엔 우승해야 돼. 선생님이 다 나으실 때까지 우린 누구 하나도 기죽을 수 없어."(중략)

이튿날 밤[나는 늦게 돌아오는 막내의 방망이를 미더운 마음으로 소중하게 받아 주었다.]그때도 막내와 그 애의 친구 애들의 초롱초롱한 눈 같은 맑고 푸른 별이 두어 개 하늘에 떠 있었다. 나는 그때처럼 맑고 푸른 별을 일찍이 본 적이 없다.

[ ]: 막내의 의지와 노력을 응원하는 태도

우승을 향한 막내의 의지, 노력

막내와 반 아이들의 맑고 순수한 마음

> 이 수필은 막내가 반 아이들과 야구 연습을 열심히 하게 된 사연을 담고 있다. 담임 선생님이 안 계신 상황에서 기죽지 않기 위해 야구 시합에서 우승하려는 막내의 의지와 아이들의 순수한 열정, 이를 응원하는 글쓴이의 마음이 상징을 통해 드러나고 있다.

바로 확인

이 글에 나타난 상징에 대한 설명으로 적절하지 않은 것은?

① '맑고 푸른 별'은 막내와 막내네 반 아이들의 맑고 순수한 마음을 상징한다.

② '막내의 방망이'는 야구 시합에서 우승하려는 막내의 의지와 노력을 상징한다.

③ '막내의 방망이'를 소중히 받아 주는 '나'의 모습은 우승을 향한 열정을 상징한다.

답 | ③

작품으로 개념 확인 사막을 같이 가는 벗 | 양귀자

(천재(노))

가 망망대해(茫茫大海)를 헤매는 듯한 인생의 항해는 신학기 잠시의 외로움을
두려움 가득하고 힘들며, 고난투성이인 인생
극복하는 일 따위와는 비교도 할 수 없을 만큼 두려움 가득하고 힘들다. 삶은 고난투성이고 끝없는 인내를 요구하기만 하는데, 그러나 홀로 헤치는 파도는 높고
인생에서 마주치게 되는 고난, 시련
거칠기만 한 것이다. / 바로 이때에 영혼을 함께 나눌 친구가 절실히 필요해진다.

나 누군가는 말했다. 친구 없이 사는 일만큼 무서운 사막은 없다고. 또 누군가
고독하고 외로운 삶
는 말했다. 친구 없이 사는 것은 증인 없이 죽는 일이라고. (중략)
내 삶의 의미를 설명해 줄 사람

하지만 우정은 상호 간의 교류이다. 일방적인 행위가 결코 아닌 것이다. 말하자면 내가 먼저 쌓아야 할 탑이고 내가 밭을 경작해서 맺어야 할 열매인 것이다.
우정

» 이 수필은 인생에서 친구와 우정의 의미와 가치가 무엇인지 이야기하고 있다. 글쓴이는 '망망대해'를 헤매는 듯하고 '사막'과 같은 인생을 살아가기 위해서는 영혼을 나눌 친구가 필요하다고 말하고 있다. 제목인 '사막을 같이 가는 벗'은 고난과 시련이 가득한 험난한 인생을 함께해 주는 진정한 벗을 상징한다.

바로 확인

이 글에 나타난 소재와 그 의미를 바르게 연결하시오.

(1) 파도 • • ㉠ 친구가 없는 고독한 삶

(2) 사막 • • ㉡ 인생에서 마주치는 고난

(3) 열매 • • ㉢ 노력해서 쌓을 수 있는 우정

답 | (1)㉡ (2)㉠ (3)㉢

작품으로 개념 확인

새로운 길 | 윤동주

(천재(노), 창비)

내를 건너서 숲으로
○: '나'가 향하는 곳
고개를 넘어서 마을로

어제도 가고 오늘도 갈

나의 길 새로운 길
'인생(삶)'을 상징함.

민들레가 피고 까치가 날고
길을 걸으며 다양한 존재들을 만남.
아가씨가 지나고 바람이 일고

나의 길은 언제나 새로운 길
항상 새로운 마음으로 길을 걷고자 함.
오늘도…… 내일도……

내를 건너서 숲으로

고개를 넘어서 마을로

» 이 시는 '길'이라는 상징적 소재를 통해 늘 새로운 마음으로 삶을 살아가고자 하는 의지를 표현하고 있다. 화자인 '나'가 '어제도 가고 오늘도 갈' 길은 과거에서 현재로 이어지는 인생을 의미한다. 또 화자는 '나의 길은 언제나 새로운 길'이라고 하며, 항상 새로운 마음으로 길을 걸어가겠다는 다짐을 드러내고 있다.

바로 확인

이 시에 나타난 다음 시어의 상징적 의미를 | 보기 |에서 골라 그 기호를 쓰시오.

(1) 길 ………………………………………………… (　　)

(2) 까치, 바람 ………………………………………… (　　)

보기

㉠ 인생을 살며 만나는 존재들　　㉡ 과거에서 미래로 이어지는 삶

답 | (1) ㉡ (2) ㉠

작품으로 개념 확인

어린 왕자 | 생텍쥐페리

미래엔

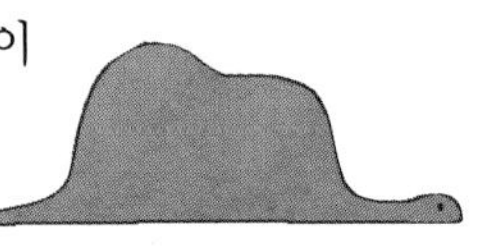

가 나는 그 걸작품을 어른들에게 보여 주고 내 그림이 무서우냐고 물어보았다. 어른들은 대답했다. "모자 가 뭐가 무서워?"

(그림 제1호에 대한 어른들의 시각)

내 그림은 모자를 그린 게 아니었다. 그것은 코끼리를 삼키고서 소화하는 보아 구렁이였다. 그래서 나는 어른들이 알아볼 수 있도록 보아 구렁이의 배 속을 그려 넣었다. 어른들에게는 언제나 설명을 해 주어야 한다.

(내가 그림 제1호에 표현한 것) (눈에 보이지 않는 것은 이해하지 못함.)

나 어른들 중에 좀 똑똑해 보이는 이를 만날 때면 나는 늘 간직하고 있던 내 그림 제1호를 가지고 그 사람을 시험해 보곤 했다. 정말이지 이 사람이 무언가 이해할 줄 아는 사람인지 궁금했다. 그러나 그 사람은 으레 "모자로구나." 하고 대답하는 것이었다. 그러면 나는 보아 구렁이니, 원시림이니, 별이니 하는 이야기는 아예 꺼내지도 않았다.

(눈에 보이는 것만 보고 판단함.) (나의 관심사-동심의 세계, 정신적 가치)

» 이 소설은 사막에 착륙한 비행기 조종사가 다른 별들을 여행 중인 한 소년을 만난 이야기를 담고 있다. 제시된 장면에는 비행기 조종사가 어린 시절 그린, 코끼리를 삼키고 소화하는 보아 구렁이 그림에 대한 어른들의 반응이 나타난다. '모자'는 눈에 보이는 것만을 보고 판단하는 어른의 세계, 현실적인 가치를, '보아 구렁이'는 눈에 보이지 않는 세계, 동심의 세계, 정신적 가치를 상징하는 것으로 볼 수 있다.

바로 확인

이 글에서 '모자'가 상징하는 바로 알맞지 않은 것은?

① 어른의 세계

② 현실적인 가치

③ 눈에 보이지 않는 세계

답 | ③

작품으로 개념 확인 **오우가** | 윤선도 (천재(박), 동아, 비상)

꽃은 무슨 일로 피면서 쉬이 지고
○: 쉽게 변하는 존재
풀은 어이하여 푸르는 듯 누르나니

아마도 변치 않는 건 바위뿐인가 하노라.
변하지 않는 바위의 속성

〈제3수〉

더우면 꽃 피고 추우면 잎 지거늘
일반적인 자연물의 모습
솔아 너는 어찌 눈서리를 모르는다.
눈서리를 모르는 솔의 속성
구천(九泉)에 뿌리 곧은 줄을 그로 하여 아노라.
흔들리지 않음(지조와 절개).

〈제4수〉

› 이 시조는 '물, 바위, 소나무, 대나무, 달'의 다섯 자연물을 '벗'이라고 부르며 그 가치를 예찬하고 있다. 〈제3수〉에서는 쉽게 변하는 '꽃', '풀'과 달리 변하지 않는 '바위'의 속성을 예찬하고 있고, 〈제4수〉에서는 눈서리를 모르고 뿌리가 곧은 '솔'의 속성을 예찬하고 있다. 여기에서 '바위'는 변하지 않는 굳건한 존재를, '솔'은 시련을 이겨 내는 굳은 절개와 지조를 지닌 존재를 상징한다.

바로 확인

이 시조에 나타난 자연물과 그 상징적 의미를 바르게 연결하시오.

(1) 풀 • • ㉠ 변하지 않는 존재
(2) 바위 • • ㉡ 쉽게 변하는 존재
(3) 솔 • • ㉢ 굳은 절개와 지조를 지닌 존재

답 | (1)㉡ (2)㉠ (3)㉢

3 갈등

뜻 인물의 마음속이나 인물과 인물 사이, ❶ ____ 과 외부 환경 사이에서 대립과 충돌이 일어나 복잡하게 얽혀 있는 상태.

특징
- 갈등의 진행과 해결 과정을 통해 작품의 주제를 파악할 수 있음.
- 갈등 상황을 통해 작품 속 인물의 성격과 가치관을 파악할 수 있음.
- 작품에서 ❷ ____ 의 흐름에 따라 갈등이 일어나고, 고조되며 해결되는 과정을 겪음.

예 문기는 선생님 앞에 엎드려 모든 것을 자백할 결심이었다. 그런데 선생님의 부드러운 태도에 도리어 문기는 말문이 열리지 않았다. 다음은 건넌방에서 어린애가 울어 못 했다. 다음은 사모님이 들락날락하고 그리고 다음엔 손님이 왔다. 기어이 문기는 입을 열지 못한 채 물러 나오고 말았다.

소심하고 우유부단한 문기의 성격이 드러남.

– 현덕, 〈하늘은 맑건만〉에서

❶ 인물 ❷ 사건

바로 확인

갈등에 대한 다음 설명이 맞으면 ○, 틀리면 X 표 하시오.

(1) 소설에서 갈등은 사건의 흐름과 관련이 없다. ············ (　　)

(2) 작가는 소설에서 갈등을 통해 말하고자 하는 바를 전달한다. ············ (　　)

(3) 갈등을 해결하는 과정에서 인물의 성격과 가치관이 드러난다. ············ (　　)

답 | (1) X (2) ○ (3) ○

작품으로 개념 확인

그대로도 괜찮아 | 극본 박범수, 연출 홍경철

(금성)

은하: (수화로, '말했잖아. 나 더 이상은 못 한다고! 성적 오르는 거 보고 싶으면 특수 학교 보내 줘!')

은하 엄마: 말도 안 되는 소리 하지 마! 말했지, 넌 의지가 너무 약하다고! 헬렌 켈러는 너보다 더 안 좋은…….
은하에게 의지를 가지고 노력할 것을 강요함.

은하: (고개 가로 저으며) 으아아아아!

은하 엄마: (기겁하며) 은하야…….

은하: (수화로, '뭘 더 노력해? 노력해도 안 되면 정신력이 약한 거야? 난 더 못 해! 이제 나한테 아무것도 강요하지 마!')
엄마의 계속된 강요에 분노함.

은하 엄마: (놀라서 당황하며) 은하야…….

은하: (수화로, '난 내 장애보다 엄마가 더 힘들어.')
자신을 있는 그대로 받아들여 주지 않는 엄마 때문에 힘들어함.

은하 엄마: (깜짝 놀라) 뭐?

> 이 드라마 극본은 청각 장애가 있는 고등학생 은하가 춤 동아리에 들어가려 하면서 겪는 갈등을 그리고 있다. 은하는 음악을 듣지 못하기 때문에 박자에 맞게 춤추기가 어려워 동아리에서 환영받지 못하고, 자신을 있는 그대로 받아들여 주지 않고 장애를 극복하라고 말하는 엄마와 친구들 때문에 갈등을 겪는다.

바로 확인

이 글에 대한 다음 설명이 맞으면 ○, 틀리면 X 표 하시오.

(1) 더 노력할 것을 요구하는 엄마와 힘들어하는 은하가 갈등하고 있다. …… (　　)
(2) 엄마는 은하가 분노하는 모습에 당황하고 있다. …… (　　)
(3) 은하와 엄마가 화해하면서 갈등이 해소되고 있다. …… (　　)

답 | (1)○ (2)○ (3)X

작품으로 개념 확인

할머니를 따라간 메주 | 오승희

(지학사)

가 "요즘 아파트에서 그런 거 만드는 사람이 몇이나 된다고 그러세요."
엄마의 가치관: 현대적인 생활 방식에 익숙함.

"너는 안 벅고 살래? 아무리 아파트기로서니 사람이 할 일은 하고 살아야재. 그래, 아파트 살면 장을 다 사 먹어야 한단 말이여?"

"아유, 그만두세요. 어머닌 옛날 방식만 고집하시니."

엄마는 돌아서서 안방 쪽으로 갔다. (중략)

"시상이 아무리 달라졌다 혀도 달라지지 않는 것도 있는 법이여. 그렇재, 암."
할머니의 가치관: 과거의 전통 방식을 지키려 함.

그러고는 박아 놓은 못에 메주를 걸었다.
갈등의 원인

나 내 방으로 가다가 안방 문을 살짝 열어 보았다. 엄마가 쪼그려 앉아 두 팔에 머리를 묻고 있었다. 나는 엄마를 부르지도 못하고 문을 다시 닫았다.

왜 이래야 되는지 도무지 알 수가 없었다. 나는 엄마도 좋고 할머니도 좋다. 그런데 두 분이 사이가 안 좋은 건 정말이지 견딜 수 없을 만큼 슬프고 괴롭다.

» 이 소설은 도시의 아파트를 배경으로 하여 가치관의 차이로 나타나는 세대 간의 갈등을 그리고 있다. 메주를 직접 빚는 전통 방식을 지키려 하는 할머니와 아파트에서 메주를 빚는 것에 불만을 가진 엄마 사이의 갈등이 '나'의 시선에서 전달되고 있다.

바로 **확인**

이 글에 나타난 갈등에 대한 설명으로 적절하지 않은 것은?

① 아파트에서 메주를 만드는 일이 갈등의 원인이 되고 있다.
② 할머니의 편만 드는 '나'의 태도 때문에 갈등이 심화되고 있다.
③ 옛날 방식을 고집하는 할머니와 이에 불만을 가진 엄마가 갈등하고 있다.

답 | ②

4 내적 갈등

뜻 인물의 마음속에서 서로 ❶ ______ 감정이나 욕구가 일어나서 생기는 갈등.

특징 고민이나 망설임, 불안, ❷ ______ 등의 형태로 드러남.

예

→ 잠을 더 자고 싶은 마음과 일어나야 한다는 마음 사이에서 고민하는 상황

❶ 다른 ❷ 분노

바로 확인

다음 중 내적 갈등이 나타난 예로 적절한 것은?

① 학원에 가지 않은 것을 들켜 부모님께 혼나는 상황

② 하나 남은 과자를 동생에게 양보할지 말지 고민하는 상황

③ 컴퓨터 게임에서 져서 누구의 잘못인지를 두고 친구와 다투는 상황

답 | ②

작품으로 개념 확인

자전거 도둑 | 박완서

(교학사, 금성, 비상)

낮에 내가 한 짓은 옳은 짓이었을까? 옳을 것도 없지만 나쁠 것은 또 뭔가. 자
자신이 낮에 자전거를 들고 도망쳤던 일이 옳았는지 고민함.
가용까지 있는 주제에 나 같은 아이에게 오천 원을 우려내려고 그렇게 간악하게
자전거를 들고 도망친 일을 합리화함.
굴던 신사를 그 정도 골려 준 것이 뭐가 나쁜가?

그런데도 왜 무섭고 떨렸던가. 그때의 내 꼴이 어땠으면, 주인 영감님까지 "네놈 꼴이 꼭 도둑놈 꼴이다."라고 하였을까.

그럼 내가 한 짓은 도둑질이었단 말인가. 그럼
자신이 한 일이 도둑질이었던 것인지 고민함.
나는 도둑질을 하면서 그렇게 기쁨을 느꼈더란 말인가. / 수남이는 몸을 부르르 떨면서 낮에 자전거를 갖고 달리면서 맛본 공포와 함께 그 까닭 모를 쾌감을 회상한다.
내적 갈등의 근본적인 원인: 자전거를 들고 달리며 쾌감을 느낀 자신의 부도덕성

» 이 소설은 순진한 소년인 수남이가 물질적 이익만을 좇는 어른들 사이에서 겪는 갈등을 그리고 있다. 전기용품 가게에서 일하는 수남이의 자전거가 바람에 쓰러지면서 신사의 자동차에 흠집을 내고, 신사의 과한 수리비 요구에 수남이는 자전거를 들고 도망친다. 수남이는 자신의 이 행동이 도둑질이었는지 고민하다가 자기를 도덕적으로 견제해 줄 수 있는 아버지가 있는 고향으로 돌아가기로 결심하며 갈등을 해결한다.

바로 확인

이 글의 수남이에 대한 설명으로 적절하지 않은 것은?

① 자신의 행동이 도둑질인지 아닌지 고민하고 있다.

② 낮에 자전거를 갖고 달리며 쾌감을 느꼈던 것 때문에 갈등하고 있다.

③ 신사를 골려 준 자신을 '도둑놈 꼴'이라고 한 주인 영감님에게 분노하고 있다.

답 | ③

작품으로 개념 확인

하늘은 맑건만 | 현덕

(천재(노), 천재(박), 미래엔, 지학사, 창비)

문기는 아랫방에 내려와 혼자 되자 삼촌 앞에서보다 갑절 얼굴이 달아올랐다. (부끄러움을 느끼는 모습) 지금까지 될 수 있는 대로 생각지 않으려고 힘을 써 오던 그편에 정면으로 제 몸을 세워 놓고 보지 않을 수 없었다. 그러자 자기라는 몸은 벌써 삼촌의 이른바 나쁜 데 빠지고 만 것이었다. (자신의 잘못을 깨닫고 죄책감을 느낌.) 그야 자기는 수만이가 시켜서 한 일이니까 잘못이 없다는 것이지만 (이전까지 자신의 잘못을 합리화함.) 당초에 그것은 제 허물을 남에게 밀려는 얄미운 구실이 아니고 뭐냐. 그리고 문기는 이미 삼촌을 속였다. 또 써서는 아니 될 돈을 쓰고 말았다. (삼촌을 속이고 잘못된 행동을 한 것을 반성함.)

» 이 소설은 문기가 심부름을 갔다가 잘못 받은 거스름돈을 써 버리면서 일어난 갈등을 그리고 있다. 문기는 친구 수만이의 꾐에 넘어가 그 돈을 함께 쓰지만 삼촌의 꾸중을 들은 뒤 잘못을 바로잡으려 한다. 그러나 잘못을 퍼트리겠다는 수만이의 계속된 협박에 다시 돈을 훔치는 잘못을 저지르고, 더 심한 죄책감에 시달리다가 사고를 당한 뒤에 삼촌에게 모든 것을 고백하고 갈등에서 벗어난다.

바로 확인

이 글에 나타난 갈등을 다음과 같이 정리할 때, 괄호 안에서 알맞은 말을 고르시오.

삼촌에게 꾸중을 들은 뒤 죄책감을 느끼는 문기의 (내적 , 외적) 갈등

'내가 한 일은 수만이가 시켜서 한 것이니 난 잘못 없어.'  '돈을 써 버리고 (수만 , 삼촌)을 속인 것은 잘못이야.'

답 | 내적, 삼촌

5 외적 갈등

뜻 인물과 인물을 둘러싼 외부 요소와의 ❶ ______ 과 충돌로 일어나는 갈등.

종류

- 인물과 인물의 갈등: 인물 간의 성격이나 생각이 대립하여 생기는 갈등.
- 인물과 사회의 갈등: 인물이 사회의 윤리나 제도 등과 충돌하여 겪는 갈등.
- 인물과 운명의 갈등: 인물이 피할 수 없는 운명 때문에 겪는 갈등.
- 인물과 자연의 갈등: 인물이 거대한 힘을 가진 ❷ ______ 과 부딪혀 겪는 갈등.

예 **〈홍길동전〉의 줄거리** 홍 판서의 아들인 홍길동은 열심히 노력하여 높은 학식과 뛰어난 무술 실력을 갖추지만 서얼이라는 이유로 차별을 받는다. (사회적 신분 때문에 차별을 받는 홍길동 → 인물과 사회의 갈등) 그러던 중 자신을 해치려는 무리 때문에 집을 나온 홍길동은 도적의 무리를 만나 그들의 우두머리가 되어 활빈당을 만든다. 조정에서는 홍길동을 잡으려고 하지만 잡지 못하고, 홍길동은 임금에게 불합리한 현실을 말하고 벼슬을 요구한다. 임금이 병조 판서 벼슬을 내리자 홍길동은 조선을 떠나 율도국을 정벌하여 이상적인 나라를 세워 왕이 된다.

❶ 대립 ❷ 자연환경

바로 확인

다음 상황에서 나타나는 갈등의 유형을 보기 에서 골라 그 기호를 쓰시오.

(1) 공포 영화를 보자는 언니와 액션 영화를 보고 싶은 동생의 갈등 .... (　　)

(2) 새로운 바이러스가 생겨나서 그것을 이겨 내기 위한 인간의 갈등 .... (　　)

보기

㉠ 인물과 인물의 갈등　　㉡ 인물과 사회의 갈등

㉢ 인물과 운명의 갈등　　㉣ 인물의 자연의 갈등

답 | (1) ㉠ (2) ㉣

작품으로 개념 확인 **동백꽃** | 김유정

(동아, 비상)

가 "느 집엔 이거 없지?" / 하고 생색 있는 큰소리를 하고는 제가 준 것을 남이 알면은 큰일 날 테니 여기서 얼른 먹어 버리란다. 그리고 또 하는 소리가

"너 봄 감자가 맛있단다." / "난 감자 안 먹는다, 니나 먹어라." / 나는 고개도 돌리지 않고 일하던 손으로 그 감자를 도로 어깨 너머로 쑥 밀어 버렸다.

('나'에 대한 점순이의 호감 표시 / 점순이의 마음을 알지 못하고 거절함.)

나 "이놈의 계집애! 남의 닭 알 못 낳으라구 그러니?" / 하고 소리를 빽 질렀다.

그러나 점순이는 조금도 놀라는 기색이 없고 그대로 의젓이 앉아서 제 닭 가지고 하듯이 또 죽어라, 죽어라 하고 패는 것이다. 이걸 보면 내가 산에서 내려올 때를 겨냥해 가지고 미리부터 닭을 잡아 가지고 있다가 너 보란 듯이 내 앞에 쥐지르고 있음이 확실하다.

(점순이가 '나'의 집 닭을 괴롭힘. / 점순이의 의도: '나'에게 화가 나 있음을 드러냄.)

» 이 소설은 산골 마을을 배경으로 하여 '나'가 점순이의 애정을 알아차리지 못하면서 벌어지는 갈등을 그리고 있다. '나'가 점순이가 준 감자를 거절한 후 점순이는 '나'의 집 닭을 때리고 닭싸움을 시키는 등의 행동으로 '나'를 괴롭힌다. 어리숙한 '나'가 점순이의 행동을 이해하지 못한 채 두 사람 사이의 갈등이 이어지면서 웃음을 유발한다.

바로 **확인**

이 글에 대한 다음 설명이 맞으면 ○, 틀리면 X 표 하시오.

(1) 인물과 자연 사이의 외적 갈등이 드러나 있다. ………………………… (　　)

(2) '나'가 감자를 거절한 일이 갈등의 원인이 되고 있다. ………………… (　　)

(3) '나' 때문에 상처받은 점순이의 내적 갈등이 드러나 있다. ……………… (　　)

(4) 점순이는 '나'의 집 닭을 때리는 것으로 갈등을 해결하였다. …………… (　　)

답 | (1) X (2) ○ (3) X (4) X

작품으로 개념 확인 세 얼간이 | 라지쿠마르 히라니 외

교학사

가 **아버지**: 한 오 년 뒤에 네 친구들이 좋은 차에 큰 집을 가진 것을 보면 너 자신을 저주할 거다.

아버지가 중요하게 생각하는 가치

파르한: 전 공학자가 되면 좌절하고 아버지를 저주할 거예요.

아버지의 바람과 달리 공학자가 되지 않으려 함.→갈등의 원인

나 **파르한**: 아버지, 저는 아버지를 설득하고 싶은 것이지 협박하는 게 아니에요. 제가 사진작가가 된다고 무슨 일이 생기겠어요? 돈은 덜 벌겠죠. 집도 더 작고 차도 더 작겠죠. 하지만 저는 행복할 거예요. 정말 행복할 거예요. 다 제 진심 어린 마음에서 나온 말이에요. 지금까지 아버지 말씀 잘 듣는 아들이었잖아요. 한 번만 제 마음이 원하는 대로 하면 안 될까요? 아버지. 제발요.

파르한의 장래 희망 / 파르한이 중요하게 생각하는 가치 / 진심을 다해 아버지를 설득하는 파르한

다 **아버지**: 이거 환불해. 전문가용 카메라는 얼마나 하지? 노트북이랑 바꾸면 될지 모르겠다. 돈이 더 필요하면 말하렴. 너의 인생을 살아라.

사진작가가 되려는 파르한의 선택을 받아들이고 응원해 줌. → 갈등의 해소

» 이 시나리오는 인도의 명문 공대를 배경으로 세 친구의 학교생활과 고민을 그리고 있다. 제시된 장면은 아버지의 바람대로 공대생이 되었지만 사진작가가 되고 싶은 파르한과 파르한의 아버지가 진로 문제로 갈등을 겪는 장면이다. 파르한의 솔직한 고백과 설득에 아버지가 파르한을 응원하며 갈등이 해소되고 있다.

바로 확인

이 글에 대한 다음 설명이 맞으면 ○, 틀리면 X 표 하시오.

(1) 파르한은 진로 문제로 아버지와 갈등을 겪었다. .... (   )

(2) 파르한은 아버지가 반대해도 자신의 뜻대로 살겠다고 선언했다. .... (   )

(3) 아버지가 파르한의 뜻을 받아들이며 갈등이 해소되었다. .... (   )

답 | (1) ○ (2) X (3) ○

작품으로 개념 확인 　야, 춘기야 | 김옥

(창비)

(가) "너 미쳤구나? 학생이 염색을 다 하고." / "윤선이도 했는데."

엄마와 '나'의 갈등 원인

내 말대꾸에 엄마는 불같이 화를 내기 시작했다. / "집에서 하라는 공부는 안 하고 잘한다. 응? 그리고 매니큐어는 왜 발랐어? 너 지금 한 것 내 허리띠 맞지? 도저히 참을 수 없어. 날마다 엉뚱한 짓이나 하고."(중략)

'나'의 행동을 이해하지 못하는 엄마

"휴대 전화도 압수야! 내가 너만 한 나이 때는 공부만 하고 책만 읽었다. 도대체 누굴 닮아 엉뚱한 궁리만 하는 거야?"

(나) "할머니, 엄마는 나만 할 때 공부만 했어?"

그러자 할머니가 잠이 묻은 소리로 말했다. / "누구? 니 엄마가?" (중략)

"그때 남학생들이랑 빵집으로 들판으로 극장으로 얼마나 쏘다니던지 내가 학교도 한번 불려 가고 진짜 속 썩었는데 그건 까맣게 잊었는가 보다."

엄마의 말과 달리 '나'와 비슷했던 엄마의 어린 시절

"정말? 엄마가 그렇게 할머니 속을 썩였단 말야?"

» 이 소설은 사춘기 소녀와 엄마의 갈등과 해결 과정을 그리고 있다. 제시된 장면에는 염색을 하고 멋을 부리는 '나' 때문에 화가 난 엄마와 '나'의 갈등이 나타난다. 엄마는 '나'의 행동을 엉뚱하다고 하며 자신은 그러지 않았다고 하지만 '나'는 할머니를 통해 엄마의 어린 시절도 '나'와 비슷했다는 것을 알게 되면서 엄마를 이해하게 된다.

바로 **확인**

이 글에 나타난 갈등에 대한 설명으로 적절한 것은?

① (가)에는 '나'를 이해하지 못하는 엄마와 '나'의 외적 갈등이 드러난다.

② (가)에 나타난 갈등으로 인해 (나)의 갈등이 일어나고 있다.

③ (나)를 통해 (가)에서 엄마가 화를 낸 이유를 알 수 있다.

답 | ①

작품으로 개념 확인

토끼와 자라 | 엄인희

(미래엔)

용왕: 뭐냐? 얼른 칼을 가져다 배를 쭉 갈라 보자.
토끼의 간을 강제로 빼앗으려 함.

토끼: 예로부터 토끼들은 간이 배 밖으로 나왔습니다. 호랑이, 여우, 늑대, 표범,
목숨을 지키기 위한 토끼의 꾀
살쾡이, 독수리한테 쫓기다 보니 간을 배 속에 넣고는 살아갈 수가 없거든요. 산속 깊은 골짜기에다 차곡차곡 재어 놓고 다니다 밤에만 배 안에 집어넣고 살고 있다고 합니다……가 아니라, 살고 있습니다.

용왕: 그거 큰일이다.

뱀장어: 저놈 말을 믿지 마세요, 폐하!
토끼의 말을 믿지 않음.

도루묵: 먼저 저놈 배를 갈라 보고, 간이 없으면 다시 토끼를 잡아 오면 어떨는지요.

토끼: (엄살을 떤다.) 아이고, 나 죽네. 그 아까운 간을, 그 용하다는 명약을 심심산골에 숨겨 두고 아까운 목숨만 사라지네.

» 이 희곡은 고전 소설 〈토끼전〉을 각색한 것으로, 제시된 장면은 용왕의 병을 낫게 할 토끼 간을 구하기 위해 육지에 간 자라가 토끼를 용궁에 데려온 뒤 용왕이 토끼에게 간을 내놓으라고 하는 상황이다. 토끼의 간을 빼앗으려는 용왕과 신하들, 자신의 배 속에 간이 없다고 하는 토끼 사이의 갈등이 그려지고 있다.

바로 **확인**

이 글에 나타난 갈등을 다음과 같이 정리할 때, 빈칸에 들어갈 인물로 알맞은 것은?

용왕: 토끼의 간을 강제로 빼앗으려고 함.	↔	(　　　): 간을 빼앗길 위기 상황에서 지혜를 발휘하여 거짓말을 함.

① 자라　　② 토끼　　③ 도루묵

답 | ②

작품으로 개념 확인

홍길동전 | 허균

(천재(박), 비상, 지학사)

가 "[대장부가 세상에 태어나서 공자, 맹자의 학문을 익힌 뒤에, 나가서는 장수가 되고 들어와서는 재상이 되며, (중략) 얼굴을 기린각에 그려 빛내고 이름을 후세에 전함이 대장부의 떳떳한 일일 것이다.] 옛사람이 이르기를 '왕후장상의 씨가 따로 없다.'라고 하였는데 이는 나를 두고 말함인가? 아무리 하찮은 사람도 아버지를 아버지라 부르고 형을 형이라 부르는데, 나만 홀로 그리하지 못하는구나. 내 인생은 어찌하여 이리도 기박한가?"

[ ]: 길동의 갈등 원인 ① - 출세하여 세상에 이름을 떨치고 싶음.

아버지를 아버지라 부르고 형을 형이라 부르는데, 나만 홀로 그리하지 못하는구나: 길동의 갈등 원인 ② - 서얼로 태어나 차별을 겪음.

나 대감은 속으로는 길동이 불쌍했지만 짐짓 꾸짖어 말하였다. 만일 그 마음을 드러내서 위로하면 오히려 버릇이 없어질까 염려하였던 것이다.

"재상의 집안에서 천한 노비에게 태어난 사람이 너뿐이 아니다. 그러니 방자하게 굴지 마라. 다시 그런 말을 입 밖에 꺼내면 내 앞에 서지도 못하게 할 것이다."

재상의 집안에서 천한 노비에게 태어난 사람: 길동의 신분

> 이 소설은 서얼로 태어나 신분 탓에 차별을 당하고 입신양명의 기회를 얻지 못하는 길동의 갈등을 그리고 있다. 뛰어난 재주를 지녔지만 사회 제도로 인해 억압당하던 길동은 집을 나가 도적이 되어 영웅적 활약을 펼침으로써 갈등을 해소하고자 하는데, 이를 통해 당대 현실에 대한 비판이 드러난다.

바로 **확인**

이 글에 나타난 갈등으로 적절하지 않은 것은?

① 서얼로 태어난 길동과 사회 제도 간의 갈등
② 길동을 꾸짖는 대감과 대감에게 무례하게 구는 길동 간의 외적 갈등
③ 세상에 이름을 떨치고 싶지만 기회가 없어 괴로워하는 길동의 내적 갈등

답 | ②

6 문학 작품을 통한 성찰

뜻 문학 작품을 읽고 작품에 나타난 인물의 경험과 깨달음 등을 바탕으로 하여 자기 자신의 삶을 되돌아보며 ❶ ______ 하고 살피는 것.

특징
- 문학 작품 속 인물의 경험을 바탕으로 하여 자신의 삶을 성찰할 수 있음.
- 작품 속 인물이 어려움과 고민을 해결하는 과정을 통해 자신의 삶의 문제를 해결하는 방법을 배울 수 있음.
- 작품을 읽고 얻은 ❷ ______ 을 바탕으로 보편적인 삶의 가치를 발견할 수 있음.

예

어느새 내 발은 페달을 차고 있었고 자전거는 도랑과 똥통 옆을 지나고 있었다. 나는 삽시간에 어른이 된 기분으로 읍내로 가는 길을 내달렸다.

그날 나는 내 근육과 뇌에 새겨진 평범한, 그러면서도 세상을 움직여 온 비밀을 하나 얻게 되었다. 일단 안장 위에 올라선 이상 계속 가지 않으면 쓰러진다. 노력하고 경험을 쌓고도 잘 모르겠으면 자연의 판단 ― 본능에 맡겨라.

글쓴이가 자전거를 탄 경험을 통해 얻은 깨달음

– 성석제, 〈어느 날 자전거가 내 삶 속으로 들어왔다〉에서

❶ 반성 ❷ 깨달음

바로 확인

문학 작품을 통해 자신의 삶을 성찰하는 질문으로 가장 적절한 것은?

① 작품 속 인물이 갈등을 겪게 된 까닭이 무엇인가?
② 작품 속 인물과 비슷한 고민이나 어려움을 겪은 적이 있는가?
③ 작품에서 주제를 드러내기 위해 어떤 표현 방법이 사용되었는가?

답 | ②

작품으로 개념 확인 ## 공작나방 | 헤르만 헤세

(천재(노), 동아)

가 나는 에밀을 찾아갔다네. 그는 나를 만나자 곧 공작나방에 관한 말을 꺼냈어. 누가 그랬는지 공작나방을 아주 못쓰게 만들어 놓았다고 하면서, 사람의 소행인지 혹은 고양이가 그랬는지 알 수 없는 일이라고 말하더군.

나 나는 그제야 그것이 나의 소행인 것을 밝혔다네. (공작나방을 망가뜨린 것이 자신임을 고백함.) 그랬더니 에밀은 격분하지도, 큰 소리로 꾸짖지도 않고, 혀를 차며 한동안 나를 지켜보다가 나직한 소리로,

"알았어. 말하자면 너는 그런 자식이란 말이지?" / 라고 하더군.

다 그는 욕설을 늘어놓지도 않았고, 다만 나를 바라보면서 경멸할 따름이었지. ('나'의 고백에 대한 에밀의 반응)

그때 나는 비로소, 한번 저지른 일은 어떻게 해도 바로잡을 도리가 없다는 것을 깨달았다네. ('나'가 잘못을 고백한 뒤 얻은 깨달음)

» 이 소설은 한 소년이 잘못을 저지른 뒤 정신적으로 성숙해 가는 과정을 그리고 있다. '나'는 에밀의 공작나방이 갖고 싶어서 몰래 가지고 나왔다가 그것을 망가뜨리고, 에밀에게 잘못을 고백하고 사과하지만 용서받지 못한다. 이를 통해 '나'는 한번 저지른 잘못은 어떻게 해도 바로잡을 수 없다는 깨달음을 얻는다.

바로 확인

이 글을 읽고 자신의 삶을 성찰한 내용으로 적절하면 ○, 틀리면 X 표 하시오.

(1) 언니의 물건을 몰래 쓰다가 망가뜨렸던 경험이 떠올라 반성했어. .... (　　)

(2) 친구에게 실수를 했는데 용서받지 못하더라도 '나'처럼 사과해야겠어. ·· (　　)

(3) '나'는 한번 저지른 잘못은 돌이킬 수 없다고 했지만 그래도 앞으로 같은 잘못을 되풀이하지 않는 것이 중요하다고 생각해. .... (　　)

답 | (1)○ (2)○ (3)○

작품으로 개념 확인 동해 바다 – 후포에서 | 신경림

(천재(박))

친구가 원수보다 더 미워지는 날이 많다

티끌만 한 잘못이 맷방석만 하게 / 동산만 하게 커 보이는 때가 많다

다른 사람의 작은 잘못을 크게 받아들임.

그래서 세상이 어지러울수록

남에게는 엄격해지고 내게는 너그러워지나 보다

자신의 옹졸한 태도를 성찰하고 반성함.

돌처럼 잘아지고 굳어지나 보다

멀리 동해 바다를 내려다보며 생각한다

널따란 바다처럼 너그러워질 수는 없을까

바다처럼 너그러움을 지니기를 소망함.

깊고 짙푸른 바다처럼

감싸고 끌어안고 받아들일 수는 없을까

스스로는 억센 파도로 다스리면서

자신에게 엄격한 태도를 지니기를 소망함.

제 몸은 맵고 모진 매로 채찍질하면서

» 이 시의 화자는 동해 바다를 바라보며 자신의 모습을 성찰하고 바다와 같은 태도를 지니고 싶은 마음을 드러내고 있다. 화자는 남의 작은 잘못도 크게 보고, 남에게는 엄격하면서 자신에게는 너그러웠던 태도를 반성한다. 그리고 널따랗고 깊고 짙푸르면서 스스로는 억센 파도로 다스리는 바다처럼, 다른 사람에게는 너그럽고 스스로에게는 엄격한 삶의 자세를 지니기를 소망하고 있다.

바로 확인

이 시에 나타난 성찰이 필요한 사람으로 가장 적절한 것은?

① 오늘까지만 놀고 내일부터 공부하겠다며 할 일을 자꾸 미루는 형

② 소심하고 남의 눈치를 많이 봐서 자신의 의견은 거의 내세우지 않는 친구

③ 자신이 화내는 것은 괜찮고 아들이 조금 짜증 내는 것은 버릇없다고 하는 엄마

답 | ③

작품으로 개념 확인

딱지 | 이준관

(천재(노))

나는 어릴 때부터 그랬다.

칠칠치 못한 나는 걸핏하면 넘어져 / 무릎에 딱지를 달고 다녔다.

그 흉물 같은 딱지가 보기 싫어

손톱으로 득득 긁어 떼어 내려고 하면 / 아버지는 그때마다 말씀하셨다.

딱지를 떼어 내지 말아라 그래야 낫는다.
상처가 낫기 위해서는 딱지를 그대로 두어야 함.

아버지 말씀대로 그대로 놓아두면

까만 고약 같은 딱지가 떨어지고
딱지가 떨어지고 상처가 회복되는 과정

딱정벌레 날개처럼 하얀 새살이 / 돋아나 있었다.

지금도 칠칠치 못한 나는 / 사람에 걸려 넘어지고 부딪히며

마음에 딱지를 달고 다닌다.
마음의 상처

그때마다 그 딱지에 아버지 말씀이 / 얹혀진다.
상처가 회복되는 과정을 통해 성장할 수 있다는 깨달음

딱지를 떼지 말아라 딱지가 새살을 키운다.

› 이 시는 상처의 회복 과정을 통해 얻은 삶에 대한 깨달음을 표현하고 있다. 화자는 딱지를 떼어 내지 말아야 낫는다는 아버지의 말씀을 떠올리며, 딱지를 그대로 놓아두면 그것이 나오면서 새살이 돋는 것처럼 사람은 상처와 시련을 극복하면서 성장하게 된다는 깨달음을 드러내고 있다.

바로 확인

다음 중 이 시를 읽고 얻을 수 있는 보편적인 삶의 가치를 골라 그 기호를 쓰시오.

㉠ 넘어지고 부딪히더라도 계속 노력해야 성공할 수 있다.
㉡ 사람은 상처를 입고 회복하는 과정을 통해 성장할 수 있다.

답 | ㉡

작품으로 개념 확인 **보리 방구 조수택** | 유은실 미래엔

가 깍두기를 나눠 먹기 시작하고 얼마 안 되었을 때였어. 수택이는 어린이 신문을 한 부씩 갖다 주기 시작했어. 나는 차마 신문을 거절할 수가 없더라. 건네주는 손에 거무죽죽한 자줏빛이 돌았거든.

수택이가 '나'에 대한 고마움으로 자신이 배달하는 신문을 줌.

나 "야, 너 보리 방구랑 사귀냐? 너는 반찬 주고, 걔는 신문 주고 그런다며?"

소문은 삽시간에 퍼졌어. (중략) 나는 두 손으로 있는 힘껏 신문을 구겨서 공처럼 만들었어. 그러고는 아이들 보란 듯이 신문을 난로 속에 던져 버렸단다.

아이들의 놀림 때문에 수택이에게 상처를 주는 행동을 함.

다 시간이 많이 흐른 지금도 이렇게 겨울 부츠 속에 신문지를 구겨 넣을 때면, 봄 신발을 꺼내 구겨 넣었던 신문지를 빼낼 때면, 나는 한참씩 수택이 생각에 잠긴단다. 수택이는 지금 어디서 어떻게 살까 궁금해지기도 하지. (중략) 어디서 무얼 하든…… 그날이 생각나지 않았으면…… 생각나더라도 너무 아프지 않았으면…… 그랬으면, 내 친구 수택이가 꼭 그랬으면 좋겠어.

어른이 되어서도 수택이에게 상처를 주었던 일에 죄책감을 느끼고 있음.

수택이가 어린 시절의 상처를 잊고 살기를 바람.

» 이 소설은 주인공이 소외당하는 친구에게 호의를 베풀었다가 다른 아이들의 놀림에 그 친구에게 상처를 준 경험을 성찰하는 내용을 담고 있다. '나'는 '깍두기'를 나눠 받은 수택이가 고마운 마음에 준 '신문'을 난로에 태워 버린 일로 어른이 된 지금도 신문을 볼 때면 죄책감을 느끼며 수택이가 상처를 잊고 잘 지내기를 바라고 있다.

바로 확인

이 글에서 어른이 된 '나'가 신문지를 볼 때 수택이 생각을 하는 이유로 알맞은 것은?

① 예전에 자신이 잘못한 일이 잘 기억나지 않아서

② 수택이가 자신과의 좋은 추억을 어떻게 기억하고 있을지 알고 싶어서

③ 어린 시절 자신이 수택이에게 상처 준 일로 지금도 죄책감을 갖고 있어서

답 | ③

작품으로 개념 확인 빌리 엘리엇 | 리 홀

(천재(박), 금성)

가 **아버지**: 그래, 할머니에겐……. 여자들에겐 평범하지만 남자한테는 아니야, 빌리. 남자들은 축구나 권투나 레슬링을 하는 거야. 발레는 안 해.
편견을 드러내며 빌리가 발레를 하는 것에 반대함.

빌리: 무슨 남자가 레슬링을 하죠?

아버지: 성질 돋우지 마라, 빌리.

빌리: 전 뭐가 잘못된 건지 모르겠어요.
발레를 반대하는 아버지에게 맞섬.

나 **면접관 4**: (일어나서 나가려는 빌리를 향해) 마지막으로 한 가지만 물어봐도 될까, 빌리? 춤출 때 어떤 느낌이 들지?

빌리: 모르겠어요. 그냥 기분이 좋아요. 처음에는 좀 어색하지만 일단[춤을 추면 모든 걸 잊게 돼요. 그리고…… 내가 사라지는 것 같아요. 내 몸이 변하는 느낌이 들어요. 마치 불이 붙은 것처럼 뜨거워져요. 마치 제가 나는 것 같아요. 새처럼요. 마치 전기에 감전된 것 같아요.] 네, 감전요.
[ ]: 춤을 출 때 자유로움과 열정, 살아 있음을 느낌.

> 이 시나리오는 빌리라는 소년이 발레의 매력에 빠져 꿈을 향해 나아가는 모습을 그리고 있다. 광부인 아버지는 처음에는 빌리가 발레를 하는 것에 반대했지만 빌리의 재능을 보고 응원해 주게 되고, 빌리는 춤을 출 때 자유로움과 열정, 살아 있음을 느끼며 꿈을 향해 나아간다.

바로 확인

이 글의 빌리가 꿈이 없어서 고민하는 친구에게 해 줄 수 있는 조언으로 적절한 것은?

① 우선 부모님이 바라는 너의 모습을 이루도록 해 봐.
② 네가 열정을 가지고 하게 되는 일이 무엇인지 떠올려 봐.
③ 네가 하려는 일이 사회적으로 높은 평가를 받는지 생각해 봐.

답 | ②

작품으로 개념 확인

빨간 호리병박 | 차오원쉬엔

비상

앞부분 줄거리 뉴뉴에게 수영을 가르쳐 준 완은 어느 날 강 한가운데서 뉴뉴가 의지하고 있던 호리병박을 빼앗는데 이에 겁에 질린 뉴뉴는 물에 가라앉고 이 일로 둘 사이는 멀어진다. 그 후 뉴뉴는 외할머니에게서 어린 시절 이야기를 듣는다.

가 "아버지께서는 강 한가운데까지 나를 데리고 가서는, 갑자기 나무 대야를 뒤집어 버리셨어. 물에 빠진 나는 허우적대면서 몇 번이나 물을 삼켰지. (중략) 그런데 그때 이상한 일이 일어났지 뭐니. 갑자기 몸이 가벼워지더니 뒤뜰 물웅덩이에서처럼 헤엄을 칠 수 있게 된 거야."

뉴뉴가 겪은 것과 비슷한 경험

할머니가 수영을 할 수 있게 된 순간 – 뉴뉴가 완의 의도를 깨닫게 됨.

나 뉴뉴는 모든 것을 잊고 물속으로 뛰어들어 헤엄쳐 나아갔다. 그녀는 가라앉지 않았을 뿐만 아니라 헤엄도 아주 잘 쳤다. 그녀의 수영 실력은 이미 강을 건널 수 있을 정도였던 것이다. (중략) 개학하기 전날 황혼 녘, 뉴뉴는 갈대숲에 걸려 있던 빨간 호리병박을 풀어 주었다.

호리병박 없이 수영을 할 수 있었음.

완을 오해한 것을 깨달은 뒤 그와의 추억을 떠나보냄. → 뉴뉴의 성장

» 이 소설은 중국의 한 시골 마을을 배경으로 하여 뉴뉴라는 소녀가 완이라는 소년과 우정을 나누다 오해로 멀어진 사건을 통해 인물의 성장을 그리고 있다. 할머니의 이야기를 통해 뒤늦게 자신의 오해를 깨닫고, 완과의 추억이 담긴 호리병박을 풀어 주는 뉴뉴의 행동에서 뉴뉴의 성장이 나타난다.

바로 확인

이 글을 읽고 보일 반응으로 적절하면 ○, 적절하지 않으면 X 표 하시오.

(1) 뉴뉴는 완을 오해했던 아픈 경험을 통해 성장하게 되었을 거야. .... (　　)

(2) 뉴뉴는 완이 호리병박을 빼앗은 이유를 끝내 깨닫지 못하고 있어. .... (　　)

(3) 뉴뉴와 할머니의 경험을 통해 두려움을 이겨 내야 혼자 수영할 수 있다는 걸 알게 됐어. .... (　　)

답 | (1)○ (2)X (3)○

작품으로 개념 확인

서시 | 윤동주

지학사

죽는 날까지 하늘을 우러러
부끄러움 없는 삶을 소망함.
한 점 부끄럼이 없기를,

잎새에 이는 바람에도

나는 괴로워했다.
자신의 삶을 성찰하는 자세
별을 노래하는 마음으로

모든 죽어 가는 것을 사랑해야지.

그리고 나한테 주어진 길을
앞으로 자신에게 주어진 역할을 해내겠다고 다짐함.
걸어가야겠다.

오늘 밤에도 별이 바람에 스치운다.

> 이 시는 현재 부정적인 상황에 놓여 있는 화자가 자신의 지난 삶을 성찰하며 앞으로의 삶의 자세를 다짐하는 내용을 담고 있다. 화자는 '하늘'을 우러러 '한 점 부끄럼' 없는 삶을 살기를 소망하며 자신의 삶을 성찰한다. 그리고 자신에게 '주어진 길'을 사명감을 가지고 걸어가야겠다는 의지를 드러내고 있다.

바로 확인

이 시에 나타난 화자의 태도를 통해 얻은 깨달음으로 가장 적절한 것은?

① 아무리 괴로워도 자연을 보며 힘을 내야겠다는 생각을 했어.

② 나의 이기심 때문에 죽어 가는 것들이 있다는 사실에 부끄러움을 느꼈어.

③ 언제나 자신의 모습을 돌아보며 부끄럽지 않고 떳떳한 모습으로 살아가고 싶어.

답 | ③

작품으로 개념 확인 **성장** | 이시영 (교학사, 금성)

바다가 가까워지지자 어린 강물은 엄마 손을 더욱 꼭 그러쥔 채 놓지 않았습니다. 그러다가 그만 거대한 파도의 배 속으로 뛰어드는 꿈을 꾸다 엄마 손을 아득히 놓치고 말았습니다. 그래 잘 가거라 내 아들아. 이제부터는 크고 다른 삶을 살아야 된단다. 엄마 강물은 새벽 강에 시린 몸을 한번 뒤채고는 오리처럼 곧 순한 머리를 돌려 반짝이는 은어들의 길을 따라 산골로 조용히 돌아왔습니다.

- 바다: 새로운 공간, 도전의 공간
- 거대한 파도의 배 속으로 뛰어드는 꿈을 꾸다 엄마 손을 아득히 놓치고 말았습니다: 어린 강물이 엄마 강물 곁을 떠나 바다로 나아감.
- 그래 잘 가거라 내 아들아. 이제부터는 크고 다른 삶을 살아야 된단다: 아들에게 당부를 전하며 응원함.
- 오리처럼 곧 순한 머리를 돌려 반짝이는 은어들의 길을 따라 산골로 조용히 돌아왔습니다: 세상의 순리에 따르는 모습

» 이 시는 자식의 성장 과정과 그것을 바라보는 엄마를 강물의 상황에 빗대어 표현하고 있다. 어린 강물이 엄마 강물의 손을 잡고 바다에 다가가다 파도의 배 속으로 뛰어드는 꿈을 꾸고는 엄마의 손을 놓치는 모습을 통해 자식이 엄마의 품을 떠나 넓은 세상으로 나아가는 모습을 그리고 있다. 엄마 강물은 홀로 바다로 떠난 아들에게 '크고 다른 삶'을 살아야 된다고 하며 자식이 넓은 세상에서 더욱 성장하여 새로운 삶을 살기를 바라는 마음을 드러내고 있다.

이 시에는 엄마 강물과 이별하고 바다로 가서 크고 다른 삶을 살아야 하는 어린 강물의 성장뿐만 아니라 아들을 보내고 산골로 돌아와야 하는 엄마의 성장도 나타나 있어.

바로 확인

이 시에 나타난 공간을 다음과 같이 정리할 때, 빈칸에 알맞은 말을 순서대로 쓰시오.

엄마 강물은 떠나는 어린 강물에게 (　　　　)을 살라며 격려하고 있으므로, 어린 강물이 엄마 강물과 헤어져 가게 되는 (　　　　)는 새롭게 주어지는 시련과 도전의 공간을 의미한다.

답 | 크고 다른 삶, 바다

작품으로 개념 확인 승승한 그대 | 민예지 · 김태희

(천재(노))

앞부분 줄거리 할머니의 손맛으로 운영하던 성태네 식당은 갑작스럽게 찾아온 할머니의 치매 때문에 손님이 점점 줄어든다. 어느 날 할머니는 어릴 적 추억이 담긴 평양 음식이 먹고 싶다고 하고, 할머니를 위해 음식을 만들고 싶었던 성태는 할머니의 옛날이야기와 평양 음식 조리법이 담긴 빛바랜 일기장을 발견한다.
성태가 요리에 흥미를 갖게 된 계기

가 **성태**: 길짱구지지개, 행베리고추장찜, 칠색송어찜, 그리고 이 평양온반. 다 내가 할 수 있다니까!
성태가 할머니의 일기장을 보고 만든 음식들

아빠: 이걸 네가 했다고, 고등학생인 네가!

엄마: 야! 식당이 뭐 아무나 하는 건 줄 알아? 얘가 진짜 오냐오냐하니까 끝을 모르고 왜 이래?

성태: 일단 먹어 봐요! 먹어 보고 얘기하면 되잖아!
자신이 한 요리에 자신이 있음.

나 책상 위에는 계속 들고 다녀 꼬깃꼬깃해진 진로 계획서가 놓여 있다.

성태, 뭔가 결심한 듯 두꺼운 펜을 꺼내 들더니 전에 써 놓은 '가업 승계'라는 글자 위에 한 번 더 꾹꾹 눌러 가며 '가업 승계'라고 적는다.
자신의 진로를 할머니의 식당을 물려받는 것으로 정함.

» 이 드라마 대본은 진로를 정하지 못해 고민하던 고등학생이 요리에 흥미를 갖게 되면서 진로를 정하는 과정을 담고 있다. 치매에 걸린 할머니에 대한 애정으로 할머니의 일기장을 보고 평양 음식을 만들게 된 성태는 할머니의 식당을 이어받기로 결심하며 꿈을 키워 가게 된다.

바로 확인

이 글을 읽고 삶을 성찰한 내용으로 적절하면 ○, 적절하지 않으면 X 표 하시오.

(1) 내가 정말 하고 싶은 게 무엇인지 진지하게 고민해 봐야겠어. ( )

(2) 적성에는 맞지 않지만 부모님이 하시는 일을 물려받아야겠어. ( )

(3) 내가 원하는 진로를 반대하는 부모님을 설득하려면 내가 해낼 수 있다는 걸 먼저 보여 드려야겠어. ( )

답 | (1)○ (2)X (3)○

MEMO

국어전략